D1585375

WATERDANS

Van Sara MacDonald verschenen eerder:

Zeemuziek
Isabella
Schemervlinder

Sara MacDonald

Waterdans

 DE KERN

Oorspronkelijke titel: *Come Away With Me*
Originally published in 2007 by HarperCollins*Publishers*, London
Copyright © 2007 by Sara MacDonald
Sara MacDonald asserts the moral right to be identified as the author of this work
Copyright © 2008 voor deze uitgave:
Uitgeverij De Kern, De Fontein bv, Postbus 1, 3740 AA Baarn
'Come Away With Me' tekst en muziek door Norah Jones © 2002,
EMI Blackwood Music Inc/Muthajones Music LLC, USA. Overgenomen
met toestemming van EMI Music Publishing Ltd, London
Vertaling: Milly Clifford
Omslagontwerp: Annemarie van Pruyssen
Omslagillustratie: Hollandse Hoogte
Auteursfoto omslag: Richard Turpin
Opmaak binnenwerk: V3-Services, Baarn
ISBN 978 90 325 1107 4
NUR 302

www.dekern.nl
www.uitgeverijdefontein.nl

Alle personen in dit boek zijn door de auteur bedacht. Enige gelijkenis met bestaande
– overleden of nog in leven zijnde – personen berust op puur toeval.

Ter herinnering aan mijn nichtje Nikki
die iedereen altijd vrolijk wist te maken

Voor Jackie en Pete in Redcoats

Voor Toby, Nicola en Phoebe (Reukerwtje)

Met liefs

Schrijven op water

Enkele witte ganzenveer
wat schrijf je

terwijl je zachtjes op
het zijden wateroppervlak drijft

en je een spoor trekt
tussen vloeistof en lucht

terwijl je een afdruk van beweging
achter je laat

de aanwijzing van een boodschap?
Schrijven houdt meer in
dan woorden.

JENNY BALFOUR-PAUL, 2006

Deel een

1

Adam voelde dat de haartjes in zijn nek overeind gingen staan. De bekende, nachtmerrieachtige angst was terug. Hij greep zijn vishengel stevig beet. Achter hem rezen de bossen donker en dicht op vanaf de kreek. Hij wist dat het er was, hem gadesloeg. Hij kon het voelen.

Toen hij zich zonet had omgedraaid om zijn jasje te pakken en op-keek naar de bomen, had hij gezien dat de schaduwen veranderd waren, en wist hij dat de donkere vorm waar licht was geweest, iemand of iets was en hem gadesloeg. En wachtte. Wachtte tot hij erlangs moest over het pad voor het toesprong.

Hij begon zijn lijn in te halen, zijn oren gespitst of er iemand langsliep, zodat hij naar het pad kon rennen en achter hen aan kon teruglopen naar het huis. Er was nu niemand te zien op het pad langs de kreek. De bocht langs de waterkant was verlaten. Alleen het geluid van wulpen met hun iele, bevende kreten was te horen, en er stond een reiger op één poot. De mist rolde in zijn richting en verborg de zon terwijl het tij onverbiddelijk kwam opzetten.

Toen Adam zijn lijn had binnengehaald, sloot hij zijn blikken, pakte zijn verrekijker en legde zijn spullen op een stapeltje. Nu moest hij zich langzaam omdraaien om zijn rugzak te pakken. Hij dwong zich om op te kijken naar het bos. De schaduw was weg. Het pad was vrij. Hij gooide zijn spullen in de rugzak, greep zijn hengel en kwam overeind terwijl de zon weer doorbrak vanachter een gordijn van mist.

Hij deed een stap naar de oude schuur op de kade om het pad erachter te bereiken. Toen schrok hij hevig, want half verblind door de zon zag hij iets tegen de muur van het gebouw liggen. Hij staarde ernaar. Het was een vrouw, liggend op haar zij op een jas, met haar knieën tegen haar kin en haar gezicht verborgen onder slordig haar. Ze zag er heel klein uit, als een kind, met haar magere armen om haar lichaam gevouwen. Ze lag heel stil. Jenny.

Adam bleef als aan de grond genageld staan. Hij keek op haar neer en medelijden welde in hem op, verbaasde hem door de heftigheid ervan. Zijn hart kromp samen en zijn ogen prikten bij de aanblik van een verslagen volwassene. Zijn angst verdween. Het begon allemaal een vreemd soort logica te krijgen. Jenny was haar verstand kwijt. Mensen werden soms gek als er iets ergs gebeurde.

Hij moest eigenlijk naar het huis rennen. Hij moest zijn moeder halen, maar op de een of andere manier kon hij haar niet achterlaten, zo kwetsbaar alleen op een oude jas, als een zwerfster. Hij kon het gewoon niet. Ze lag vreemd stil. Hij legde zijn hengel neer, zette zijn rugzak op de grond en kwam voorzichtig dichterbij om haar aan te raken.

Ze was niet dood. Haar huid voelde warm aan onder zijn vingers. Bij zijn aanraking bewoog ze zich en opende haar ogen. Adam deinsde achteruit. Hij wist niet wat hij moest zeggen.

Toen Jenny hem zag, ging ze moeizaam zitten. Hij zag dat haar handen beefden.

'Het is goed,' zei hij vlug. 'Alles is in orde.'

Ze staarde hem aan alsof ze van heel ver weg kwam.

'Adam.' Haar stem was hees, alsof ze al een hele tijd niet gesproken had. Ze stak een hand naar hem uit. Adam kon het niet opbrengen om die aan te pakken. Hij voelde zijn hart tekeergaan in zijn borst. Hij wilde naar Ruth rennen. Hij begreep er niets van.

Jenny's hand viel langs haar zij. 'Het spijt me,' fluisterde ze. 'Het spijt me zo dat ik je heb laten schrikken.' Haar stem klonk dof en haar gezicht was grauw.

Adam hurkte voor haar neer. 'Waarom... waarom volgde je me en verstopte je je in het bos? Ik begrijp het niet.'

Jenny gaf geen antwoord en Adam zei: 'Ik ga mijn moeder halen. Het komt wel goed. We zijn over vijf minuten terug.'

'Ik wilde met je praten, bij je zijn toen je alleen was...' Jenny's stem stierf weg.

'Waarom?' Adam voelde zich niet op zijn gemak.

'Je lijkt zo op Tom. Zoveel. Ik dacht eigenlijk dat je mijn zoon was, dat ik je moeder was.'

Jenny's ogen stonden gekwetst en haar gezicht leek te zijn gekrompen onder de massa krullend haar.

'Neem het me niet kwalijk,' zei ze. 'Ik lijk wel gek. Het was niet mijn bedoeling om je te laten schrikken. Ik zou je nooit iets aandoen. Dat moet je geloven.'

Hij knikte. 'Je bent niet in orde. Het komt wel goed. Ik ga nu Ruth halen.' Hij aarzelde. 'Kun je naar het huis lopen als ik je help?'

Jenny schudde haar hoofd. 'Adam, ik ben zo verschrikkelijk moe.'

Adam boog zich voorover en raakte haar hand aan. 'Blijf hier, Jenny. Ik ben zo terug.'

Hij draaide zich om en rende weg over het pad dat zich naar het huis en zijn moeder slingerde. Bij de bocht hield hij de pas in om op adem te komen. Achter hem hoorde hij het geluid van verstoorde vogels luidruchtig oprijzen uit het water, waardoor de stilte werd verbroken. Hij draaide zich om. Jenny was opgestaan en had haar zware jas aangetrokken. Ze waadde doelbewust het water in, dat snel en zwart stroomde door het opkomende tij.

'Nee!' schreeuwde Adam terwijl hij zo snel als hij kon terug begon te rennen. Zijn adem stokte pijnlijk in zijn borst. 'Nee, Jenny, nee, nee, nee!'

2

Rosie ligt tussen ons in te slapen, met haar dikke billetjes omhoog en haar mollige voetjes gedraaid als de binnenkant van roze schelpen. Ze ligt warm tussen Tom en mij in, met haar gezicht tegen Toms arm. Hun ademhaling stijgt en daalt in hetzelfde oppervlakkige ritme. In haar slaap ziet Rosie er nog steeds uit als een baby; donkere krullen plakken tegen haar hoofd en haar wangen zien rood. Ik moet me inhouden om niet mijn lippen tegen die zachte wangen te drukken.

Tom ligt half naar ons toe gedraaid met één hand onder zijn hoofd en de andere op zijn dij, zijn vingers uitgestrekt alsof hij Rosie wil beschermen. Zijn gezicht ligt diep in het kussen. Zijn korte haar piekt overeind en zijn gezicht is klam van de warmte van al onze lichamen in één bed tijdens een benauwde zomernacht.

Zijn blote armen en borst zijn bruin en breed. Zijn huid glanst van gezondheid. Hij is heel fit.

Het raam staat open om elk zuchtje wind binnen te laten. Ik sla hem gade in het gele licht van een straatlantaarn, mijn lichaam week van verlangen naar hem en de aandrang om hem voortdurend aan te raken. Ik hou van deze gestolen momenten, deze stille nachten waarin ik hem zie slapen. Ik sla deze nachten op in mijn geheugen voor als hij weer zal verdwijnen.

Het is het stille uur tussen nacht en dageraad wanneer Londen even stil is. In de stilte van de duisternis kan ik me inbeelden dat ik het verre geluid van de zee kan horen, en de zeemeeuwen die schreeuwend een nieuwe dag aankondigen.

Het is geen heimwee, maar de luxe van geluk. De wetenschap dat ik, ondanks het feit dat ik in een stad woon, hier een leven heb met de man van wie ik hou. In een huis dat ons past en alle mensen beschut die ik nodig heb om voldaan te zijn, om het werk te doen waar ik van hou. Het is geen volmaakt geluk, want dat zou onmogelijk zijn. Er komt steeds weer dat afscheid dat onze levens onderbreekt. Ik weet nooit waar Tom is of wanneer hij thuis zal zijn. Dat zijn de schaduwkanten.

Ik moet in slaap zijn gevallen, want als ik wakker word, zingen de vogels en stroomt zonlicht door het open raam naar binnen. Ik hoor Flo langzaam de tweede trap opgaan naar de werkkamer op de bovenste verdieping. Wat een heerlijke dag was het toen ze bij ons kwam. Ze zal het werkschema voor maandag aan het nalopen zijn. Over een poosje komt ze ons thee brengen en luidkeels haar verbazing kenbaar maken dat Rosie weer in ons bed ligt.

Ik rek me voldaan uit, steek dan mijn arm uit over Rosie heen en wrijf zacht met mijn vinger over Toms arm. Die is zo glad als een rol zijde. Maar mijn haar valt over Rosies gezicht en kriebelt Tom en ze bewegen zich allebei.

Hij geeuwt, doet een oog open, ziet dat ik naar hem kijk, glimlacht slaperig en draait zich op zijn rug. Hij is onbewust gracieus in zijn bewegingen. Hij doet me denken aan een kat.

Hij draait zich om naar Rosie, die tegen hem aan ligt en strijkt haar haren uit haar warme gezichtje. Opeens kijkt hij me aan met intens blauwe ogen. Het is een zeldzaam onbewaakt moment dat me schokt door zijn kwetsbaarheid.

Ik ben er altijd van uitgegaan dat onze liefde niet gelijkwaardig is. Tom is alles voor me. Ik ben belangrijk, maar niet alles voor hem. Op dit moment zie ik zijn pure onverholen liefde voor Rosie en mij.

Ik schuif naar hem toe en hij trekt me over Rosie heen en verbergt zijn gezicht in mijn haar.

Rosie is meteen klaarwakker en lacht. 'Ik! Ik! Papa!'

Tom steekt zijn arm uit en trekt haar tegen ons aan, waardoor ze het uitgiert.

Flo klopt op de deur. 'Thee?' roept ze.

We maken ons vlug van elkaar los en gaan zitten. 'Ja, graag. Kom binnen!'

Flo komt binnen met een dienblad in haar handen. Ze trekt een zogenaamd verbaasd gezicht naar Rosie. 'Wat doe jij hier, jongedame?'

Tom zou uit bed zijn gesprongen, maar hij heeft niets aan. 'Flo, ik wou dat je ons niet bediende. Dan voel ik me ontzettend schuldig.'

'Houd je mond,' zegt Flo opgewekt. 'Ik heb de keuken graag voor mezelf op zondagochtend, zoals je weet.' Ze zet het dienblad neer en steekt een hand uit naar Rosie. 'Danielle brengt een cadeautje mee uit Parijs voor een braaf klein meisje dat haar ontbijt helemaal opeet.'

Rosie wil ons of het warme bed niet verlaten. 'Komt Ellie thuis?'

'Morgen. Kom, liever, laat mama en papa zich aankleden, dan kunnen jullie allemaal naar het park.'

Dat werkt. Rosie klautert over ons heen en loopt met onvaste stapjes weg met Flo, die de deur achter zich dichtdoet. We drinken onze thee, maar we kleden ons niet aan. Tom trekt met een routineus gebaar mijn nachthemd over mijn hoofd en we vrijen met de intensiteit van de wetenschap dat we nog maar tweeënzeventig uur samen hebben voordat zijn verlof eindigt.

Ik begraaf mijn neus in zijn huid en adem zijn geur in. Zijn gespierde lijf straalt iets van gevaar uit. Hij heeft die sexy gewoonte om zijn ogen open te houden tijdens het vrijen. Zijn ogen worden net paarse, heen en weer schietende vuurvliegjes, tot ze terugrollen en hij tot uitbarsting komt. Het opwindende is dat hij mij, mijn gezicht wil zien als hij klaarkomt. Als we buiten zijn en ik vrouwen zie kijken, denk ik met verbazing: *hij is van mij. Hij is van mij. Hij is echt van mij.*

Hij houdt me zo stijf tegen zich aan dat hij me pijn doet. 'Tom,' fluister ik. 'Ik kan niet ademen.'

Hij laat me geschrokken los. 'Sorry, ik ben net een beer. Ik ken mijn eigen kracht niet.'

'Ik vind het prettig,' zeg ik zacht terwijl ik weer tegen hem aan kruip. En dat is zo. Ik hou van het gevoel van gevaar in de ingehouden kracht van zijn lichaam, de voortdurende waakzaamheid die vlak onder het oppervlak ligt, als een tweede huid. Hij is niet in staat om die helemaal uit te schakelen als hij niet werkt of niet in gevaar is.

Op een avond werden we wakker door lawaai. In één snelle, verontrustende beweging was Tom uit bed en zo stil als een schaduw aan de andere kant van de kamer. Hij trok geluidloos een la open, pakte er iets uit en sloop over de overloop. Ik keek toe terwijl hij naar voren sprong en aanviel. Ik hoorde een schreeuw, deed het lampje naast het bed aan en rende naar de deur.

Tom had iemand in een houdgreep in de donkere keuken. De man maakte grommende geluiden van angst en pijn, maar Danielle was degene die had geschreeuwd. Zij en een vriend waren van de andere kant van het huis gekomen om koffie te pakken. Ze waren allebei behoorlijk aangeschoten. De man vluchtte de trap af en rende met een recordsnelheid de voordeur uit. Woedend begon Tom tekeer te gaan tegen Danielle omdat ze zo dom en onverantwoordelijk in het donker had rondgeslopen.

Ik wist dat Toms kwaadheid niet uitsluitend op haar was gericht maar ook op zichzelf. Hij had de man ernstig kunnen verwonden. Danielle was net zo kwaad en uit het veld geslagen. Vanaf die dag ging de deur tussen onze appartementen 's avonds op slot. Tom en Danielle zeiden drie dagen lang niets tegen elkaar en maakten het vervolgens goed omwille van mij.

Dat was de enige keer dat ik de getrainde en agressieve kant van Tom zag. Het voegt een seksuele prikkeling toe aan mijn gevoelens voor hem. Soms, in de dagen voor hij ons weer verlaat, kan hij veranderen in een teruggetrokken vreemdeling. Naarmate we naar elkaar toe groeien besef ik hoe weinig ik weet van zijn andere leven.

Vanuit mijn werkkamer boven in het huis zie ik hoe Tom met Rosie in haar buggy de straat oversteekt naar het park. Ik vind het vreselijk als ik hem niet kan zien, maar ik verwacht een telefoontje van Danielle, die in Parijs is. Flo had net zo goed het telefoontje kunnen aannemen, maar ik weet dat Danielle denkt dat ik niet serieus aan het werk ben als Tom thuis is. Wat niet zo is.

Beneden in de keuken kan ik Flo horen zingen terwijl ze bezig is om de zondagse lunch te bereiden. Ik drentel rond, pak dingen op en leg ze weer neer terwijl ik een vaag gevoel van verveling onderdruk. Ik begin in het wilde weg te schetsen, maar dan, rusteloos, sta ik op en loop naar het raam.

Het trottoir ligt glinsterend en nat van de regen ver beneden me. De lucht is afgekoeld en ik kan bijna de geur van natte aarde ruiken die opstijgt uit de tuin.

Ik kijk naar rechts naar het einde van de lege straat waar Tom en Rosie zonet nog waren, en ik word bevangen door paniek. Ik draai me om en hol de trap af, terwijl ik naar Flo roep dat ik naar het park ga. Ik ruk de voordeur open en ren de brede straat door, steek over als er geen verkeer is en hol door het hek het park in.

Dan ga ik naar de vijver, en als ik hen de eenden zie voeren, ga ik langzamer lopen en buig me voorover om op adem te komen. Alles is in orde met hen. Daar zijn ze, een grote man en een klein kind, met de hoofden bij elkaar, terwijl ze met een boog brood gooien naar een dwarrelende, gretige massa eenden.

Ik sla hen gade. Rosie voelt als eerste mijn aanwezigheid. Ze draait zich om, roept 'Mama!' en slaakt kreetjes van blijdschap.

Tom lacht. 'Je bent aan het spijbelen, wat leuk.'

Terwijl we samen brood gooien, zegt Tom: 'Door het leven hier met jou en Rosie vraag ik me af waarom ik niet gewoon een burger ben.'

'Jij!' Ik moet lachen bij de gedachte alleen al. 'Ja, hoor! Ik zie je al elke ochtend tijdens het spitsuur in een net pak de metro pakken.'

'Nou, dat zal een keer gebeuren, ook al blijf ik in het leger. Dan krijg ik een buikje en een administratieve functie bij Defensie...'

Rosie, het brood gooien beu, klimt in haar buggy en kijkt hoe de eenden duiken. Ze schatert het uit en klapt in haar handen.

Tom bukt zich en geeft haar een kus. 'Wat ben je toch een lief kindje, Rosie Holland.'

We draaien ons om en lopen gearmd langzaam terug naar het hek. Een vochtige bries brengt weer de doordringende geur van natte aarde met zich mee. Het is pas augustus, maar ik moet opeens denken aan de herfst en het einde van de zomer, en ik huiver.

Tom trekt me naar zich toe. 'Soms, op een vredige familiezondag zoals deze, vraag ik me af wat ik in vredesnaam met mijn leven doe, Jen. Wat jaag ik na?'

Ik ben geamuseerd en cynisch omdat ik hem zo goed ken. 'Je zou je dood vervelen met familiezondagen op een regelmatige basis. Dan zou je rusteloos rondlopen als een luipaard en ons allemaal gek maken.'

Tom kijkt met een grijns op me neer. 'Over roofzuchtig gesproken, het is een fantastisch verlof geweest, nu Danielle in Parijs is.'

Ik zucht. 'Dat is niet aardig en morgen komt ze thuis. Ik wou dat je beter met haar probeerde op te schieten. Jullie zitten elkaar steeds dwars. Het is een gewoonte geworden.'

Als we binnenkomen, heeft Flo alles gedaan en ik voel me schuldig. Ik wou dat ze niet zoveel voor ons deed.

'Ik had toch de tafel kunnen dekken...'

'Daar gaan we weer.' Tom schenkt flinke glazen gin in.

'Beste kind, we hebben elke zondag weer hetzelfde gesprek. Het is geen vervelend karwei. Ik vind het heerlijk om de zondagse lunch te bereiden.'

'Heeft Danielle nog gebeld?'

'Ja. Ze heeft alles verkocht, behalve die lange linnen jurken. Waarschijnlijk te lang voor Parisiennes.'

'Verdorie. Dan had ze gelijk. Ik zal ze in het noorden moeten uitproberen. Was alles goed met haar?'

'Ze klonk alsof ze op een feest was,' zegt Flo diplomatiek.

'Voor de verandering.' Tom tilt Rosie in haar kinderstoel.

Geërgerd verdedig ik Danielle. 'Ze heeft geen familie, alleen Flo en mij. Begrijp je dat niet? In haar ogen zijn wij een gezellig getrouwd stel en als jij hoogdravend gaat doen, versterk je haar vooroordelen alleen maar. Je maakt haar steeds erger. Je moet niet over haar oordelen.'

Tom verontschuldigt zich meteen. 'Sorry, Jen. Je hebt gelijk. Ik merk zelf dat ik het doe. Alleen lijkt ze een steeds losser leven te leiden naarmate ze ouder wordt. Ik vind echt dat ze zich onverantwoordelijk gedraagt. Ik weet dat ze haar eigen appartement heeft en dat ze zelf moet weten hoe ze leeft, maar daarom hoef ik het er niet mee eens te zijn.'

Flo draait zich om van de oven. 'Danielle heeft inderdaad plotselinge neigingen tot uitspattingen, Tom, en ik heb er met haar over gepraat omdat ik me ook zorgen maak om haar veiligheid. Je moet beseffen dat het allemaal om een minderwaardigheidscomplex draait. Ik weet niets van haar jeugd, maar toen moet er iets gebeurd zijn. Probeer aardig te zijn, liever.'

Ik schep Rosies bordje op en geef het aan hem. Hij zet het voor haar neer en snijdt het eten in kleine stukjes.

'Nu voel ik me rot. Danielle is zo'n wulpse schoonheid dat het moeilijk te geloven is dat ze zo'n los leven leidt omdat het haar aan zelfrespect ontbreekt en niet alleen omdat ze van seks houdt.'

Rosie tilt haar lepel op en slaat ermee in de jus.

'Nee!' zeggen we in koor, en Rosie, verbaasd om een bijna onbekend woord te horen, houdt op met haar lepel halverwege.

Die middag laten we Rosie bij Flo achter en gaan we naar de opening van een galerie en daarna naar de ijsbaan. Na in een Chinees restaurant te hebben gegeten omdat Tom dat per se wilde, lopen we zwalkend naar huis.

Tom heeft te veel gedronken. 'Ik zal een hele tijd droog moeten staan, schat.'

'En dat is maar goed ook,' mompel ik terwijl ik hem de trap op hijs en met moeite de sleutel in het slot weet te steken. We wankelen naar boven en Tom wil bij Rosie gaan kijken.

'Maak haar niet wakker, Tom. Ik wil dat ze vannacht in haar eigen bed slaapt.'

Hij slaat haar een hele poos gade. Opeens lijkt hij nuchter. 'Je beseft niet hoe je verandert als je een kind hebt. De gedachte dat er iets met Rosie kan gebeuren is... ondenkbaar. Ik voel me zo beschermend naar jullie beiden. Ik beschouw jullie nooit als vanzelfsprekend. Als ik ergens ben waar de situatie slecht is, denk ik aan jullie en dan weet ik dat jullie ergens zijn waar het warm en veilig is. Mijn steunpilaren. Zonder jullie zou ik mijn werk niet kunnen doen zonder hard en somber te worden.'

We slaan onze armen om elkaar heen en kijken naar ons slapende kind. Ik wil huilen omdat hij over achtenveertig uur weer weg zal zijn. Het huis zal stiller en leger zijn. Ik zal dat misselijkmakende gevoel in mijn maag hebben tot hij belt of er een brief komt zonder poststempel en ik weet dat hij érgens veilig is en dat ik de dagen kan beginnen te tellen tot hij weer thuiskomt.

3

Toen Bea thuiskwam van boodschappen doen was het huis leeg en vond ze een briefje van James op de keukentafel.

> *Schat, Flo belde uit het huis in Londen. Ze is ongerust over Jenny, die spoorloos lijkt te zijn. Jenny heeft na al die tijd blijkbaar Ruth Freidman weer ontmoet. Bizar. Ruth is nu op vakantie in Cornwall en ik ben naar het huis aan de kreek in St. Minyon om te kijken of ze daar allebei zijn. Probeer je geen zorgen te maken. Ik weet zeker dat Jenny wel weer thuiskomt.*
> *J. x*

Bea kreeg een droog gevoel in haar mond. Meteen pakte ze de telefoon en belde Flo op. Een Aziatisch meisje nam aan. Florence en Danielle waren op dat moment bij een belangrijke cliënt. Kon ze een boodschap doorgeven?

'Wil je zeggen dat Jenny's moeder heeft gebeld? Ik wil graag dat Flo contact opneemt zodra ze kan.'

'Natuurlijk. Ik zal het haar zeggen.'

Bea ging de tuin in met de telefoon nog in haar hand. Er stond een koude oostenwind en de zee beneden haar glinsterde fel en donkerblauw. Ze liep heen en weer over het terras tussen de verlepte potplanten terwijl zich in haar maag een knoop vormde door een kil voorgevoel dat er iets heel ergs was gebeurd.

Ze draaide zich om en keek naar het huis en de oprit die in een bocht naar het hek liep. *Ruth.* Bea herinnerde zich duidelijk een mager kind met blonde vlechten dat om de hoek van het huis kwam terwijl haar bleke gezichtje ongerust naar Jenny zocht.

Ruth die elke zondag de heuvel opliep vanaf Downalong, verlangend om van huis te ontsnappen en hier een welkom te vinden.

Bea keek op naar het zolderraam aan de rechterkant van het huis, waar Jenny's slaapkamer was geweest. Ze kon het gegiechel bijna horen dat uit het raam klonk en zich mengde met het geluid van de zeemeeuwen. *Jenny en Ruth. Ruth en Jenny.* De twee hadden al die jaren van hun jeugd samen doorgebracht als een tweeling, en toen opeens was Ruth weg. Wat had Jenny daar om getreurd.

Bea ging weer naar binnen en liep James' werkkamer in. Ze zag dat zijn dokterstas weg was.

4

Tom wordt met een schok wakker. Hij hoort zijn hart luid bonzen in het stille huis, alsof hij een nachtmerrie heeft gehad. Als dat zo is, kan hij het zich niet herinneren. Hij draait zich op zijn rug, er zeker van dat er iets is, een soort knagende waarschuwing die hij zich uit zijn slaap moet herinneren, maar hij kan het zich niet voor de geest halen.

Hij stapt uit bed en trekt zijn badjas aan. Hij loopt naar het gordijnloze raam en kijkt naar buiten. Het is bijna ochtend en hij ziet hoe een roze waas zich verspreidt vanachter de daken. Hij draait zich om naar het bed en kijkt naar Jenny, die ligt te slapen. Hij voelt zo'n overweldigende liefde en vrees door zich heen trekken dat hij zijn adem inhoudt.

Hij loopt de kamer uit en de gang door terwijl hij de schaduwen van zich afschudt, in stilte vloekend op deze buien die altijd op de laatste dag van zijn verlof komen opzetten. Rosie ligt als een muisje opgerold in haar ledikantje, met hetzelfde onwillige haar als haar moeder, dezelfde manier van slapen, een kleine kloon. Hij glimlacht en trekt voorzichtig de dekens over haar lijfje. Rosie. Vlees van zijn vlees.

Hij huivert. De schaduwen in de kamer kruipen dichterbij, dringen op van alle kanten. Hij kan zich niet omdraaien en ze onder ogen zien omdat hij niet weet waar het meeste gevaar vandaan komt.

Hij loopt de kamer uit, gaat naar de woonkamer en laat zich in zijn versleten leren leunstoel vallen. Hij houdt van dit huis. Dit heerlijke, bewoonde victoriaanse huis met zijn hoge plafonds en grote openslaande ramen. Hij houdt van alles in zijn leven behalve van het feit dat hij moet terugkeren naar die vuile oorlog waarvan hij niet meer weet of hij er nog in gelooft. Hij moet die gevoelens uitschakelen, ze met één klap vernietigen voor ze vat op hem krijgen. Hij heeft jongere, minder ervaren soldaten onder zich, jongens van negentien die op hem steunen. Het is het leven dat hij heeft gekozen. Hij heeft geen recht op individuele gedachten, angst of zelfmedelijden.

Ongeduldig staat hij op en schenkt een cognac in. Hij zal luisteren hoe het stille huis om hem heen beweegt en ademt en kraakt. Hij zal de schaduwen van de nacht verdrijven door het rumoer van Jenny's drukke dagen. Het voortdurende komen en gaan en gepraat en gelach; het geluid van de telefoon of deurbel; het lawaai van de voetstapjes van zijn dochter over de geboende vloer; de aanraking van Jenny's hand als ze langs hem loopt met rollen kleurige stof en zich omdraait om naar hem te glimlachen, haar gezicht een en al liefde. Al die dingen vormen de routine van haar dagen als hij weg is; haar besloten, veilige vrouwenwereld.

Door het huwelijk is alles moeilijker geworden. Er is zo veel meer te verliezen, risico's worden berekend, minder instinctief genomen. Het is moeilijk om niet zachter te worden, je scherpte te verliezen. Hij slikt de cognac vlug door. *Hou op met denken.*

Hij valt in slaap in zijn leunstoel en droomt weer. Droomt dat hij uit het vliegtuig stapt in Noord-Ierland, of Bosnië, of Irak. Het stortregent en zijn hart is zwaar van het verlies van iets...

Er is iets wat hij zich hoort te herinneren, maar het danst buiten zijn bereik, net buiten zijn geheugen. Hij kan alleen de ijskoude nachtelijke regen voelen die hem tot op het bot verkleumt.

Hij draait zich om en kijkt naar de jonge soldaten die hem het vliegtuig uit volgen. Ze lijken wazig in de hitte die het vliegtuig achter hen uitstoot. Ze lijken op figuren uit een droom terwijl ze naar hem toe zweven, en hij beseft met plotselinge helderheid dat tijd zoals hij die kent, niet bestaat. Deze soldaten, hijzelf, bevinden zich in een soort tijdloze zone. Ze zijn de soldaten van gisteren en de soldaten van morgen. Ze glimlachen, flirtend met het avontuur, dansend met de dood. Ze begrijpen niet dat het nooit zal ophouden, deze brute oorlogen tegen een onzichtbare vijand. Daar gaan ze met hun gretige, onschuldige glimlach en hun nieuwe, krakende laarzen en zware bepakking. Hij wil ze een waarschuwing toeschreeuwen. We zullen nooit winnen. Het zal alleen maar doorgaan, doorgaan.

Terwijl hij naar hen toe gaat, ziet hij zijn eigen jongere gezicht tussen hen, vastberaden en stralend door de uitdaging. Ze lopen lachend door hem heen terwijl hij naar ze staat te kijken op de landingsbaan. Hij beseft dat ze hem niet kunnen zien omdat hij er niet is. Hij bestaat niet. Zijn tijd is gekomen en gegaan.

Met een gevoel van opluchting wordt hij wakker. Het is ochtend. Hij is in Engeland. Zonlicht schijnt over de geboende vloer. Hij lacht uitgelaten. Waarheen zal hij Jenny en Rosie meenemen op deze kostbare, laatste dag van zijn verlof?

5

Het was februari en de verwaarloosde tuin stond vol sneeuwklokjes en paarse en gele krokussen. Winterjasmijn bloeide in een golfbeweging tegen de schutting. Voor ik wegging om de trein te nemen, liep ik naar beneden en plukte kleine bosjes sneeuwklokjes en zette die her en der in de kamers alsof ik een schaduw van mezelf wilde achterlaten in het huis. Ze leken tere balletdanseresjes in witte bossen tegen het glas-in-loodraam op de overloop, maar tegen de tijd dat ik terugkwam, zouden ze allemaal verlept en bruin zijn.

Ik stelde het moment van vertrek uit. Ik wilde de voordeur niet achter me dichtdoen en me buiten in de scherpe, koude lucht bevinden. Ik voelde een irrationele angst dat er iets zou gebeuren met degenen die in het huis achterbleven, of dat de kamers met de hoge plafonds achter me in het niets zouden verdwijnen.

Ik ging in Toms leren leunstoel zitten en liet het geluid van de meisjesstemmen en het gelach op de vloer van de naaikamer boven me naar beneden sijpelen. Ik luisterde naar Flo's diepe, zachte stem aan de telefoon. Ik bedacht vol schuldgevoel hoeveel Danielle de laatste paar weken op zich had genomen en hoe eenvoudig het zou zijn om de afspraken goed te maken die ze voor me in Birmingham had geregeld.

Buiten hoorde ik de taxi. Ik stond op uit de stoel en ging naar beneden. Ik pakte mijn tassen in de hal en riep naar Flo dat ik wegging.

Ze kwam de zoldertrap af en bleef op de overloop op me neerkijken. Ik onderdrukte de opwelling om mijn tassen te laten vallen en de trap op te hollen om toe te geven dat ik van gedachten was veranderd en Birmingham de laatste plek op aarde was waar ik in mijn eentje naartoe wilde.

Iets hiervan moest op mijn gezicht te zien zijn geweest, want Flo liep de laatste trap af, naar me toe. 'Het is niet te laat, lieverd. Laat Birmingham toch rusten. Wacht tot Danielle terug is. Een week zal niet veel verschil maken. Ik kan je afspraken verzetten. Danielle zal het wel begrijpen.'

Ik schudde mijn hoofd en loog: 'Het gaat wel, echt waar. Ik moet vandaag gaan, Flo. Danielle heeft die afspraken geregeld en ik wil haar niet teleurstellen. Dat zou niet eerlijk zijn.'

Flo zuchtte en gaf een kus op mijn wang. 'Goed, Jen. Ik bel je vanavond.'

Ik liep de stoeptreden af en stapte in de wachtende taxi. Ik zwaaide en Flo keek me na tot ik uit het zicht was.

Het verkeer was ontzettend druk en ik had niet al te veel tijd meer. Terwijl ik me over het perron naar de trein naar Birmingham haastte, deed een gestalte voor me mij aan iemand denken. Het was de kleine beweging van haar hoofd terwijl ze liep, de rechte rug. Opeens kreeg ik een verbijsterend déjà vu, een schilfertje herinnering dat net buiten mijn bereik was.

Ik stapte een bijna lege coupé in de eerste klas in. De stilte was heerlijk. Ik kon wat papierwerk doen.

Opeens drong tot me door aan wie de vrouw die voor me liep mij had doen denken: Ruth Freidman, mijn beste schoolvriendin. Als kind waren we onafscheidelijk geweest. Ze had praktisch in ons huis in St. Ives gewoond. Ze was zo'n meisje dat in alles goed was. Dat moest wel, want ze had al wat oudere ouders die kil waren en kritiek hadden op alles wat ze deed. Ze waren heel streng. Ze mocht nooit vriendinnen mee naar huis nemen en er waren ontelbare regels waaraan ze zich moest houden. Het had haar anders gemaakt, waardoor ze opviel tussen de rest van ons.

Bea had haar instinctief opgenomen in ons grote, drukke gezin. Weg van huis, als ze bij ons was, leek Ruth op te bloeien. Ze was grappig en slim geweest. Ik had heel veel van haar gehouden, maar zelfs als kind wist ik dat ze, als ze eenmaal uit huis ging, nooit zou terugkomen. Ze was loyaal. Ze sprak nooit over haar vreselijke ouders; ze leek te accepteren hoe ze waren.

De trein kreeg vaart en reed de buitenwijken in. In jaren had ik niet aan Ruth gedacht. Het was vreemd dat een glimp van het hoofd van een vrouw herinneringen kon oproepen die zoet en vol pijn terugkwamen. Ik herinnerde me dat ze zei: 'Ik ga nooit trouwen, Jen. Weet je dat mijn ouders hun hele leven in Cornwall hebben gewoond en dat ze nooit ergens naartoe zijn geweest? Ze zijn niet nieuwsgierig naar iets of iemand. Het is ongelóóflijk. Ik wil zo vrij zijn als een vogel...'

Ik vroeg me af of ze dat inderdaad was geworden. Een paar maanden later, vlak voor ons eindexamen, nam haar vader, die bankdirecteur was, opeens een baan in Toronto aan. Het gezin pakte met buitengewone haast hun spullen in en binnen enkele weken waren ze weg. Verdwenen. Terwijl wij met open mond achterbleven.

Het sloeg nergens op om Ruth vlak voor belangrijke examens van school te halen. Het was vreemd, vooral omdat haar ouders altijd zo dwingend en vol verwachting waren wat Ruths lessen betrof. Bea, ongerust dat er iets aan de hand was, was naar Ruths ouders gegaan. Ze bood aan om Ruth in huis te nemen tot na de examens, maar haar ouders reageerden kil en waren vastbesloten om Ruth mee te nemen. Ze kon later op de Internationale School in Toronto wel examen doen.

Het vreemdste van alles was die eigenaardige, robotachtige inschikkelijkheid van Ruth. Ze deed geen enkele moeite om te mogen blijven. Toen ik haar smeekte om bij ons te blijven, werd ze kwaad. Dat was de enige keer dat ze tegen me uitviel en zei dat ik me verdorie met mijn eigen zaken moest bemoeien.

Het stak me ontzettend dat ze haar leven en mij zonder blikken of blozen in de steek liet. Ze schreef me niet één keer. We waren onafscheidelijk geweest en toch kon ik van het ene moment op het andere opzijgezet worden voor haar nieuwe leven. Ruth had een fout gemaakt met het postbusnummer en al mijn brieven werden teruggestuurd. Het duurde jaren voor ik de pijn en het gevoel van verlies van me kon afzetten.

Ik keek uit het raampje naar de tuintjes van de rijtjeshuizen. Wat had Ruth met haar leven gedaan? Wat was er met haar gebeurd?

Ze was altijd een beetje geheimzinnig geweest en had vaak last van stemmingswisselingen. Niet zo vreemd met de ouders die zij had, maar ik vroeg me af of ik haar eigenlijk wel echt gekend had toen ze vertrok zonder achterom te kijken.

Ik staarde naar mijn schaduwachtige spiegelbeeld in het raam. Vreemd, hoe dingen je weer te binnen schoten door zoiets simpels als de rug van een vrouw.

Iemand bleef naast mijn plaats dralen en wierp toen haar jas op het rek boven me. Ik sloeg vlug mijn krant open. Er waren elders genoeg lege plaatsen. Geërgerd keek ik op in het glimlachende gezicht van een elegante, blonde vrouw.

'Jenny Brown! Ik dacht al dat jij het was. Niemand anders kan zulke buitenissige kleren dragen en er zo fantastisch uitzien, en je haar is nog precies hetzelfde. Jij moest het wel zijn!'

Verbaasd staarde ik naar haar op. Ruth Freidman stond voor me. Ik denk niet dat ik haar meteen herkend zou hebben, maar haar stem en lach waren niet veranderd.

'Ruth! O, mijn god. Ik zag je achterhoofd toen ik naar de trein liep. Ik dacht dat het iemand was die me aan jou deed denken.'

Ik zat te ratelen. Onze ogen ontmoetten elkaar en we begonnen allebei te lachen terwijl ze tegenover me ging zitten.

'Je liep langs het raam van de coupé, Jenny. Ik ving maar een glimp op, maar ik wist opeens heel zeker dat jij het was.'

Verbijsterd keken we naar elkaar, veertien jaar later, en zagen de rimpels en schaduwen van onze volwassen gezichten. Haar lange, atletische lijf was nog steeds slank en sierlijk, maar nu had ze stijl en zag ze er onberispelijk uit. De dunne vlechten waren sinds lang verdwenen. Haar gezicht was zorgvuldig opgemaakt, haar haar prachtig blond en chic gekapt.

Hoe zie ik eruit in haar ogen? vroeg ik me af terwijl ik mijn eigen kleine, compacte lichaam betreurde en mijn donkere, weerspannige haar dat ik nog steeds niet onder controle kon krijgen. Ik droeg geen make-up en ik wist zeker dat ik er veel ouder uitzag dan zij.

Opeens zei ik, tot mijn eigen verbazing, misschien omdat ik er net nog aan had gedacht: 'Je verdween opeens, Ruth. Je was gewoon van de aardbodem verdwenen. Je hebt me nooit geschreven. We hebben nooit meer iets van je gehoord. Het leek wel of je dood was.'

Er gleed even iets over Ruths gezicht, en toen haalde ze haar schouders op in een gebaar dat ik me herinnerde. 'Ik... het leek me gewoon beter. Kijk, daar komt de koffie, heerlijk.'

We morrelden aan onze cupjes melk.

'Wat doe jij in de trein naar Birmingham, Jenny? Ben je nog naar de kunstacademie gegaan? Als ik me goed herinner, wilde je een heleboel kinderen, net als Bea.'

Ze lachte en keek naar mijn trouwring. Ik zei met een misselijk-makend gevoel, in een poging om tijd te winnen: 'Welke vraag zal ik het eerst beantwoorden? Ik zit in de trein naar Birmingham omdat ik werk. Ja, ik ben naar Central St. Martin gegaan.'

'Heb je je beurs gekregen?'

'Ja, ik had geluk.'

'Geluk? Dat denk ik niet! Je had ongelooflijk veel talent. En wat doe je nu?'

Ruths terriërachtige vasthoudendheid was niet veranderd. 'Ik werk samen met een Franse modeontwerpster, Danielle Sabot. We hebben samengewerkt voor de studiebeurs voor de Royal Society of Arts en we hebben gewonnen. Door die show vroeg een warenhuis in Londen ons om wat ontwerpen voor hen te maken. Vanaf toen ging het in een stijgende lijn. Nu ontwerpen we voor diverse bedrijven hier en in Frankrijk en Italië. Meestal doet Danielle Birmingham. Ze is een betere zakenvrouw dan ik, maar als ze in het buitenland is, ben ik de klos.'

'Je bent altijd bescheiden geweest. Ik wist dat je succes zou hebben, Jenny. Goed zo.'

'En jij, Ruth?' zei ik vlug. 'Wat heb jij in Toronto gedaan? Wanneer ben je teruggekomen naar Engeland?'

'Nog niet over mij!' zei Ruth net zo vlug als ik. 'En je verdere leven? Het kan toch niet allemaal uit werk bestaan?'

Ik keek uit het raam alsof ik kon ontsnappen. Buiten flitsten legohuisjes voorbij: tuintjes, prikbordmensen die zich in hun eigen territoriums ophielden terwijl het leven onverbiddelijk verderging.

Ik dacht dat ik uitdrukkingloos had gekeken, maar er moest iets op mijn gezicht te zien zijn geweest, want Ruth raakte voorzichtig mijn hand aan. 'Sorry, Jenny. Het gaat me niet aan.'

Ik staarde naar de slanke hand die naast de mijne lag. De hand bewoog en legde zich op de mijne op het tafeltje. Verdriet roerde zich in me. Ik staarde naar de velden. Donkere, natte aarde die werd omgeploegd terwijl zeemeeuwen achter de tractor cirkelden. Toen zei ik, omdat een leugen makkelijker was, want dan leek het of je het verhaal van een ander vertelde: 'Mijn man is om het leven gekomen bij een auto-ongeluk.' Mijn stem klonk alsof hij door een lange, galmende tunnel kwam.

Makkelijker om het vlug te zeggen, op deze manier. Ruth zou die afschuwelijke krantenkoppen en foto's niet met mij associëren.

Haar vingers vouwden zich om die van mij en hielden ze vast. Haar stem klonk geschokt. 'O, Jenny. O, god. Wat vreselijk voor je. Wanneer? Hoelang geleden?'

'In augustus.'

'Pas zes maanden geleden. Toen was ik in Israël. Ik weet niet wat ik moet zeggen. Het spijt me ontzettend, vergeef me dat ik zo heb zitten doordrammen.'

De kleine beweging van Ruths handen op de mijne wekte een warmte in me op die ik voorgoed kwijt dacht te zijn. 'Vertel me over jouw leven, Ruth. Hoelang ben je in Canada geweest? Wanneer ben je teruggekomen?'

Ruth keek me onderzoekend aan, wilde me troost bieden. Toen ze mijn gezicht zag, liet ze mijn vingers los en ging weer achterover zitten. Ze deed haar ogen even dicht. 'Ik ben nooit naar Canada gegaan.' Er kwam een gesloten uitdrukking op haar gezicht.

Ik staarde haar onnozel aan. 'Wat bedoel je in vredesnaam?'

Ruth gaf geen antwoord.

'Je hebt ons een postadres gegeven, al klopte het nummer niet. Je vader kreeg toch een baan in Toronto?'

Ruth keek op en haar gezicht was strak en uitdrukkingloos. Het deed me denken aan het kind dat ze was geweest. De bitterheid in haar stem was duidelijk te horen. 'Ik bedoel dat mijn ouders zijn gegaan. Ik niet. Ik werd naar een tante op Arran gestuurd. Ik heb mijn eindexamen schriftelijk gedaan. Ik ben nooit naar een universiteit gegaan.'

Ik staarde haar aan. 'Ik begrijp het niet...'

'Ze wilden me kwijt.'

Geschokt keek ik haar aan. 'Wat bedoel je?'

Ruth glimlachte wrang. 'Zoals je weet, waren mijn ouders als de dood voor een schandaal en geobsedeerd door wat de mensen van hen vonden. Herinner je je die laatste kerst nog voordat ik wegging?'

Ik knikte. 'Ik lag in het ziekenhuis voor een blindedarmoperatie.'

'Ik loog tegen mijn ouders en zei dat we samen naar een feest gingen. Ik ben alleen gegaan, werd dronken en miste mijn lift naar huis. Uiteindelijk werd ik thuisgebracht door de vader van iemand anders, terwijl ik nog lang niet nuchter was. Helaas bleek hij bij de bank van mijn vader te werken.'

Ze zweeg even en haalde diep adem. Bij haar thuis was alcoholische drank duivelsbrouwsel. 'Mijn vader werd woedend toen hij me zag. Nog voor ik de tijd had om nuchter te worden, zei hij dat hij en mijn moeder niet mijn biologische ouders waren. Dat ik geadopteerd was. Eigenlijk heel grappig. Mijn moeder stond voor me en mompelde: "Het bloed kruipt waar het niet gaan kan. Het bloed kruipt waar het niet gaan kan." Ze leek wel een waanzinnige lady Macbeth.'

Vol ontzetting staarde ik haar aan.

'Een paar weken later nam mijn vader een baan aan die hij voorheen nooit had gewild. Ik werd zo snel als menselijk maar mogelijk was, gedeporteerd naar die uithoek.'

'Niet te geloven. Ik was je beste vriendin. Waarom heb je me in godsnaam niets verteld?'

'Omdat mijn vader paranoïde was en mijn moeder hysterisch over het feit dat iemand ooit zou weten wat ze van plan waren. Ik heb gesmeekt om te mogen blijven en met jou eindexamen te doen. Ik wist dat Bea naar mijn ouders was gegaan. Mijn vader deed heel dreigend en ik was bang voor hem.'

'Je had moeten weglopen en ons alles moeten vertellen. Bea en James hadden kunnen voorkomen dat je werd weggestuurd. Je had me in vertrouwen moeten nemen.'

Ruth boog zich naar me toe. 'Het is nu moeilijk uit te leggen, maar ik had geen fut meer. Mijn ouders hebben zeventien jaar gewacht voor ze me vertelden dat ze niet mijn echte ouders waren. Ze bleven maar doorgaan over hoe ze me van een vreselijke achtergrond hadden gered. Ik voelde me verslagen, heel slecht en waardeloos.'

'Het waren afschuwelijke mensen,' zei ik nijdig. 'Ik had moeten beseffen dat je diep in de problemen zat. Het lijkt wel of ik blind was.'

'Ik heb voor iedereen mijn gevoelens verborgen gehouden. Ik denk dat ik in shock was. Ik wilde niet dat Bea, of wie dan ook van jullie, wist dat ik geadopteerd was. Het leek opeens een schande. Later was ik natuurlijk heel opgelucht dat ik niet hetzelfde bloed had als zij.' Ze keek me aan. 'Ik was bang dat jullie me zouden verachten. Ik wilde me een plek en mensen kunnen herinneren waar van me gehouden werd, júllie huis. Ik wilde dat met me meenemen.'

Ik sloot mijn ogen en huiverde om de wreedheid van het leven. 'Je had ons moeten vertrouwen, beter moeten weten. Je hoefde je spullen maar in te pakken en naar ons huis te lopen.'

Ik zweeg. Het verklaarde niet waarom ze nooit had geschreven. Had ze geloofd dat ze het verdiende om ons te verliezen?

Ruth bestudeerde de rug van haar handen. 'Veertien jaar heb ik geen contact gehad met mijn ouders. Ze stuurden me naar dat Schotse eiland, schreven nooit en zochten nooit meer contact met me. Ik heb niet meer van hen gehoord sinds ze me op de veerboot naar Glasgow zetten en me de rug toedraaiden. Ik had zeventien jaar bij hen gewoond en voor hen hield ik gewoon op te bestaan. Voor zover ik weet, zijn ze nog steeds in Canada. Maar ja...'

'Het waren slechte, wrede mensen.'

Ruth steunde met haar kin in haar hand en glimlachte naar me. 'Ik hield zo van dat warme, chaotische gezin van jullie. Wat heb ik je benijd! Ik denk niet dat ik zonder jullie gezin mijn jeugd had kunnen doorstaan. Ik voelde altijd dat ik erbij hoorde. In jullie huis kon ik een kind zijn. Ik beschouwde mijn huis altijd als een plek waar de tijd stilstond, een plek met het langzame, zware tikken van een klok die de eindeloosheid van mijn jeugd bevestigde.'

Weer staarde ik haar aan. Ik had mijn jeugd als iets vanzelfsprekends beschouwd. 'Het is onvergeeflijk dat je ouders je zomaar in de steek lieten. Wat is er verder gebeurd? Hoe heb je het kunnen redden?'

'Ik kon het redden door die fantastische tante op Arran die me in huis nam. Ze was onvoorstelbaar. Weet je, Jenny, dat ik in mijn jaren bij haar meer liefde en steun heb gekregen dan tijdens mijn hele jeugd bij mijn ouders?'

'Kon je op Arran studeren?'

'Een poos, schriftelijk. Daarna pendelde ik heen en weer naar het vasteland om te studeren. Uiteindelijk moest ik het eiland verlaten om te werken, en mijn tante ging mee. Ik kreeg een baan in een groot warenhuis in Glasgow, merkte dat ik goed was in verkopen, werd inkoper, kreeg ambitie, haalde een graad in bedrijfskunde en begon mijn eigen zaken te runnen. Ik geef ook op freelance basis lezingen over het bedrijfsleven op congressen. Een paar jaar geleden ben ik weggegaan uit Glasgow en werd lid van de Fayad Groep in Birmingham.' Ze spreidde lachend haar armen uit. 'Dat is mijn verhaal!'

Ik glimlachte. 'Ruth, wat goed van je.'

'Nee, dat gold voor mijn tante. Ze was net als jouw moeder. Als Bea. Ze gaf me een gevoel van eigenwaarde en motiveerde me om er ondanks alles een succes van te maken. Een paar jaar geleden is ze gestorven. Ik mis haar nog steeds.'

We zwegen allebei. Ik keek naar Ruths hand. 'Ben je getrouwd?'

'Ja. Met een goede, fantastische man, zo aardig...'

Aardig is een woord dat je verraadt. Aardig is een woord dat je gebruikt in plaats van liefde.

Alsof ze mijn gedachten las, zei Ruth: 'Soms vermoed ik dat mijn ouders gelijk hadden. Ik ben niet altijd een goed mens. Ik ben gedreven. Ik maak niet genoeg tijd vrij voor de mensen die ik hoor te koesteren.' Ze draaide aan haar trouwring. 'Heb jij kinderen?'

Ik schudde mijn hoofd en duwde onder de tafel mijn nagels hard in een hand.

'O, wat erg,' zei Ruth opeens. 'Ik zit hier maar te kletsen over mijn leven terwijl het niet te vergelijken is met wat jij nu moet doormaken, Jenny.'

'Het helpt om over andere dingen te praten. Heb jij kinderen?'

Haar gezicht begon te stralen. 'Ja. Eén. Hij heet Adam.'

De zon scheen op het vuile treinraam en een flauwe straal raakte onze hoofden. Het haar van Ruth kreeg er een gouden kleur door en deed me denken aan onze schooltijd, lang geleden, verborgen in een hoek van de aula om te proberen spelletjes te vermijden in de bittere koude wind die uit zee kwam waaien en over het speelterrein blies, waardoor we het ijskoud hadden. Licht van de gekleurde dakpannen scheen op de raambank waar we ons verstopten, de oren gespitst of we niet de voetstappen van een non hoorden naderen.

'O!' Ruth sprong op. 'Ik moet er bij het volgende station uit, want ik heb afgesproken met Adam. Hij is onderweg naar huis. We moeten hier allebei overstappen. Dat gebeurt niet vaak tegelijkertijd, dus dit komt goed uit. We wonen in de buitenwijken.'

Ze scheurde een stuk van een gebruikte envelop en schreef haar adres en telefoonnummer op. 'Mijn achternaam is nu Hallam. Bel me morgen op, Jenny. Kom naar ons toe, of anders spreken we ergens halverwege af. Ik kan waarschijnlijk ook wat contacten voor je regelen. In welk hotel logeer je?'

Ik vertelde het haar en gaf mijn visitekaartje terwijl ze haar spullen pakte. 'Je hoort niet in je eentje in een vreemde stad te zijn, je moet gezelschap hebben.' Ze raakte even mijn gezicht aan. 'Wat goed om je weer te zien. Mensen maken nooit meer vrienden zoals toen ze heel jong waren en samen opgroeiden, vind je ook niet?'

'Nee,' zei ik. 'Dat denk ik niet.'

Ik stak mijn hand uit en Ruth pakte die beet. We namen geen afscheid. Dat was te onherroepelijk. Terwijl ze wegliep, voelde ik een gemis. Ik wilde niet dat de verdoving van de afgelopen maanden verdween, ik had de bescherming ervan nodig. Haar lange gestalte verdween uit het zicht en ik keek uit het raam terwijl de trein vaart minderde en stopte.

Een jongen stond op het perron te midden van een zee van sari's die naar de opengaande deuren van de coupés tuurden. Hij keek mijn kant uit. Het leek of mijn hart ophield met kloppen, zo vertrouwd, zo dierbaar waren zijn gelaatstrekken en het gebaar waarmee hij achteloos het haar uit zijn ogen wierp. De manier waarop hij zijn hoofd hield, iets schuin. De manier waarop hij zich bewoog, plotseling met een blij gezicht naar voren schoot toen Ruth op het perron stapte.

'Tom! Tom!' Geschokt riep ik zijn naam en mensen draaiden zich om en keken naar me. De trein zette zich langzaam in beweging, als door glas in slow motion. Ik zag Ruth hollen en de jongen tegen zich aan drukken. Ze draaide zich om om een glimp van me te zien en zwaaide wild.

Ik drukte mijn gezicht tegen het raam om hen zo lang mogelijk te kunnen zien. Toen waren ze weg, achter me. De trein voerde me alleen verder, naar Birmingham. Ik stond op en wankelde door het middenpad. Mijn adem kwam in scherpe, pijnlijke stoten.

Tom. Diep vanbinnen begon een jammerklacht. Ik voelde de tranen over mijn gezicht stromen. Toen ik dat bekende gezicht zag, was het of ik een glimp van mijn geliefde opving. Ik slaakte een kreet van smart. Ik begreep het niet. Ik begreep het niet.

Ik keek omlaag en zag dat ik de envelop met Ruths adres en telefoonnummer nog in mijn hand hield. Ik verfrommelde hem met geweld en gooide hem op het middenpad. Ik kon wel gillen, en vlug liep ik naar het toilet.

Na een poos klopte iemand aan en vroeg ongerust of alles in orde was. Uit alle macht probeerde ik tot mezelf te komen. Ik liet koud water over mijn gezicht lopen, haalde een kam door mijn haren en slaagde erin wat lipstick op te doen. Mijn handen beefden. Ik staarde naar mijn verwilderde, bleke gezicht in de spiegel. Was ik gek aan het worden? Leefde er iets van Tom verder, maar niet bij mij? Bij *Ruth*?

Ik had het gevoel of een glazen ruit in me in duizend scherven sprong. Toen ebde alle gevoel weg. De verdoving keerde terug. Ik deed de deur van het slot en liep weer over het middenpad.

De verfrommelde envelop lag nog op de vloer. Ik bukte me, raapte hem op en streek hem glad. *Ruth Hallam.* Ik opende mijn tas en ritste het vakje open waarin de foto's van Tom en Rosie zaten. Zorgvuldig stopte ik de envelop erbij, ritste het vak dicht en sloot mijn tas. Dat was alles wat ik nog had.

Ik keek uit het raam. De trein reed het station binnen. Mensen dromden langs me heen naar de deur. Iedereen had zijn bestemming bereikt. *Ruth heeft een man en die jongen. Ze heeft thuis een leven wachten waar dat doorgaat. Waar het leven doorgaat.*

6

Ik loop weg van het feestgedruis en leun tegen de enorme stam van een paardenkastanje. De rode bloesems staan rechtop tussen de groene bladeren. Het lijkt of ik onder een exotische, ruisende kroonluchter sta.

Het is een overdadig feest, een staaltje pr dat wordt gegeven door Justin, een bevriende ontwerper met wie Danielle en ik op St. Martin's hebben gezeten. Zijn kleren zijn een beetje extreem, maar beroemdheden en modellen verdringen zich om zijn ontwerpen te mogen dragen. Hij heeft beslist een overdaad aan mooie vrouwen hier weten te verzamelen.

Ik kijk hoe Danielle aan het netwerken is. Ze ziet er zelf uit als een beroemdheid, een perfecte advertentie voor onze kleding. Ze draagt papaverrood chiffon. Ik heb de jurk speciaal voor haar ontworpen. Hij is bedrieglijk eenvoudig, laag uitgesneden met een recht, zijden bovenlijfje en uitwaaierende banen chiffon in de rok genaaid. Het lijkt alsof ze een scharlakenrode zakdoek draagt. Met haar donkere teint en lange benen ziet ze eruit als een exotische vlinder.

Ik glimlach terwijl ik haar gadesla. We moeten naar feesten als dit om gezien te worden, en ze munt uit in netwerken. Ik ben beter in van een afstand naar een feest kijken. Ik kan nieuwe trends opmerken, intuïtief ideeën voor de volgende collectie krijgen, en het helpt om te zien hoe vrouwen lopen en zitten met betrekking tot de kleren die ze dragen.

Voor de feesttent zie ik een lange, blonde man met een groep vrouwen. Hij lijkt een vreemde eend in de bijt tussen deze opvallende, artistiekerige modeadepten. Hij schudt steeds zijn haar uit zijn ogen en werpt blikken naar opzij, alsof hij een manier probeert te vinden om te ontsnappen, of in elk geval een andere man te zoeken. Omdat het hier wemelt van meisjesachtige jongens, homo of camp, kan ik heel goed begrijpen waarom de vrouwen zich op hem storten als lawaaiige zeemeeuwen die naar hun prooi duiken. Het is grappig om te zien.

Ik zie dat Danielle me zoekt, maak me los van de boom en loop over het gras terug naar het geroezemoes en gelach. Danielle heeft een klassieke witte jurk voor me gemaakt, exquise van snit zoals alleen zij dat kan, met een smalle gouden bies afgezet. Ik ben gebruind na een week in Cornwall en ik voel me koel, eenvoudig en beheerst.

Ik moest Danielle beloven dat ik op geen enkele manier versiering zou aanbrengen waardoor het effect verloren zou gaan. Het was moeilijk omdat ik gek ben op kleur en excentrieke kleren, maar dit gevoel van bijna onzichtbaar te zijn past goed bij mijn stemming van vanavond. Ik maak me heimelijk zorgen over ons onderkomen, dat te klein is geworden, en over het feit dat, hoewel we een heleboel opdrachten krijgen, onze boekhouding maar niet in balans wil komen.

Terwijl ik langs de groep met de lange man loop, zie ik dat hij naar me kijkt. Ik glimlach en loop verder. Ik ben niet van plan om lid van zijn fanclub te worden.

Ik voeg me bij Danielle en een groep vrienden, en zittend op smeedijzeren stoeltjes balanceren we borden en glazen op onze schoot. Maisie Hill, een model voor wie Justin, Danielle en ik ontwerpen, loopt naar ons toe met de lange man achter zich aan.

'Hallo. Dit is Tom Holland, een legervriend van mijn broer. Ik heb ze allebei voor het feest uitgenodigd, maar Damien is plotseling uitgezonden, dus moest hij alleen komen, de arme jongen. Tom, dat zijn Danielle, Jenny, Claire, Joseph, Milly en Prue. Ik ben zo terug. Ik moet even voor Justin bij de cateraars kijken.'

De man gaat voorzichtig op een stoeltje zitten met zijn bord eten, en lacht op zijn hoede naar iedereen. Danielle en de andere vrouwen richten meedogenloos hun aandacht op hem. Hij heeft iets stils; ingehouden bewegingen en een soort geamuseerde terughoudendheid alsof hij weet dat hij in de belangstelling staat, maar dat het gauw voorbij zal gaan omdat hij uit een andere wereld komt.

Ik merk zijn strakke dijbenen op terwijl hij op het rare stoeltje balanceert, en de spieren van zijn armen waar hij zijn mouwen iets heeft opgerold.

Ik vind Damien, Maisies broer, aardig. Hij komt vaak naar dit soort feesten. We waren doodongerust toen de oorlog in Bosnië uitbrak en hij met de eerste troepen werd gestuurd om met de VN toezicht te houden om de wreedheden tegen te gaan.

Omdat we één soldaat kenden, veranderde de manier waarop we de kranten lazen en naar het nieuws keken. Ik vraag me af of deze man, Tom, daar met Damien is geweest. Wat moeten we allemaal onbenullig lijken. Danielle lonkt naar hem vanonder een gordijn van glanzend, zwart haar. *O, laat hem met rust, Elle. Je moet niet met deze man naar bed gaan en hem dan dumpen. Hij zal niet weten wat hem overkomt.*

Als ik opkijk, slaat hij me gade. Zijn ogen zijn heel bijzonder, met paarse vlekjes en regenboogkleurig. Ze houden mijn blik vast, aandachtig, op een intieme manier, alsof hij me aanraakt. Het bloed stijgt heet naar het oppervlak van mijn huid. Ik voel me alsof ik door een bus ben aangereden.

Maisie roept naar me en ik spring dankbaar op en loop over het gras. 'Verdomme, Jenny, zit daar niet zo stommetje te spelen. Die jongen staat al de hele avond te popelen om met je te praten.'

Ik staar haar aan en vlucht naar het toilet. Als ik terugkom, staat Tom Holland elegant geleund tegen een zilverberk. Ik blijf voor hem staan.

'Hallo,' zegt hij.

'Hallo,' zeg ik vindingrijk.

'Het spijt me als het lijkt of ik je volg. Het komt omdat je ongrijpbaar bent.'

'Vind je?'

'Als een geest. Die mysterieus in de verte heen en weer fladdert, maar nooit blijft staan om zich goed te laten bekijken.' Zijn lach is aanstekelijk.

'Dat doe ik op feesten. Heen en weer fladderen. Voor het geval ik word tegengehouden of ergens niet meer weg kan.'

'Heel verstandig,' zegt hij ernstig, om er vlug aan toe te voegen: 'Houd ik je tegen?'

Ik schud mijn hoofd. We lopen samen door het park, weg van het lawaai en de muziek naar de kastanjeboom waar ik eerder onder stond.

'Hier zag ik je voor het eerst. Een kleine, witte geest onder een baldakijn van groen. Ik knipperde twee keer met mijn ogen maar je was er nog steeds, totaal onbeweeglijk. Dus wist ik dat je echt moest zijn.' Zijn stem is verslavend, met een zweem van een glimlach erin.

'Ik keek van een afstand hoe het ging. Zo krijg ik af en toe inspiratie.'

'Nou, als ik mag afgaan op Maisies jurk, dan werkt dat uitstekend.'

We lopen door het park in de toenemende schemering terwijl de muziek en het gelach achter ons blijven hangen en voor ons lichten in gebouwen worden ontstoken.

Het is een prachtige, stille avond. De hitte van de dag wordt vastgehouden door de gebouwen van de stad, waardoor het een warme avond is en de geur van bloesem ons omringt.

Ik voel dat Tom Holland geen kletspraatjes wil, maar de rust van de avond in zich wil opnemen. We lopen in een vreemd, kameraadschappelijk stilzwijgen en drinken de avond in alsof we elkaar al heel lang kennen.

Opeens kijkt hij op zijn horloge. We draaien ons zonder iets te zeggen om en lopen terug naar het feest dat nog altijd luidruchtig aan de gang is.

'Ik moet weg, Jenny. Morgenochtend vroeg stap ik in het vliegtuig.'

'Naar Bosnië?' Opeens voel ik me verloren. Ik heb hem niets over hemzelf gevraagd. Ik dacht dat er nog tijd zou zijn.

Hij schudt zijn hoofd. 'Nee, gewoon een oefening ergens waar het akelig is.'

We kijken elkaar aan.

'Dank je,' zegt hij.

'Waarvoor?'

'Dat je met me bent gaan lopen op een warme zomeravond in Londen, zonder over ditjes en datjes te praten, en dat je me een prachtige, vredige herinnering hebt gegeven die ik kan meenemen.'

'Pas goed op jezelf,' zeg ik.

Hij kijkt op me neer. 'Mag ik je opbellen als ik terug ben?'

Ik haal mijn kaartje uit mijn tas en geef het aan hem. Hij houdt mijn vingers vast, brengt die naar zijn lippen, en dan draait hij zich om en loopt met grote passen weg door het gras. Mijn hart gaat tekeer als een gevangen vogel terwijl de afstand tussen ons groter wordt.

Ik roep 'Tom' nog voor ik weet dat ik het ga doen.

Hij draait zich om en ik hol naar hem toe. Hij tilt me op en draait me in de rondte. Dan blijven we staan en houden elkaar even vast.

'Pas alsjeblieft goed op jezelf,' zeg ik weer. Ik laat hem los en hij loopt vlug het hek door. Deze keer zie ik dat zijn tred iets veerkrachtigs heeft.

7

'Wat zie je er vandaag blij uit!' zei Adam lachend tegen zijn moeder toen ze uit de trein sprong.

'Hoe zie ik er anders dan uit?'

'Gestrest, mam! Meestal ben je minstens een uur in je eigen wereldje van werk.'

Ruth voelde een steek. Zo was ze dus. Ze maakte met haar afstandsbediening de portieren van haar auto open en toen ze waren ingestapt, zei ze: 'Het was zo bijzonder. Ik heb iemand in de trein ontmoet die ik bijna veertien jaar niet heb gezien. Het was vreemd, Adam. We waren de beste vriendinnen op school.'

'Leuk,' zei Adam. 'Jullie herkenden elkaar dus?'

Ruth wierp hem een blik toe. 'Zo oud ben ik niet! Jenny zag er zelfs min of meer uit als toen, alleen...'

Ze concentreerde zich op het wegrijden uit het parkeervak.

'Alleen wat?'

'Ze was droevig. Ze was die levenslust kwijt. Ik heb dom gedaan. Ik was zo opgewonden dat ik haar weer zag, dat het me niet opviel. Ik zat maar te kletsen en te vragen naar haar leven, en toen vertelde ze het. Zes maanden geleden is haar man om het leven gekomen bij een auto-ongeluk.'

Adam draaide zich naar haar om. 'Wat erg voor haar.'

'Ja. Ze is in haar eentje in Birmingham, dus morgen zal ik haar opbellen. Ik zou haar gevraagd hebben om bij ons te logeren, maar Peter komt vanavond terug en hij zal moe zijn.'

'Gaan we hem van het vliegveld halen?'

'Nee, hij heeft een late vlucht. Hij zei dat hij met een taxi naar huis zou gaan.'

'Gaan we nog naar Cornwall in de krokusvakantie?'

'Natuurlijk.' Ruth concentreerde zich op het verkeer. 'Hoe was jouw dag?'

'Ging wel,' zei Adam. 'Komt Peter met ons mee naar het huisje? Het is leuker als ik iemand heb met wie ik vogels kan kijken.'

'Ik hoop het, Adam, maar...'

'Ik weet het, mam! Waarom heb ik eigenlijk van die werkverslaafden als ouders?'

Hij lachte naar haar om de scherpte weg te nemen, maar het bekende schuldgevoel was terug. Zij en Peter maakten inderdaad lange uren, en Adam was te veel alleen. Af en toe nam hij een vriend mee naar huis, soms ging hij naar een vriend toe, maar dat was niet hetzelfde als iemand thuis hebben als hij uit school kwam.

Ruth zag de ironie er wel van in. Haar tante was er altijd voor hem geweest na school, toen hij nog klein was. Daarna werd hij bijna altijd door iemand anders afgehaald of kwam hij thuis in een leeg huis. Het verschil was dat hij tot de middelbare school gelukkig was geweest en een heleboel vrienden had. Nu leken ze te zijn geslonken tot twee of drie uitgestoten eenlingen die op elkaar waren aangewezen.

Opeens dacht ze aan Peters weemoedige stem. 'Zou het niet fijn zijn om nog een kind in huis te hebben? Ik denk dat Adam dat ook leuk zou vinden. Wil je erover nadenken, Ruth?'

Ruth hoefde er niet over na te denken. Ze wilde geen kinderen meer. Het had haar jaren gekost om te bereiken wat ze nu had. Ze vond het heerlijk om te werken en ze was niet van plan om dat op te geven. Het was te zwaar geweest om Adam groot te brengen, zelfs met hulp. Ze wilde nooit meer moeten jongleren met werk, een baby en schuldgevoel.

Over een paar jaar zou Adam naar de universiteit gaan. Ze kon niet helemaal opnieuw beginnen. Dat kon ze gewoon niet.

Adam vatte haar stilzwijgen op als gekwetstheid. 'Ik maakte maar een grapje, mam. Je maakt je te veel zorgen. De meeste moeders van mijn vrienden maken lange uren. Dat is juist cool.'

Ja, maar de meeste moeders van Adams vrienden werkten omdat ze moesten, niet omdat ze het wilden.

Peter was niet onder de indruk geweest van de grote scholengemeenschap die hun enige keus in de buurt was. Hij had willen betalen om Adam naar een particuliere school te sturen. Ruth had geweigerd omdat ze niet in een particuliere opleiding geloofde. Maar ze wist dat het er eigenlijk om ging of Peter en zij altijd bij elkaar zouden blijven. Als ze ooit uit elkaar gingen, zou ze zich niet kunnen veroorloven om schoolgeld te betalen en het zou wreed zijn om Adam van een particuliere school te halen. Ruth was er nu niet zo zeker van dat ze weer zou weigeren. Adam zei weinig, maar hij voelde zich duidelijk ongelukkig op school.

Ze reed hun lommerrijke straat met victoriaanse huizen in en parkeerde. Voor de verandering was er een plek vrij voor het huis. Adam sprong uit de auto, rende de treden op, maakte de voordeur open en liet die voor haar openstaan.

Terwijl ze naar binnen ging en haar jas ophing, zag Ruth in gedachten Jenny, kinderloos, een huis binnengaan waar haar man nooit meer door de kamers zou lopen. Droefheid golfde door haar heen. Ze herinnerde zich hoe ze rende en schaterlachte met een klein meisje met krulhaar over het strand van St. Ives naar het huis van de Browns, waarvan de ramen uitzicht boden op het strand van Porthmeor en de haven. Zo had ze Jenny steeds voor zich gezien, vol blijdschap, haar bestaan als kind zeker.

Als deze tragedie mij was overkomen, had ik het misschien verwacht. Zelfs als kind had Ruth nooit geluk vertrouwd. Het kon in een oogwenk van haar gezicht geveegd worden. Ze had geleerd het niet te tonen. Alle plezier moest verborgen blijven of in het geheim gekoesterd worden. Ze leerde haar gezicht te beheersen op de weg heuvelafwaarts van het huis van de Browns, zodat haar puriteinse ouders geen spoortje vreugde erop zouden zien als ze haar eigen huis binnenging.

Ze legde die neutrale uitdrukking op haar gezicht die ze soms herkende bij kinderen in de supermarkt. Het gesloten gezicht van een kind tegen wie te vaak wordt geschreeuwd of dat te vaak wordt geslagen. Kinderen die weten dat ze nooit iets goed kunnen doen en die zo onzichtbaar mogelijk proberen te blijven.

De opluchting van haar eigen ouders dat Ruth zo vaak het huis uit was en hen niet voor de voeten liep en stof veroorzaakte, weerhield hen er niet van om jaloers te zijn op mensen die haar misschien gelukkig maakten.

Adam was brood aan het roosteren en zat te neuriën boven zijn tijdschriften over vogels. 'Denk je aan de vrouw die je in de trein hebt ontmoet, mam?' vroeg hij opeens aan Ruth.

'Ja.' Ruth ging tegenover hem zitten. Hij sneed zijn geroosterd brood met marmite en gaf haar een stuk.

'Hoe kwam het dat jullie geen contact meer hadden?'

'Dat was mijn schuld. Ik heb haar nooit geschreven toen ik uit Cornwall naar Arran vertrok. Ik heb haar erg gekwetst. Dat besefte ik vandaag.'

'Vandaag pas, mam?'

Ruth ontmoette zijn blik. Ze had Adam een gekuiste versie van haar jeugd gegeven. 'Ik dacht dat Jenny me wel gauw zou vergeten. Ze had drie zussen en een broer. We waren goede vriendinnen, maar ze had een groot gezin...'

'Maar vriendinnen en vrienden zijn anders,' zei Adam met nadruk. 'Dat zijn mensen die je zelf uitkiest, die geen familie zijn. Ze zien je op een andere manier. Dus bij hen word je anders en dat geldt voor hen ook. Vrienden en vriendinnen zijn belangrijk.'

Ruth staarde naar hem. Je leerde voortdurend nieuwe dingen over je kinderen. Adam had gelijk. Hij was zichzelf, niet alleen de persoon die ze kende, maar een andere jongen die ze niet kende; een persoon die anders deed als hij niet bij zijn moeder was.

Nu zei hij, met boter op zijn kin: 'Heb je het uitgelegd over je ouders en dat tante Vi voor je zorgde? Over mij?'

'Een beetje. Ik had geen tijd om haar alles te vertellen,' zei Ruth behoedzaam, terwijl Adam haar gadesloeg over de tafel heen. 'Maar ze kende je grootouders en ze wist hoe ze waren.'

De telefoon ging en Adam rende erheen. Het was Peter. Zijn vlucht had vertraging. Terwijl Ruth luisterde hoe ze gezellig aan het praten waren, dacht ze met een plotselinge wroeging: *Ik beschouw Peter en het leven dat ik hier heb, als vanzelfsprekend.*

Op je zeventiende geloofde je dat je dromen misschien uitkwamen. Op je dertigste probeerde je geen illusies te hebben. Toch bleef de essentie van een of andere onmogelijke hoop koppig in je doorleven. Ergens was een opwindende, schimmige figuur die alle emotionele en seksuele steun kon geven; een zielsvriend. *Hij.*

Ze hield van Peter, ze waren goede vrienden, maar haar hart maakte geen sprongetje als hij haar aanraakte. Ze was niet verliefd op hem. Dat had hij altijd geweten en Ruth wist dat ze zich nooit door hem had moeten laten overtuigen dat hij het kon veranderen.

Adam gaf haar de telefoon. Ruth luisterde naar zijn stem, warm en liefhebbend en blij dat hij naar huis kwam. In een flits van vertrouwde angst zag ze in hoe weinig ervoor nodig was om hem een plezier te doen of gelukkig te maken. Ze begreep zichzelf. Haar jeugd had haar geleerd dat ze alleen op zichzelf moest vertrouwen, zich nooit meer door iemand moest laten kwetsen. Het gevolg was haar onvermogen om zich helemaal te geven in een relatie. Het was als een knop waarvan het indrukken leidde tot zelfvernietiging. Peter hield onvoorwaardelijk van haar en Adam. Wat kon ze nog meer vragen? Wat kon ze nog meer willen?

Kijk dan toch naar Jenny. Kijk naar Jenny.

8

Ik nam een taxi naar mijn hotel om mijn koffer weg te zetten. Ik bestelde koffie en een broodje dat ik niet weg kon krijgen. Toen ging ik douchen. Ik liet het water over me stromen en zette alle gedachten van me af om de middag door te komen.

Ik ging te voet naar mijn eerste bijeenkomst. Danielle had het grootste deel van de verkoop voor haar rekening genomen en de kopers van het warenhuis leken graag de ontwerpen van ons beiden op verschillende verdiepingen te willen. Onze kleding was heel verschillend. Danielles werk was nogal conventioneel en klassiek, precies het tegenovergestelde van haar karakter. Ze ontwierp voor de iets oudere vrouw. De snit en vorm van haar werk waren verbluffend mooi; elk stuk had een klein, eigenzinnig verschil waardoor haar merk zich onderscheidde.

Mijn werk was grotendeels bestemd voor de boetieks en winkelketens. Ik ontwierp voor de trendy, modebewuste twintigers. Mijn kleren waren niet bedoeld om langer dan een seizoen mee te gaan. Ik ontwierp tassen en riemen, sjaals en sandalen. Als ik al een gave had, dan was het dat ik aanvoelde welke trend eraan zat te komen.

Koffie hield me op de been, maar de middag leek eindeloos terwijl de kopers mijn staalboeken bestudeerden en besloten welke en hoeveel verschillende ontwerpen ze wilden.

Het was donker toen ik weer naar buiten ging. Die afschuwelijke, eenzame tijd als alle lichten aan zijn en mensen zich naar huis haasten. Het motregende. Ik nam een taxi naar mijn hotel met het bekende misselijke gevoel van verlies in mijn maag. Het leek alsof een enorme golf voortdurend boven mijn hoofd hing tot hij me kon verzwelgen. Ik vroeg me af of de eenzaamheid ooit zou veranderen in iets wat ik kon verdragen.

Zodra ik in mijn kamer was, schopte ik mijn schoenen uit en liet het bad vollopen. Uit de minibar pakte ik een flesje wijn. Toen zette ik het nieuws van zes uur aan als achtergrond en nam de wijn mee naar de badkamer. Ik deed mijn ogen dicht en lag te weken zonder aan iets te denken.

De wijn had de uitwerking van een slaappil. Het was nog vroeg, maar ik stapte dankbaar in bed.

Beelden van Tom vulden het donker. Ze leken me te omringen en van alle kanten te komen. Tom, die zijn hoofd achterover gooide en het haar uit zijn ogen schudde met de zee op de achtergrond. Tom, die over een rugbyveld rende met de bal vastgeklemd in zijn armen. Die zich omdraaide om naar me te kijken in de tuin in Londen, ogen halfgesloten met een blik die mijn hart deed omdraaien. Tom in uniform, leunend tegen een palmboom, met toegeknepen ogen in een heet, onbekend land.

Kwam het door een bedrieglijke lichtval, een illusie op dat station, toen ik naar de zoon van Ruth keek? Een seconde had ik Tom zo duidelijk gezien. Een jongere, kinderlijke Tom. Was het wishful thinking geweest? Het soort jongen dat Tom moest zijn geweest voor ik hem kende. Was het gewoon een hersenschim die was opgeroepen door mijn vermoeide geest, zoals een oase in een woestijn?

Een beangstigende zwakte omhulde me als een lijkwade. Waarom was ik hier in Birmingham? Wat had het voor zin als niets me kon schelen? Ik zocht naar een doel dat waarde gaf aan wat ik deed, en ik kon er geen vinden terwijl ik onder het koude hoteldekbed lag.

Na een poos begon de telefoon aanhoudend te rinkelen, met tussenpozen. Ik nam niet op. Ik liet hem doorgaan en na een poos hield het op. Mensen liepen lachend en pratend langs mijn slaapkamerdeur, op weg naar beneden naar het diner. Ik lag in een anonieme kamer, afgesneden, zwevend.

Toen dacht ik aan Flo, die alleen was in het huis in Londen en zich zorgen over me maakte. Ik deed het bedlampje aan en belde haar op. Ik probeerde mijn stem luchtig en opgewekt te laten klinken terwijl ik over de zaken sprak.

Maar Flo kende me te goed. 'O, Jen, je klinkt zo moe. Kom naar huis. Het is allemaal te snel. Kom gewoon naar huis.'

Het werd donker achter de gordijnen. Het licht van koplampen gleed over de ramen en muren en plafond. Ik keek naar de bewegende lichten, betoverd door hun wisselende patronen. Het werd stil in het hotel en het verkeer buiten werd minder.

Kon ik mezelf maar in het verleden wensen om elke seconde te koesteren die ik had in dat leven dat ik had verloren. Ik viel in een vreemde halfslaap vol koortsachtige dromen, en werd vroeg in de ochtend wakker met een hevige dorst. Duizelig stond ik op om de waterkoker aan te zetten. Vervolgens zat ik thee te drinken tot ik me beter voelde.

Toen zag ik dat er een witte envelop onder de deur door was geschoven.

Mevrouw Holland, we hebben gemerkt dat u uw telefoon niet beantwoordt en we hopen dat alles in orde is. Vanavond heeft een mevrouw Florence Kingsley twee keer gebeld. Ook een mevrouw Ruth Hallam heeft meer dan eens gebeld en ze leek wat bezorgd. Ze vraagt of u haar wil terugbellen.

Ik nam mijn thee mee naar bed. De jongen op het perron bleef heel helder in mijn gedachten. Ik zag zijn blonde haar over zijn ogen vallen, zijn profiel met de stompe neus, nog niet helemaal een slungelige puber. Geelbruin jack over donkerblauwe blazer. Zwarte broek, blauw met rode schooltas. Ik zag hem naar Ruth hollen terwijl zijn gezicht oplichtte.

Ik sprong uit bed, nam een douche, kleedde me aan en ging met de lift naar de hal beneden. Bij de receptie bestelde ik een taxi. Terwijl ik wachtte, haalde ik de verfrommelde envelop uit het vakje van mijn tas en streek het adres van Ruth glad.

Ze woonde in een buitenwijk. De taxi sloeg eindelijk een brede straat met bomen en grote, victoriaanse huizen in. Ik liet de chauffeur vaart minderen terwijl ik naar de huisnummers keek. Bij het huis van Ruth gekomen, vroeg ik of hij iets verderop aan de overkant van de straat wilde stoppen. De chauffeur pakte onaangedaan zijn krant. Ik bleef zitten en wachtte. Waarop wist ik niet.

Om vijf voor acht kwam een donkere man de trap van zijn huis af en startte zijn auto. Na een paar minuten claxonneerde hij twee keer en de jongen, Adam, kwam naar buiten gerend met zijn kleren scheef, terwijl hij een geroosterde boterham at. Ruth verscheen boven aan de treden en zwaaide glimlachend naar hen beiden, terwijl ze iets naar de jongen riep wat ik niet kon horen.

Uit het niets kwam een plotselinge, onmetelijke woede op Ruth opzetten.

Ik staarde naar de jongen met het geroosterd brood in zijn mond. Mijn ogen werden als door een magneet naar hem getrokken. Mijn hart ging pijnlijk tekeer. *Ik had me niet vergist.* Hij was een kleine, onvolwassen versie van Tom. Hij stapte in de auto en hij en de man zwaaiden naar Ruth. Toen ging ze weer naar binnen en sloot haar voordeur.

Hij en Ruth hebben elkaar, dacht ik. *Ze hebben elkaar.*

De auto passeerde mijn taxi en ik zag de jongen heel even geanimeerd praten terwijl hij zijn overhemd in zijn broek stopte en zijn veiligheidsriem pakte. Ik staarde hen na tot lang nadat ze uit het zicht waren verdwenen.

De taxichauffeur liet zijn krant zakken. 'Bent u van plan hier de hele dag te blijven, mevrouw?'

'Nee. Breng me alstublieft terug naar het hotel.' Ik klemde mijn bevende handen in elkaar. Hij wierp me een bevreemde blik toe, draaide zich om en reed weg.

Terug in het hotel pakte ik mijn lijst met afspraken. Het was moeilijk om me erop te concentreren. Ik kon het beeld van de lachende jongen niet uit mijn hoofd zetten. Ik had me niet ingebeeld dat hij op Tom leek. Ik was niet gek. Het was zo klaar als een klontje. Hoe oud zou hij zijn? Hoe oud?

Ik moest me op mijn dag concentreren, anders ging ik er onderdoor. Ik wist niet precies wanneer ik voor het laatst had gegeten, dus belde ik roomservice en bestelde croissants en koffie. Daarna voelde ik me beter, ik pakte de telefoon en belde Flo. Ik zei dat alles in orde was en we bespraken kort de afspraken voor die dag.

Mijn eerste was om kwart voor tien. Omdat het hotel vrij centraal lag ten opzichte van de winkelcentra, ging ik lopen. Het was een dag met een stralend blauwe lucht. Het was druk, en het rook nog naar de regen van de vorige avond. Ik liep mee met de stroom mensen die zich naar hun werk haastten. Het gaf me een prettig gevoel van anonimiteit in een stad die ik niet kende.

Ik liep door een nieuw, duur complex van kleine, exclusieve kledingzaken en stapte toen bij enkele naar binnen om leeftijd en inkomen van hun klanten in te schatten. Ik vergeleek hun prijzen. Danielle had waarschijnlijk gelijk. Misschien hadden ze belangstelling voor mijn ontwerpen, en zeker voor mijn riemen en tassen. Ik had een aanzienlijke voorraad tekeningen, foto's en monsters meegebracht. Het was van belang dat ik mijn best deed om de orders binnen te halen.

De eigenares van de eerste winkel was ongeveer van mijn leeftijd, en vriendelijk maar scherpzinnig. Tijdens een kop koffie bekeek ze onze portfolio weer en bestelde zakelijk en zonder aarzelen. Ze wist precies wat zou verkopen en hield zich verre van Danielles gedistingeerde en duurdere ontwerpen. 'We leven in een wegwerpmaatschappij en winkels zoals die van mij moeten opboksen tegen de winkelketens. Ik moet goed beoordelen en kleren kiezen die jonge werkende vrouwen aanspreken die zichzelf nog moeten opwerken, maar er toch modieus willen uitzien. Mijn eerste bestelling zal dan ook voorzichtig zijn, om te zien hoe het gaat lopen, maar uw riemen en tassen... Ik zal er zoveel bestellen als u kunt leveren. Die zullen als warme broodjes over de toonbank gaan.'

Ik nam een grote opdracht in ontvangst en ging weer naar buiten, het zonlicht in. Omdat elke trendy winkel in het winkelcentrum verschillende soorten mode wilde uitdragen, boekte ik ook succes met Danielles chique ontwerpen, vooral met haar bedrieglijk simpele zomerrokken en korte, zijden T-shirts.

Met een van de inkopers had ik voor de lunch afgesproken in een van de grote Fayad-warenhuizen, en ik dacht aan Ruth. Ik nam een taxi, omdat ik me opeens flauw en warm voelde. Deze inkoopster was niet de makkelijkste, en Danielle had altijd alles met haar geregeld. Ze leek een beetje geërgerd dat ik er was, en niet Danielle. Heel even speelde mijn vermoeidheid me parten, en ik kwam in de verleiding om haar op het verkeerde been te zetten door haar te vertellen waarom onze normale routine op zijn kop lag.

Na een lunch die ik niet door mijn keel kon krijgen, liepen we over de diverse modeafdelingen waar onze verschillende merken verkocht werden. De inkoopster vertelde wat goed was verkocht en wat was blijven hangen. Ik maakte aantekeningen.

Gelukkig had ze nog een afspraak en vertrok ze, mij overlatend aan haar assistente, die makkelijker in de omgang was. Ik begon me vreemd en zweverig te voelen, maar ik dwong mezelf om me nog een uur te concentreren.

Ze gaf een grote bestelling op voor mijn riemen en tassen. We zouden het heel druk krijgen om alles op tijd te kunnen leveren. Opeens voelde ik me weer zwak en duizelig. De vrouw wierp me een bezorgde blik toe, liet me op een stoel zitten en stuurde iemand weg om een glas water te halen. Ik putte me uit in verontschuldigingen, en ze vertelde dat er griep heerste.

Ik nam wat slokjes van het water en toen de duizeligheid voorbij was, ging ik naar het toilet en keek in de spiegel. Mijn gezicht was rood en zag er afgetobd uit. Ik voelde me koortsig. Ik leek wel honderd, net een geest, alsof mijn gezicht van iemand anders was.

Iemand bestelde een taxi om me terug naar mijn hotel te brengen. Ik besefte dat mijn symptomen lichamelijk waren, niet psychosomatisch, want ik had inmiddels flinke koorts. Ik belde de rest van mijn afspraken af, bestelde een fles water en wat vruchtensap en wilde net in bed kruipen toen er op de deur werd geklopt.

'Goddank heb ik je gevonden.' Ruth haastte zich buiten adem naar binnen. Ze bleef staan en staarde me aan. 'Je ziet er vreselijk uit. Ben je ziek?'

'Ik denk dat ik griep heb.'

Ze voelde mijn voorhoofd. 'Mijn god, je gloeit helemaal. Je komt meteen met me mee naar huis. Ik laat je niet ziek in een vreemde hotelkamer liggen. Gisteravond en vanmorgen vroeg heb ik de hele tijd geprobeerd je te bereiken. Nee, ik duld geen tegenspraak. We pakken je spullen en dan ga je met mij mee naar huis en naar bed.'

Ik was niet van plan om tegen te spreken. Ik voelde me afschuwelijk. En ik wilde de jongen nog eens zien.

9

Ruth bracht me naar de verbouwde zolder boven in haar huis. 'Bijna net zoals je vroegere kamer thuis, Jenny.'

Het vertrek lag apart van de rest van het huis. Ik lag in bed en voelde me vertroeteld en veilig, terwijl ik luisterde naar de troostende, gewone geluiden beneden.

Ruth stond erop dat we eerst naar haar huisarts gingen. Hij dacht dat ik waarschijnlijk een virus had opgelopen. Ik wist niet wat Ruth tegen hem zei, maar hij keek opeens aandachtig naar me en vroeg of ik depressief was. Daarop kon ik geen antwoord geven, en hij zei vriendelijk dat ik naar mijn eigen huisarts moest gaan zodra ik thuis was. Ik mocht niet in mijn eentje doorworstelen terwijl er uitstekende moderne medicijnen waren die een klinische depressie konden verlichten.

Hij schreef een briefje en stopte het in een envelop voor mijn huisarts; deze simpele daad van zorg ontroerde me. Hij liep mee naar de deur en opende die voor me. 'Drink liters water, neem de codeïne in en houd rust. Als u zich over een paar dagen niet beter voelt, kom dan terug. Wees voorzichtig, mevrouw Holland.'

Ik sliep veel en soms vergat ik waar ik was. De dagen leken in elkaar over te vloeien. Ik voelde me alsof ik brandde vanbinnen, en ik was me er vaag van bewust dat Ruth me drinken en pillen bracht. Als iedereen naar zijn werk was, kwam de werkster van Ruth. Ze verschoonde mijn lakens, maakte soep voor me en praatte vriendelijk tegen me met een Birminghams accent dat ik moeilijk te verstaan vond.

Ik kon me niet herinneren dat ik me ooit zo ziek had gevoeld, en vroeg me af waarom mijn lichaam me in de steek liet. Na drie dagen begon ik me beter te voelen en zat ik rechtop in de kussens, terwijl ik geen zin had om terug te keren naar de normale wereld. Ik wilde niet naar beneden en met de anderen praten. Ruth leek dat te begrijpen.

Ze nam haar man, Peter, mee naar boven om kennis met me te maken. Hij leunde tegen de deurpost en glimlachte naar me. Hij was donker en stevig gebouwd, niet veel langer dan Ruth. Hij had een vriendelijk, open gezicht dat getekend was door vermoeidheid, en zijn haar begon al wat grijs te worden. 'Hallo, Jenny. Het spijt me dat je zo ziek bent geweest. Ruth was erg ongerust. Het is niet prettig om ziek te zijn als je niet thuis bent.'

Ik glimlachte terug. 'Het spijt me dat ik in jullie huis ziek ben. Nu voel ik me veel beter. Het was heel aardig van jullie allebei dat ik hier mocht komen. Morgen kan ik jullie met rust laten en teruggaan naar mijn hotel.'

'Doe dat alsjeblieft niet. Ruth vindt het heerlijk om iemand te bemoederen.'

Ruth lachte. 'Dat is zo, Jenny. Je bezorgt ons geen overlast. Ik zal het erg vinden als je weg wilt.'

'Heel aardig van jullie, dank je,' zei ik. De woorden klonken formeel en bleven in de lucht hangen. Terwijl we aan het praten waren, luisterde ik naar de geluiden van de jongen in de kamers beneden. Ik had slechts een glimp van hem opgevangen toen ik net hier was en Ruth ons aan elkaar had voorgesteld. 's Avonds lag ik te luisteren naar het geluid van zijn lach en het gesmoorde geluid van een klarinet dat door de open deur klonk.

Vanavond bracht hij me verlegen wat soep. Ik kon mijn ogen niet van hem afhouden. Hij leek zo op Tom dat het griezelig was, en ik voelde de haartjes in mijn nek overeind gaan staan. Ik kreeg het vreemde gevoel dat ik in de tijd terug was en dat ik zijn moeder was die opkeek naar het kind Tom, de jonge Tom die ik nooit had gekend.

'Mijn moeder komt dadelijk,' zei hij terwijl hij het dienblad voorzichtig op mijn knieën zette. Toen keek hij om zich heen, merkte de stilte – een gruwel voor iedereen van zijn leeftijd – en vroeg onhandig: 'Zal ik mijn radio brengen? Daarop kunnen ook bandjes en cd's afgespeeld worden. Dan kunt u wat muziek luisteren.'

Voor ik kon antwoorden, holde hij de trap af om de radio voor me te halen. Hij bracht Mozart en Beethoven mee, Eric Clapton, Bryan Ferry, Händel en Barber. Wiens smaak was dit? vroeg ik me af. Die van Ruth of Peter?

Terwijl hij zich bukte om de radio en cd-speler in te schakelen, verlangde ik ernaar om zijn nek aan te raken, daar waar zijn haar in zijn kraag krulde, waar dat stukje witte nek er zo kwetsbaar uitzag.

'Dank je, Adam, dat is heel attent van je.' Omdat ik hem nog een poosje bij me wilde houden, vroeg ik: 'Ben jij dat, die ik klarinet hoor spelen?'

Hij lachte en wierp zijn haar uit zijn gezicht met dat pijnlijk vertrouwde gebaar. 'Ja. Maar ik ben er nog niet goed in.'

'Ik vind dat het goed klinkt.'

'Nou ja...' Hij ging naar de deur. 'Ik wil niet doorsnee zijn. Ik vind het gewoon een fijn instrument. Eh, ik ga nu maar, want ik denk dat het eten op tafel staat.'

'Bedankt voor de soep en de muziek.'

Hij stond lang en blond in de deuropening waar zijn vader eerder had gestaan. Hij stond half naar me toe en ik wist zeker dat Peter niet de vader van de jongen was.

'Graag gedaan,' zei hij, en toen was hij weg.

Ik zat te luisteren naar de geluiden van serviesgoed en stemmen ver beneden me. Ruth zou dadelijk naar boven komen om met mij te eten. Ze was nog steeds een beetje als het meisje dat ik lang geleden kende, toen we beste vriendinnen waren en zwoeren dat er nooit iets tussen ons zou komen, en ons bloed zich mengde uit de sneetjes die we in onze polsen hadden gemaakt.

Als ik mijn ogen dichtdeed, kon ik bijna geloven dat ik iemand anders was die een ander leven leidde hier in Birmingham; dat ik bij een ander gezin hoorde dat voor me zorgde. Opeens kreeg ik een heel onwerkelijk gevoel, alsof het verleden en de toekomst niet bestonden. Terwijl ik op de zolder van iemand anders lag, leek het alsof mijn eigen leven was weggeëbd of tijdelijk tot stilstand was gebracht. Dat vond ik een prettig gevoel.

Ruth had Flo opgebeld. Flo wilde meteen komen om me naar huis te brengen, maar dat wilde ik niet. Ik wilde hier blijven. Binnenkort zou ik voldoende zijn opgeknapt om te vertrekken en terug naar het hotel of naar huis te gaan, maar ik vond het fijn hier in mijn arendsnest. De hele tijd moest ik aan de jongen denken. Zijn beeld bleef op mijn netvlies, zijn jongensgeur van lichaamswarmte en balpennen. Zijn gezicht was in mijn gedachten gegrift.

Ik hoorde Ruth naar boven komen. Haar stappen klonken langzaam door de dienbladen die ze droeg. Met een glimlach ging ze op de stoel naast het bed zitten. 'Ik heb begrepen dat je nu muziek hebt. Het spijt me dat ik daaraan niet heb gedacht. Ik heb net op mijn kop gekregen. Is de soep warm genoeg?'

'Heerlijk.'

Ik wilde over Adam praten en Ruth was daartoe maar al te graag bereid. 'Hij vindt het duidelijk niet fijn op school. Ik maak me zorgen.'

Ik roerde in mijn soep. 'Wat vindt Peter ervan?'

'Hij vond altijd dat hij naar een particuliere school moest. De scholengemeenschap hier in de buurt is enorm groot.'

'En dat vond jij niet?'

Ruth zuchtte. 'Ik was ertegen. Ik dacht dat Adam wel zou wennen. Hij is intelligent genoeg, maar dat is blijkbaar het probleem. We weten zeker dat hij wordt gepest, al wil hij er niets over zeggen.'

'Kan hij niet naar een andere school?'

Ruth aarzelde. 'Naar een particuliere, bedoel je? Daarvoor is veel geld nodig. Ik vind het niet eerlijk ten opzichte van Peter.'

'Maar jij werkt toch ook?'

'Niet genoeg om een particuliere school en de stijl van leven die we gewend zijn te kunnen bekostigen, Jenny.'

Ik zweeg. Mijn soep was koud geworden en ik legde mijn lepel neer. Ik kon Ruth blijkbaar niet dichter bij het antwoord brengen dat ik wilde weten. 'Adam is zo'n leuke jongen. Je bent vast heel trots op hem.'

'Ja. Dat zijn we allebei.'

'Hoe oud is hij? Je moet heel jong getrouwd zijn.'

Ruth ontweek mijn blik. Ze begon te blozen.

Ik zei zacht, niet langer in staat om me in te houden: 'Peter is niet de vader van Adam, klopt dat?'

Ruth draaide zich om en zette haar dienblad op de vloer. 'Nee. Peter is niet de vader van Adam. Ik ben pas vijf jaar getrouwd, en Adam is dertien.' Toen keek ze me aan.

Ik voelde de warmte onder mijn huid prikken terwijl ik probeerde te rekenen. 'Je... je werd dus zwanger vlak nadat je naar Arran bent gegaan?'

Ze schudde haar hoofd. 'Nee, Jenny.' Ze boog zich voorover, pakte het dienblad van mijn knieën en zette het op de vloer naast dat van haar.

In de stilte riep Adam naar boven: 'We zijn weg, mam. Tot straks.'

Peter riep: 'Dag. We zijn rond halftien terug.'

De voordeur viel dicht. Ruth zette de dienbladen op elkaar en stapelde de borden er netjes op. 'Ik breng deze naar beneden en dan kom ik met iets te drinken. Ik ben zo terug.' Ze keek me niet aan.

Ik stapte uit bed en liep naar de badkamer om mijn gezicht en handen te wassen. Buiten het badkamerraam stond een grote kastanjeboom die het huis ernaast verschool. Op een tak zat een merel te zingen. Het had geregend, en druppels sijpelden van de bladeren. Als ik het raam opende, zou ik de natte aarde ruiken. Ik stapte weer in bed. Mijn gedachten schoten terug naar veertien jaar geleden. Ik probeerde me kleine aanwijzingen te herinneren, signalen die ik had moeten opvangen.

Ruth kwam terug met twee bekers thee en ging weer zitten. 'Nu is het begrijpelijker, vind je niet? Ik heb het belangrijkste niet verteld. Mijn ouders stuurden me naar Arran omdat ik zwanger was. Daarom nam mijn vader die baan in Canada, om alle schandalen te vermijden en zich niet met mij bezig te hoeven houden.'

Ik staarde haar aan. 'Hoe kon je weggaan zonder me zoiets te vertellen? Ik dacht dat we zulke goede vriendinnen waren.'

'Wat ik je in de trein heb verteld, was waar. Mijn ouders dreigden met de vreselijkste dingen als ik tegen iemand zou zeggen dat ik zwanger was. Ik was zeventien, gekwetst, bang en...' Haar stem klonk zo zacht dat ik de woorden maar net kon verstaan. 'Ik vond dat ik jou, Bea, je familie, had teleurgesteld. Ik dacht dat jullie allemaal anders tegen me zouden aankijken. Ik voelde me besmeurd. Onwaardig...'

Ik boog me naar haar toe. 'Om onze liefde en steun te krijgen?'

Ze knikte, en terwijl ik naar haar aantrekkelijke, onberispelijke gezicht keek wist ik zeker dat ze dit gevoel nooit helemaal van zich zou kunnen afzetten.

'Wij beschouwden je als iemand van de familie. Gezinnen blijven elkaar steunen. Je had vertrouwen moeten hebben. Je had moeten weten dat we je nooit in de steek zouden laten. Bea had ervoor kunnen zorgen dat je heel anders over jezelf, over alles, zou denken.'

Ruth glimlachte. 'Lieve Jenny. Jij praat vanuit een hecht gezin. Ik hoorde er niet echt bij. Ik kon doen alsof ik deel uitmaakte van jullie gezin. Ik mocht zelfs een eigen bed hebben bij jullie thuis. Maar ik wist dat ik uiteindelijk weer naar huis moest. Ik wist dat er zelfs bij jullie regels waren en dat ik één ervan had overtreden. We hebben het nu over heel lang geleden en we waren meisjes van de kloosterschool in een kleine gemeenschap. In de middenklasse was het een taboe om zwanger te raken. Dat was iets wat alleen gebeurde bij meisjes van veertien in de wijk Trelevea.'

Ik zweeg. Wijsheid achteraf was een zegen. Ruth had gelijk. Wist ik werkelijk wat Bea en James hadden gedacht en gedaan? Ze hadden het recht niet om zich ermee te bemoeien. Ruth bracht meer tijd door bij ons dan thuis, maar dat gaf Bea nog geen zeggenschap over wat de ouders van Ruth voor haar besloten. Bea zou beslist te horen hebben gekregen dat ze kon ophoepelen.

'Je had naar ons terug kunnen vluchten zodra je in Arran was.'

Ruth lachte. 'Dat zou ik waarschijnlijk gedaan hebben als mijn tante me niet met open armen had ontvangen. Uiteindelijk was het een goede uitkomst. Ze heeft me zo veel gegeven. Er is nooit sprake van geweest dat ik mijn kind niet kon houden.'

Ik vermeed haar blik. 'En Adams vader? Kende ik hem?'

'Nee, je kende hem niet. Hij was met vrienden op bezoek in Cornwall. Ik heb hem alleen die ene keer op het feest ontmoet. Het was een van die fouten die je leven veranderen. Ik had te veel gedronken...'

'Waarom dronk je op die avond?' vroeg ik. 'Je dronk nooit. Ik kan me niet eens herinneren dat je ooit sterkedrank dronk.'

Ruth speelde met haar trouwring. 'Dat weet ik niet. Het was stom van me. Ik denk dat ik ouder wilde lijken, vlotter. Hij was zo anders dan de jongens die wij kenden. Hij behandelde me niet als een puber. Hij praatte tegen me alsof ik interessant was, en hij danste met me alsof ik...'

Ze keek me aan. 'Ik kon niet weggaan. Ik kan niet beschrijven hoe fantastisch hij was. Het was zo heerlijk dat hij belangstelling voor me toonde, want hij was een stuk ouder. Ik heb hem verleid. Ik stortte me bijna letterlijk op hem. Hij heeft vast niet beseft dat ik pas zeventien was.' Ze zweeg even en zei toen dromerig: 'Vind je het niet verbazingwekkend dat één kort, heerlijk nummertje na te veel glazen wijn een kind tot gevolg heeft dat je voor altijd hebt, een persoon die meer voor je betekent dat het leven zelf?'

En dat een geheel gelukkig huwelijk je kan achterlaten zonder een kind.

Maar Ruth keek niet naar me. Ze staarde uit het raam. Ze praatte tegen zichzelf.

Mijn handen beefden. 'Wat is er met die man gebeurd?' vroeg ik. 'Heeft hij het ooit geweten?'

'Ik heb geen idee wat er met hem is gebeurd. Hij heeft nooit geweten dat ik zwanger was geraakt. Ik weigerde mijn ouders ook maar iets over hem te vertellen, daarom waren ze zo woedend. Ik zag er het nut niet van in om twee levens te verpesten. Die jongen zat op de universiteit. Hij begon net aan zijn carrière. Een maand later zal hij zich waarschijnlijk niet eens meer mijn naam of gezicht herinnerd hebben.' Toen ze de uitdrukking op mijn gezicht zag, zei ze vlug: 'Het was zijn schuld niet, ik ben niet edelmoedig aan het doen. Ik wist dat ik mezelf had aangeboden. Ik heb hem met opzet verleid. Omdat ik zo jong was, heb ik gekregen wat ik verdiende. Zo was het.'

Ze stond op en schudde haar hoofd alsof ze een bekende demon van zich afschudde. 'Ik heb Adam. Dat is het enige belangrijke.'

Ze keek me aan. 'Heb je zin om een uurtje naar beneden te komen? Peter en Adam zijn naar de bioscoop.'

Ik knikte en pakte mijn ochtendjas. 'Je hebt gelijk dat je trots bent op Adam, Ruth.'

.

10

Twee weken nadat ik Tom op het feest in het park heb ontmoet, krijg ik een briefkaart in een luchtpostenvelop. Iemand heeft die blijkbaar voor hem op de bus gedaan in Londen. Er staat:

> *Hallo, Jenny. Hier, waar geen boom te bekennen is, denk ik aan jou terwijl je in een wit met goud afgezette jurk onder een Engelse kastanjeboom staat. Het is een heerlijke gedachte.*
> *Tom xx*

Als een schoolmeisje draag ik de kaart met me mee in mijn handtas. Af en toe haal ik hem eruit om te zien of de woorden op dat kleine stukje misschien zijn verdubbeld.

Vier weken blijft het stil en dan belt Damien op, de broer van Maisie. 'Ik heb een boodschap van mijn baas. Hij vliegt vrijdag naar huis met verlof en hij zal je bellen als hij terug is.'

'Ik dacht dat je weer in Bosnië zat, Damien.'

Hij lacht. 'O, ik zit overal, net als de Rode Pimpernel.' Hij aarzelt.

'Wat?' vraag ik vlug. 'Is alles goed met Tom?'

'Prima, Jenny. Hij wilde dat ik even zou checken of je niet op de een of andere manier in rook was opgegaan, dat je er nog was.'

Ik glimlach. 'Ik ben er nog.'

'Mooi. Hij zal je bellen.'

'Is alles goed met jou?'

'Lekker om met verlof te zijn, bier te drinken en weer een vrouwengezicht te zien...'

Ik krijg het gevoel dat hij me iets wil zeggen. Ik wil niet voor Tom gewaarschuwd worden. 'Wilde je me iets zeggen?'

'Het is gewoon... Je bent een schat, Jenny, en Tom is een heel goede officier, maar hij traint met de stoere jongens, en dat betekent dat hij bijna nooit in Engeland zal zijn...'

'Wat bedoel je met de stoere jongens?'

'Dat mag hij je vertellen. Doe rustig aan, Jen. Ik zou het vreselijk vinden als je wordt gekwetst.'

Ik zwijg. Ik vermoed de beschermende hand van Maisie. Damien was sergeant onder Tom. Deed hij hetzelfde werk als Tom, wat dat ook mocht zijn?

Ik zeg luchtig: 'Ik heb Tom pas één keer ontmoet. Wat kan ik anders doen dan rustig aan?'

'Mooi,' zegt hij, en we lachen allebei en nemen afscheid.

Damien had gezegd *lekker om weer een vrouwengezicht te zien*? Dan moest hij in het Midden-Oosten zijn. En Tom ook. Stoere jongens? Ik glimlach bij de gedachte dat Tom Damien nodig had om te kijken of hij me nog kon opbellen.

11

De volgende dag kleedde ik me aan en ging naar beneden. Ruth was eerder thuisgekomen sinds ik er was, en werkte 's avonds.

Die middag was ik in de keuken bij haar toen Adam binnenkwam, de voordeur dichtgooide en riep dat hij thuis was. Ik voelde een steek van opwinding. Ik begon zijn routine te kennen. Ik begon hem te kennen. Ik vond het heerlijk om te zien hoe hij rondscharrelde op die onhandige jongensmanier. Ik genoot van zijn jongensgeur. Hij leek op een vreemde manier vertrouwd.

Ruth had tegen me gezegd: 'Adam voelt zich op zijn gemak bij jou, Jenny. Je kunt goed met hem opschieten. Tegen sommige mensen kan hij heel stug zijn; dat komt door zijn leeftijd.'

Als Peter en Ruth bezig waren, keken Adam en ik samen televisie of luisterden naar zijn muziek of deden een kaartspelletje.

'Ik wou dat je langer kon blijven,' zei Ruth nu. 'Ik weet dat je beter bent, maar je ziet er nog zwak uit. Helaas gaan Adam en ik naar Cornwall. Hij heeft voorjaarsvakantie en ik heb het hem beloofd. Het is een teleurstelling voor Adam dat Peter niet meekan. Er was een probleem en hij moet weer naar Israël.'

'Ik voel me goed, Ruth, en ik moet weer aan de slag. Ik heb nog afspraken staan die ik moest afzeggen. Ik kan je niet genoeg bedanken voor het feit dat ik hier zo lang heb mogen blijven.'

'Kunnen die afspraken niet wachten tot een volgende keer? Ik wou dat je rechtstreeks naar huis ging. Ik zou het veel prettiger vinden als ik je op de trein naar Londen kon zetten voor mijn vertrek. Je ziet er nog niet goed genoeg uit om te werken.'

'Ik moet een paar mensen spreken. Nog één nacht in een hotel en dan ga ik naar huis.'

'Waarom blijf je dan niet hier? Je bent welkom, als je een leeg huis tenminste niet deprimerend vindt.'

'Meen je dat? Dat zou fantastisch zijn, als je het echt niet erg vindt,' zei ik opgelucht.

'Natuurlijk niet.' Ze kwam naar me toe om me te omhelzen. Onwillekeurig verstrakte ik.

Ze keek gekwetst, en ik zei vlug: 'Het spijt me. Ik vind het moeilijk... voor het geval dat ik instort.'

Ruth glimlachte. 'Het geeft niet. Ik begrijp het. Ik kan me gewoon niet voorstellen wat je doormaakt. Vergeef me als ik ongevoelig ben geweest door te veel over mezelf en mijn kind te praten.'

Ik trok me abrupt terug. *Mijn kind. Mijn kind.* Ik liep weg en keek uit het raam de winterse tuin in. De pijn trok en rukte aan mijn hart. Ik zei op gemaakt opgewekte toon met mijn rug naar Ruth toe: 'Waar verblijven jullie in Cornwall?'

Ruth stopte brood in het broodrooster. 'Herinner jij je mijn peetmoeder nog? Een nogal excentrieke oude vrouw die schilderde?'

'In St. Minyon? In dat huisje met dat rieten dak bij de kreek? Ze nam ons vaak mee uit vissen en gaf ons altijd lekker eten.'

'Ja, dat is Sarah. Ze heeft me dat huisje nagelaten. Ik verhuur het meestal. Maar we proberen er altijd een paar keer per jaar naartoe te gaan. Adam is dol op vogels observeren.'

'Je ouders moesten toch niets van haar hebben?'

'En zij moest niets van hen hebben. Ik heb nooit begrepen hoe zij mijn peetmoeder heeft kunnen worden.' Ruth hield op met boter smeren op het geroosterd brood en kwam naar me toe. 'Toen we elkaar in de trein ontmoetten, kwam ik net terug uit Londen waar ik meer te weten hoopte te komen over mijn biologische ouders. Voor mijn ouders me naar Arran stuurden, gaven ze me mijn geboorteakte. Ze weigerden me iets te vertellen. De naam van mijn echte moeder is niet dezelfde als die van mijn peetmoeder, maar er moet een connectie zijn geweest, denk je ook niet?'

'Kon je daar niet achter komen?'

'Jawel, maar ik wil niet meer weten hoe anders mijn leven had kunnen zijn. Dus Adam is de enige persoon die ook mijn bloed heeft. Goddank dat ik hem heb.'

Ik haalde diep adem. 'Het is fantastisch dat je daar een huisje hebt gekregen.'

'Ik heb al haar spullen precies zo gelaten als ze waren. Het voelt echt als mijn thuis. Misschien ga ik daar wel wonen als ik stop met werken.'

'Zou Peter dat leuk vinden?'

Ruth wierp me een bevreemde blik toe. 'Mijn besluiten over wat ik in mijn leven doe, kunnen niet altijd afhankelijk zijn van wat een ander wil, alleen van wat goed is voor mij of voor Adam.'

Ik keek naar haar gezicht. Wat een ongewone opmerking. Die zette haar en Adam apart van Peter, alsof hij geen deel uitmaakte van hun gezin. Ruth, opgelaten, zei abrupt: 'Dat kwam er helemaal verkeerd uit. Het klinkt hard. Mijn god, Jenny, ik ben zo lang alleen geweest dat het niet makkelijk is om een relatie te onderhouden. Peter wil kinderen. Hij zou niets liever willen dan dat ik ophoud met werken en baby's krijg. Maar ik hou van mijn werk. Ik ben gelukkig. De moeilijke tijden liggen achter me.' Ze keek me aan. 'Ik ben ambitieus, dat geef ik toe.'

'Peter is vaak weg, dus waarschijnlijk is hij ook heel ambitieus en betrokken bij zijn werk?'

Ruth keek verdrietig. 'Ik denk dat hij meer weg is dan nodig omdat het onderwerp "kinderen" nog niet is opgelost.'

Toen we die avond aan tafel zaten, sloeg ik Peter en Ruth gade. Ze spraken vriendelijk met elkaar, maar ze waren te beleefd, te voorzichtig. Ze raakten elkaar geen enkele keer aan en ze wisselden geen blikken. Ze waren niet zoals Tom en ik samen waren geweest.

Die nacht kon ik de slaap niet vatten. Ik lag te denken aan Adam en zijn leven in dit huis. Ik dacht aan hoe hij beneden me in bed lag en opeens kreeg ik een opwelling om hem te zien slapen. Ik liep de met dik tapijt beklede trap af, voorzichtig, opdat de treden niet zouden kraken. Zijn kamer lag naast de badkamer en de deur stond op een kier. Ik hield mijn adem in, duwde de deur open en tuurde de kamer in.

Hij lag op zijn rug, met een arm opzij. In zijn slaap zag hij er kleiner en jonger uit, kwetsbaar in zijn blauwgestreepte pyjama. Hij bewoog zich, draaide zich van me af, en trok met een grommend geluidje zijn benen op.

Ik keek hoe zijn haar om zijn gezicht groeide, en overtuiging laaide in me op. Vlug draaide ik me om, deed de deur weer op een kier en ging naar beneden om water uit de koelkast te halen, zodat ik een reden had om 's nachts rond te lopen.

Peter vertrok naar het vliegveld voor ik wakker werd. Ruth en Adam waren vroeg op en pakten hun spullen voor de lange reis naar Cornwall. Ze zouden wegrijden en mij hier achterlaten.

'Zou het gaan, Jenny? Ik vind het vreselijk om je achter te laten. Je moet goed voor jezelf zorgen.'

'Waarom ga je niet mee?' zei Adam opeens. 'Dan heeft mijn moeder gezelschap, nu Peter niet meekan.'

Mijn keel was droog en ik kon niets zeggen. Zo verlangde ik ernaar om met hem mee te gaan.

'Lieverd,' zei Ruth vlug, 'Jenny heeft een druk leven en mensen verwachten haar in Londen. Maar misschien op een dag, als je naar je ouders gaat, kunnen we tegelijkertijd in Cornwall zijn?'

'Ja,' zei ik terwijl ik naar Adam glimlachte. 'Bedankt dat je me hebt uitgenodigd. Een heel fijne vakantie allebei.'

Bij de deur gaf Ruth me voorzichtig een kus.

'Bedankt voor alles,' zei ik. 'Ik gooi de sleutels door de brievenbus, goed?'

Ruth knikte. 'Ik bel je nog.'

Ik keek hoe Adam zijn rugzak over de treden liet bonken terwijl zijn haar over zijn gezicht viel. Hij wierp zijn hoofd achterover, draaide zich om en lachte naar me. Ik voelde de pijn vanbinnen.

'Dag,' riep hij. 'Tot ziens.'

Ik keek hen na tot de auto de hoek om was. Ik bleef boven aan de trap staan van het huis waar deze jongen woonde tot ze verdwenen waren. Toen deed ik de deur dicht.

12

Toen de auto de hoek om was, liep ik door het lege huis van drie verdiepingen. Alle huizen ruiken anders; ze nemen het wezen en de geur van mensen in zich op. Ik keek naar het prikbord van kurk in de keuken. Ruth was heel efficiënt. Alle activiteiten van Adam waren zorgvuldig opgeprikt naast haar eigen afspraken en Peters roosters en vluchten.

Ik liep de trap op en bleef als een dief voor Adams kamer staan. Toen opende ik de deur en ging naar binnen. De kamer had een jongensgeur; het rook er naar gymschoenen en kleren die hij in de wasmand had moeten doen. Ik pakte een voetbalshirt op en hield het tegen mijn gezicht. Toen vouwde ik het zorgvuldig op en legde het terug op de stoel. Aan de muren hingen posters van vogels en landkaarten en een groepsfoto van hem terwijl hij klarinet speelde in een jeugddorkest in Glasgow. Ik staarde naar het lieve, geconcentreerde gezicht en Tom staarde naar me terug.

Hoe is het om een kind van dertien te hebben? Om een kind te hebben met een gevormde en onafhankelijke geest? Ik weet niet hoe dat voelt.

Ik ging langzaam op Adams bed liggen als een oude vrouw die bang is dat haar botten misschien breken, en ik liet mijn lieveling in mijn hoofd; heel even maar, anders zou ik gek worden.

Rosie. *Ik zal nooit een gesprek met je voeren. Ik zal nooit weten wat voor persoon je zou zijn geworden. Jij, met je vlugge voetstapjes op de geboende vloeren en je grappige, hese lachje.*

Ik hoorde mezelf zacht jammeren in het lege huis. Wat klonk het hard, als een gewond dier.

Er kwam een verdriet bij dat me niet wilde loslaten; het brandde in me als een koorts, waardoor mijn lichaam heet en droog bleef. Een knagende, aanhoudende twijfel, verwoestend en meedogenloos, en deel van me als een gestage hartslag.

Tom... Je had Rosie met je meegenomen. Je had mijn kindje in de auto. Je was altijd zo voorzichtig. Was je dat die dag ook? Of was het laat toen jullie uit de dierentuin kwamen en maakte je je zorgen over het drukke verkeer? Was je onvoorzichtig, Tom? Was je dat?

Ik lag op Adams onopgemaakte bed en keek hoe de middagzon draaide en over de vloer scheen waardoor spikkeltjes stof te zien waren. Ik viel in een vreemde slaap. De dromen waren zo levensecht dat ik ernaar verlangde om wakker te worden, maar toen ik wakker werd, verlangde ik naar vergetelheid.

Ik ren over het Porthmeor-strand in St. Ives en Tom rent achter me aan. Hij krijgt me te pakken en we vallen lachend op het zand en rollen over elkaar heen, waardoor we bedekt worden met nat, kleverig zand. We spelen truth or dare, *en ik heb me op hem laten rollen en kietel hem.*

'Kom op, vertel! Vertel me wat het ergste is wat je ooit hebt gedaan?'

Tom kronkelt onder me vandaan en probeert zich lachend te bevrijden. 'Ga van me af, mens! Ik zit onder het zand.' Hij gaat zitten en veegt zijn trui af. Dan zegt hij, opeens serieus: 'Het ergste wat ik ooit heb gedaan, was een keer op een feest dronken worden en seks hebben met een meisje in een slaapkamertje vol jassen. Ze was heel knap en ze drong zich de hele avond al aan me op, dus ik dacht: waarom niet? Ze heeft er blijkbaar zin in. Pas later hoorde ik dat ze zeventien was en nog op school zat. Ik heb me heel lang schuldig en beschaamd gevoeld over die avond. Zelfs nu ik erover praat, schaam ik me.'

'Heb je haar ooit nog gezien?'

'Nee. Ik studeerde en was in Plymouth met de cadetten voor de verplichte stage. We waren alleen voor het feest naar Cornwall gereden. De volgende ochtend gingen we terug.'

'Hoe zag ze eruit?'

'Lang en blond, dat is alles wat ik me herinner door mijn dronken waas. En, sukkeltje, wat is het ergste wat jij ooit hebt gedaan? Je tong uitsteken naar de rug van een non? Au! Dat deed pijn.'

Ik ging overeind zitten in het donker. De woede in me verteerde me, droogde me uit, deed me beven. *Is Adam Toms kind?* Ruth kan zich niet eens de naam of het gezicht van de jongen herinneren. *Het is niet juist dat Adam van haar is. Dat mag niet.*

Terwijl ik op zijn bed lag, wist ik dat ik op Adams pad was gebracht. Waarom hadden Ruth en ik elkaar anders in een trein naar Birmingham ontmoet terwijl we elkaar in geen veertien jaar hadden gezien? Het kwam door het lot. Adam is een deel van Tom. Hij is een deel van mijn leven door Tom. Hij is een deel van mij.

Ik voelde me licht in mijn hoofd, alsof ik zweefde, alsof ik weggeblazen kon worden. Net als op de avond van Toms dood leek het wel alsof ik buiten mijn lichaam was getreden en mezelf vanaf het plafond gadesloeg. Ik stapte voorzichtig uit bed en trok het dekbed recht. Toen deed ik het licht van de overloop aan en ging duizelig naar beneden. In de keuken van Ruth zette ik thee.

Tom leek opeens vlak bij me in dit huis dat van een ander gezin was. Van mensen die hij niet kende. Alsof ik hem had opgeroepen. Ik keek om me heen naar de schaduwen die zich in het lege huis begonnen uit te strekken. Ik wilde dat hij dicht bij me bleef.

Tom, je hebt een zoon.

Ik liep naar de woonkamer en keek naar buiten, naar de straat vol verlichte huizen. De voordeur van het huis aan de overkant stond open en licht viel over de donkere treden. Het gezin was een kampeerauto aan het volstouwen. Ze holden lachend en opgewonden naar boven en beneden, de kinderen in kleurige kleren, als kleine lieveheersbeestjes.

Ze bevestigden fietsen op de achterkant van de kampeerauto. Ze namen hun hele hebben en houden mee. Gefascineerd keek ik toe tot ze klaar waren om te vertrekken. Toen schreef ik het telefoonnummer van het verhuurbedrijf op, dat met grote letters op de zijkant van de kampeerauto stond.

13

Ruth en Adam waren de files vóór en kwamen triomfantelijk aan in Truro. Ze stopten in de stad om te lunchen en etenswaren in te slaan, en gingen toen op weg naar St. Minyon. Toen ze van de hoofdstraat de smalle weg naar de kreek insloegen, maakte Ruths hart een sprongetje, zoals altijd toen haar peetmoeder nog leefde en ze wist dat ze een middag helemaal gelukkig kon zijn.

Naast haar draaide Adam het raampje open. Ruth hoorde zijn lichte zucht van voldoening.

Zodra de spullen waren uitgeladen, zou hij met zijn verrekijker op weg gaan naar de andere kant van de kreek. Een paar dagen lang kon hij gaan en staan waar hij wilde, zoals zij en Jenny als kind hadden gedaan.

Het was eb, en de geur van modder en meidoorn hing in de lucht. Ruth reed de auto achteruit tot zo dicht mogelijk bij het huisje, en ze laadden hun spullen uit. Toen parkeerde ze hem netjes met de neus naar het water toe in de buurt van enkele roeiboten die ondersteboven lagen. Mevrouw Rowe was geweest en had de ramen opengezet en de bedden opgemaakt.

Een stokoude Rayburn en warmteaccumulatoren voorkwamen dat het vochtig werd in huis, maar Ruth wist dat ze over niet al te lange tijd centrale verwarming moest laten aanleggen. Vakantiegangers eisten nu wat ze thuis gewend waren.

Adam keek haar hoopvol aan en toen naar de verzameling bood-schappentassen op de keukenvloer.

Ruth lachte. 'Ga maar!'

Ze gaf hem wat chocola en een fles water, en hij schoot zingend als een vogel de voordeur uit.

Vanuit een raam boven zag ze dat hij zijn verrekijker richtte op de dichte bossen aan de andere kant van de kreek. Toen liet hij hem zakken en bleef even heel stil staan, uitkijkend over de slikken. Ruth herkende zijn moment van vrede. Ze moest denken aan zijn zorgvuldig verborgen ellende op een school waar hij nooit naartoe had gewild. Ze had naar Peter moeten luisteren. Door haar werk was ze in een grote stad terechtgekomen. Dat was goed voor haar carrière geweest, maar Adam was degene die er de tol voor be-taalde.

Ze liep het huisje door en raakte dingen aan, wat ze altijd deed als ze er was. Ze hield van haar leven in de stad, maar zodra ze hier was, leek het of ze was thuisgekomen. Alsof ze op de een of andere manier een ander mens was geworden, zichzelf.

Het was ook een zeldzame kans om zich op Adam te concentre-ren. Ze wist dat hij het leuk vond als Peter meekwam, maar ze vond het heerlijk om hem voor zich alleen te hebben. *Natuurlijk. Je denkt dat het een compensatie is voor alle avonden dat je werkt, alle mid-dagen dat je er niet bent als hij thuiskomt van een school waar hij een hekel aan heeft.*

Ze ging naar beneden en ruimde de boodschappen in. Ze legde wijn in de koelkast, zette een thermosfles thee, trok een andere trui aan en volgde Adam over een pad waar ze al duizenden keren had gelopen.

Jenny en ik dragen zelfgemaakte hengels van bamboe en touw en eten broodjes met jam en drinken cola, wat thuis verboden is. Griezelige avonturen rond het meer dat voert naar het grote huis. Oude reigers bewaken het, zo stil als schildwachten, in kleine, struikachtige bomen die het water omgeven. We doen, als de schaduwen komen, of het spookt in het bos, en we rennen ons de benen uit ons lijf naar het verlichte huis en peetmoeder Sarah, die thee en dunne pannenkoekjes voor ons heeft klaarstaan in een keuken waar het altijd warm is. Over de tafel ligt een kleurig kleed en er is echte boter en honing, en een theepot met een gebreide theemuts van een rommelmarkt. Veilig... veilig.

Zij en Jenny maakten altijd rommel en Sarah had dat nooit erg gevonden. Haar vingernagels zaten onder de verf en soms haar haren ook. Ze was vaag en excentriek, en Ruth had zielsveel van haar gehouden.

Als het begon te schemeren en haar vader haar niet kwam halen – dan toeterde hij vanaf de hoek en kwam nooit binnen om haar peetmoeder te bedanken voor de goede zorgen – startte Sarah haar oude Rover en bracht Ruth naar huis.

Soms, als Jenny bij haar was, kwam Bea of James uit St. Ives om hen af te halen. Zij kwamen altijd naar binnen om Sarah te groeten. Dan gingen ze zitten en dronken wijn terwijl Jenny en Ruth naar een programma op de oude televisie keken.

Sarah had een schorre lach en heel lang haar, dat ze slordig opstak. Soms ontsnapten er slierten en dan zag ze er jonger uit, alsof ze eigenlijk helemaal niet oud was. Als ze afscheid nam, hield ze Ruth altijd heel voorzichtig maar heel dicht tegen zich aan, alsof ze oneindig kostbaar was.

Adam zat op een bank met zijn verrekijker gericht op de opkomende vloed. Ruth ging naast hem zitten.

'Kijk eens, mam.' Hij overhandigde opgewonden de verrekijker. 'Op die boom... nee, iets meer naar rechts... ja, daar. Zie je hem?'

'Een specht?'

'Maar een die je niet vaak ziet. Hij is heel zeldzaam. Kun je hem horen?'

Ruth luisterde naar het geluid van een kleine boor. 'Ik hoor hem. Hij maakt een heleboel lawaai.'

Ze zaten naast elkaar thee te drinken en luisterden naar de sternen en wulpen terwijl de middag ten einde liep en het water met kleine golven over de slikken begon te stromen. Alleen de beweging van het water en de zachte geluiden van vogelpoten in de modder waren te horen. Ruth dacht aan Jenny en hoopte dat ze niet te eenzaam was in hun lege huis.

'Wat eten we?' vroeg Adam, en Ruth hoorde zijn maag knorren.

'Gebakken vis met patat, of roerei met spek.' Adam koos altijd gebakken vis met patat.

'Gebakken vis met patat!'

Ze liepen naar huis terwijl de laatste stralen van een waterige zon over het opkomende water vielen. Dadelijk zouden mensen hun honden komen uitlaten en kwamen de vissers in hun lieslaarzen. Nu hadden ze de hele wereld nog voor zich alleen.

14

Bij ons eerste afspraakje komt Tom opdagen met de grootste bos bloemen die ik ooit heb gezien. Het is acht uur en ik ben nog niet klaar. Het is een vreselijke dag geweest. Onze beste coupeuse is ziek geworden en Danielle en ik zijn weer achter met de boekhouding. We zijn doodsbang dat we een boete krijgen. Danielle zit boven met cijfers te vechten terwijl ik een ingewikkeld patroon probeer te knippen.

Ik was van plan geweest om vlug weg te glippen. Mijn kleren liggen klaar op mijn bed en een dure fles badschuim wacht op de rand van mijn bad. Ik wilde me kalm en geurig voelen als ik Tom weer zag, maar als ik de deur voor hem open, ben ik doodop en bijna in tranen.

Hij lacht naar me, wankelend onder het gewicht van de enorme bos in zijn armen. 'Hallo, Jenny.'

'Het spijt me zo. Ik ben laat, ik ben nog niet klaar. Kom binnen.'

Ik schaam me diep. Ik ben niet om aan te zien.

'Het geeft niet. Misschien ben ik te vroeg...' Hij buigt zich voorover en geeft me een kus op mijn wang om zijn bloementuin heen. 'Deze zijn voor jou.' Hij overhandigt me de bloemen. Hun geur vult de gang. Ze doen me in het niet verzinken en verbergen me voor Tom. Opeens heb ik zin om het uit te proesten.

'Wel allemachtig, je bent verdwenen.' Hij neemt ze lachend terug en we laten water in de gootsteen lopen. Opeens voel ik me beter.

'Ik weet niet of ik genoeg vazen heb...' Ik onthaal hem op het verslag van mijn afschuwelijke dag. Ik haal wijn uit de koelkast en schenk twee grote glazen vol.

'Wat vervelend dat je zo'n rotdag hebt gehad.'

Hij heft zijn glas en we klinken en ik ben zo blij dat deze man in mijn keuken staat, dat ik mijn armen uitsteek en hem een kus op de zijkant van zijn mond geef. 'Dank je voor die enorme, prachtige bos bloemen.'

'Ik wist niet welke je mooi vindt, dus heb ik van alles wat genomen.'

'Dat zie ik.' We kijken elkaar verrukt aan. 'Zeg, ik moet even naar het souterrain om op te ruimen. Over vijf minuten ben ik terug.'

'Mag ik mee om te zien waar je werkt?'

Hij volgt me naar beneden en terwijl ik opruim en afsluit, drentelt hij door de ruimte en kijkt geïnteresseerd naar het prikbord, de ontwerpen op plastic poppen en de tafel waarop ik geknipt heb.

'Het is nogal krap, zoals je ziet. We zullen uiteindelijk iets groters moeten zoeken, maar dat is moeilijk in Londen. We moeten centraal liggen om goed bereikbaar te zijn.'

'Centraal betekent duur.'

'Precies.'

'Werk je altijd tot zo laat?'

Ik lach. 'Dit is nog vroeg, Tom! Danielle en ik zijn eigen baas.'

We gaan weer naar boven, waar een uitgeput uitziende Danielle in de keuken een glas wijn staat in te schenken.

'Hallo, Tom.' Ze heft haar glas naar hem op. 'Jenny, je hebt je nog niet verkleed. Ga meteen...'

'Weet je wat?' Tom draait zich naar me om. 'Jullie hebben een ellendige dag achter de rug. Zal ik eten voor drie personen laten bezorgen, dan kunnen jij en ik morgen uit eten gaan of op een andere avond, als je niet zo moe bent?'

Opluchting golft door me heen. Ik moet de volgende ochtend vroeg op. 'Weet je het zeker?'

'Ik vertik het om het derde wiel aan de wagen te zijn,' zegt Danielle strak.

Tom en ik beginnen te lachen.

Danielle glimlacht. 'Wat is er? Wat heb ik gezegd?'

'Het vijfde wiel, niet het derde, Elle. Doe niet zo raar. Waar zijn onze afhaalmenu's?'

'Aha. Meisjes naar mijn hart.'

We halen ze tevoorschijn en ik hol naar boven om vlug te douchen. Tom en Danielle kunnen het uitstekend met elkaar vinden.

Tom moest een boekhoudcursus volgen voor het leger, en hij loopt voor ons de boeken na. 'Waarom leren ze jullie op de kunstacademie niet de zakelijke kant van alles?'

'Dat gebeurt op sommige academies wel, maar niet op Central St. Martin,' zegt Danielle.

'Jullie moeten iemand hebben die dit op een professionele manier voor jullie doet.'

'We hebben wel een boekhouder, maar dan moeten we nog de boeken voor hem bijhouden en dat is zo tijdrovend,' zeg ik tegen hem. 'Maar je hebt gelijk, we hebben iemand nodig.'

Danielle en ik kijken elkaar glimlachend aan. 'Eigenlijk kennen we de ideale persoon ervoor. We hebben een administratieve kracht nodig die ook toezicht kan houden op de meisjes in het atelier, waardoor we allebei de vrijheid hebben om te ontwerpen. Iemand die de modewereld vanbinnen en vanbuiten kent.'

'Hebben jullie haar al gevraagd?'

'Dat is riskant. Ze werkt voor een ontwerper die we heel goed kennen. We zullen haar heel voorzichtig moeten benaderen.'

'Benaderen, op haar in praten en overhalen, bedoel je?'

'Precies,' zegt Danielle lachend. 'Jenny is aardiger dan ik. Ze maakt zich zorgen. Ik vind dat we Florence mee uit lunchen moeten nemen, Jenny, en het gewoon aan haar vragen. Ik denk dat ze het niet prettig heeft bij Sam Jackson.'

'Hij beschouwt haar als een stuk meubilair. Ze is een juweel.'

'Wij zouden haar wel waarderen.'

'Natuurlijk. Ik heb gehoord dat hij ook heel slecht is voor zijn personeel.'

Tom schenkt weer wijn in. 'Zo doen jullie het goed. Praat jezelf er naartoe. Concentreer je op "Operatie Headhunten".'

Als Danielle naar bed is, zegt Tom: 'Ik ga, dan kun jij ook slapen.' Maar hij blijft nog een halfuur. We kussen tot mijn mond rauw aanvoelt.

De volgende avond vrijen we op de harde, geboende vloer van zijn flat omdat we de slaapkamer niet halen. Ik zie Tom elke dag van zijn tien dagen durende verlof. Als hij weggaat, kan ik me niet eens meer herinneren wat ik heb gedaan of waar ik ben geweest voor ik hem ontmoette.

15

De kreek lag er stil en verlaten bij in de vroege avond. Het was vloed, en de laatste streep goudgrijze zon viel door een opening in de duister wordende lucht en verlichtte het water. De boten keerden terug in een stevige bries. De wereld leek op een oude zwart-witfilm.

Sternen scheerden door de lucht als dansers in een ballet of een ervaren team luchtacrobaten. Waadvogels riepen over het water. Ik zat in de gehuurde Volkswagen kampeerauto te kijken hoe het licht verdween. Ik hield van kreken en baaien. De slikken waren niet lelijk als het eb was, maar mooi, vol met de sporen van vogelpoten en de verschillende kreten van waadvogels. Het geluid van hun geroep riep iets primitiefs in me op.

Ik trok de capuchon van mijn dikke waxjas over mijn hoofd, ervoor zorgend dat die mijn gezicht en haar verborg, en stapte uit op de zachte, natte grond. Mijn wandellaarzen zakten weg en ik tilde de lange jas op zodat die niet over de modder sleepte. Toen liep ik het pad op.

De kreek was verlaten. Mensen in de huisjes hadden hun gordijnen al dicht en waren aan het eten of aan het koken. Ik wist dat ik niet te ver kon lopen omdat de duisternis me dadelijk zou opslokken.

Vlug liep ik voorbij het huis van peetmoeder Sarah, waar Adam en Ruth waren. De gordijnen waren niet dicht en uit een verlicht raam klonk muziek. Mijn hart sloeg over bij de gedachte dat ze samen in het huis waren. Ik was de buitenstaander.

Ik wist dat ik het pad naar de voordeur kon oplopen en aankloppen. Ik wist dat ik ook in dat huis kon zijn als ik wilde, maar ik kon het niet opbrengen. Hoe kon ik iets tegen Adam zeggen waar Ruth bij was? Ik zou geen kans krijgen hem de waarheid uit te leggen: dat hij de zoon van Tom was en ook van mij.

Het pad was modderig en de hagen waren hoog en nog kaal. Vogeltjes scheerden langs mijn hoofd, terwijl ze zich verzamelden en krijsend hun territorium opeisten. Ik bereikte het meer aan de linkerkant van de kreek waar de vogels overwinterden. Het water zag er onrustig en vol putjes uit door wind en stroming, alsof een reus over het oppervlak had geblazen.

Ik zag een reiger over mijn hoofd vliegen en in het ondiepe water landen. Hij vouwde nuffig zijn vleugels en bleef doodstil staan, de lange hals en kop van me weggedraaid alsof hij tot een onzichtbare god bad.

Twee zwanen gleden majesteitelijk naar me toe op de stroming, als een voorteken; hun poten fungeerden als miniatuurpeddels terwijl ze op brood hoopten. Ik had zo veel herinneringen aan deze plek, waar ik met mijn vader wandelde als we in Truro gingen winkelen, of toen ik hier in de weekends met Ruth bij haar peetmoeder op bezoek ging. Deze plek had altijd iets griezelig toverachtigs gehad.

Rechts van me verdwenen de hagen en ik liep weer in het zicht van de kreek. Een eenzame kanovaarder verscheen uit het niets, en roeide snel en vaardig door de smalle watergang. Het licht was bijna verdwenen en het werd tijd om terug te gaan. Het tij begon te keren en de waadvogels paradeerden over de slikken en maakten ingewikkelde sporen die ik niet kon zien maar slechts kon horen aan de plonsjes in de chocoladekleurige modder.

Ik had het bizarre gevoel dat ik mezelf deze dingen zag opmerken. Alsof ik ze móést opmerken om hier te kunnen zijn, opdat ze echt zouden zijn. Waarom bén ik hier? Ik voelde mijn huid prikken van angst. Ik draaide me om en liep vlug de weg terug die ik had genomen.

Het enige licht uit de groep huisjes kwam nu door kieren tussen de gordijnen. Ik voelde me overmand door een diepe eenzaamheid. Ik keek naar het huisje en de gesloten voordeur en ik wilde niets liever dan het pad op rennen en op de deur bonzen zodat Adam en Ruth me zouden binnenlaten.

Toen was ik terug bij de Volkswagen. Ik was te moe om weg te rijden. Ik zou het risico nemen en vannacht hier blijven staan. Mijn handen beefden toen ik de gasbrander aanstak om thee te zetten. Ik ging in mijn slaapzak liggen, trok het gordijn opzij en keek naar de sterren.

Ik kon het water van de kreek zacht om me heen tegen de zijkanten van bootjes horen klotsen. Wulpen jammerden hun weeklacht en hun werd toen het zwijgen opgelegd door de duisternis. Ik ging overeind zitten en staarde naar het huisje met het rieten dak waar Adam en Ruth zich samen bevonden.

Een voor een gingen de lichten beneden uit en boven floepten twee lichten aan. Ik meende vaag het geluid van een klarinet te horen. Ik stelde me voor dat Adam in bed in zijn pyjama zat te spelen. Toen gingen alle lichten in alle huisjes uit. Er bleef slechts een dichte duisternis over, alsof elk licht in de hele wereld was gedoofd.

Het leek alsof een dikke deken me omhulde en op me drukte. Ik opende mijn mond om het uit te schreeuwen, maar er kwam geen geluid. Toen strekte ik mijn hand uit in de kille duisternis om de warmte van hun handen te voelen. Rosies warme, kleverige handje en de grote, veilige hand van mijn geliefde. Mijn vingers grepen alleen maar lucht. Er was niets, niets om me aan vast te houden, en mijn geopende mond kon niet eens een schreeuw vormen.

16

Ik werd wakker bij het ochtendgloren en zat ineengedoken en koud in mijn slaapzak te kijken hoe de zon opkwam boven het donkere bos aan de andere kant van de kreek en vervolgens het water raakte. Ik voelde me vol levenslust in een moment van verwondering over de mysterieuze pracht van de gele winterzon die opkwam door de mist die als een spookachtige deken boven het water hing.

Terwijl de zon opkwam, zag ik een licht in een van de kamers boven in het huisje aangaan. Ik stapte uit mijn slaapzak en trok een spijkerbroek en een trui aan. Vervolgens maakte ik de veters van mijn wandellaarzen vast en pakte mijn waxjas. Toen ging ik zitten wachten.

Het licht in de slaapkamer ging uit en toen ging in een kamer beneden een licht aan. Even later ging de voordeur open en kwam Adam tevoorschijn. Hij was dik ingepakt in een groene waterdichte jas, muts en das. Om zijn hals hing een verrekijker.

Hij liep vlug over het tuinpad en sloeg linksaf het pad langs de kreek op. Hij liep in de richting van het meer. Ik wachtte even, trok toen mijn capuchon over mijn hoofd en volgde hem langzaam.

Ik glimlachte toen ik aan Ruth dacht, die in haar bed lag te slapen terwijl ik bij Adam was, buiten dat baarmoederachtige huisje. Ik waakte over Adam terwijl een nieuwe dag begon.

De vogels zongen dat het een lust was en de waadvogels krijsten over het water. Voor me kon ik nog net de voetstappen van de jongen horen. Ik kon hem niet zien door de mist die alles bedekte. Af en toe bleef hij staan en dan deed ik hetzelfde. Ik wist dat hij door zijn verrekijker keek, maar op een ochtend als deze zou er weinig te zien zijn.

Toen hij bij het meer kwam, begon de mist op te trekken en kon ik duidelijk zijn silhouet zien. Hij bleef staan, verliet het pad en liep over de drassige grond naar de linkerkant van het meer, waar grote stenen lagen waarop hij kon zitten om naar de waadvogels te kijken. Toen verdween zijn silhouet. Ik bleef staan en leunde op een hek naar een veld dat parallel liep aan het meer. Ik spitste mijn oren om hem te horen, maar er was alleen stilte.

Ik trok mijn jas dicht om me heen en hield mijn capuchon vast terwijl ik voorzichtig over het pad tussen meer en kreek liep, voorbij het punt waar ik dacht dat Adam het pad had verlaten. Ik verschool me in het struikgewas. De grond was drassig en de steen waarop ik ging zitten, was vochtig.

Ik wachtte, wachtte tussen het geritsel en het gevlieg en gezang van de vogels. Terwijl de zon door de mist begon te dringen, loste deze op en bleef een paar meter boven het water hangen als een toneelscherm. De vage omtrek van Adam werd in het vroege ochtendlicht zichtbaar aan de andere kant van het meer. Hij zat gehurkt op een rots en keek naar iets door zijn verrekijker.

Ik bevond me in een positie ten opzichte van hem waardoor hij me niet kon zien terwijl ik tegen de haag ging zitten, maar heel even leek hij rechtstreeks naar mij te kijken. Toen tilde hij zijn verrekijker weer op en richtte hem naar een zilverreiger die over mijn hoofd in zijn richting vloog.

Hij bleef nog een minuut of twintig vogels bestuderen. Toen stond hij op, rekte zich uit, schudde zijn benen en liep terug naar het pad langs de kreek.

Ik stond ook op en volgde op afstand. De zon was de zeemist aan het oplossen. Adam liep langzaam, maar leek slecht op zijn gemak. Hij keek naar links en rechts; toen bleef hij staan, draaide zich om en keek achter zich. Ik bleef heel stil staan, dicht bij de haag, en hield mijn adem in. Hij kon me niet zien, maar hij moest mijn aanwezigheid voelen.

Opeens huiverde hij, draaide zich om en liep vlug terug naar het huisje. Hij rende bijna het pad op en de voordeur viel achter hem dicht.

De meeste huisjes waren nog in duisternis gehuld. Ik ging terug naar de Volkswagen. Ik moest wegrijden voor iemand anders op was. De motor maakte lawaai en toen ik in het schemerige ochtendlicht draaide, zag ik dat de jongen me in zijn onverlichte slaapkamer gadesloeg.

De lichten van de auto gleden over de muur van het huisje terwijl ik keerde en wegreed, de heuvel op. De volgende keer zou ik aan de andere kant van de kreek parkeren, waar ik me door de bossen daar beter kon schuilhouden.

17

Ruth was vastbesloten geweest om geen telefoon te nemen in het huisje. Ze vond het prettig om de illusie te hebben dat ze niet makkelijk te bereiken was in Cornwall. Ze hield contact met haar werk via e-mail. Peter klaagde er hartgrondig over dat het huisje zo diep lag waardoor de ontvangst voor mobiele telefoons ronduit slecht was. Ruth vermoedde diep vanbinnen dat ze Peter wilde vermijden.

Soms zag ze er ontzettend tegen op om zijn goedmoedige, bezorgde stem te horen, want ze beeldde zich in dat er een verhulde teleurstelling in haar in school. Ze wist dat het niet eerlijk van haar was en dat haar koppige onwil om over een kind te praten onredelijk was.

Het begon een obstakel tussen hen te worden en Ruth wilde er niet over praten omdat ze dan de morele gevolgen onder ogen moest zien van het feit dat ze met een man was getrouwd zonder van tevoren duidelijk te maken dat ze geen kinderen van hem wilde. Het zou eerlijker zijn om te scheiden. Dan kon Peter een lief Joods meisje trouwen dat hem de kinderen zou geven waar hij en zijn familie in Israël zo wanhopig naar verlangden.

Peter hield zo van haar en van Adam. Hij was zeer tegen de zin van zijn ouders met een niet-Joodse getrouwd, en hoe had ze hem beloond? Met zo weinig van zichzelf als maar mogelijk was. Ruth dacht dat het enige geluk dat Peter in zijn huwelijk vond aan Adam was te danken en niet aan haar.

Ze ging naar buiten en liep een stukje de heuvel op om hem te bellen. Peter klonk zo blij om haar te horen dat ze een schuldig gevoel van pijn tussen haar ribben voelde, *waar mijn hart hoort te zijn.* Ze beschreef de veranderingen aan het huisje die ze eerder dat jaar hadden laten verrichten. Ze vertelde hem wat zij en Adam hadden gedaan. Ze vertelde hoe mooi de kreek was in de schemering terwijl ze met hem stond te praten, ondanks het sombere weer.

'Ik mis je, Ruth. Ik wou dat ik daar bij jullie beiden was. Ik ben deze vervelende fusie beu en dat heen en weer gereis.'

'Dat geloof ik. Er lijkt geen einde aan te komen. Je moet binnenkort rust nemen, Peter, anders draai je door. Je familie begrijpt toch wel hoe moe je bent van dat voortdurende reizen?'

Hij snoof. 'Mijn moeder is ongerust over me, zoals alleen moeders dat kunnen zijn. Mijn vader en broers denken alleen maar aan de juiste voorwaarden. Ze kennen het woord "compromis" niet als het zaken betreft. Maar het gaat wel met me. Hoe gaat het met Adam?'

'Die komt de heuvel op rennen om met je te praten. Zorg goed voor jezelf, Peter.'

'Jij ook.' Ze hoorde hem aarzelen, verlangend dat ze nog iets zou zeggen, of in elk geval iets waardoor hij kon zeggen: *ik hou van je, Ruth.*

Adam nam de telefoon van haar aan en ze ging terug naar het huisje, pakte een fles wijn uit de koelkast en schonk een glas voor zichzelf in. Het glas besloeg en werd net zo vochtig als haar ogen door wroeging over haar onvermogen om de kleine, normale, liefhebbende momenten te verschaffen waardoor Peters vermoeidheid direct zou verdwijnen.

Mijn moeder is ongerust over me, zoals alleen moeders dat kunnen zijn. O, Peter.

Ze liep naar de deur met haar wijn. Ze hoorde Adams stem terwijl hij met Peter stond te praten. Hij leek een beetje gelaten, niet zo enthousiast als anders over zijn vogels of over het feit dat hij hier was. De gedachte kwam bij Ruth op dat hij het huisje misschien begon te ontgroeien en dat hij niet langer zo kinderlijk verrukt was om hier te zijn.

Hij kwam op een leeftijd dat alles doodsaai begon te worden en dat het saaiste was om ergens met je moeder naartoe te gaan. Of misschien kwam het door het sombere weer en omdat hij Peter miste bij het observeren van vogels.

Ruth opende de kastjes en pakte de spullen die ze nodig had om lasagne te maken, Adams favoriete avondeten. Terwijl ze uien sneed, besefte ze dat hij was teruggekomen en naar boven was gegaan. Meestal als hij Peter aan de telefoon had gehad, kwam hij vertellen waarover ze hadden gepraat.

Even later klonken de trieste tonen van zijn klarinet. Een nummer van James Galway dat bevend werd gespeeld. Ze voelde ongerustheid opkomen. *Waarom kon ik niet voor één keer mijn trots inslikken en mijn principes overboord zetten en Peters aanbod aannemen om een particuliere school te betalen?*

Ze raspte kaas over de lasagne en zette de schotel in de oven. Algauw vulde de geur het huisje. Ze bekeek de televisieprogramma's. Gelukkig kwam er een oude James Bond-film. Ze zette twee dienbladen klaar en schonk nog wat wijn in. Ze voelde zich aangenaam verveeld. Misschien dat ze straks nog wat ging werken. Morgen zou ze borderplanten in de tuin zetten voor de vakantiegangers.

O god! dacht ze opeens. *Soms voel ik me veertig in plaats van eenendertig.* Plotseling wenste ze dat ze helemaal geen verantwoordelijkheden had, dat ze in een vliegtuig kon stappen, in het buitenland gaan werken en niemand verantwoording schuldig was. Iets opwindends doen. Vrij zijn. Ze bad dat die vermaledijde zon zou komen, dat Adam niet humeurig ging doen en dat ze niet de hele tijd door mist omgeven waren.

Na een poos hield de muziek op en na wat gebons kwam Adam luidruchtig de trap af.

'Wat is het, lasagne?' Hij snoof hongerig.

'Ja.'

Hij lachte naar haar. 'Lekker.'

Ruth lachte terug. 'Wil je wat knoflookstokbrood uit de koelkast halen? Er liggen ook nog wat sperziebonen in.'

Hij zag de dienbladen en zijn gezicht begon te stralen. 'Eten we voor de televisie?'

'Ja. Niemand kan ons zien rondhangen en er is voor de zoveelste keer een film met James Bond.'

Hij nam gauw een slokje van haar wijn en ze gaf een tikje tegen zijn hoofd. Neuriënd ging hij weg om de televisie aan te zetten. Ruth werd heel even bevangen door de gedachte hoe makkelijk het was om iemand anders gelukkig te maken als je het echt wilde.

Ze opende de deur van het huisje weer en luisterde naar de wulpen. Wat een grillige, onbekende grens lag er tussen verdriet en geluk.

18

Danielle belde Flo op uit Birmingham. 'Is Jenny thuis?'

'Nee,' zei Flo, terwijl het hart haar in de schoenen zonk.

'Hier is ze nergens te bekennen. Ze neemt nog steeds niet op. Ik ben zelfs naar het huis van Ruth geweest, maar die zijn allemaal een poosje op vakantie. Haar werkster vertelde dat Jenny nog een nacht in het huis zou blijven nadat de familie weg was en dat ze dan naar Londen zou teruggaan. Geen van de inkopers bij Mason of Simpson heeft haar gezien.'

'Waarom heeft ze ons in hemelsnaam niet gebeld? Misschien is ze nu onderweg naar huis.'

'Misschien. Maar, Flo, het staat me niet aan. Jenny heeft ons altijd laten weten waar ze is.'

Flo liet zich op een stoel zakken. 'Mijn god. Ik vraag me af of ze opeens heeft besloten om naar Cornwall te gaan, naar Bea en James.'

'Dan had ze wel gebeld om het ons te laten weten.'

'Niet als ze niet goed kan nadenken. Niet als alles weer bij haar naar boven is gekomen. Ik moet James en Bea bellen. Ik wil hen niet onnodig ongerust maken, maar het is nu achtenveertig uur geleden dat we iets hebben gehoord. Danielle, kom naar huis, je kunt niets meer doen in Birmingham.'

'De werkster heeft me ook verteld dat Ruth geen telefoon in het huisje in Cornwall heeft en dat haar mobiele telefoon daar geen ontvangst heeft, dus we kunnen geen contact met haar opnemen.'

'Je hebt gedaan wat je kunt. Kom nu terug naar Londen. Ik zie je vanavond.'

Flo legde de hoorn weer op de haak. Ze wilde geloven dat Jenny in een opwelling naar huis was gegaan, als een kind, om troost te zoeken. Onhandig stond ze op terwijl een pijnscheut door haar linkerbeen trok, liep naar het raam op de overloop en pakte de vaas verlepte sneeuwklokjes op. Ze deprimeerden haar en ze gooide ze weg. Deze stilte was niet te verklaren. Er was iets aan de hand. Flo belde het nummer van de Browns.

James nam op. Terwijl hij naar Flo luisterde, besefte hij dat hij al half had verwacht dat iets dergelijks zou gebeuren.

'Wat vreemd dat Jenny en Ruth elkaar na al die tijd in de trein zijn tegengekomen. Als het hetzelfde huisje is, Flo, dan ken ik het goed. Ik ga nu naar St. Minyon. Het zou me niet verbazen als Ruth en Jenny er samen zijn. Als kinderen hadden ze een heel hechte band. Als ze er niet is en Ruth niet weet waar ze is, dan denk ik dat we iets zullen moeten doen.'

'Ik maak me zorgen dat ze misschien een inzinking heeft.'

Het bleef even stil. Toen zei James kalm: 'Ja, dat is mogelijk. Probeer je niet te druk te maken. Ik bel je terug zodra ik kan.'

James startte zijn oude auto en reed de heuvel op, St. Ives uit. Het was een prachtige dag en de baai beneden hem glinsterde in het zonlicht. Hoe vaak was hij niet met de kinderen de haven uitgezeild? Jenny, het nakomertje, die wel gelukkig geboren leek, lachte dan van opwinding. *Ik hou van de zee, pap, ik hou van de zee. O! Niets op de wereld is zo mooi als dit, hè?*

Bea zei altijd dat Jenny vol vreugde geboren was. James zuchtte. De vreugde was zo vroeg in haar leven weggerukt. Verontrust dacht hij aan hun gesprek met kerst, nadat Tom om het leven was gekomen.

Jenny was met Flo met de trein gekomen. Het huis puilde uit met haar zussen en hun kinderen. Zowel hij als Bea had gedacht dat dit was wat Jenny nodig had, het gezelschap van haar familie, waarbij ze al hun steun en liefde kon krijgen.

Het was een vergissing geweest. Het had op een wrede manier het feit belicht dat haar zussen nog een man en kinderen hadden, de mensen van wie ze hielden. Het isoleerde haar, maakte haar bang dat ze zich schuldig zouden voelen. Ze hadden allemaal op hun tenen gelopen, alsof ze een ernstige ziekte had.

Jenny was zelf lange wandelingen gaan maken en stond vroeg op om te vermijden dat iemand zou aanbieden om met haar mee te gaan. Ze liep door de winterse stad of dwaalde over de kliffen naar Zennor. In haar oude houtje-touwtjejas zat ze in de beschutting van de rotsen naar de surfers te kijken; ze bracht uren door in het kleine Barbara Hepworth-museum en zat daar in de koude maar vredige tuin.

Op kerstavond was James met haar meegegaan over het klifpad naar Lelant. Die wandeling hadden ze vaak gemaakt toen ze nog een kind was. Dan namen ze het treintje dat over één spoor tussen St. Ives en de Saltings ploegde.

Op die dag, toen ze over het langgerekte stuk strand bij Porth Kidney liepen, had de wind hen bijna omver geblazen. Zeemeeuwen krijsten en scheerden over hen heen, en de wind was zo koud dat het hun de adem benam. Jenny had naast hem gelopen, genietend, zo wist James, omdat ze zich op het ongemak concentreerde en niet op de kille plek binnen in haar.

Hij had haar hand gepakt en gezegd, terwijl zijn woorden in flarden kwamen door die irritante wind: 'Ik voel me zo hulpeloos. Ik wil iets doen waardoor je je beter zult voelen, en ik ben machteloos. Ik kan niets doen.'

Jenny had zich naar hem toe gedraaid terwijl ze probeerde te glimlachen. 'Je bént er, pap. Het spijt me. Ik heb zo mijn best gedaan om niet iedereen te deprimeren, vooral de kinderen niet. Dat zou niet eerlijk zijn. Ik had beter met Kerstmis kunnen werken, maar ik wist dat Bea in alle staten zou zijn als ik in Londen bleef. Het zou echt beter zijn als ik zo vlug mogelijk terugga. Zonder mijn werk heb ik niets. Als ik werk, kan ik gewoon aan Tom denken en aan de dingen die we samen deden, Tom en ik. Dat is alles wat ik wil, pap. Alles. Ik probeer vrolijk te doen, maar het gaat niet.'

'Natuurlijk niet, lieverd, en dat verwacht niemand van je. Als je wilt, breng ik je meteen na Kerstmis terug. Maar je moet de toekomst onder ogen zien en niet blijven stilstaan bij het verleden. Ik maak me zorgen om je gezondheid. Je eet en slaapt bijna niet, en het doet pijn om naar je te kijken. Ik hoor je 's nachts door het huis lopen. Mag ik je een paar vitamine-injecties geven om je te laten aansterken, en iets waardoor je kunt slapen, voor een korte periode?'

Ze liepen de zandduinen in om beschutting te zoeken tegen de wind. Jenny draaide zich naar hem om. 'Ja. Goed. Maar zorg dat ik geen slaappillen mee terugneem naar Londen.'

James had haar geschokt aangekeken. 'O Jen, ben je zo depressief?'

Jenny had even gezwegen en toen gefluisterd: 'Ja.'

'Dan vind ik dat je iemand moet raadplegen...'

'Nee, pap. Toe, ik heb toch niemand nodig die me vertelt waarom mijn leven de moeite niet waard lijkt?' Ze had hem een arm gegeven. 'Maak je geen zorgen over mij. Het komt wel goed. Ik sla me er wel doorheen, maar het gaat beter als ik keihard werk. Het heeft geen zin om mijn hart uit te storten bij volslagen vreemden terwijl ik jou en mam heb, mijn zussen, Danielle en Flo.'

James had zich naar haar omgedraaid. 'Deed je dat maar. Ging je maar huilen en praten en kwaad worden. Liet je je maar door ons troosten. Maar...'

Hij bleef staan toen haar gezicht verstrakte. 'Dat is niet mijn manier, pap.'

Ze was naar de onstuimige zee gelopen en liet voetstappen achter in het vochtige zand, die zich vulden met water.

Toen James de snelweg opreed, zei hij in stilte een gebed. Hij hield van al zijn kinderen evenveel, maar Jenny was een volslagen verrassing geweest voor hem en Bea. Hij kon in gedachten nog steeds dat grappige, blije kind met de krulharen zien en horen, terwijl ze haar rok optilde en lachend door de veilige ondiepe wateren van haar jeugd rende.

19

Ruth draaide Bach op haar cd-speler: Eva Marton, die 'Ave Maria' zong. Adam, die in de raambank naar de kreek zat te kijken, vond het deprimerend. Meestal vond hij het een mooi stuk, maar vandaag maakte het hem treurig en rusteloos. Hij genoot niet van deze vakantie, terwijl hij zich er weken op had verheugd.

Vandaag leek het voor het eerst of de zon zou doorbreken. Dikke dauwdruppels glinsterden op de randen van het gras buiten. Het was nog steeds koud, dat kon hij voelen aan de lucht. Hij wipte met zijn knie, zich afvragend wat hij vandaag zou gaan doen.

Ruth zat achter hem aan de tafel terwijl ze papieren doornam voor een lezing. De volgende keer zou hij misschien vragen of Simon of Dave van het orkest mocht meekomen. Terwijl hij daar zat, brak de zon door de mist en wolken heen, zodat een stukje helderblauwe lucht zichtbaar werd en de vloed aanlokkelijk glinsterde. Adam voelde zich opeens een stuk vrolijker.

Hij wist waarom hij gedeprimeerd was. Zijn vroege ochtenden werden verpest door zijn angst en hij walgde van zichzelf. Nooit eerder was hij bang geweest om in zijn eentje eropuit te trekken in de donkere ochtenden. Het opwindende was grotendeels de geheimzinnigheid van de kreek bij het ochtendgloren, maar dat was voordat...

Hij voelde de huid van zijn nek prikken bij de herinnering. *Voordat de geest hem was komen achtervolgen.* Toen fluisterde de andere stem, de stem die hem bespotte om zijn sulligheid: *geesten wonen niet in kampeerauto's.*

Adam keek op en zag dat zijn moeder naar hem keek.

'Wat is er, Adam? Je bent zo stil, en je bent vanmorgen niet eens naar buiten gegaan. Voel je je wel goed?'

'Best.'

'Nou, toch is er iets.'

Adam stond op en liep door de kamer, waarbij hij dingen optilde en terugzette zonder ze te zien. Eigenlijk wilde hij zijn moeder vertellen over dat griezelige, maar ook weer niet.

'Geloof jij in geesten?' vroeg hij ten slotte.

Ruth keek opgelucht. Ze glimlachte naar hem. 'Nee. Wie spookt er bij je?'

'Als ik 's morgens vroeg naar buiten ga, heb ik het gevoel dat ik niet alleen ben. Dan lijkt het alsof iemand me volgt. Ik zie nooit wat, maar ik voel dat ze naar me kijken. Dan wil ik steeds omkijken of er iemand achter me staat. Soms zie ik een zwarte vorm van iets in het donker.'

Ruth staarde hem aan. 'Ben je daarom vanmorgen niet weggegaan?'

'Ja.' Adam werd opeens kwaad. 'Ik weet dat het stom klinkt, mam. Ik weet dat het zielig klinkt, maar dit is voor het eerst van mijn leven dat ik me bang voel.'

Ruth stond op, liep naar hem toe en ging naast hem in de raambank zitten. 'Kreken zijn heel griezelig. Sinds onze komst hier zijn we bijna elke dag omgeven geweest door mist. Geen wonder dat je bang was. Als je naar buiten gaat, is het nog donker en hoor je alleen die waadvogels roepen. Het verbaast me niet dat je vormen in het donker ziet. Sta wat later op, als het lichter is. Je kunt toch geen vogels zien in de mist en het donker.'

'Zo donker is het niet als je buiten bent. En we komen hier al jaren en ik ben altijd vroeg opgestaan om naar buiten te gaan, en ik ben nog nooit bang geweest en...'

'Wat?'

'O, niets. Laat maar, mam.' Adam stond op. 'De zon schijnt. Ik ga vissen.'

'Wat wilde je zeggen? Toe, Adam, zeg het.'

'Alleen... dat als ik 's morgens vroeg naar buiten ga, er een kampeerauto lijkt te staan bij de boten, of aan de andere kant van de kreek. Je weet wel, daar waar die speciale school is.'

'En?'

'Soms zie ik die donkere vorm weer instappen en wegrijden. Ik ben naar mijn slaapkamer gegaan en heb gekeken.'

De uitdrukking op het gezicht van Ruth veranderde. 'Er is niets spookachtigs aan een kampeerauto, Adam. Wat bedoel je? Dat iemand je 's morgens vroeg achtervolgt?'

Adam gaf geen antwoord. Toen zei hij zacht: 'Ik weet het niet, mam.'

Ruth stond op. De zon scheen door het raam naar binnen. 'Goed, Adam. Ik wil niet dat je 's morgens vroeg in je eentje weggaat. Als je die kampeerauto weer ziet, kom het dan zeggen. Staat hij er overdag ook wel eens?'

'Dat denk ik niet, maar we zijn veel weggeweest. Ik meen hem een keer bij Perranporth te hebben gezien toen we daar waren, maar ik kan me vergissen.'

'Goed. Als ik hem zie, zal ik op onderzoek gaan. Waar ga je vissen?'

'Bij de oude schuur aan de kop van de kreek. Daar gaan de inwoners van hier ook vissen. Overdag ben ik niet zenuwachtig, mam.'

Ruth woelde door zijn haren. 'Dat weet ik. In elk geval laten genoeg mensen daar hun hond uit. Ik weet niet of je er iets aan hebt, maar als kind gingen Jenny en ik daar ook griezelen. En het kan ook best een andere vogelaar zijn.'

'Ja, dat kan. Ik ga mijn visspullen pakken.'

'Ik zal je iets te eten brengen tussen de middag. Dan gaan we picknicken.'

Zijn moeder was in de kast oude kranten aan het zoeken toen hij terugkwam. Hij voelde dat ze hem nakeek toen hij over het pad liep. Toen hij de hoek omsloeg, wierp hij een blik op het terrein waar mensen hun auto's parkeerden. Er stond geen kampeerauto.

Adam wist dat zijn moeder meteen naar buiten zou komen zodra hij uit het zicht verdwenen was, voor de zekerheid. In het zonlicht leek zijn angst vergezocht en kinderachtig. Hij wou dat hij niets had gezegd.

20

Ik liep over het smalle pad door de rietvelden aan de andere kant van de kreek, weg van de huizen. Vandaag was de lucht blauw en onbewolkt, maar de kou sneed in me. Onder het lopen begon de zon me door mijn jas heen te verwarmen. Ik voelde me zo licht alsof ik zweefde, alsof mijn voeten de grond niet raakten, alsof ik me moeiteloos heel snel voortbewoog.

Ik bleef staan bij het bruggetje waar het water zich in een kleine waterval in de kreek stortte. *Lang, lang geleden lieten Jenny en Ruth hier stokjes in het water vallen. Degene wier stokje het eerst aan de andere kant van de brug in het water verscheen, was de winnaar. Jenny en Ruth?* Kinderen van lang geleden, gelukkig en zorgeloos. Beelden van hen kwamen in me op.

Wat doe ik hier? Mijn hart ging zo tekeer dat het pijn deed. Ik probeerde te denken, maar mijn hoofd wilde maar niet helder worden. Ik liep verder over het pad en kwam bij het enige huis aan deze kant van de kreek. Ik herinnerde me dat huis. Het was vroeger vervallen, maar nu was het een gerenoveerd modern huis met een dubbele garage. Het zag er vreemd uit, zo aan de rand van het bos, misplaatst, alsof iemand het per ongeluk op de verkeerde plek had laten vallen.

Ik keek ernaar en herinnerde me de afgebrokkelde stenen muren met dikke trossen klimop in de scheuren, een dak dat was ingestort en dat bedekt was met mos en bloemen die in de kieren bloeiden.

Het vervallen huis kreeg nooit zon, net zomin als dit lelijke moderne huis, dat er donker en onbemind uitzag ondanks de gele verf.

Vlug liep ik er voorbij. Het pad draaide naar rechts en voerde het bos in. Ik beklom de uitgehouwen treden in de boomwortels naar een hoger gelegen pad dat boven de kreek liep. Hier stonden de bomen dicht en donker opeen en ik voelde me ermee versmelten, glijdend over gevallen bruine dennennaalden die zo zacht waren als watten, tot ik één was met de bomen, alsof ik boom en schaduw was.

De kreek glinsterde in een steile hoek beneden me, en ik hoorde zingen. Dwars door het bos heen kwam het geluid van iemand die met een hoge, kinderlijke stem zong, hoewel ik de woorden niet kon verstaan. Toen het zingen ophield, klonken er flarden van applaus. Toen bleef het even stil en vervolgens begon iemand op een fluit te spelen. Voorzichtig liep ik in de richting van het geluid.

De bomen maakten plaats voor een open plek en daarachter was een klein hek in een haag. De geluiden kwamen van de andere kant van de haag. Ik liep naar het hek en zag het oude landhuis dat op een steile helling stond met de voorkant naar het bos en de kreek toe. Een gazon liep af naar het hek, en niet ver ervandaan, op een recht stuk gras als een terras, zaten mensen in een halve kring op stoelen muziekinstrumenten te bespelen.

Het terras was zo aangelegd dat het in de vroege ochtendzon lag. De mensen waren gewikkeld in jassen en dassen. Ze maakten veel lawaai en leken opgewonden. Toen zag ik dat het kinderen waren. De fluitspeler hield op, maakte een onhandige buiging, en de anderen legden hun instrumenten neer en applaudisseerden.

Ik sloeg hen gade. Ik zag dat er iets niet klopte. Hun bewegingen waren niet gecoördineerd. Ze leken niet in staat om stil te blijven zitten. Sommige kinderen stonden op en renden in kringetjes rond waarbij hun ledematen in vreemde hoeken bewogen.

Een man met een baard riep iets en klapte in zijn handen om hen tot de orde te roepen. Hij liet de kinderen weer plaatsnemen en een lange, slungelige jongen begon viool te spelen. Hij speelde prachtig. De muziek was betoverend, en de kinderen wiegden mee op de klanken. Hij speelde een minuut of twee, drie, en raakte toen plotseling zijn concentratie kwijt. Hij stopte midden in het stuk en keek me recht in de ogen.

De plotselinge stilte was als een ononderbroken huivering. Ik hield zijn blik vast en verdriet kwam in me op als een echo. Zijn angst werd weerspiegeld door die van mij. Ik voelde zijn vluchtige, angstaanjagende verwarring.

De man met de baard raakte zijn arm aan. Hij sprak zo zacht tegen de jongen dat ik de woorden niet kon horen. De kinderen sprongen van hun stoelen en verdrongen zich om de jongen. Ze sloegen hun armen om hem heen en maakten geluidjes van troost en aanmoediging. Ze klopten op zijn rug en streelden hem en slaakten zachte kreten tot hij met een schok weer tot leven kwam.

Ik draaide me om en holde terug naar de beschutting van de bomen. Ik volgde het pad van zachte dennennaalden dat slingerend terugvoerde naar het water en het zonlicht. Het leek wel of de blikken van de jongen me tot in de schaduwen achtervolgden. *Waar ben ik mee bezig? Waar ben ik mee bezig?* Laat iemand me dat vertellen.

21

Adam en Ruth namen het pad door het bos. Deze route was nieuw en maakte deel uit van een werkverschaffingsproject. Het leidde nergens naartoe, maar slingerde zich in een boog boven het water en kwam uit waar het lelijke gele huis nu stond.

Niet veel mensen namen deze nieuwe route. Ze bleven liever op het open pad langs de kreek in plaats van zich in de schaduw van de bomen te begeven. Het was een zegen voor het landhuis, waar nu een school voor autistische kinderen was gevestigd. De kinderen en leerkrachten konden nu via een hekje zo bij de kreek komen.

Toen Ruth en Adam langs het hek liepen, zagen ze een halve cirkel stoelen met muziekinstrumenten erop. Ze zagen er misplaatst en aangrijpend uit.

Ze liepen het rondje en kwamen terug bij de oude schuur, waar Adam zonder succes had zitten vissen. Ze gingen op een bank zitten en aten hun broodjes en appels in de zon. Adam controleerde zijn lijn. Nog steeds niet beet.

Ruth hief haar gezicht op naar de flauwe warmte van de zon terwijl Adam iets walgelijks van zijn haakje haalde, er iets nieuws aan bevestigde en de lijn weer uitgooide. Hij neuriede, en Ruth glimlachte ontspannen.

'Goed,' zei ze even later. 'Ik ga maar eens terug naar het huis en de tuin. Je weet nooit wanneer we hier weer terugkomen. Tot straks, lieverd.'

Adam draaide zich naar haar om en lachte. 'Reken maar niet op vis voor het avondeten.'

'Je hebt nog de tijd!' Ruth was opgelucht dat hij weer opgewekt leek.

Terwijl ze terugliep naar het huis, zag ze dat het mooiste van de dag alweer voorbij was. Wolken stapelden zich op en de aanhoudende mist naderde weer. Ze kon bijna de vochtige aanraking op haar gezicht en langs haar benen omhoog voelen kruipen. Haastig liep ze door om haar planten binnen te zetten.

Adam zat vlak bij de met klimop begroeide schuur te vissen. Al een hele poos, alsof hij vastbesloten was iets te vangen. Ik sloeg hem gade van tussen de bomen, net binnen het bos waar de dennennaalden droog waren. Ruth was weg en Adam was weer alleen. Ik staarde naar zijn achterhoofd. Het was zo vertrouwd, de hoek waarin hij zijn hoofd schuin hield, de vorm ervan, zoals zijn haar groeide, precies als dat van Tom. Ik vond het heerlijk om hem gade te slaan.

Er waren geen wandelaars op de paden en de zon gleed achter de wolken en er weer onderuit. De warmte van de dag zou dadelijk verdwijnen.

Adam zette zijn hengel tussen twee stokken en draaide zich om. Hij keek het bos in, waar ik zat. Hij huiverde en trok met een snelle beweging een trui over zijn hoofd. Toen draaide hij zich vlug om naar zijn hengel en morrelde aan het aas aan het uiteinde van de lijn. Ik zag dat zijn schouders opeens gebogen en gespannen waren en zijn bewegingen nerveus.

Er kwam een brok in mijn keel. Mijn hoofd bonsde pijnlijk. Hij wist dat hij werd gevolgd en gadegeslagen. *Ik maakte hem bang.*

Ook ik huiverde. De jongen die viool speelde, had me teruggerukt van een vreemde plek. Zijn ogen staarden recht in de mijne en er had de verbijstering in gelegen over een leven dat hij niet helemaal begreep; een wereld waar dagelijkse handelingen een voortdurende strijd tegen angst worden.

Eén afschuwelijk en verbijsterend moment herkende ik de donkere en eenzame plaats die hij bewoonde. Een plaats waar je niet langer je gedachten of je daden onder controle hebt of ze kunt beoordelen. Een wereld waar het onmogelijk is om een band met wie dan ook te krijgen, waar het eenvoudigste besluit te moeilijk is. In de ogen van de jongen ving ik een weerspiegeling van mezelf op, en vol afschuw besefte ik dat ik misschien gek aan het worden was.

Ik volgde de enige dierbare persoon die ik nog had en maakte hem bang. Ruth en Adam waren langs me gelopen terwijl ik tussen de dennennaalden lag en de tere stralen van de zon mijn gezicht raakten. Ik had kunnen roepen, hen bijna kunnen aanraken, maar dat deed ik niet. Ik had liggen beven van verlangen om uit te roepen: *help me, help me.*

Nu wist ik dat ik maar één ding kon doen. Ik kon Adam niet bang achterlaten. Ik moest hem geruststellen dat niemand hem kwaad wilde doen, hem laten weten dat ik het maar was geweest die hem volgde. Alleen ik maar.

Ik pakte mijn jas, liep het bos uit en stak het pad over naar de kleine, raamloze stenen schuur. Tegen de muur gedrukt keek ik naar hem door het gapende gat. Dadelijk zou ik hem roepen. Ik zou roepen dat ik het maar was, Jenny, maar om de een of andere reden leek het moeilijk om mijn stem te vinden, alsof die in me was verdwenen.

Adams kraag zat vast in zijn jack, waardoor dat stukje witte hals werd ontbloot. *Ik wil hem vasthouden, ik wil hem vasthouden. Ik ben zo moe. Ik zal mijn jas op de grond leggen. Ik zal even rusten, even maar, tot ik ophoud met beven. Dan zal ik hem roepen.*

22

Ruth tilde de sleutelbloemen uit de oranje doos en begon ze onder het raam te planten. Ze schudde de aarde uit de doos toen haar blik op een naam in een kop viel in de oude krant die in de doos was gelegd.

Ze veegde het vuil weg en keek aandachtiger. Er stond een foto in van een legerofficier die Tom Holland heette. Hij was om het leven gekomen door een bom. Die was onder zijn auto bevestigd in Londen. Hij was onderweg naar huis van de dierentuin met zijn dochtertje.

Zijn knappe gezicht keek glimlachend naar haar op. Geschokt liet Ruth zich zakken en ging op de harde grond zitten. *O, Jenny.*

Ze staarde naar de foto en haar wereld trok zich snel en gevaarlijk terug in een getijdenstroom. De herinneringen die waren verdreven en al die jaren waren uitgewist alsof ze nooit gebeurd waren, keerden met een misselijkmakend gevoel terug.

Weer was ze tussen de jassen, de stoffige, zweterige tweedehands geur ervan, waar ze bijna naakt lag met deze man die hier op de foto stond.

Tom Holland... nog een jongen toen ze hem ontmoette. Hier was hij, dezelfde man, dood. *Vermoord.* Dat was er gebeurd met de man met wie ze zo achteloos een baby had verwekt in een koude kamer tijdens een kerstfeest. Het was Adams gezicht dat naar haar opkeek. Zijn gezicht was een oudere, griezelige versie van Adam. Het gezicht dat ze zichzelf geleerd had te vergeten. Deze man was de echtgenoot van Jenny geweest.

Ruth pakte de krant uit de doos en sloeg de binnenpagina op. Er waren foto's van Jenny. Foto's van een donker klein meisje met Jenny's lachende ogen en wilde, krullende haar. Ruths handen beefden. Ze wilde uitschreeuwen: *waarom heb je me de waarheid niet verteld, Jenny? Waarom heb je me niet verteld dat je je man en dochtertje op deze afschuwelijke tragische manier hebt verloren?*

Ze zou zoveel meer hebben begrepen, Jenny's bijna catatonisch verdriet, haar plotselinge ziekte. Ruth herinnerde zich hoe Jenny naar haar had gekeken, haar vreemde gedrag toen ze bij haar in huis was. Hoe ze door Adam in beslag werd genomen...

O, mijn god! Ruth sprong overeind. *Wat ben ik stom. Zo traag van begrip.*

Ze was het hek uit en rende het pad op. Haar adem stokte pijnlijk in haar borst. Boven het bonzen van haar hart en het lawaai van haar voeten uit hoorde Ruth Adam schreeuwen.

James Brown parkeerde de auto bij de omgekeerde boten op het gras en liep met grote stappen naar het huisje. De voordeur stond wijd open. Hij riep terwijl hij over het pad liep. Iemand was net aan het tuinieren geweest. Een harkje en troffel lagen op het pad. Een pagina van een oude krant waaide door de tuin en geïrriteerd greep James hem toen hij om zijn voeten waaide.

Hij staarde naar de foto's van een autowrak, obsceen verwrongen. Foto's van zijn dochter, kleindochter en schoonzoon wapperden in de wind. De wereld leek opeens doodstil terwijl hij naar de beelden keek die onuitwisbaar in zijn geheugen gegrift stonden. Opeens hoorde hij in de stilte een vrouw gillen.

Vlug liep hij terug naar zijn auto, greep zijn dokterstas en liep doelbewust langs de kreek in de richting van de geluiden. Hij was te oud om te rennen. Niemand zou er iets aan hebben als hij een hartaanval kreeg. Toen hij dichter bij de geluiden kwam, vlogen twee witte zwanen over hem heen en als een volmaakte eenheid over het water de mist in. Onder hen glinsterde de kreek even in de namiddagzon.

Vanaf het pad ving hij een glimp van beweging op bij de waterkant bij de monding van de kreek. Het was moeilijk te zien wat er aan de hand was. Toen hij de hoek van de vervallen schuur omsloeg en knarsend over zeewier en kiezels liep, zag James een groep mensen in de modder bij de waterkant.

Ze bogen zich over iemand heen. Een man in lieslaarzen bukte zich, tilde een klein lichaam op en droeg het naar de kiezels. Een modderige, bange jongen werd stevig vastgehouden door een blonde vrouw.

James haastte zich met bonzend hart naar de visser die plonzend uit het modderige water kwam en Jenny voorzichtig op de grond legde. 'Ik ben arts. Ik ben haar vader.'

Hij draaide Jenny op haar buik, maar voor hij tijd had om het water uit haar te pompen, begon ze te kokhalzen en over te geven. Opgelucht legde James haar op haar zij en hield haar zo vast, in het besef dat ze niet lang in het water kon hebben gelegen. Hij boog zich over haar heen om haar pols te voelen, duwde haar haren uit haar modderige gezicht en legde de rug van zijn hand tegen de zijkant van haar hals. Ze was in orde, maar ze huiverde van de kou. Hij keek op naar de visser. 'Dank u,' zei hij.

'U moet mij niet bedanken,' zei de man. 'De jongen ging achter haar aan het water in. Ik was aan het vissen en ik hoorde hem schreeuwen. Ik heb alleen geholpen om haar eruit te trekken.'

James pakte zijn mobiele telefoon uit zijn zak om een ambulance te bellen, maar veranderde abrupt van gedachten. Hij draaide zich om toen de jongen, die onder de modder zat, in zijn richting liep. Hij herkende Ruth, ondanks het feit dat ook zij verfomfaaid en modderig was.

'Komt alles goed met Jenny?' vroeg de jongen ongerust, terwijl zijn tanden klapperden van kou en angst. Zijn felblauwe ogen keken James aan uit zijn vuile gezicht.

'James?' zei Ruth verbaasd. 'O, goddank dat je er bent.'

'Ja, alles komt goed, dankzij jou,' zei James tegen de jongen, en toen tegen Ruth: 'Breng hem naar huis, hij heeft het ijskoud.'

De visser kwam terug met een oude plaid. Ze wikkelden Jenny erin en hij bood aan haar naar het huisje te dragen. 'Ze weegt niets, de arme meid.'

James keek naar het met modder bedekte gezichtje van zijn dochter. 'Jenny?' zei hij zacht. 'Lieverd, het is goed. Alles komt goed.'

Jenny's ogen gingen open. Ze keek terug met een lege hopeloosheid die hem verzengde. Hij was woedend op zichzelf. *Ik had dit moeten zien aankomen.*

Ze hobbelden in een vreemde kleine processie terug naar het huisje. Hij en Ruth trokken Jenny's doorweekte kleren uit, stopten haar in een warm bad en legden haar in het bed van Ruth met hete kruiken. James gaf haar een injectie. Ze hield op met beven en viel in slaap toen het kalmerende middel begon te werken.

Ruth stopte Adam in bad en James belde Bea op.

Toen Ruth beneden kwam, wierp ze een blik op James' gezicht en bood hem iets te drinken aan. 'Ik zou graag een flinke whisky lusten, maar ik moet rijden. Een kop thee lijkt me lekker. Hoe gaat het met de jongen?'

'Adam. Geschrokken, maar het gaat wel. Gelukkig was het nog niet helemaal vloed. Het was vreselijk om hen beiden in het water te zien worstelen...' Ze aarzelde. 'Vind je niet dat Jenny in het ziekenhuis moet worden nagekeken?'

James glimlachte grimmig. 'Ik ken het systeem. Als ik haar in deze staat laat opnemen, zal ze ondervraagd moeten worden door een psychiater. De mogelijkheid bestaat dat ze een gedwongen opname krijgt. Dat wil ik niet. Je hebt gezien hoe ondervoed en mager ze is; dat alleen kan al geestelijke problemen veroorzaken. Ik wil haar zelf helpen en de mening vragen van collega's die ik vertrouw voor ik mijn dochter overlever aan psychiaters.'

Ruth knikte en ging de ketel opzetten. James keek naar haar en vroeg: 'Heeft Jenny hier gelogeerd? Wat... waardoor draaide ze na zes maanden opeens door?'

Ruth zette bekers tussen hen in op de tafel. Ze ging tegenover James zitten. 'Jenny heeft niet bij ons gelogeerd. We wisten tot vanmiddag niet eens dat ze in Cornwall was. Ik geloof dat ze in een kampeerauto heeft gebivakkeerd. Ze achtervolgt Adam al dagen, maar natuurlijk wisten we niet dat het Jenny was.'

James staarde Ruth vol afschuw aan. 'Maar waarom...? Ik begrijp het niet. Achtervolgd?'

'Ik denk dat je het dadelijk wel zult begrijpen, James.'

Adam kwam beneden, schoon maar nog steeds bleek. Ruth ging naar hem toe en draaide de jongen zachtjes met zijn gezicht naar

James, die verbijsterd keek. Wat moest hij zien? Toen wierp de jongen zijn haar uit zijn gezicht en keek James aan met die buitengewone ogen met felblauwe vlekjes.

Toms ogen... Natuurlijk, de ogen... James zag dat de puber opmerkelijk veel op Tom leek en dat de gelijkenis sterker zou worden als hij volwassen werd. Het kwam niet alleen door de vorm van het hoofd en de manier waarop het haar groeide, maar ook door hoe hij je recht aankeek.

Opeens voelde James zich moe en oud en triest. Hij zag Ruths ogen boven de schouder van de jongen en ontdekte er een verdedigende behoedzaamheid in. Weer keek hij naar de jongen.

'Wat is er aan de hand? Ik begrijp het niet,' zei Adam terwijl hij wegliep van zijn moeder.

Dat geldt ook voor mij, dacht James.

Vlug zei Ruth: 'Nu is het niet de tijd om te praten, Adam. Morgen, als je geslapen hebt, zal ik proberen om het uit te leggen.'

Hoe zou Ruth het aan Jenny uitleggen? vroeg James zich met een ellendig gevoel af. Hoe kon ze deze jongen uitleggen? Hij haalde diep adem. 'Hoe voel je je, Adam? Het was heel dapper wat je hebt gedaan. Het moet heel erg beangstigend zijn geweest.'

'Het gaat wel. Ik heb niet veel water binnengekregen. Ik was nog maar net in het diepe gedeelte toen de visser me kwam helpen.'

'Kun je vertellen wat daar tussen jou en Jenny is gebeurd?'

Adam ging aan tafel zitten en frunnikte aan een van de bekers. 'Ik wist dat iemand me vanmiddag gadesloeg. Dat was al dagen zo. Ik wist niet dat het Jenny was. Ik dacht dat ze weg waren en toen ging ik vlug naar het pad om naar huis te gaan. Opeens zag ik haar in elkaar gedoken op haar jas liggen.' Adam keek op naar James met een ongeruste blik in zijn ogen. 'Het was zielig, niet meer eng. Ik wist dat Jenny ziek moest zijn. Ik maakte haar wakker en ze zei dat het haar speet dat ze me bang had gemaakt. Toen vroeg ik waarom ze me volgde en ze zei dat ik op Tom leek, haar man die was gestorven en dat ze had gedacht dat ze mijn moeder was. Ze zei dat ze vast een beetje gek was geworden. Ik zei dat ik gauw mijn moeder zou halen. Toen ik bij het meer kwam, hoorde ik geluid en keek om. Ze liep net heel snel het water in met haar zware jas aan. Ik schreeuwde dat ze moest blijven staan, maar ze luisterde niet. Ik ging achter haar aan, maar ze wilde niet dat ik haar eruit zou trekken. Ze stribbelde heel hard tegen. Toen kwam de visser me helpen. Het was vreselijk. Ze wilde verdrinken...' Zijn stem werd onvast.

James zei kalm: 'Het moet afschuwelijk zijn geweest, Adam. Je hield je hoofd erbij en je hebt gezorgd dat Jenny niet verdronk. Daarvoor was veel moed nodig. Ik kan je niet genoeg bedanken.'

Adam snoof, in verlegenheid gebracht. 'Komt alles goed met Jenny?'

'Dat hoop ik.' James stond op om zijn tas te halen. 'Het spijt me dat je zoiets ergs hebt moeten meemaken. Ik zal je moeder wat geven voor het geval je niet kunt slapen. Je moet niet bang zijn om het in te nemen.' Hij keek naar Ruth. 'Ik wil Jenny nu graag meenemen. Ik zal de auto naar het huis rijden.'

'Maar je thee...'

'Het wordt laat. Bea zal zich zorgen maken. Het lijkt me een goed idee om Adam morgen te laten onderzoeken door je huisarts. Het water is ongetwijfeld vervuild.'

James liep abrupt de voordeur uit om zijn auto te halen. Ruth hielp hem met de zwaar verdoofde Jenny en ze legden haar onder een plaid op de achterbank. Ze was zo licht als een veertje. James voelde dat hij kwaad was op Ruth, om onverklaarbare en unfaire redenen. Hij knikte kort als afscheid, stapte zonder nog iets te zeggen in zijn auto en reed de heuvel op.

De maan kwam achter de wolken vandaan en hing dramatisch in een donkerblauwe lucht. Weer hoorde James het geluid van zwanen die als een volmaakte eenheid over het donkere water vlogen dat zijn dochter bijna had verzwolgen.

23

Ruth zat in het donker in de raambank van het huisje. Adam was eindelijk in slaap gevallen. Ze staarde als verdoofd en geschokt in de dichte, zwarte avond. Het was koud in het huisje, en ze trok een oude, naar mottenballen ruikende plaid om zich heen en probeerde niet te rillen. Als ze eenmaal begon, zou ze niet kunnen ophouden.

Ze probeerde rustig te ademen en haar paniekerige hartslag te laten bedaren. Steeds weer moest ze denken aan wat ze in het krantenartikel had gelezen.

Ze kon zich op niets anders concentreren. Haar gedachten tolden door haar hoofd en ze was niet in staat om de gevolgen in te schatten van alles wat er in een nachtmerrieachtige opeenvolging was gebeurd bij de kreek.

Al die jaren dat ze zorgvuldig alles had verdoezeld; al die jaren van zelfopgelegd geheugenverlies waren in één middag weggevaagd. Ze voelde zich net een spion wier dekking was onthuld, en nu was ze blootgesteld aan de hele wereld. De waarheid over haar leven was wreed openbaar gemaakt aan Adam en iedereen kon het zien, als een lelijke geboortevlek.

Al die jaren van liefde, veiligheid en gevoel van eigenwaarde die haar tante haar had gegeven, waren verdwenen in de blik die James Brown haar over Adams hoofd heen had toegeworpen voor hij met grote passen het huis verliet en Jenny met zich meenam. Ze was weer de wanhopige tiener van vroeger, vol angst dat haar geheim ontdekt zou worden.

Het leven had de gewoonte om in een kring rond te draaien. Veertien jaar lang had ze Tom Holland achter een zware deur opgesloten waarop niet stond 'Verboden toegang' maar 'Niet gebeurd'.

Het huisje kraakte terwijl ze aan Jenny zat te denken. Ze zou nooit vergeten hoe ze met Adam worstelde in het water. Heel even had ze gedacht dat Jenny hem probeerde te verdrinken. Ze bewoog zich wild en wanhopig terwijl Adam zich aan haar vastklampte. Het was zo onwerkelijk geweest.

Ruth stond op en schonk een flink glas cognac in zonder het licht aan te doen. Toen liep ze met het bolle glas terug naar de raambank. Het was angstaanjagend geweest. Zowel Adam als Ruth had in de modder kunnen wegzakken en verdrinken.

Dat je je zo hopeloos voelt dat je een eind aan je leven wilt maken. Dat je zo ver kunt komen.

Ben ik in staat om zoveel verlies te voelen, zoveel liefde? Dat ik me zo diepbedroefd voel dat zelfs het langzaam naar een toekomst toeleven niets meer zegt? En dat sterven geen angst inboezemt?

Morgen zou ze met Adam moeten praten. Ze zou het onverklaarbare moeten verklaren, hem vertellen dat Jenny's echtgenoot zijn vader was. Dat Jenny zichzelf daarom had willen verdrinken.

Ruth schrok terug van de gedachte alleen al. Mijn god! Een volslagen toevallige ontmoeting in een trein had een reeks gebeurtenissen tot gevolg gekregen die voorgoed hun levens zouden veranderen. Ze voelde haar ledematen slap worden van wanhoop.

Als ze eens niet naar dat feest was gegaan toen ze zeventien was? Als Jenny bij haar was geweest? Waren zij en Jenny dan rivalen geweest wat deze man betrof?

Als Jenny was meegekomen, zou ze niet zwanger zijn geraakt. Dan was er geen Adam geweest, en dat was ondenkbaar.

Zij en Jenny hadden elkaar in een trein naar Birmingham kunnen ontmoeten toen Tom nog leefde. Wat zou er dan zijn gebeurd? Zou Tom zijn zoon erkend hebben?

Waarom dacht ze zo? Wat had het voor zin? De huichelarij was over. Aan dat stukje privé van haar leven dat ze zo heimelijk voor zichzelf had gehouden, was die middag een einde gekomen toen ze Adam Jenny, gek van verdriet, uit het water zag trekken.

Het was moeilijk geweest om Adam naar bed te sturen. Geschokt en verontrust had hij antwoorden willen horen, maar Ruth had deze avond voor zichzelf nodig voordat ze hem ook maar één antwoord kon geven. Ze dronk van de cognac en voelde de branderige vloeistof door haar keel glijden.

Ze herinnerde zich hoe zwaar de jassen op hen waren geweest. Zijn opwinding en haar eigen overstelpende verlangen en begeerte. Ze herinnerde zich het pijnlijke, stekende gevoel toen hij in haar drong; de bedwelmende verwondering toen ze een warm lichaam tegen het hare voelde, en hoe opwindend het was dat hij zijn adem scherp inhield toen hij klaarkwam. Weer rook ze de muskusachtige geur van seks, de hete vloed van zijn sperma plakkerig en vreemd tussen haar dijen...

Ze had er helemaal op vertrouwd dat de jongen die haar ontmaagd had en dat bevende, intieme moment met haar had gedeeld, zou navragen waar ze woonde en haar zou opbellen. Daaraan had ze, heel naïef, nooit getwijfeld.

Hij had gezegd: *god, wat ben je mooi.* Hij had haar lichaam tegen zich aan geklemd. Niemand had haar ooit zo vastgehouden, warme huid tegen warme huid. De vreemde maar troostrijke warmte van een mannenlijf tegen het hare. Iemand die haar aanraakte. Ze was niet gewend aan aanrakingen, tederheid, maar hier was iemand helemaal van haar, die van haar hield.

Hij had haar gezicht zo teder tussen zijn handen genomen en een kus op haar voorhoofd gegeven. '*Deze avond zal ik nooit vergeten,*' had hij gefluisterd. '*Nu moet ik weg, anders mis ik mijn lift terug naar Plymouth. Ik zal je bellen.*'

Ruth had die avond wel duizend keer opnieuw beleefd terwijl ze dag in dag uit, week na week, wachtte op een telefoontje dat nooit kwam. Toen ze zichzelf eindelijk dwong om de afschuwelijke waarheid onder ogen te zien, dat hij haar niet zou bellen, dat ze een avontuurtje voor één avond was geweest, een slippertje en bedankt, werd ze niet ongesteld.

Het was bijna onmogelijk om zijn afwijzing te accepteren. Hoe had het niets voor hem kunnen betekenen? Wat voor haar een aardverschuiving was geweest, had voor die onbekende jongen niets meer voorgesteld dan een vlug nummertje.

Iets van de machteloosheid en paniek uit die onevenwichtige periode in haar leven nam nu weer bezit van Ruth. De angst had haar gevoelloos gemaakt. Terwijl de hormonen door haar magere lichaam raasden, was ze heel passief geworden, iets wat normaal gesproken niet in haar aard lag. Haar ouders waren in staat om een toch al gebroken hart nog meer te verwonden. Diepbedroefd had Ruth niets meer dat haar steun kon bieden.

De blik die James Brown haar had toegeworpen, had haar zo'n schok bezorgd dat ze haar benen slap voelde worden. De bittere nasmaak en herinneringen en die donkere plek van schande die ze resoluut de rug had toegekeerd, kwamen in volle hevigheid terug.

Ze had valse herinneringen gecreëerd om met hoop, hoe broos ook, te kunnen doorleven. Ze had haar ontmoeting met Tom in iets fantastisch en acceptabels veranderd om met zichzelf te kunnen leven. Ze had de avond zo vaak veranderd en uitvergroot dat de waarheid sinds de geboorte van Adam op de achtergrond was geraakt.

Haar verdere leven had Ruth verlangd naar een man die haar seksueel kon opwinden op de dramatische, regelrechte manier zoals die onbekende jongen had gedaan. Dat was nooit gebeurd. Seks was nooit hoe ze zich herinnerde dat het kon zijn. Hoe kon dat ook, als ze het moment had opgesmukt tot iets prachtigs zonder ook maar een moment van onhandigheid of teleurstelling.

Ze erkende dat seks met een vreemde veel opwindender was dan de realiteit van een langdurige relatie, maar op de een of andere manier weerhield dat niet haar kinderlijke verlangen naar die kortstondige, verloren opwinding. Een verlangen naar iets meer.

Toms gezicht, dat naar haar opkeek uit een vergeelde krant, liet haar niet los. De herinnering aan de jongen die hij was geweest, was reeds lang vervaagd. Het was een schok om een volwassen versie van Adam te zien. Hier was de man van wie Jenny had gehouden en met wie ze had samengeleefd. De man met wie zíj een kind had gehad.

Een man met lachrimpeltjes in zijn knappe gezicht. Een man die te jong was gestorven, weggevaagd met zijn kind in een afschuwelijk moment op een warme zomeravond. Ze had het artikel steeds weer gelezen en zichzelf gedwongen om de waarheid van zijn vreselijke dood onder ogen te zien. Toen had ze het zorgvuldig in een la weggestopt tot ze met Adam had gepraat.

Hoe zou Adam het hoofd kunnen bieden aan het feit dat hij opeens een dode vader met een gezicht en een naam had?

Weer hoorde Ruth het signaal van de intercitytrein die een bocht nam; weer hoorde ze Jenny's lusteloze stem toen ze haar over Toms auto-ongeluk vertelde. Ze hoorde de stemmen op de achtergrond van de overige passagiers en ze rook de geur van koffie. Ze voelde Jenny's kleine hand onder die van haar beven.

Ze stak de lamp aan, schonk nog wat cognac in en ging weer in de raambank zitten. Er leek geen einde te komen aan de nacht, alsof de hemel nooit meer licht zou worden, alsof er geen nieuwe dageraad kwam. Ze was zo uitgeput dat het leek alsof een kloof zich voor haar opende, te breed om erover te springen.

Ze had zin om te gaan jammeren in de lege kamer, om haar verdriet uit te schreeuwen.

Het leven had zo anders kunnen zijn. Zo anders. Misschien had ze behalve Adam ook Tom kunnen hebben. Misschien had ze ze allebei kunnen hebben.

Adam werd met een schok wakker en lag op zijn rug in het donker. Het was stil in huis, maar het voelde beklemd aan. Hij draaide zich op zijn zij, warm en slaperig, en verdrong een knagend gevoel van ongerustheid dat bovenkwam. Toen herinnerde hij zich opeens alles en knipte de lamp op zijn nachtkastje aan. Het bonsde in zijn hoofd toen hij overeind ging zitten. Hij wachtte tot het wegtrok en hij helder kon kijken.

Heimelijk pakte hij uit zijn nachtkastje de krant die hij zijn moeder in een la beneden had zien verstoppen. De vorige avond was hij te versuft geweest om die te lezen. Nu legde hij hem op zijn knieën en streek voorzichtig de kreukels glad.

Hij zag een foto van een verwrongen auto die door een bom was opgeblazen. Er was een kleinere foto van een glimlachende legerofficier die Tom Holland heette. Deze man had in de auto gezeten met zijn kind. De man van Jenny. Adam sloeg de pagina om en keek naar de foto's van de soldaat, van Jenny en van een klein, donkerharig kind. Zijn handen beefden. Heel lang concentreerde hij zich in het stille huis op het gezicht van de man. Hij voelde zijn hart bonzen van opwinding toen hij met verbijstering iets herkende.

Die lachende ogen maakten zo'n emotie in Adam los dat het pijn deed. Hij moest de krant op zijn knieën leggen omdat zijn handen zo beefden. Hij herinnerde zich Jenny's woorden: *je lijkt zo op Tom.*

Hij wist het. Hij wist zonder enige twijfel dat deze man zijn vader was. Het gezicht was een vertrouwde, oudere versie van dat van hem. Hij herkende de waarheid zonder hem ooit eerder te hebben gezien, en hij voelde een plotselinge opwelling van trots. Het omhulde hem, ontroerde hem, en zo zou hij dat moment in de donkere slaapkamer toen hij voor het eerst onvoorwaardelijke liefde voelde, nooit meer vergeten. *Deze man was zijn vader.*

Was. Weer streek hij met bevende wijsvinger en duim de foto van de dode man glad. Zijn euforie maakte plaats voor een gevoel van enorm verlies. Hij huilde om alles wat zijn moeder hem niet had willen vertellen en om het feit dat hij nooit meer zijn echte vader kon leren kennen. Hij huilde om het kleine meisje dat zijn halfzusje zou zijn geweest, en om Jenny, die had willen sterven omdat ze er niet meer waren.

Beneden hoorde hij een vreemd geluid. Hij stapte uit bed en liep de trap af. Zijn moeder zat in het donker in de raambank. Haar hoofd lag in haar nek en haar gezicht was in de schaduw. Vreselijke, schurende geluiden kwamen van diep in haar. Adam bleef als verstijfd staan. In al zijn dertien jaar had hij zijn moeder nooit zien huilen.

24

Om zes uur in de ochtend ging Bea weg van Jenny's bed. Ze had de hele nacht de tijd gehad om na te denken over wat James haar had verteld. Ze wilde Ruth spreken.

Terwijl ze over de verharde weg reed, leek alles te fel en misselijk-makend door haar vermoeidheid. Het was rustig op de snelweg. De lucht vóór haar kreeg felle, dunne oranje vingers.

Bea reed naar St. Minyon en de heuvel af, en parkeerde de auto naast de omgekeerde boten. Er leek hier weinig te zijn veranderd sinds de tijd dat zij en James Ruth en Jenny uit het huisje met het rieten dak hadden opgehaald. Een gebogen gestalte in een jas stond over het water te staren.

'Ruth?' vroeg Bea voorzichtig.

De vrouw draaide zich om. Haar wanhopige gezicht was bekend, haar ogen waren gezwollen, maar het was onmiskenbaar Ruth.

De twee vrouwen keken een poos naar elkaar terwijl de tranen uit Ruths ogen sijpelden in een niet te stoppen vloed. Bea deed wat ze gewoon vond en opende haar armen. Ruth kwam automatisch naar haar toe en liet zich omhelzen zoals ze zo vaak had gedaan toen ze klein was. Alleen torende ze nu uit boven Bea. Bea duwde haar zachtjes iets van zich af. 'Toe. Probeer op te houden met huilen. La-ten we naar binnen gaan en een pot thee zetten.'

Bea zette thee en Ruth probeerde het vuur in het koude huisje aan te steken, stilletjes, om Adam niet wakker te maken. Ruth wist waarom Bea was gekomen, maar ze was bijna niet in staat om te praten. Ook Bea zag er uitgeput uit. Ruth vond het moeilijk om naar de Bea van haar jeugd te kijken en een oude vrouw te zien. Ze zaten voor het zwakke vuur en omklemden hun bekers om warm te worden.

'Hoe gaat het met Jenny, Bea?'

'Die is helemaal verdoofd. Ze is zo vermagerd, alsof ze wegkwijnt.'

'Ik vind het zo erg.'

Bea wierp Ruth een scherpe blik toe. 'Je geeft jezelf toch niet de schuld, Ruth? Ik heb van James begrepen dat Jenny in leven is dankzij jouw zoon.'

Ruth bukte zich naar het vuur. 'Adam heeft snel gereageerd, maar dat deed de visser ook.'

'Toen James me vertelde over... over Adam, besefte ik meteen wat er al die jaren geleden moet zijn gebeurd. Waarom je zo plotseling van school moest. Waarom we je niet mochten zien van je ouders en waarom je zo plotseling uit St. Ives vertrok. Je was zwanger?'

Ruth knikte en Bea boog zich naar haar toe. 'Je ouders kennende, Ruth, moet je een vreselijke tijd hebben doorgemaakt.'

Ruth keek op van het vuur. 'Ik kende Tom niet eens, Bea. Ik ben hem één keer tegengekomen en ik heb hem nooit meer gezien. Ik heb mezelf gedwongen om hem te vergeten. Het was afschuwelijk toen ik in die krant zag dat hij met hun kind op die manier was gestorven.' Ze verhief overspannen haar stem. 'Na die ene keer met een man van wie ik niets wist, heb ik nooit meer dat heerlijke gevoel van liefde beleefd. Het enige echte gevoel dat ik kan opbrengen, is voor mijn zoon.' Haar tanden klapperden.

'Goed,' zei Bea kordaat. 'Ik ga je als een kind behandelen en je naar bed brengen. Je bent op.'

Ruth glimlachte flauwtjes. 'Je hebt de hele nacht bij Jenny zitten waken, vol ongerustheid. Ik zou jou naar bed moeten brengen.'

'Ja,' zei Bea, 'maar ik ben een ouwe taaie. Dat krijg je met al die kinderen en kleinkinderen die ik heb.'

Ruth liet zich mee naar boven voeren en in bed stoppen met een warme kruik. 'Je bent altijd aardig voor me geweest,' mompelde ze.

Bea ging op het bed zitten. 'O, Ruth, ik wou dat je ons al die jaren geleden in vertrouwen had genomen. We hadden alles heel anders voor je kunnen maken. We zouden voor je gezorgd hebben.'

'Dat zei Jenny ook. Als ik dat had gedaan, zou Jenny's leven heel anders zijn geweest. Dan had ik het toen bedorven in plaats van nu.'

'Het komt heus wel goed met Jenny, Ruth,' zei Bea vastberaden. 'Je helpt haar niet door melodramatisch te doen over iets wat jouw schuld niet is. Tom en Rosie zijn gedood door een bom. Hun afschuwelijke dood heeft haar inzinking tot gevolg gehad. Ik ken mijn dochter en ze zal hier doorheen komen.' Ze gaf een klopje op Ruths been. 'Ik geloof niet dat dit iets voor jou is, Ruth. Je bent nooit sentimenteel of slap geweest.'

Opeens lachte Ruth. 'O, Bea! Je bent geen steek veranderd. Je wist altijd alles beter te laten lijken.'

'Nee. Ik heb Jenny in de steek gelaten. Ik had met haar terug naar Londen moeten gaan na Toms dood. Ik had moeten aanvoelen dat dit zou gebeuren. Het viel me moeilijk om haar te bereiken en ik heb niet genoeg mijn best gedaan. Ik zal haar niet weer teleurstellen.'

Ruth sloot haar ogen. 'Ik weet niet wat ik moet doen, Bea. Omwille van Jenny zou ik weer snel uit haar leven moeten verdwijnen, maar Adam zal dit niet laten rusten. Ik heb hem vroeger alleen gedeeltelijk de waarheid gezegd, dat Tom een kortstondige ontmoeting was en dat ik me niets van hem herinnerde. In werkelijkheid herinner ik me alles van die avond. Ik stond mezelf nooit toe om... Je had Adam moeten zien vanmorgen vroeg. Hij was buiten zichzelf en heel, heel boos op me.'

'Verdwijnen alsof dit allemaal niet gebeurd is, zal Adam of Jenny niet helpen. Haar geschoktheid en verdriet zijn vers, maar in elk geval komt dat nu naar buiten. We zullen haar moeten helpen om zich neer te leggen bij Adams bestaan. En Adam zal zich moeten neerleggen bij de wetenschap wie zijn vader was. Het moet heel moeilijk voor hem zijn dat hij Tom nooit kan ontmoeten.' Bea zweeg even. 'Je beseft toch wel dat Adam alles te weten zal willen komen over zijn vader?'

'O, ja, dat besef ik terdege. Ik heb alleen geen antwoorden.' Ze keek Bea aan. 'Maar Jenny wel.'

Bea hield haar blik vast. 'Jenny wel.' Ze pakte een pen uit haar tas en zocht een stuk papier. 'Geef me het nummer van je mobiele telefoon. Ik bel je later op de dag wel.' Vermoeid stond ze op. 'Probeer wat te slapen.'

Bij de deur aarzelde ze. 'Het spijt me dat James de verkeerde conclusie heeft getrokken, Ruth. Hij was te zeer van slag door de gebeurtenissen om te beseffen dat door Adams leeftijd een verhouding met Tom niet mogelijk was.'

'Het was een logische conclusie.'

'Ga nu maar slapen.'

Terwijl Bea de smalle trap afliep, wierp ze een blik op de gesloten slaapkamerdeur waarachter Adam moest slapen. Ze verlangde ernaar de jongen te zien door wiens gelijkenis met Tom Jenny was doorgedraaid. Toen ze wegreed van de kreek, sloop de twijfel terug als een verraderlijke zwarte schaduw: een jongen die werd beheerst door een dode vader die hij nooit had gekend; haar dochter, wier enige overgebleven erfenis van de man van wie ze hield en het leven dat ze had verloren, deze jongen was; Ruth, zo kwetsbaar en behoeftig tijdens haar jeugd, die zich wanhopig vastklampte aan de grillige herinnering aan een vluchtige hartstocht die ze voor liefde aanzag. Bea huiverde. Obsessie was schadelijk, onvoorspelbaar en uiteindelijk destructief.

25

'Natuurlijk moeten we naar huis, Adam. Je hebt school en ik moet werken.'

'Eerst wil ik Jenny zien. Ik wil niet weg voordat ik haar heb gezien.'

'Jenny is nog niet in staat om iemand te zien. Je hebt me met Bea horen praten. Ze blijft een poos in het St. Michael, een klein ziekenhuis in de buurt van James. De volgende keer dat we hier komen, zal Jenny ons wel willen zien. Nu is dat te vroeg.'

'Dat komt je wel goed uit, hè mam?'

Ruth keek hem aan. 'Wat bedoel je met dat het me goed uitkomt?'

Adam staarde haar strijdlustig aan. 'Nou, het is duidelijk in jouw belang dat ik niet met Jenny praat.'

'Waarom?' Ruths stem klonk gevaarlijk zacht.

Adam kuchte nerveus en schoof met zijn schoenen over de keukenvloer. 'Waarom zou je willen dat ze me over mijn vader vertelt terwijl jíj me nooit iets over hem heb verteld sinds de dag dat ik ben geboren?'

'Ik heb je altijd uitgelegd dat ik niet veel over hem wist te vertellen.'

Nu keek Adam haar recht aan. Ruth was verbijsterd door de norsheid die ze erin zag en de beschuldigende toon waarop hij sprak. 'O, dus je wist niet dat hij Tom Holland heette?'

'Ik herinnerde me dat hij Tom heette, maar als ik zijn achternaam al wist, dan was ik die echt vergeten.'

'Goed. Dan had je me toch zijn voornaam kunnen vertellen? Dat had je me in elk geval kunnen zeggen.'

'Wat zou het voor verschil hebben gemaakt als je zijn voornaam wist?'

'Als je dat niet snapt, dan ben je stóm. Als iemand een naam heeft, wordt hij toch een persoon? Dan wordt hij Tom! Tóm is de naam van mijn váder. Dat had je op zijn minst kunnen vertellen.'

Ruth pakte haar koffiekop en vouwde haar handen eromheen. Ze zei op niet erg vaste toon: 'Adam, praat alsjeblieft niet zo tegen me. Ik weet dat dit een enorme schok voor je is, maar waarom ben je zo kwaad op míj? Ik heb gedaan wat me destijds het beste leek. Ik wilde je vader niet zoeken om redenen die ik je al een heleboel keer heb verteld.'

Opeens stortte Adam in en ging aan de tafel zitten. Hij legde zijn hoofd op zijn handen en toen Ruth zijn ellende zag, had ze zin om hetzelfde te doen. Hij huilde niet, maar zat heel stil. Toen zei hij schor: 'Ik heb me altijd voorgesteld dat ik op een dag, als ik volwassen was, in het geheim mijn vader zou zoeken. Dat heb ik mijn hele leven gedacht en nu kan ik het niet. Ik kan nooit de man zien of kennen die mijn vader was.'

'Het spijt me, lieverd. Het spijt me. Ik kan mijn verleden niet ongedaan maken. Ik kan het niet goedmaken voor je. Ik weet dat het pijn doet, Adam, maar ik ben ook geschokt, en ik ben niet verantwoordelijk voor de afschuwelijke dood van Tom Holland.'

'Jenny is alles kwijt, mam, alles. Geen wonder dat ze niet wilde leven. Stel je voor dat je mij en Peter tegelijkertijd had verloren. Dan zou je vast hetzelfde voelen.'

'Wat er is gebeurd, heeft grote invloed op hoe je je voelt, Adam. Je was dapper en ik ben trots op je. Nu moeten we allebei een stapje terug doen en ons leven zo normaal mogelijk maken. Natuurlijk zal ik je niet tegenhouden als je met Jenny over Tom wilt praten. Maar je zult geduld moeten hebben tot Jenny het aankan.'

'Ik móét Jenny zien. We hoeven niet te praten. Ik wil haar alleen zien. Ik kan niet terug naar school als ik niet heb gezien dat het goed met haar gaat. Dat kán ik niet.'

Ruth zuchtte. 'Ik kan James en Bea opbellen om te vragen of het mogelijk is.'

Adam knikte en stond op om haar mobiele telefoon te pakken.

'Ga je aankleden. Ik kom wel vertellen wat ze hebben gezegd. Ik moet de heuvel op om ontvangst te krijgen.'

Bea nam op toen de telefoon twee keer was overgegaan. 'Ruth! Ik wilde jou net bellen. Dit is vast telepathie.'

'Ik heb een probleem met Adam. Hij staat erop om Jenny te zien voor we morgen vertrekken. Ik heb gezegd dat ze te ziek is, maar hij blijft volhouden. Het spijt me, ik weet niet wat ik moet doen. Ik vraag me af of ik professionele hulpverlening voor hem moet zoeken na wat er is gebeurd.'

'Daar wilde ik je over bellen. Ik zag ertegen op. James heeft een privékamer geregeld in het St. Michael voor Jenny, dan krijgt ze wat lichamelijke tests en wordt ze onderzocht door een collega. Ze is heel vaag over wat er is gebeurd en ze krijgt nog kalmerende middelen. Maar ze heeft herhaaldelijk gevraagd of ze Adam kan zien. Naomi Watson, een bevriende psychiater in wie James veel vertrouwen heeft, vindt het een goed idee als jij, Adam en Jenny elkaar zien in het St. Michael om alles normaler te maken en om Jenny's houding ten opzichte van Adam in te schatten. Naomi denkt dat Adam misschien erg van slag is door het gebeurde en dat het nuttig kan zijn als ze met hem praat. Hoe lijkt je dat? De beslissing ligt natuurlijk helemaal bij jou.'

Ruth wilde uitroepen: *maar het is niet aan mij! Ik wil er niets mee te maken hebben. Ik wil gewoon Adam naar huis brengen. Ik wil dat we thuis zijn, weg van hier. Ik zorg wel voor Adam.* Maar ze wist dat ze geen keus had en misschien was het voor Adam wel het beste.

Toen Bea haar aarzeling hoorde, zei ze: 'Lieve Ruth, dit is heel moeilijk voor je. Het spijt me zo.'

'Misschien zal het Adam helpen. Hij is onuitstaanbaar vanmorgen, dwars en agressief. Dus ja, misschien wordt hij rustiger als hij Jenny heeft gezien.'

Bea dacht, maar ze zei het niet: dit had niet op een slechtere leeftijd kunnen gebeuren voor Adam. Hij zou langzaam maar zeker zijn opgehouden om een lieve en makkelijke jongen te zijn, zonder ook nog de stok van zijn vader erbij om Ruth mee te slaan. Het zou een lange weg voor haar worden, maar Bea had niet verwacht dat het zo gauw zou beginnen. 'Goed, Ruth. Ik zal met James praten. Wanneer ga je naar huis?'

'Morgen rond het middaguur moeten we weg. Als het niet anders kan, kunnen we eventueel de volgende ochtend vertrekken.'

'Ik bel je terug. Probeer je te vermannen en laat je niet kwetsen door Adam. Hij heeft veel te verwerken, maar dat weet je.'

Ruth lachte kort. 'Inderdaad.'

Terwijl ze terugliep naar het huisje, wenste ze opeens dat Peter er was. Ze begon zijn nummer in te toetsen, maar hield op. Ze had Peter ook nooit veel over Tom Holland verteld, en het was niet het soort gesprek om te voeren op een sombere ochtend met een snijdende wind die van het water kwam. Als hij belde, zou ze alles moeten uitleggen, maar anders kon het wachten tot ze thuis waren. Voor het eerst van zijn leven had Adam zo brutaal tegen haar gesproken. Ruth voelde zich ellendig.

Opeens herinnerde ze zich dat, als Jenny als kind iets wilde, ze lief maar vastberaden had volgehouden tot alle weerstand wankelde en verdween door haar stille doorzettingsvermogen en dankbaarheid. James had ze makkelijk om haar vinger kunnen winden. Bea was strenger.

De toekomst leek plotseling onzeker. Ruth voelde zich machteloos in de aanwezigheid van een nauwelijks merkbare dreiging die uit een onverwachte hoek kwam.

26

De volgende ochtend zat James Brown in de hal van het ziekenhuis op Ruth en Adam te wachten. Hij stond te praten met een vrouw met een lange, blonde vlecht. Hij stelde Ruth en Adam voor aan Naomi Watson, en ze gingen naar een kleine wachtkamer om te praten.

'Hoe gaat het met Jenny?' vroeg Ruth aan James.

'Ze is heel stil en verdrietig, Ruth. Ze slaapt veel.'

'Herinnert ze zich wat ze probeerde te doen?'

Naomi Watson boog zich naar voren. Ze sloeg Adam gade. 'Ik denk dat Jenny zich niets duidelijk herinnert. Het is te vroeg om te hopen dat ze al over iets zal praten.'

Adam zei, niet op zijn gemak: 'Ze wordt toch wel beter? Ik bedoel, ze wordt toch weer hoe ze was?'

Naomi glimlachte tegen hem. 'Ze is niet gek, Adam, als je dat bedoelt. Mensen worden ziek, niet alleen lichamelijk maar ook geestelijk. Als iemand suikerziekte krijgt, geven we insuline. Mensen met epilepsie krijgen speciale medicijnen om de aanvallen tegen te gaan. Jenny is wat we klinisch depressief noemen. Dat is niet hetzelfde als depressief zijn, wat ons allemaal wel eens overkomt. Jenny heeft medicijnen nodig om haar op dezelfde manier te helpen als iemand met een lichamelijke ziekte. Ze heeft ook tijd nodig en een kans om te rouwen. Begrijp je?'

Adam knikte en Naomi wendde zich tot Ruth. 'Jenny heeft gevraagd of ze jullie beiden kon zien. Vind je dat goed, Ruth?'

Ruth, geïrriteerd door de manier waarop de vraag werd gesteld, zei: 'Natuurlijk wil ik Jenny zien, als ze ertoe in staat is.'

'Mooi. Ik stel vijf minuten voor. Wil je met James meegaan? Adam en ik komen dadelijk.'

Dat wilde Ruth niet, maar ze verliet de kamer met James en raakte onderweg naar de deur even Adams arm aan.

Toen ze weg waren, zei Naomi: 'En jij, Adam? Hoe voel jij je?'

Adam zweeg. Hij wist niet wat hij moest zeggen of wat de vrouw wilde dat hij zei.

'Ik heb begrepen dat je meteen handelde en dapper was. Het moet een hele schrik zijn geweest toen je Jenny in het water zag gaan.'

Adam keek op. 'Ja. Een visser heeft me geholpen.' Hij begon nog iets te zeggen en zweeg weer.

Naomi wachtte.

Adam slikte. 'Het was vreselijk om haar het water te zien inlopen. Het was eng. Het maakte me echt verdrietig. Ik wilde niet dat ze verdronk, ook al was ik heel bang toen ze me achtervolgde. Ik wist niet dat zij het was. Ik dacht dat het misschien...'

'Wat?'

'Nou, een geest misschien, of een pedofiel.'

'Dat moet heel beangstigend zijn geweest. Hoe voelde je je toen je begreep dat het Jenny was?'

'Ik... zoiets als: waarom? Maar ik was ook opgelucht. Toen vertelde ze me dat ik haar aan haar man deed denken. Ik had medelijden met haar. Ik wilde haar helpen, bij mijn moeder brengen. Ze deed een beetje vreemd... alsof ze er niet helemaal bij was...' Adams stem stierf weg.

'Ik heb begrepen dat je moeder heeft uitgelegd waarom Jenny zo in de war was. Heeft ze je verteld dat je vader de man van Jenny is geweest?'

Adams gezicht verstrakte abrupt.

'Wil je hier niet over praten?'

Hij schudde zijn hoofd.

'Ik begrijp het. Het is pijnlijk.'

Adam keek naar zijn schoenen. Hij ademde snel en was duidelijk van streek. Naomi zei vriendelijk, terwijl ze het over een andere boeg gooide: 'Waarom was het belangrijk voor je om Jenny te zien voordat je naar huis gaat?'

Adam keek op. 'Ik wilde haar zeggen dat het in orde is. Ze was zo ongerust omdat ze me bang had gemaakt. Ik wilde haar zeggen...' Hij keek Naomi aan en ze zag hoe intens en blauw zijn ogen waren, intelligente ogen. 'Ik wilde haar gewoon zien.'

'Omdat ze met je vader getrouwd was?'

Even flitste er kwaadheid in Adams ogen. 'Ja, daarom, maar ook omdat ik haar aardig vind. Ik vond haar vanaf het begin aardig toen ze bij ons thuis logeerde, voordat ik ook maar iets wist over mijn vader.'

Naomi stond op. 'Daar ben ik blij om. Laten we naar je moeder gaan. Helaas kun je niet lang bij Jenny blijven.'

'Ik zal haar niets vragen. Mag ik haar heel even alleen zien?'

Naomi aarzelde. Het was kennelijk belangrijk voor de jongen. 'Heel even dan. Ik wacht buiten.'

Jenny zat in de kussens geleund als een schilderij van de prerafaëlieten. Haar gezicht zag bleek en ze had donkere kringen onder haar ogen. Adam hoorde Ruth zeggen: 'Word gauw beter. Ik zie je weer als we de volgende keer hier zijn. Word gauw beter. Ik zal bellen...'

Jenny draaide zich om toen Adam en Naomi binnenkwamen. Toen ze Adam zag, kwam er een opgeluchte uitdrukking op haar gezicht en zelfs iets van een glimlach. 'Adam!'

Het bloed vloog naar Adams gezicht. Hij mompelde iets terwijl hij dichterbij kwam, maar ook zijn gezicht was opgeklaard. James, die hen gadesloeg, voelde bezorgdheid. Jenny stak haar hand uit en na een opgelaten aarzelen, nam Adam die aan. Ruth en James gingen met tegenzin de gang op met Naomi.

Alle drie keken ze toe door de ruit. Ruth was lijkbleek en Naomi zag dat haar handen beefden toen Adam hen de rug toekeerde en zich bukte om te horen wat Jenny zei.

'Ik ben zo blij dat je bent gekomen, Adam.'

'Dat wilde ik, voordat ik naar huis ga.'

'Het spijt me zo dat ik je bang heb gemaakt. Vergeef het me, alsjeblieft. Het was allemaal zo'n warboel in mijn hoofd...'

'Het geeft niet. Je kon er niets aan doen.'

'Zijn we nog vrienden?'

'Ja, natuurlijk. Jenny, mag ik weer bij je komen als je beter bent?'

Jenny knikte en sloot haar ogen voor de felle blauwheid van de zijne. 'Dat zou ik leuk vinden. Ik word beter, Adam. Nu zal ik beter worden.'

'Ik moet gaan. Ik mocht maar heel even blijven.'

Jenny opende haar ogen, liet zijn hand los en glimlachte. 'Dag, lieve jongen,' mompelde ze.

'Dag Jenny,' zei Adam, terwijl zijn hart een sprongetje maakte.

Ruth, James en Naomi konden dit gesprek niet verstaan, maar de intensiteit tussen Jenny en Adam was duidelijk. Ze hadden elkaar op een wanhopige manier nodig, de een om zich vast te houden aan het verleden, de ander om te proberen de toekomst zin te geven.

Naomi draaide zich om naar Ruth en zei vlug: 'Bedenk alsjeblieft dat jouw gevoelens net zo waardevol en belangrijk zijn als die van Jenny of Adam. Ik hoop dat jij ook met me wilt praten?'

Ruth keek naar Adam, die naar haar toe kwam lopen. Ze wierp Naomi een vijandige blik toe. Het was overduidelijk dat haar gevoelens níét zo belangrijk waren als die van Jenny. Wat oneerlijk om te doen alsof het niet zo was. 'Niet ík ben jouw patiënt, maar Jenny,' zei ze kortaf.

'Ik heb Adam alleen gelaten met Jenny om te zien hoe het tussen hen is. Ik wilde er zeker van zijn dat Adam niet voor haar terugschrok. Het was niet mijn bedoeling om je te kwetsen.'

'Nou, zo voelde het wel.'

Ruth draaide zich om naar Adam, knikte naar James en Naomi en vervolgens liepen ze samen de deur uit naar het parkeerterrein.

James zei: 'O, dat arme meisje.'

Naomi keek hem aan. 'Ja. De aantrekkingskracht van een overleden ouder is moeilijk te evenaren.'

27

Zodra Adam in de auto zat, deed hij zijn oordopjes in en zakte onderuit om naar muziek te luisteren. Dat kwam Ruth goed uit. Ze had geen zin om te praten toen ze terugreden naar Truro.

Terug in het huisje ging Adam meteen naar zijn kamer. Ruth begon in te pakken om de volgende dag snel weg te kunnen. Ze overwoog om nu meteen te vertrekken, maar ze wist dat ze te moe was om helemaal terug naar Birmingham te rijden.

Ze maakte eten klaar en liet Adam voor de televisie eten. Dat was beter dan proberen te praten. Ze voelden zich allebei ellendig.

De volgende ochtend laadden ze hun spullen in de auto en lieten het huisje opgelucht achter zich. Het was te klein om er samen te zijn.

Ruth wist niet zeker of Peter eerder dan zij thuis zou zijn. Ze probeerde hem te bellen en stuurde uiteindelijk een sms'je. De afgelopen twee dagen waren als een nachtmerrie waaruit ze niet wakker kon worden. Zij en Adam waren van een vredige voorjaarsvakantie in een persoonlijk drama gestort.

Toen Ruth uit Cornwall reed, klaarde de lucht op. De zon scheen voor het eerst aan een lichtblauwe hemel. Ze voelde een aanhoudende, stille woede. Ze was nu ontzet dat Jenny en zij door het lot samen in dezelfde trein hadden gezeten. Het ergerde haar dat Jenny haar niet de volledige waarheid over Tom en Rosie had verteld, en ze was kwaad op die betweterige rotpsychiater.

Ze wist dat ze niet eerlijk was. Het was haar schuld. Door ook tegenover zichzelf zijn bevruchting en geboorte te romantiseren, had ze hem iets fundamenteels ontzegd waaraan hij zich had kunnen vasthouden.

Ruth was gewend lange afstanden te rijden en ze was zich bewust van haar gebrek aan concentratie. Dus stopte ze twee keer om koffie te drinken en om Adam iets te laten eten. Toen het donker werd, viel Adam naast haar in slaap. Zijn gezicht, dat verzachtte tot dat van een kind, ontroerde Ruth omdat het zo kwetsbaar was. Ze reed voorzichtig, verlangend naar huis, maar ook om haar gevoelens een beetje op een rij te zetten voor ze er aankwam.

Naarmate ze Birmingham naderden, voelde ze zich iets optimistischer over haar houding ten opzichte van Adam. Peter was de aangewezen persoon met wie ze kon praten. Opgelucht sloeg Ruth hun brede straat vol bomen in. Ze zag dat de lampen in de gang brandden. Goddank, Peter was terug. Adam werd wakker, rekte zich uit en stapte de auto uit zonder iets te zeggen, maar hij wachtte wel om haar te helpen met de koffers. Samen liepen ze de treden naar de voordeur op.

Peter had hen gehoord en kwam naar buiten om hen te begroeten. Hij haastte zich naar beneden om de rest van hun bagage uit de kofferbak te halen. Hij had gekookt, en de geur hing in het huis. Adam snoof hongerig.

Peter lachte naar hem. 'Spaghetti bolognese. Heb je trek?'

'Ik ben uitgehongerd,' zei Adam. 'Ik zet even deze spullen in mijn kamer.'

Hij rende naar boven en Peter wendde zich tot Ruth. 'Je ziet er moe uit. Slechte reis gehad?'

'Dat niet, alleen lang.'

'Ik heb een lekkere fles wijn in de koelkast.'

'Heerlijk. Maar eerst zou ik graag een whisky willen.'

Peter wierp haar een aandachtige blik toe. Ruth dronk bijna nooit sterkedrank. 'Goed,' zei hij, en hij ging een glas whisky voor haar halen. Ruth liet zich aan de keukentafel zakken. Ze kon pas met Peter praten als Adam naar bed was.

Peter zette de whisky voor haar neer en ging toen naar het fornuis om eten op te scheppen voor Adam, die de trap kwam afhollen. Peter draaide zich om naar Ruth. 'Wil je nu eten of nog even wachten?'

'Ik wacht even. Eet jij maar met Adam.'

Ruth luisterde terwijl ze praatten over vogels, het huisje en het weer. Af en toe ging Adams blik haar kant uit, maar hij zei niets over Jenny. Pas nu zag ze hoe moe Peter eruitzag, helemaal grauw. 'Hoe laat ben jij thuisgekomen?'

'Om een uur of drie vanmorgen. Maar toen ben ik gaan slapen.' Zijn blik rustte op Ruth met een betekenis die ze niet begreep.

Adam schrokte zijn eten naar binnen en leunde achterover. Hij keek Ruth uitdagend aan. 'En, ga je het hem vertellen?'

'Natuurlijk, Adam,' zei Ruth zacht.

Peter sloeg hen gade. Hij glimlachte niet en probeerde ook niet met een grapje de sfeer te doorbreken, wat hij gewoonlijk wel deed.

Er viel een stilte, en toen zei Adam abrupt: 'Ik ga naar bed.' Hij liep naar de koelkast en pakte een fles water.

'Welterusten, Adam. Tot morgen,' zei Peter.

Pas nu keek Adam hem aan. 'Ja. Welterusten.'

Hij denderde de trap op, smeet de deur achter zich dicht en even later weerklonk luid zijn muziek.

Peter stond op en deed de keukendeur dicht. Ruth schonk nog een whisky in; die haalde heerlijk de scherpe kantjes van alles af. Peter zette een bord met eten voor haar neer. 'Je kunt beter wat eten als je van plan bent te gaan drinken.'

'Dank je.' Ze speelde met haar eten en nam af en toe een hapje. De whisky begon bitter te smaken en ze schoof het glas weg. 'Zullen we nu die fles wijn openen?'

'Daar krijg je morgen spijt van.'

'Ik heb een vrije dag. Overmorgen geef ik die lezing in Londen.'

'Mij best,' zei Peter kalm. 'Het wordt blijkbaar een avond om te praten.'

Terwijl hij de wijn inschonk, zag Ruth dat zijn handen niet helemaal vast waren. Hij vroeg zich af wat er zou komen. Opeens was er iets heel aantrekkelijks aan zijn lange, bruine vingers met wat zwarte haren erop. Ruth voelde een plotselinge opwelling van begeerte. 'Zullen we de wijn mee naar boven nemen en in bed praten? Dan zijn we verder van Adam verwijderd.'

Peter aarzelde, verrast, en zei toen: 'Goed. Ga jij maar vast. Dan zet ik dit in de vaatwasser.'

Ruth pakte haar glas wijn, ging naar boven, verzamelde de spullen die ze nodig had, en liep naar het zolderappartement waar Jenny had gelogeerd. Ze liet het bad vollopen en ging met haar wijn kijken naar de boom buiten, die wiegde in de wind. Ze meende Peter beneden aan de telefoon te horen. Adams muziek was gestopt.

Ze droogde zich af en trok een nachthemd aan dat Peter haar lang geleden had gegeven en dat ze zelden had gedragen. Het was duur, verleidelijk, en ze bekeek zichzelf kritisch in de spiegel. Het nachthemd was roze, met koffiekleurig kant op de borst, en dunne bandjes. Het was geen nachthemd om in te slapen. Wat jammer dat ze het zo zelden had gedragen. Haar gezicht was bleek zonder make-up en ze had donkere kringen onder haar ogen. Ze was broodmager en heel dankbaar daarvoor.

Ze ging in bed liggen. Beneden hoorde ze de douche. Adam of Peter? Als hij niet gauw naar boven kwam, zou ze zich opgelaten voelen in dit nachthemd. Opeens wilde Ruth het uitdoen en een pyjama aantrekken. Het leek zo'n schaamteloze uitnodiging, helemaal niets voor haar.

Het was te laat. Ze hoorde Peter de trap op komen. Hij had de wijnfles en zijn glas in zijn hand. En hij had gedoucht. Hij schonk wijn in zonder haar aan te kijken. 'Adam slaapt al. Wat is er gebeurd, Ruth?'

Ruth klopte op het bed. Ze was bijna te moe om te praten. Peter deed zijn badjas uit en stapte in bed. Hij gedroeg zich argwanend. Hij zag niet eens wat ze aanhad. Hij droeg nooit iets in bed. Ruth dacht met spijt aan al die keren dat hij haar in een oude pyjama in bed had zien stappen. Nu ze echt wilde dat hij haar zag en snakte naar seks, was hij met zijn gedachten heel ergens anders.

Hij rook lekker, schoon en fris. Hij moest bij een zwembad hebben liggen zonnen, want zijn huid was gebruind. Ze duwde haar neus tegen zijn arm en rook citroen en kruiden. 'Nieuwe zeep?' vroeg ze. 'Heerlijk.'

Hij keek met een vreemde blik op haar neer.

Ze keek hem aan. 'Ik heb je gemist, Peter.'

'Toe, Ruth, wat is er aan de hand met jou en Adam?'

'Laten we eerst vrijen.'

Ze draaide zich naar hem toe en sloeg een arm om hem heen. Ze voelde hem even verstrakken. Hij hield zijn adem in, aarzelde, wilde iets zeggen en veranderde van gedachten toen haar hand over zijn lichaam gleed. Zijn directe opwinding wond haar op en ze ging op hem liggen, kuste zijn hals en gezicht en gesloten ogen en verbaasde zich over haar eigen begeerte. Ze had zich nog nooit zo gedragen. Peter reageerde door haar op haar rug te duwen, zichzelf in haar te dringen en bijna kwaad te lijken dat ze hem zo had kunnen opwinden. Ze waren geen van beiden zichzelf. Er was niets koels of afstandelijks aan deze vrijpartij op zolder; het was de beste vrijpartij die ze sinds tijden hadden gehad.

Ze rolden van elkaar af en zwegen even. Toen pakte Ruth haar wijn en draaide zich naar hem toe.

Hij sloeg haar gade terwijl ze hem over Jenny vertelde, over Tom en Rosie en alles wat er gebeurd was tijdens die paar dagen in Cornwall. Haar woorden stokten toen ze hakkelend uitlegde dat Tom Adams vader was geweest. Ze legde haar hand op zijn arm terwijl ze vertelde hoe kwaad Adam op haar was en hoe hij door Jenny geobsedeerd werd vanwege Tom.

Toen ze klaar was, zei Peter een poos niets. Hij bleef haar gadeslaan op een manier die haar verontrustte terwijl ze wachtte op zijn zorgvuldige en afgewogen reactie. Hij pakte haar hand niet en bracht die ook niet naar zijn lippen, zoals hij anders af en toe deed. 'Ik vind het heel erg,' zei hij ten slotte, 'dat het allemaal op die vreselijke manier is gebeurd. Het moet voor jullie beiden heel traumatisch zijn geweest.' De manier waarop hij sprak, gaf zijn woorden iets afstandelijks. Beleefd, spijtig, maar op een bepaalde manier niet betrokken. 'Ik vond Jenny's aandacht voor Adam nogal vreemd toen ze hier logeerde, maar ik wist dat ze nog rouwde. Ik zei er niets over omdat ze jouw vriendin was en het afgunstig van mij leek. Nu wou ik dat ik het wél had gedaan.'

Hij schonk het laatste beetje wijn in. 'Ruth, dat van Adams vader zou vroeg of laat gebeuren, dat moet je hebben geweten. Je wist dat Adam hem op een gegeven moment zou willen zoeken, daar hebben we het over gehad. Je hebt alle details die je je over hem kon herinneren toch ergens liggen?'

Ruth keek verbaasd. 'Dat was ik bijna vergeten. Het ligt bij mijn testament. Wat vreemd dat jij dat nog weet.'

'Nee. Het is het soort informatie die een man opslaat, vooral als hij in de schaduw van die andere man leeft.'

Ruth kreeg een vreemd leeg gevoel in haar maag.

Zijn huid onder haar hand, de hand die hij had genegeerd, gloeide. Ze trok hem vlug weg. Zijn ogen stonden triest maar vastberaden terwijl hij haar blik vasthield. 'Dit is een slecht moment, Ruth. Ik wou dat het anders kon, maar dat heb ik te lang gewenst. Ik ga in Israël wonen.'

Ruth voelde het bloed uit haar gezicht wegtrekken en toen legde hij wel zijn hand op de hare. 'Ruth, het spijt me. Het kon niet wachten. Ik moest het je nu vertellen.'

'Waarom?' fluisterde ze.

Hij aarzelde. 'Ik heb iemand ontmoet.'

Het leek of hij haar een klap had gegeven. 'Is het serieus?'

'Dat weet ik nog niet.'

Schaamte stroomde door haar heen. 'Maar je... we hebben zonet gevrijd...'

'Ja. Ironisch, hè lieverd.' Zijn stem klonk hees. 'Die ene keer dat je het initiatief neemt voor seks – en het was heerlijk – is het te laat.'

'Maar waarom...'

'Omdat het gemeen leek om je te weigeren.' Hij sloot zijn ogen en zei heel zacht: 'Dat is een leugen. Ik wilde een laatste keer met je vrijen, omdat je mijn vrouw bent en ik van je gehouden heb, zo lang al, lijkt het...'

Ruth keek op hem neer. Ze was deze avond zo met zichzelf bezig geweest dat ze zíjn droefheid niet had gezien of gehoord of gevoeld. Alsof het leven had stilgestaan omdat haar iets rampzaligs was overkomen.

Hij stapte uit bed. 'Je ziet er uitgeput uit. Morgen praten we verder. Probeer te slapen.' En hij was weg.

Ruth stond op en nam een pijnstiller in. De drank hielp haar om een poos te slapen. Ze droomde dat ze met een vaart wegreed van Cornwall. Ze droomde dat ze vluchtte voor Jenny.

Toen ze in de vroege ochtend wakker werd, zag ze dat Peter bij het raam naar het donker stond te kijken. Hij huilde en ze begreep het; hij hield nog van haar. Hij had het alleen opgegeven. Een of andere vrouw gaf hem de doelgerichte aandacht die hij verdiende. Ze dacht aan zijn nieuwe citrusgeurtje. Ruth wist dat Peter de kans op geluk aangreep en dat verdiende hij. 'Peter?' zei ze zacht. Toen hij zich omdraaide, stak ze haar armen uit.

Hij kwam op het bed zitten en ze sloegen hun armen om elkaar heen.

'Het is goed,' fluisterde ze. 'Het komt goed. Dat zul je zien. We zullen altijd vrienden blijven, jij en ik. We zullen altijd vrienden zijn.'

'Ik heb zoveel van je gehouden, Ruth.'

'Ik weet het, ik weet het. Maar nu zul je gelukkig worden. Je hebt gedaan wat goed is.'

'Is dat zo?' vroeg hij terwijl ze samen in de donkere, koude ochtend heen en weer wiegden. 'Is dat zo?'

'Ja,' zei Ruth vastberaden, 'dat is zo.' Hij was altijd eerlijk en zachtmoedig en betrouwbaar geweest. Ze had hem als zo vanzelfsprekend beschouwd als achtergrondmuziek. Ze had het leven dat ze met hem had, achteloos weggeworpen. Nu moest ze het hem zo makkelijk mogelijk maken om weg te gaan.

Het was nu te laat om te zeggen wat ze tijdens de rit uit Cornwall had gedacht. Te laat om tegen hem te zeggen dat ze de laatste paar dagen uit haar zelfgenoegzaamheid was gerukt en had gezworen te veranderen. Ze zei wat ze moest zeggen, in de wetenschap dat dit haar eerste echte daad van liefde en onbaatzuchtigheid was. 'Je gaat bij je familie wonen, in een land waar je van houdt. Kijk niet om. Ga vooruit naar alles wat op je weg komt. Je verdient het om gelukkig te zijn. Je hebt Adam en mij heel gelukkig gemaakt, hoe je er ook over denkt.'

Hij ging naast haar in bed liggen. Ze sliepen voor het laatst in hetzelfde bed, met de armen strak om elkaar heen.

28

Het leek of ik terugkwam van een lange reis waar ik buiten mezelf had gelopen. Alle randen waren vaag. Soms leken er mensen aan de andere kant van een ruit te zijn. Ik kon hun monden zien bewegen, maar ik had de energie niet om iets uit hun woorden op te maken.

Slaap was mijn ontsnapping. Ik gebruikte het vaak tegen de ongeruste gezichten van mijn familie. Ik had voorgoed willen slapen, maar de levensdraad die Adam was, trok me terug.

Ik deed mijn best om niet te verdrinken. Ik vocht uit alle macht om boven water te blijven. Ik wilde niet verstrikt raken in psychiaters en behandelingen. Mijn vader begreep het. Hij was voortdurend bij me, hield mijn medicijnen in de gaten en informeerde naar mijn behandeling.

Het duurde een poos voor de medicijnen aansloegen en in het begin vond ik het vreselijk hoe ik me erdoor voelde. Na een poos moest ik toegeven dat ze inderdaad de scherpe kantjes er afhaalden. Ze voorkwamen dat ik te ver vooruitkeek. Ze namen de meedogenloze onrust weg. Pap was ervan overtuigd dat ik ondervoed was en dit kon chemische veranderingen in de hersens veroorzaken. Hij schreef dagelijkse eiwitinjecties voor. Na een tijdje begon ik me sterker te voelen.

Op een dag nam hij me mee voor een ritje. Ik wilde niet uit de auto stappen, maar we parkeerden op de oude kade in Lelant en keken naar de zee. Die veranderde zo vaak van kleur terwijl het tij wisselde en de wolken door de lucht dreven. Ik werd gebiologeerd door de voortdurende ritmische beweging van het water.

Opeens gleed een rode hangglider een heldere, felblauwe en wolkeloze hemel binnen en bleef als een menselijke vlieger boven de zee hangen. Ik begon te huilen. Het deed me denken aan een andere keer dat ik hier was, met Tom. We zaten op het strand met mijn zussen en een heleboel kinderen. Tom leek gelukkig, maar ik zag hem verlangend opkijken naar een hangglider die heen en weer schoot op de thermiek in een eindeloze lucht, zo vrij als een vogel.

Ik wist in een flits dat Tom nooit echt huiselijk zou worden. Hij zou altijd oog hebben voor de lucht of de zee, het oerwoud of de woestijn. Zo was hij. Hij hield van me, maar ik zou hem nooit helemaal kunnen binden. Het was een geluk dat ik dat nooit wilde, dat ik mijn eigen leven had.

De lente kwam langzaam en ik begon me sterker te voelen. Soms wandelde ik in de tuin van het ziekenhuis vol narcissen en kleine, taps toelopende tulpen. Als het me onmogelijk leek om verder te gaan, haalde ik me het gezicht van de jongen voor de geest. Hij verbond me met een toekomst.

Op een ochtend zat ik in een stoel bij het raam en zag op de telefoondraden groene papegaaien en kleine, felgekleurde parkieten. Ze zaten allemaal op een rij, alsof ze daar thuishoorden, te kwetteren en te krijsen. Mijn hart bonsde. *Ik hallucineerde. Ik was niet aan de beterende hand. Ik moest in de greep van naderende waanzin zijn.* Doodsbang drukte ik op de bel.

De verpleegster kwam naar het raam, keek naar buiten en lachte. 'Jenny, de vogels zijn echt. Je beeldt je geen dingen in! Ze zijn vast ontsnapt uit Paradijsvogels verderop. Dat gebeurt af en toe. Ik zal ze bellen.'

Toen ze de kamer verliet, wist ik dat het tijd was om naar huis te gaan. Ik ontwaakte uit mijn tranceachtige afhankelijkheid. Ik wilde me weer normaal voelen. Ik wilde thuis zijn. Ik wist wat een geluk ik had gehad dat James er was. Anders was ik misschien op een psychiatrische afdeling opgenomen. Mijn vader had me laten kiezen voor een klein, knus ziekenhuis waar iedereen hem kende. Hij had me als een herdershond beschermd en me fysiek laten herstellen. Bovenal had hij vertrouwen gehad in mijn vermogen om geestelijk beter te worden.

Ik had een poos geleden naar huis kunnen gaan. Bea had erop aangedrongen, maar ik had eerst een neutrale omgeving nodig gehad. In Tredrea, in mijn oude slaapkamer op de bovenverdieping van het huis, zou het makkelijk zijn geweest om me weer kind te voelen Buiten de ramen glinsterde de zee en scheerden en doken meeuwen, die de lucht vulden met hun lawaai. Ik verlangde ernaar me veilig te voelen zoals toen ik opgroeide, maar ik wist dat het nooit zou gebeuren. Ik kon nooit meer helemaal veilig zijn.

Terwijl ik op die afschuwelijke middag sliep, wachtend tot Tom en Rosie terugkwamen van de dierentuin, was mijn leven weggegrist. Terwijl ik sliep, werd mijn man kil en berekenend een doelwit. Het maakte niet uit dat hij zijn kind bij zich had in de auto. Dat is het moeilijkst te verdragen. Rosie had een heel leven voor zich moeten hebben, maar ik wist dat ik moest ophouden met verlangen dat ik samen met hen was gestorven.

Ik lag op mijn smalle bed. Ruth en ik hadden hier uren doorgebracht met spelen. Soms was het moeilijk om het verband te leggen tussen het meisje uit mijn jeugd en de vrouw die Adams moeder was. Ik wilde niet dat ze dezelfde persoon waren. Dat wilde ik niet.

Het was of ik in mijn slaapkamer terugkeerde naar een klein, vertrouwd nest. Ik besefte dat iedereen maandenlang beslissingen voor me had genomen. Nu nam ik zelf een eerste onherroepelijk besluit. Ik wilde niet terug naar Londen. Ik wilde in Cornwall blijven. Niet hier thuis; ik moest iets vinden wat ik een poos kon huren.

Ik moest alleen zijn om goed te kunnen rouwen. Misschien zou ik nooit meer kunnen ontwerpen. Iets ondefinieerbaars was verdwenen. Ik had niet langer de ambitie, fantasie of wens om te creëren. Ik wist niet of dat gevoel ooit zou terugkeren.

Toen ik Bea en James over mijn besluit vertelde, zei pap vriendelijk dat ik het Flo en Danielle verschuldigd was om het hun zo snel mogelijk te vertellen. Ik had het idee dat ik hen beiden in de steek liet. De gedachte aan een lang gesprek maakte me bang. Ik wist niet of ik de energie had, behalve voor het besluit om niet terug te gaan. Ook wist ik niet of het bedrijf op de lange termijn levensvatbaar zou zijn zonder mijn inbreng.

Mam belde op en nodigde hen beiden uit voor het weekend. Flo had me in het ziekenhuis opgezocht, maar Danielle had willen wachten tot ik thuis was. Op de meeste dagen sprak ik met hen aan de telefoon, en ik wist dat het moeilijk voor hen zou zijn om samen weg te gaan uit Londen. Ze zeiden dat ze kwamen vliegen. Toen wist ik dat ze vermoedden wat ik zou zeggen.

Ik schreef briefjes aan Adam, maar verstuurde ze nooit. Hij stuurde me een keer een prentbriefkaart en ik had hem twee keer gezien in het ziekenhuis. Hij was zo'n lieve jongen. Het was niet mogelijk om over Tom te praten omdat Ruth er altijd bij was, maar dat zouden we nog doen. Dat beloofde ik hem.

Ruth had gezegd dat ze met Adam zou komen tijdens de vakantie, en opeens beseften we dat dit samenviel met het bezoek van Flo en Danielle. Bea stond erop om Adam en Ruth voor de lunch op zondag uit te nodigen, als Flo en Danielle er waren.

'Te veel mensen, mam. Dat kan ik niet aan.'

'Dat hoef je ook niet, lieverd. Je hebt de kans om vrijdag en zaterdag met Flo en Danielle te praten. Niemand verwacht dat je over ditjes en datjes praat. Je kunt weggaan als je er genoeg van hebt. Ruth brengt Adam helemaal hierheen voor jou én voor hem. Dat is moeilijk voor haar.'

'Ik weet het,' zei ik vlug. 'Ik weet het, alleen...'

'Het is voor jou ook moeilijk, Jen. Je hebt een grote beslissing genomen om niet terug te gaan naar Londen. Ik vind je heel dapper en ik weet zeker dat Flo en Danielle het zullen begrijpen. Probeer je geen zorgen te maken.'

Ik ging aan de grote, uitgesleten tafel zitten waar zo veel kibbelende kinderen om aandacht hadden gevraagd. 'Danielle is heel praktisch. Ik denk dat ze al heeft nagedacht over wat zij en Flo zullen doen als ik niet terugga.'

Bea keek verbaasd. 'Denk je?' Toen zei ze: 'Binnenkort moet je eens met je vader over financiën praten. Ik weet dat je een legerpensioen hebt, maar zal dat genoeg zijn om van te leven zonder dat je werkt?'

'Ik weet het niet.' Ik stond op. 'Ik ben maar alleen, ik heb niet veel nodig. Ik ga even over het strand lopen voor het eten. Of kan ik iets voor je doen, mam?'

'Nee lieverd, ga maar.'

Ik hoorde haar zuchten terwijl ik de achterdeur uitliep. 'Ik zal met pap praten, maak je geen zorgen, mam. Ik beloof dat ik jullie niet tot last zal zijn.'

Bea keek even verdrietig. 'Geen van onze kinderen kan ons ooit tot last zijn. Ga maar wandelen, het is een heerlijke avond.'

Ik liep de heuvel af. Het was vroeg in de avond en de kleuren waren mat en vaag. Zand en zee liepen in elkaar over terwijl de lucht afkoelde. Op het strand waren twee groepjes vakantiegangers, die zandkastelen aan het bouwen waren. Ik ging op de muur zitten en sloeg hen gade. Een klein blond meisje zat in haar eentje schelpen op een zandheuvel te leggen.

Ik kwam dichterbij en ze keek op en glimlachte naar me. Ik wilde graag naast haar hurken maar durfde het niet, voor het geval haar ouders zouden denken dat ik een bedreiging voor haar was. Dat was eerder gebeurd en nu was ik voorzichtig.

'Wat een mooi kasteel,' zei ik.

'Het is een sprookjeskasteel.'

'Dat zie ik. Zijn er feeën in?'

'Natuurlijk, maar ze slapen omdat ze moe zijn.'

'O. Ik wist niet dat feeën moe werden.'

'Natuurlijk wel. Van toveren word je heel moe.'

Ik lachte. 'Wat dom van me. Natuurlijk is dat zo.'

Het kind keek naar me op en giechelde. Ik zag dat haar moeder langzaam opstond en in mijn richting kwam lopen.

'Hoe heet jij?' vroeg het kind.

'Jenny.'

'Je mag me helpen als je wil.'

'Wat aardig van je. Hoe heet je?'

'Holly.'

'Wat een mooie naam.'

Haar moeder was nu bij ons.

'Hallo,' zei ze terwijl ze me een behoedzame blik toewierp.

'Hallo,' zei ik. 'Nou, Holly, ik moet weg, maar dit is het mooiste kasteel dat ik in tijden heb gezien.'

Holly keek naar me op. 'Je mag me helpen.' Als een prinsesje verleende ze me haar gunst.

'Ik ben bang dat het tijd is om thuis te gaan eten, Holly.' Haar moeder hurkte naast haar neer.

'O, shit,' zei Holly luid, en ze keek stralend naar me op.

'Holly!' Maar haar moeder trok trots haar wenkbrauwen naar me op.

'Papa zegt het ook.'

'Dat weet ik, maar daarom is het nog niet goed.'

'Dag,' zei ik. Ik liep vlug weg over het zand voor ik het kind kon optillen en haar in de rondte liet zwieren uit pure vreugde omdat ze zichzelf was: een uniek en uitgesproken karakter.

29

De zeemeeuwen maken me wakker met hun gekrijs en hun grote vogelpoten op het dak. Zonlicht valt over mijn bed. Ik voel de hitte van de ochtend, zwaar en zonder een zuchtje wind. Het zal bloedheet worden. Ik rek me uit en herinner me met een golf van blijdschap dat Tom hier vlak onder me ligt.

Vlug loop ik de zoldertrap af, open zijn deur op een kier en glip de logeerkamer in. Hij slaapt nog. Ik til de dekens op en ga naast hem liggen.

Met een schok wordt hij wakker. 'Jenny! Wat doe je? Ga mijn bed uit! Wat zullen je ouders wel niet denken? Ik probeer een goede indruk te maken. Ga meteen weg!'

Ik lach. 'Ik peins er niet over. Niet te geloven dat je zo verschrikkelijk braaf bent. Het is 2001, hoor.'

'Braaf!' sist hij. 'Dat zou ik denken. Regel nummer één is dat een man niet met zijn vriendin vrijt in het huis van haar vader, vooral niet als hij pas is voorgesteld.'

'O,' zeg ik liefjes terwijl ik geeuwend in zijn bed lig. 'Wat jammer. Mijn vader is zo'n schat dat hij ons waarschijnlijk thee op bed zou brengen als ik roep.'

Tom springt overeind. 'Ga mijn bed uit, kleine slet, en hou op met me in verlegenheid te brengen.'

Met een grijns laat ik me vermurwen. 'Bea en James zijn weggegaan toen het net licht was. Ze gaan met vrienden zeilen in St. Mawes.'

'Klein kreng. Goed, nu zwaait er wat voor je.'

Ik lach. 'O ja?'

'Ja!' Hij springt op me en ik roep om genade.

'Oké, oké, ik trakteer je op ontbijt in St. Ives.'

Tom houdt op met kietelen. 'Een uitgebreid ontbijt? Niet van die croissantjes met alleen maar lucht?'

'Goed, dikzak. Sorry, sorry!'

'Ga je aankleden, mens, en val me niet langer lastig.'

We lopen over het strand naar de haven en een van de cafeteria's aan de boulevard. Ik houd van deze tijd van de dag. Er zijn nog maar weinig mensen op straat en de zee en gebouwen hebben een roze gloed. De meeste zaken zijn nog niet open, maar we vinden een kleine cafetaria naast een kunstgalerie vlak aan de haven.

Tom bestelt een uitgebreid warm ontbijt en ik neem croissants.

'Je ouders zijn fantastisch, Jenny,' zegt Tom. 'Helemaal niet zoals ik had verwacht.'

Verbaasd kijk ik hem aan. 'Wat had je dan verwacht, boerenkinkels uit Cornwall?'

'Raar kind! Het komt omdat jij nogal... unieke designerkleren draagt, en ik dacht dat ze misschien artistieke types zouden zijn.'

Ik lach. 'Nee, Bea en James zijn heel conventioneel. De rest van de familie ook. Ik ben een nakomertje, dus genetisch onzuiver.'

Tom boog zich naar me toe. 'Niet onzuiver, maar zo heerlijk en onweerstaanbaar jezelf!'

Mijn hart maakt een sprongetje. Ik wil zo graag beheerst doen. Ik wil niet dat mijn ogen mijn gevoelens verraden en dat is moeilijk. Danielle zegt dat ik zo duidelijk maak wat ik voor Tom voel, dat het haar verbaast dat hij niet geschrokken de benen neemt.

En daarvoor ben ik zo bang. Hij keek zo teleurgesteld toen ik zei dat ik naar Bea en James ging, dat ik voorzichtig opperde dat hij mee mocht als hij dat wilde. Tot mijn verbazing nam hij de uitnodiging met beide handen aan.

Met zijn mond vol zegt hij: 'James en Bea doen me aan mijn eigen ouders denken. Op een prettige manier vertrouwd, met overal familiefoto's in zilveren lijstjes en hun kruiswoordpuzzels of golf. Met hun routines en lichte verbazing over hoe het toegaat in de wereld. Met hun tuinen en honden en ingehouden genegenheid voor ons die tot uitdrukking komt door ons eten voor te schotelen tot we niet meer kunnen. Ik vind het prachtig. We hebben allemaal grote delen thuis nodig om bij ons verstand te kunnen blijven.'

Zijn ouders wonen in Singapore en hij klinkt weemoedig.

'Vertel eens over je ouders?'

'Ze zijn typische kolonialen, vooral mijn vader. Mijn moeder is heel mooi. Ze heeft haar leven lang voor mijn vader, mijn broer en mij gezorgd en geholpen in het familiebedrijf. Ze is blijkbaar gelukkig geweest door via ons haar leven te leven. Maar ja, hoe kan ik dat echt weten?'

Hij strijkt zijn haar uit zijn ogen en glimlacht naar me. Zijn ogen krijgen een dieppaarse gloed als hij in gedachten is of zit te peinzen. Met een vreemde opwelling van opwinding denk ik: *deze man zal je nooit vervelen.* Er zou altijd meer zijn om te weten, iets interessants om over te praten.

We betalen de rekening en lopen naar het Porthmeor-strand. De golven glijden het zand op en de zee is zo glad als een spiegel, tot teleurstelling van de tieners die tegen hun surfplanken geleund staan.

Tom pakt mijn hand en kijkt op naar de witte zuilen van de Tate Gallery. 'Dat was ik bijna vergeten. Jaren geleden ben ik in St. Ives op een feest geweest. Ik studeerde aan de militaire academie en we waren gekomen om te zeilen bij Falmouth...' Zijn gezicht verandert opeens, alsof hij zich iets herinnert wat hij niet wil. 'Wie het eerste aan het eind van het strand is. Kom.'

'Dan word je misselijk. Je hebt net ontbeten.'

Maar hij is al weg en rent naar de rotsen terwijl hij een of ander oud soldatenliedje zingt.

30

James en Bea zaten in de raambank van hun zitkamer naar de tuin te kijken. Achter de muur glinsterde de zee aan de horizon en bootjes scheerden opgewekt over het water, dansend in de wind. Het was middag en buiten speelden Adam, Danielle en Ruth croquet en zaten Jenny en Flo op het gazon te praten. Het zag er zo vredig uit, zo'n typisch ouderwetse Engelse middag. Voor het moment bleven alle onderdrukte gevoelens veilig verborgen.

Toch had deze ochtend op een bizarre cocktailparty geleken vol ongelijksoortige mensen die bij toeval bijeen waren, dacht Bea. Iedereen deed zo zijn best om de juiste dingen te zeggen, dat ze tegen lunchtijd bijna sprakeloos waren van de spanning.

Toen Adam met Ruth het huis binnenkwam, waren Flo en Danielle geschokt omdat hij zo op Tom leek. Flo had de kamer moeten verlaten.

Overal in huis waren familiefoto's, en James zag dat Adam heimelijk met nauwelijks verhulde opwinding naar de foto's gluurde van Jenny, Tom en Rosie op de haltafel.

Het was goed te zien hoe blij Jenny was dat ze Flo en Danielle weer zag. Ze hadden allebei al half verwacht dat Jenny niet direct zou terugkomen en ze maakten het haar makkelijk.

De jongen die buiten croquet aan het spelen was, was plotseling in hun leven gekomen. Opeens bedacht James dat Toms ouders in

Singapore moesten worden ingelicht over het feit dat ze een klein-zoon hadden.

Was Jenny al in staat om het naakte feit te accepteren dat iets van Tom leefde en ademde en dat Ruth zijn moeder was? Iets van Tom leefde nog, maar niet voor haar. James was ongerust. Hij vond het nog te vroeg voor haar om alle gevolgen te bevatten. Naomi Watson leek te denken dat ze het aankon, met hulp, maar James kende zijn dochter en vroeg zich af hoelang ze professionele hulp zou accepteren.

De zon scheen door de dikke ruiten op Bea en James terwijl ze zaten te rusten en hun gezichten ophieven naar de warmte en alles even van zich probeerden af te zetten. Ze kenden elkaar zo goed dat ze niets hoefden te zeggen.

Zo veel kleine drama's en tragedies hadden zich afgespeeld in dit oude, door de wind geteisterde huis bij de zee. De echo's van jaren van kinderstemmen hingen er nog. Van moeilijke en verdrietige tijden maar ook van gelukkige. James had een midlifecrisis gehad. Hij was ontzettend aangetrokken geweest door een van de zusters op zijn praktijk. Harde, onverzoenlijke jaren terwijl ze tastend de weg naar elkaar terugvonden in een huis waar opeens geen kinderen meer woonden.

Hij opende even zijn ogen, keek naar Bea's gezicht en glimlachte, omdat hij zelfs nu nog achter de rimpels het knappe, levendige meis-je kon zien dat ze was geweest. Ze waren nog steeds samen. God-dank hadden ze elkaar nog.

De geur kwam van een schaal hyacinten op de tafel, en van fresia's op de schoorsteenmantel en narcissen boven op de piano. De geur was zwaar en overweldigend in de stille kamer.

'Dadelijk moeten we thee naar de tuin brengen,' zei Bea zonder haar ogen te openen.

'Nog even, Bea. Nog even,' zei James slaperig.

Danielle en Ruth liepen langs het strand, terwijl ze zich af en toe omdraaiden om de surfers te zien aankomen op enorme golven. Mensen zaten op of liepen over het zand terwijl de wind de haren in hun ogen blies. Bij de moeilijke lunch van Bea en James hadden beide vrouwen elkaar meteen gemogen, hadden in de ander iets herkend wat hen beiden distantieerde van de prachtig gedekte tafel en de zorgvuldige beleefdheid van degenen die eromheen zaten.

Danielle was bereid geweest een hekel aan Ruth te hebben om de eenvoudige reden dat ze erin was geslaagd hun leven zo dramatisch te beïnvloeden. Toen Ruth de kamer was binnengekomen met de jongen, lang, elegant en gespannen, had Danielle een verwantschap gevoeld die ze niet kon verklaren. Misschien was het de aangeboren bescherming van iemand die in een zoeklicht was gevangen dat ze niet hadden verwacht. Met medeleven had ze gezien hoe Ruth twee gintonics achteroversloeg.

Toen Ruth in de zitkamer van de Browns kwam, was ze terug-geschrokken voor de drankjes op het dressoir en de opgeklopte kussens. Ze onderdrukte een krankzinnige wens zich om te draaien en weg te rennen. Op dat moment had ze Danielles blik opgevangen en herkend dat er nog een buitenstaander was bij deze beschaafde zondagse lunch van de middenklasse.

Ruth was niet blind voor de ironie dat juist dit het belangrijkste was geweest waardoor ze zich als kind veilig had gevoeld als ze op bezoek kwam in Tredrea.

Terwijl ze over het strand liepen, vroeg Danielle hoe lang ze al in Birmingham woonde.

'Drie jaar. Peter werkt voor een financieel familiebedrijf waarvan het hoofdkantoor in Tel Aviv is gevestigd. Hij is accountant. Ze hebben kantoren door heel Engeland, maar hij is manager van het kantoor in Birmingham. Dat is handig vanwege het vliegveld. Hij reist op en neer tussen hier en Israël.'

'Dat moet heel vermoeiend zijn. Ga je wel eens met hem mee?'

'Eerst wel. Vorig jaar zijn we er met z'n allen op vakantie geweest. Nu Adam ouder is, valt het niet mee om te schipperen tussen mijn werk en zijn school.'

'Wat doe je eigenlijk, Ruth?'

'Ik ben inkoper voor de Fayad Modegroep. Ik geef ook parttime les in bedrijfsadministratie.'

Danielle keek Ruth met nieuwe belangstelling aan. 'Pff! Je moet wel goed zijn als je voor de Fayad Groep werkt. Jenny en ik hebben voor een van hun winkels ontworpen en ze kunnen moeilijk zijn om voor te werken tot je jezelf bewezen hebt. Maar als je niveau hoog is, verkopen ze veel kleding. Het verbaast me dat ik je niet eerder ben tegengekomen.'

Ruth glimlachte. 'Ik mis de werkvloer. Dat was leuk. Ik reisde veel, maar het probleem is dat je een punt bereikt waarop je baan alleen nog uit papierwerk bestaat en het bestuderen van de fouten van andere inkopers.'

Ze bleven staan om naar een surfer te kijken die als een gladde, zwarte zeehond door de branding gleed.

Na een korte stilte zei Ruth: 'Eigenlijk denk ik er serieus over om van baan te veranderen. Ik hoef niet meer in Birmingham te blijven en Adam heeft een hekel aan zijn school.' Ze draaide zich om naar Danielle en lachte kort. 'Peter, mijn man, is sinds kort bij me weg en is in Israël gaan wonen.'

'Mijn god!' Danielle bleef staan. ''Wat een rottijd voor je. Het spijt me.'

'Dat hoeft niet. Ik geef hem helemaal nergens de schuld van en ik denk dat we erin geslaagd zijn om vrienden te blijven. Het vooruitzicht om alles op te geven en ander werk te zoeken is angstaanjagend, maar er is niets dat me aan Birmingham bindt. We zijn er alleen gaan wonen voor Peter.'

'Ik denk niet dat het je moeite zal kosten om werk te vinden, Ruth.'

'Nee. Het is gewoon dat met dit alles, met Jenny, ik me soms...'

'Kwetsbaar voel? De weg kwijt?'

Ruth glimlachte. 'Ja.'

Danielle zei langzaam: 'Het is allemaal ook zo plotseling. Bijna niet te geloven.'

'Het was beter geweest als Jenny en ik elkaar nooit meer gezien hadden. Het was wreed, die toevallige ontmoeting. Jenny zou nooit iets over Adam hebben geweten. Ze zou langzaam de dood van Tom onder ogen zien en weer aan de toekomst gaan denken.' Ruth hief haar armen op. 'Ik zou zo graag willen verdwijnen met Adam, maar dat kan niet. Adam is natuurlijk ontzettend nieuwsgierig naar zijn vader. God, het heeft zo'n schadelijk effect op hem gehad. Hij lijkt de hele tijd in een roes te leven. Peter denkt dat Adam geobsedeerd zal worden door een dode held.'

'Heb je nooit met Adam over zijn vader gepraat toen hij opgroeide? Heeft hij er nooit naar gevraagd?'

'Natuurlijk wel,' zei Ruth kort. 'Toen hij klein was, vertelde ik dat zijn vader niet bij ons woonde. Toen hij ouder werd, legde ik uit dat ik niet veel van zijn vader wist, alleen dat hij student was geweest. Toen ik hem oud genoeg vond om de waarheid te horen, vertelde ik dat ik zijn vader maar één keer had ontmoet toen ik nog heel jong was, en dat we elkaar daarna nooit meer hebben gezien. Ik probeerde hem te laten begrijpen dat ik niet wilde dat zijn vader werd opgespoord of te horen kreeg dat ik een kind had. Het was beter om met ons tweetjes te blijven. Dat heeft Adam altijd moeilijk gevonden en het maakt hem kwaad.'

Ze zweeg even en Danielle mompelde: 'Dat is begrijpelijk.'

'Adam is altijd volwassen geweest voor zijn leeftijd. Hij is opgegroeid met het verhaal dat zijn grootouders me naar een Schots eiland stuurden toen ik zwanger was. Ik denk dat hij daardoor vergevensgezinder naar me is. Toen ik met Peter trouwde, hield hij op met zo veel vragen te stellen en werd alles veel makkelijker, hoewel hij Peter nooit "pap" heeft willen noemen. Hij zei dat hij ergens een echte vader had.'

Opeens verdween de zon en de zee leek grijs en koud. Zeemist kwam opzetten en boven de horizon hing regen in een donkere, paarse wolk. Beide vrouwen huiverden en keerden terug naar het huis. Danielle wist niet wat ze moest zeggen. Ze voelde zich gedeprimeerd. Niets van dit alles zou ooit weggaan. Toms roekeloze gedrag beïnvloedde de levens van hen allemaal.

'Het is moeilijk voor je, Ruth.'

'Sorry, ik heb te veel gepraat. Het is vreemd sinds Peter weg is. Alleen maar werk en niemand om mee te praten als je thuiskomt. Ik denk dat ik iemand begin te worden die ik niet zo aardig vind.'

Danielle bespeurde de tranen achter die zelfverachting. 'Verontschuldig je alsjeblieft niet, Ruth. Mijn werk is een succes, maar mijn liefdesleven... Pff!' Ze lachte en zei toen ze de heuvel beklommen: 'Ik weet dat je te goed voor ons bent, maar als je ooit een poosje verandering wilt, kom dan bij Florence en mij werken. Jenny gaat voorlopig niet terug naar Londen. We zullen een afgestudeerde ontwerper moeten nemen, maar we hebben iemand nodig die op pad gaat om onze kleren te verkopen en de pr verzorgt. Nu zal ik dubbele taken moeten verrichten.'

Ruth glimlachte. 'Dat is aardig van je, maar je meent het toch niet serieus?'

Danielle bleef staan. 'Ik meen heel serieus dat ik iemand nodig heb.'

De twee vrouwen keken elkaar opgewonden aan.

Danielle zei vlug: 'We kunnen je niet het inkomen betalen dat je nu ongetwijfeld hebt.'

Ruth dacht snel na. 'Daar kan een mouw aan gepast worden. Ik krijg goed betaald voor lesgeven en misschien kan ik aangenomen worden als consulent, als er geen tegenstrijdige belangen zijn. Zal ik informeren?'

Danielle knikte, viste een visitekaartje uit haar tas en gaf het aan Ruth. 'Als je echt belangstelling hebt, bel me dan, maar wel gauw, Ruth. Boven in het huis is woonruimte, dus je hoeft geen hoog bedrag aan huur te betalen, alleen de gewone onkosten.'

'En ik heb Adam natuurlijk.'

'Natuurlijk. Misschien moeten we onze woonsituatie anders indelen, maar er is plaats voor hem, tenzij je niet wilt dat hij van school verandert?'

'Hij heeft een hekel aan zijn school in Birmingham. Weet je wat, geef me een paar dagen om er goed over na te denken.'

'Natuurlijk. Kom anders naar Londen, dan kun je onze woon- en werkruimte zien en er ook met Flo over praten. Dan kun je beoordelen of het een uitvoerbaar voorstel is.'

Ruth lachte. 'Dat doe ik! Volgende week?'

'Volgende week.'

De regen begon in schuine vlagen te vallen. Het strand en de zee waren verdwenen. De twee vrouwen bogen hun hoofd tegen de wind en renden naar het huis.

31

James zette de koffers van Flo en Danielle in de kofferbak van zijn auto toen Jenny naar buiten kwam en zei dat ze mee wilde naar New-quay om hen weg te brengen.

Flo zat voorin bij James. Ze had met Bea door de tuin gewandeld en voelde zich ondanks alles ontspannen. Hoe kon ze niet ontspannen zijn met de zee die voor het huis lag te glinsteren, met de openslaande deuren naar een tuin vol bloeiende camelia's en de laatste geurige narcissen?

Ze had een steek van afgunst gevoeld om dit leven ver van Londen en werk, waar de zoetgeurende lucht het tempo langzamer maakte, waar de dagen naadloos in elkaar overgingen, net als de zee en de lucht. Tredrea was zoals altijd zijn magie aan het uitoefenen. Toch wist ze dat ze zodra ze de voordeur in Londen had geopend, opgewekt naar haar kantoor boven zou gaan om het schema voor de volgende dag te bekijken, verlangend naar de chaos en drukte van de komende week.

Het was een triester huis zonder Jenny en Rosie, zonder Tom die binnenkwam als een adrenalinestoot terwijl hij hen allemaal in een stevige omhelzing nam en hun georganiseerde wereldje op zijn kop zette. Flo betrapte zich er nog steeds op dat ze luisterde of ze zijn lach of Rosies gepraat kon horen. Wat miste ze dat aanstekelijke giechellachje dat opsteeg naar haar werkkamer.

Flo zette haar gedachtestroom stop om het plezier van een weekend bij Bea en James niet te bederven. Voldoening was niet langer iets vanzelfsprekends, maar moest geproefd worden als een heerlijke smaak op de tong.

Gisteren waren zij en Bea uit de tuin naar binnen gegaan. Daar zaten Jenny en Adam op de bank familiefoto's te kijken. Beide hoofden waren naar het album gebogen, zich niet bewust van de twee vrouwen in de deuropening.

Bea en Flo hadden een blik gewisseld en waren naar de keuken geslopen. Ze waren niet in staat om dat moment van intimiteit in de zitkamer te doorbreken en te veranderen in iets luchtigers. Jenny en Adam hadden net twee verrukte kinderen geleken zoals ze op die bank zaten.

De zon hing laag voor de auto, een monsterachtige oranje bol in een plotseling heldere lucht. Flo draaide zich naar James toe om met hem te praten.

Achterin raakte Danielle nerveus Jenny's arm aan. 'Jenny, ik heb in een opwelling iets gedaan wat waarschijnlijk heel stom is. Ik was op het strand met Ruth aan het praten...'

Jenny keek haar aan en viel haar in de rede. 'Adam vertelde me dat Peter voorgoed is teruggegaan naar Israël. Ik wilde tegen Ruth zeggen dat ik het erg voor haar vind, maar ze vertrok zo overhaast dat ik de tijd niet kreeg.'

'Ja, dat heeft ze me verteld. Ze denkt dat hij iemand anders heeft.'

Jenny keek geschrokken. 'Arme Ruth.'

'Luister alsjeblieft naar wat ik je wil zeggen. Het is belangrijk.' Jenny's aandacht was getrokken. 'Ruth vertelde me dat er niets is waarvoor ze in Birmingham moet blijven en dat ze overwoog om een andere baan te zoeken. Zonder na te denken zei ik dat we wel een slim iemand konden gebruiken voor contacten met inkopers. Ik zei dat ze moest komen kijken in Londen. Ik heb haar de baan zowat aangeboden. Het leek een goed idee, maar nu vraag ik me af of ik weer eens mijn mond voorbij heb gepraat.'

Flo praatte niet langer met James en luisterde. Danielle keek ongerust naar Jenny. Die zweeg een zenuwslopend lange tijd. Ze wendde zich af en keek uit het raam en toen naar haar handen. Ze had het zichtbaar moeilijk, en Danielle zei vol ellende: 'Het is niet om je te vervangen, lieverd. Alleen om me te helpen, zodat ik niet meer op reis hoef en fulltime kan ontwerpen tot jij beter bent. Dat is alles.'

Jenny draaide zich naar haar toe. 'Dat is inderdaad een goed idee. Ruth heeft veel succes, dat besefte ik toen ik in Birmingham was. Ik ben egoïstisch.' Ze probeerde te lachen. 'Ik wist niet dat ik zo vlug vervangen zou worden. Het is gewoon... het lijkt net of ik aan het verdwijnen ben.' Ze stak haar hand op toen Danielle iets probeerde te zeggen. 'Ik ben onredelijk. Tenslotte was het mijn eigen besluit om me een poosje terug te trekken. Dat wil ik en dat betekent dat ik jou en Flo aan jullie lot overlaat. Wat verwacht ik dan? Het is logisch om iemand in te huren die we kennen, die het werk blindelings zou kunnen doen.'

Danielle slaakte een zucht van opluchting. 'Dat vond ik ook.' Ze boog zich naar Jenny toe. 'In je hart weet je dat je nooit vervangen kunt worden, Jenny. We hebben hulp nodig bij het verkópen.'

Flo draaide zich om en zei op scherpe toon: 'Kunnen we ons Ruth veroorloven? Dat betwijfel ik, Danielle.'

'We kunnen ons niet veroorloven om haar het salaris te geven dat ze nu ongetwijfeld verdient. Dat heb ik haar gezegd, maar ook dat ze bij ons in het huis kan wonen. Flo, wees alsjeblieft niet boos op me. Je weet hoe ik ben.'

'Ja,' zei Flo. 'Het zou attent zijn geweest om dit tussen ons drieën te bespreken in plaats van overhaast op je eigen houtje te handelen.'

Jenny glimlachte. Flo nam haar in bescherming. 'Wees niet boos op Danielle, Flo. Ze heeft altijd het overgrote deel van de verkoop gedaan. Ze heeft me jaren werk uit handen genomen. Ik heb nooit mijn volle aandeel geleverd, dat weten we allemaal. Het bedrijf is Elle veel verschuldigd en ze heeft het recht om zich zorgen te maken over de toekomst. Ruth is al eerder benaderd. Ze kan zo weer door iemand anders worden weggegrist. Ik hoef geen geld uit de zaak zolang ik niet werk. Dat zal helpen.'

'Je moet wel leven, Jen,' zei James zacht.

'Ik heb niet veel nodig, pap. Ik heb mijn legerpensioen.'

Flo maakte een einde aan het gesprek. 'We zullen het nu hier bij laten. Laten we zien of Ruth de baan wil voor we het nader bespreken.' Ze keek over haar schouder naar Danielle. 'Ik ben niet boos op je, lieverd, ik geloof alleen niet in overhaast beslissen.'

Flo was geen gelijke partner, maar ze had een aandeel in het bedrijf. Ze was de oudere staatsman, het scherpzinnige, vooruitziende, kalme lid van het team. Wat ze niet wist van de mode-industrie was de moeite niet waard. Met hun drieën hadden ze elkaar nodig om efficiënt te werken en dat begrepen ze heel goed.

'We zijn er,' zei James toen ze de haveloze kleine luchthaven hadden bereikt. 'We zijn vrij laat, dus geen tijd om te treuzelen.'

Ze stapten uit en Flo omhelsde Jenny. 'Het was heerlijk om je bijna weer beter te zien.'

'Ik heb nog slechte dagen, maar ik kom er wel, Flo. Ik weet dat ik er goed aan heb gedaan om nog niet naar huis te gaan.'

'Dat geloof ik. Maar we missen je wel. Ik zal je morgen bellen.'

Danielle gaf haar een kus op elke wang. 'Vergeef me als ik ongevoelig ben. Het is niet mijn bedoeling.'

'Je bent praktisch en ik hou van je. Ga maar gauw.'

Jenny en James keken het kleine vliegtuig na tot het een stipje was. James vermoedde dat Jenny dacht aan alle keren dat ze bij hen in dat vliegtuig had gezeten. Hij sloeg een arm om haar heen. 'Naar huis en dan een flinke borrel,' zei hij zonder nadenken.

Jenny lachte. 'Ik slik pillen, dokter. Kon ik maar een flinke borrel drinken!'

Weer in de auto zei James: 'Ik was heel trots op je daar achterin met Danielle.'

Jenny glimlachte. 'Mijn hart bleef even stilstaan, pap, echt waar. Denk niet te slecht over haar, ze is heel praktisch en niet sentimenteel.'

'Ja, nu wel,' zei James droog. 'Je hebt juist gehandeld, Jen. Rouwen is een langdurig proces en je hebt er de tijd en de ruimte voor nodig. Je moeder en ik zijn zo egoïstisch om te vinden dat je een poosje bij ons in de buurt moet zijn.'

'Zonder jou en mam had ik dit niet doorstaan.'

Jenny aarzelde en James vermoedde wat er zou komen. 'Pap, ik denk eerlijk gezegd dat ik mijn sessies met Naomi Watson niet langer nodig heb.'

James hield zijn stem neutraal. 'Nog even, lieverd, toe. Ze is zo blij met je vooruitgang.'

Uit zijn ooghoek zag hij dat Jenny achteroverleunde en haar ogen sloot. 'Die vrouw wil me mee terugnemen naar die afschuwelijke middag, en dat wil ik niet.'

'Ze is een uitstekende psychiater. Probeer op haar te vertrouwen. Dat doe ik ook.'

Jenny perste haar lippen op elkaar, maar stribbelde niet tegen. James wierp een zijdelingse blik op haar, herkende die uitdrukking van vroeger en deed geen poging om het gesprek voort te zetten. In plaats daarvan zei hij: 'Je hoeft niets te zoeken om te huren. Tredrea is je thuis en er zijn een heleboel lege slaapkamers. Het is groot genoeg voor jou en de kinderen van je zussen als ze komen.'

'Dat weet ik, pap, maar ik moet op eigen benen staan. Jij en mam maken het me te gemakkelijk. Ik moet mijn eigen verantwoordelijkheid nemen. Als ik blijf, ben ik bang dat ik niet eens de eenvoudigste besluiten kan nemen.' Ze draaide zich naar hem toe en gaf zacht een stomp tegen zijn arm. 'Kom, dokter Brown, wees eerlijk. Na vijf kinderen en een voortdurende reeks kleinkinderen die op bezoek komen, vinden Bea en jij het heerlijk om het huis voor jezelf te hebben. Dat weet je.'

James glimlachte. Hij genoot ervan om dat aanstekelijke lachje van haar weer te horen. Zijn kleindochter had hetzelfde lachje geërfd. 'Goed, jongedame, jij wint, maar ik zal je nieuwe onderkomen eerst keuren.'

'Afgesproken!'

Ze reden knarsend over de oprit naar Tredrea. Kleine lampen brandden in de ramen en wierpen een warm licht over het grind. Ergens in het verlichte huis was Bea in alle rust bezig.

Avond en de lichten gaan aan en je bent veilig thuis. Jenny stapte uit de auto en bleef in het donker staan. *Was er maar een lange gestalte in de kamer binnen die naar buiten keek, wachtend in het licht tot ik uit het donker kom.*

Terwijl James de auto naar de achterkant van het huis reed, wierp hij een blik in de achteruitkijkspiegel. Jenny zag er zo klein en eenzaam uit bij de voordeur, terwijl ze haar handen wrong. Het vrat aan hem. Hoeveel Bea en hij ook van haar hielden, ze zouden nooit de verschrikkingen of de eenzaamheid kunnen wegnemen. Die zouden voortdurend als een klap in haar gezicht komen, op het moment dat een deur achter vrienden dichtging, bij een blik op verlichte huizen waarin echtparen liepen, bij het passeren van een schoolplein waar het joelen van kinderen boven alles uit klonk, 's nachts, als Jenny een hand uitstak naar de koude kant van een tweepersoonsbed en de herinnering aan het verlies in volle hevigheid terugkwam.

James hoopte dat ze zou blijven praten met Naomi Watson.

32

Adam wist dat zijn moeder heel erg haar best deed om de vakantie leuk voor hem te maken. Ze had surflessen voor hem geregeld in Perranporth. Ze had een surfpak voor hem gekocht. Ergens was hij dankbaar, maar iets in hem wilde het haar niet vergeven. Waarom had ze zijn vergiffenis nodig? Adam wist niet waar die harde weerstand vandaan kwam en het verbijsterde hem. Hij negeerde haar stilzwijgende smeekbede om alles tussen hen weer te laten worden als vroeger. Hij wist dat hij haar buitensloot, maar hij kon er niets aan doen.

Ruth zat op een plaid op het strand met een dikke trui tegen de wind. Adam voelde dat ze hem gadesloeg terwijl hij en zes andere jongens op surfplanken op het strand lagen en zich nogal dwaas voelden door te doen alsof ze peddelden.

Toen de strandwacht hen mee in het ondiepe nam en hun leerde over stromingen en getijdenstromen, werd het leuker. Er stond echter een vervaarlijke deining en de golven kwamen enorm en dreigend aanrollen, waardoor ze niet verder het water in konden. De strandwacht blies op zijn fluit. Ze zouden allemaal op een andere dag hun surfplanken moeten inwijden.

Adam vond de strandwacht gaaf. Hij zou die baan ook wel willen hebben; het was vast fantastisch om elke dag op het strand te zijn. Hij stoeide met de andere jongens in de branding en verwonderde zich erover hoe makkelijker het was om vrienden te maken, nu hij ver van Birmingham vandaan was.

Twee van de jongens kwamen van hier en drie hadden, net als hij, vakantiehuisjes in de buurt. Hij bracht een ontspannen, leuke ochtend door, waarbij hij bijna vergat dat Peter echt voorgoed weg was en dat de gehate school op hem wachtte.

Voordat ze teruggingen naar de kreek, kocht Ruth vis en patat voor hem en ze zaten op de zeewering te eten in een kameraadschappelijke stilte. Toen ze naar huis reden, zagen ze de lucht voor hen veranderen. Er dreigde slecht weer en Adam herinnerde zich de ruwe zee, een waarschuwing voor naderende buien.

Adam en Ruth hadden allebei een hekel aan het huisje bij slecht weer. De ramen waren klein en ze moesten overdag de lichten aandoen. In tegenstelling tot het grote huis in Birmingham hadden ze hier niet de mogelijkheid om elkaar te ontlopen.

Ruth reed terug door de stad, parkeerde bij de videotheek en zei tegen Adam dat hij een paar dvd's moest uitzoeken. Dan hoefden ze geen gespannen gesprekken met elkaar te voeren. De dagen leken elkaar zwaar en eindeloos op te volgen. Ruth verlangde ernaar om zich op haar werk te storten. Ze had niet naar Cornwall willen gaan met de vakantie en ze begon nu pas te beseffen hoe aanwezig Peter in Adams leven was geweest. Hoe vrij ze was geweest om te doen en te laten wat ze wilde terwijl zij met z'n tweeën eropuit gingen.

Ze hadden afgesproken om de volgende dag naar Naomi Watson te gaan. Ruth besloot tegen haar te zeggen dat ze Adam zou blijven meenemen als ze vond dat hij er iets aan had, maar dat ze zelf beslist geen gesprekstherapie wilde.

Adam zei, terwijl ze zich van de auto naar het huisje haastten toen de bui losbarstte: 'Bedankt voor de surflessen, mam. Ze zijn fantastisch.'

'Ik ben blij dat je een leuke ochtend hebt gehad, lieverd. Het lijken aardige jongens.'

'Ja. Ik ga een poos op mijn kamer lezen.'

'Wil je een kop thee?'

'Ja, graag. Is er nog cake over?'

Ruth lachte. 'Na de vis met patat? Straks word je nog misselijk.'

Onder aan de trap bleef Adam staan en draaide zich om naar Ruth. 'Mam, moeten we morgen naar die vrouw?'

'Naomi Watson?'

'Ja.'

'Ze denkt dat het kan helpen als je vertelt hoe je over Jenny denkt, over Tom en misschien over mij. Omdat je boos op me bent, Adam, en dat maakt me verdrietig.'

Ruth zag allerlei uitdrukkingen op Adams gezicht komen terwijl hij schuifelend met zijn voeten in de donkere kleine gang stond. Zijn onzekerheid en verwarring ontroerden haar en ze ging naar hem toe, met het risico dat hij haar zou afwijzen. Ze hield hem voorzichtig vast en even liet hij het toe. Opeens begreep ze hoe erg hij het vond om kwaad op haar te zijn. Wat een plotselinge verwarring hij voelde over zijn leven.

Ze liet hem vlug los. 'Ga maar lezen. Ik zal thee en cake brengen. Laten we kijken hoe we ons voelen als we morgen bij Naomi Watson zijn geweest, goed?'

Adam gaf geen antwoord, maar liep langzaam de trap op. Hij liet zich op bed vallen en pakte zijn boek. De foto die Jenny hem van Tom Holland had gegeven, viel eruit. Elke keer als Adam naar die foto keek, trok zijn maag samen. Tom was in uniform, zijn gezicht stond ernstig en hij droeg een rode baret. Schuine vleugels van de SAS. In zijn ogen lag een licht geamuseerde blik, alsof hij een beetje om zichzelf moest lachen. Adam legde de kleine foto tegen zijn hart. Toen hij Ruth de trap op hoorde komen met zijn thee, duwde hij hem vlug onder zijn kussen en greep zijn boek, terwijl zijn hart tekeerging door zijn schuldgevoel.

Het eerste wat Naomi Watson deed, was Ruth verzekeren dat deze gesprekken met haar door het ziekenfonds werden vergoed, alsof Ruth zich hoofdzakelijk daarover druk maakte. Ze nam Adam als eerste mee naar haar kamer. Ruth zat in de wachtkamer in een tijdschrift te bladeren.

Jenny had die ochtend naar het huisje gebeld om hen voor de lunch uit te nodigen op Tredrea. Ruth had vriendelijk willen weigeren toen ze opkeek en Adam verontrust over de balustrade zag hangen terwijl hij heftig met zijn hoofd knikte en siste: 'Ja. Zeg ja, mam.'

Ruth zei: 'Heel aardig van je, Jenny, maar hebben Bea en James geen genoeg van ons sinds afgelopen zondag?'

'Nee, helemaal niet. Er is zelfs een tochtje naar de vuurtoren van Godrevy vanmiddag als het weer opklaart, en dat gebeurt meestal 's middags. Mijn vader dacht dat Adam misschien wel met hem mee zou willen. Het weer was niet best deze week en we hebben aan jullie gedacht.'

Ruth nam de uitnodiging aan. Jenny had gelijk; het was vermoeiend om te verzinnen wat ze met Adam kon doen. Niet omdat er niets te doen was, maar gezien zijn onvoorspelbare buien was het moeilijk om enthousiast iets voor te stellen.

Adam kwam met een rood gezicht uit het kantoor van Naomi. Ruth ging naar binnen. Alles aan deze vrouw stoorde haar. De manier waarop ze de wekker zette en de doos tissues discreet op de tafel achter haar lag. Alsof Naomi dit aanvoelde, zei ze: 'Ruth, ik ben hier om jou en Adam te helpen. Het is natuurlijk je eigen keus of je met me wilt praten. Misschien geef je er de voorkeur aan of is het makkelijker voor je als ik je naar een collega in Birmingham doorverwijs?'

Mét me wil praten. Waarom zei ze niet tégen me? Ruth haalde diep adem. 'Het spijt me als ik onbeleefd lijk. Ik geloof niet dat het nodig is dat ik tegen wie dan ook praat. Ik ben heel goed in staat om de problemen met Adam in te schatten. Ik vind het vreselijk om de vuile was buiten te hangen en ik ben gewend om voor mezelf te zorgen. Al deze zelfbeschouwing is daarbij volgens mij niet goed voor Adam. Ook hij is op zijn privacy gesteld.'

Naomi bladerde door papieren en glimlachte. 'Adam is nog een kind. Zijn leven is dramatisch veranderd door de ontdekking van zijn vader tijdens buitengewone en traumatische omstandigheden. Hij heeft een band gevormd met Jenny. Zij is de enige persoon die hem over zijn vader kan vertellen, maar hij weet dat dit je zal kwetsen en hij staat in tweestrijd. Door dit alles ben jij kwetsbaar.'

'Ik kan het wel aan. Adam en Jenny konden al goed met elkaar opschieten voor we iets over haar leven wisten. Adam is ook op een leeftijd dat hij een vaderfiguur nodig heeft. Daarbij zou hij met dertien jaar toch op een moeilijke leeftijd komen. Dat gaat wel over.'

Naomi legde haar vingers tegen elkaar en keek Ruth langdurig aan. 'Je hebt gelijk. Adam heeft inderdaad een vaderfiguur nodig.

Heb je rekening gehouden met het feit dat Adam ook zijn stiefvader kwijt is, vlak nadat hij had ontdekt dat zijn biologische vader dood is?' Toen ze Ruths verbazing zag, voegde ze eraan toe: 'Ja, hij vertelde dat Peter terug is naar Israël. Ik kreeg de indruk dat hij erg op hem gesteld was, dat ze een goede relatie hadden.'

Ruth knikte. Ze kon niets uitbrengen. Ze schaamde zich diep dat Adam deze vrouw iets had toevertrouwd.

'Ik wil absoluut niet suggereren dat je de huidige omstandigheden niet zou aankunnen, Ruth. Of dat je je niet bewust bent van de gevolgen voor jou, Adam en Jenny. Ik wil alleen opmerken dat het mogelijk is om ze makkelijker voor je te maken. In mijn ervaring is het niet goed om dingen lange tijd weg te stoppen.'

Wie had tegen Naomi Watson gezegd dat ze Tom had weggestopt? Ruth, in haar kwaadheid, hoorde de verdedigende toon in haar stem. 'Waarom ben jij er zo van overtuigd, Naomi, dat jij met je vakkennis beter kunt weten wat Adam nodig heeft dan ik als zijn moeder?'

'Omdat ik met mijn vakkennis een objectieve kijk kan hebben. Ik kan van een afstand kijken, iets wat jij niet kunt omdat je er direct bij betrokken bent. Adam voert een strijd, Ruth. Hij is loyaal, maar totaal overdonderd door zijn extreme emoties.'

Ruth zweeg. Daar kon ze niets tegen inbrengen.

Naomi zei vriendelijk: 'Om Adam te helpen moet ik zijn vertrouwen winnen. Om zijn vertrouwen te winnen, moet ik hem regelmatig zien of hem verwijzen naar iemand dichter bij jullie in de buurt in Birmingham.'

Ruth stond op. 'We wonen te ver weg om Adam regelmatig te kunnen zien, en je kunt zijn vertrouwen niet winnen als hij liever niets tegen je zegt. Adam moet iemand willen spreken en eraan toe zijn om over zijn gevoelens te praten. Ik geloof niet dat dit nu het geval is. Als dat verandert, zal ik contact met jou opnemen of met iemand bij ons in de buurt. Ik wil niet onbeleefd zijn. Ik ben je dankbaar voor je aanbod om ons te helpen, maar Jenny is degene die alles kwijt is en je zorg nodig heeft.'

Naomi Watson stond ook op en stak haar hand uit. 'Dat is goed, Ruth. Je hebt er blijkbaar over nagedacht en ik respecteer je wensen. Het beste voor jullie allebei.'

Verbaasd dat Naomi zich er zo plotseling bij had neergelegd, voelde Ruth zich een beetje ongemakkelijk en op het verkeerde been gezet toen ze terugging naar Adam.

Ze reden zwijgend St. Ives in en vervolgens naar Tredrea. Bea was op de oprit onkruid aan het wieden en zwaaide opgewekt toen ze kwamen aanrijden. James was het gazon aan het maaien op zijn tractor en toen Ruth naar Adams gezicht keek, dacht ze met een schok: *hij voelt zich hier veilig. Daarom komt hij hier graag. Er is geen Peter meer. Hij heeft zelf geen grootouders. Hier in dit huis kan hij doen alsof hij bij deze mensen hoort.*

Jenny leunde uit het raam en riep naar beneden: 'Hallo, Ruth en Adam. Ik kom er zo aan.'

Adam keek op naar het zolderraam. In een oogwenk sloeg zijn stemming om. Hij liep opgewekt naar James en de tractor. Jenny's hoofd verdween weer naar binnen. Ruth bleef staan met de autosleutels in haar hand.

Bea kwam achter haar staan en sloeg haar arm om haar middel. 'Ik ben blij dat jullie konden komen. Help me even de erwtjes doppen, lieverd. Dan nemen we een gin en kunnen we even kletsen.'

Terwijl Ruth het bekende huis binnenging, dacht ze terug aan de dagen dat zij en Jenny zo'n hechte band hadden gehad. Jenny's oudere zussen riepen altijd: *o jee, daar heb je de verschrikkelijke tweeling. Moet je kijken hoe jullie eruitzien. Waar zijn jullie geweest?*

Ruth besefte hoe eenzaam ze zich voelde. Ze snakte naar die verloren vriendschap van lang geleden. Hier was Bea, in deze overbekende keuken, en ze ving haar op, zoals ze altijd had gedaan.

Wat vreemd, wat louterend, dat Adam net als zij vroeger door dit huishouden werd aangetrokken, door het gebrek aan iets veiligs en iets om je thuis aan vast te houden.

33

Bea was met Ruth in de keuken toen ik naar beneden kwam. Mam kon altijd goed overweg met Ruth. Ze doorgrondde haar stemmingen altijd sneller dan ik toen we kinderen waren. Soms, om redenen waar ik niets van begreep, wilde Ruth niet met me spelen en dan ging ze op zoek naar Bea. Dan vond ik hen samen terwijl ze deeg aan het maken waren of de naaidoos van mijn moeder opruimden of frambozen plukten. Vandaag waren ze erwten aan het doppen. Buiten het raam holde Adam over het gazon en gooide het gemaaide gras weg voor James.

Ik keek naar Ruth en zag hoe bleek en broos ze eruitzag. Ik herinnerde me de gelukkige, zelfbewuste vrouw in de trein. Ze leed. Het feit dat Peter haar had verlaten, had niets met mij te maken. Al het andere wél.

Ik bedacht hoe vreselijk ze het moest vinden dat Naomi Watson maar zat te vissen, met haar vingertoppen op pijnlijke plekken wilde drukken, Ruths gevoelens voor Tom na al die tijd probeerde te ontdekken, haar ongerustheid over Adam aanwakkerde en dingen opwekte die het beste weggestopt konden blijven. Ik ging naast haar zitten en legde mijn hand op haar arm. 'Ik vind het zo erg van Peter, Ruth. Ik vind het allemaal erg.'

Ze liet de erwten uit haar vingers vallen. 'Dank je, Jenny.'

Haar ogen keken naar mijn hand op haar arm. Ik voelde de tranen in mijn keel om wat we ooit voor elkaar waren geweest. Ik zag Bea stilletjes wegglippen door de achterdeur.

'Ik mis je,' fluisterde Ruth.

'Ik mis jou ook.'

'Kunnen we weer vriendinnen worden?' Ze keek me aan.

Ik trok me iets terug. Ik wilde eerlijk zijn. Ik wist het niet. Ik vertrouwde mijn grillige emoties niet. Ik zei: 'Natuurlijk.'

Ruth trok voorzichtig een erwtenpeul open en de erwten vielen met een plons in het water. We staarden naar elkaar, de sfeer geladen met onze verschillende behoeften. Onze ooit zo bezitterige liefde voor elkaar hing in de ruimte, tweestrijdig en bezoedeld.

Ik wilde de tuin in rennen. Ik sloot mijn ogen. Het was belangrijk dat ik Ruth geruststelde. We moesten tot een verstandhouding zien te komen.

Ik opende mijn ogen. 'Bedenk eens hoeveel uren van je jeugd je in dit huis bij ons hebt doorgebracht.' Ik gebaarde naar de grote keuken, het hele huis, Bea en James buiten. 'Je maakte deel uit van ons allemaal en nu ben je terug. Het spijt me dat je erbij gesleept bent, dat je bij mijn leven bent betrokken, maar ik kan niet veranderen wat er is gebeurd.'

We zagen Adam en Bea en James over het gazon in onze richting lopen. Ruth zei: 'Ik weet het. Ik geef jou nergens de schuld van. Hoe zou ik dat kunnen? Alleen het effect ervan op Adam is zo rampzalig geweest.'

Ik keek naar buiten. Adam liep slungelig naast Bea en James. 'Hij moet wennen aan het idee van Tom en van mij, dat is alles. Kijk naar buiten, Ruth. Adam is ontspannen en hij lacht. Beschouw mij of Bea en James alsjeblieft niet als een bedreiging voor jouw relatie met Adam.' Ik was niet eerlijk. Ik wist hoe ík me zou voelen.

'Natuurlijk niet!' Ze stak haar hand naar me uit toen ze bij de keukendeur kwamen. 'Hij vindt het heerlijk om hier te komen.'

We glimlachten vlug naar elkaar en draaiden ons allebei om naar Adam toen hij binnenkwam. Hij begroette me onhandig, met een blos. Toen riep Bea hem om haar en Ruth te helpen met het doppen van de erwten die ze voor de lunch nodig had.

Ik liep de keuken uit, naar buiten en richting het prieel. Ik ging een poosje op de zitslaapbank liggen. Het was angstwekkend hoeveel we van onszelf verborgen voor andere mensen. Hoe eerlijk was ik tegen Ruth of tegen mezelf geweest? Ik wist het antwoord niet. Het leek erop dat we andere mensen nooit echt kennen en dat we vreemden voor onszelf worden.

34

James manoeuvreerde zijn kleine zeilboot de haven uit met gebruik van de motor. Het was te ruw geweest voor de boottocht naar Godrevy, dus besloot hij Adam mee te nemen om op makreel te vissen. Adam zat tevreden op de achterkant, comfortabel in waterdichte kleding en een reddingsvest. Hij lachte toen het water opspatte en in een boog over hem en de kleine boot sproeide.

Ze draaiden zich allebei om voor ze rond de kaap verdwenen en zagen nog net Bea en Ruth op het strand naar hen zwaaien. James ging naar de beschutte plek van Carbis Bay en gooide het anker uit bij de kreeftenfuiken bij de punt.

Ruth, op het strand, voelde opluchting. 'Het is zo aardig van James, Bea. Ik weet niet hoe ik hem moet bedanken. Adam is in zijn element.'

Bea glimlachte naar Ruth. 'James gaat graag weg met de boot, dus het is helemaal geen opgave voor hem. Maak je geen zorgen. Als zijn kleinkinderen hier zijn, woont hij zo'n beetje op die boot.'

Jenny lag in het huis te rusten. Bea en Ruth gingen wandelen langs de kust. 'Ik herinner me hoe hard James werkte toen we kinderen waren. Hij leek altijd dienst te hebben in de weekends, maar tijdens de vakanties nam hij toch onverwacht vrije dagen?'

'Dat je dat nog weet. Ja, hij was en is nog steeds een fantastische vader en opa.'

'Wat gaat Jenny doen als ze niet teruggaat naar Londen?' vroeg Ruth.

'Ze wil iets in de buurt huren. Ik denk dat ze een poos alleen wil zijn.'

'Is dat wel een goed idee?'

'Dat weet ik niet. Ze heeft lang met andere mensen in één huis gewoond. Maar ze is er nog niet aan toe om terug te gaan naar Londen en in elk geval zijn wij hier in de buurt.' Omdat Bea wist dat Flo en Danielle zich zorgen maakten om de zaak zonder Jenny, zei Bea: 'Denk je dat je een baan bij Danielle en Flo neemt? Ga je naar hen toe in Londen?'

'Ik ben erg geïnteresseerd. Ik ga zodra ik kan. Ik moet alleen het beste tijdstip uitkienen. Adam en ik zijn hier tot vrijdag of zaterdag. Dan heb ik een hectische week voor de boeg voor de herfstinkoop. Ik wil graag eerder naar huis, maar Adam wil hier de volle week blijven. Het huis voelt leeg aan zonder Peter, dus vind ik het best om te blijven.'

Ze verlieten het strand en begonnen het steile pad naar het huis te beklimmen. 'Je kunt toch vanaf Truro naar Londen? Dan neem je de slaaptrein terug. Adam kan die dag bij mij en James blijven. Dan heb je meer tijd om na te denken over Danielles aanbod voor je teruggaat naar je werk.'

Het was verleidelijk. Danielle wilde zo snel mogelijk een antwoord. Misschien kon Adam mee? Dan konden ze naar het Museum voor Natuurwetenschappen of iets dergelijks. Ruth zette de gedachte vlug uit haar hoofd. Adam zou het vreselijk vinden om zijn vakantie te doorbreken om vijf uur in een trein te zitten. 'Dat is te veel gevraagd. Ik wil jou en James niet belasten, en Jenny hoort nog steeds te rusten.'

'Lieve Ruth, als je het niet erg vindt om hem bij ons te laten en Adam het graag wil, dan is het helemaal geen probleem. We hebben meer dan genoeg ruimte en hij is zo'n makkelijke jongen. Kijk maar wat Adam ervan vindt als hij terug is.'

Ruth wist precies wat Adam zou zeggen: *Mag ik in St. Ives blijven tot je terug bent? Gaaf, mam. Nee, natuurlijk vind ik het niet erg dat je gaat.*

'Ik zal Adam niet vertellen waarom ik naar Londen ga. Hij zal niet naar de reden vragen omdat ik er zo vaak naartoe ga voor zaken.'

James volgde Ruth en Adam terug naar het huisje in zijn eigen auto. Jenny mocht nog niet rijden vanwege de medicijnen die ze nam. Adam haastte zich naar boven om schone kleren te pakken, zijn boeken en zijn mobiele telefoon. Toen rende hij terug om zijn hengel te pakken.

Ruth reserveerde treinkaartjes naar Paddington. Ze kon er met de vroege trein heen en met de slaaptrein terug.

'Maak je geen zorgen over Adam of wat dan ook,' zei James tegen haar terwijl Jenny en Adam zijn spullen in de kofferbak legden. 'Adam is een fijne knul en je kunt trots op hem zijn, Ruth. Concentreer je op jezelf. Het is belangrijk dat je het juiste besluit neemt voor jóú, niet om iemand anders tegemoet te komen of een plezier te doen.'

Ruth was ontroerd. 'Dank je, James. Jij en Bea zijn zo aardig.'

'Bea en ik zijn ons heel goed bewust van jouw gevoelens in dit alles. Adam is jouw zoon en we zullen goed voor hem zorgen. Jenny zal zich wel ontspannen Ze zal wennen aan Adams bestaan. Ze zal haar leven weer oppakken en jij ook, lieve kind.'

Ruth raakte even James' arm aan. 'Ik weet dat jullie goed voor hem zullen zorgen. Dank jullie beiden dat jullie... zijn zoals jullie altijd zijn geweest.'

James glimlachte. 'We hebben je zien opgroeien met onze kinderen. Zo, een goede reis dan maar.'

Hij liep het pad af en stapte achter het stuur. Adam liep om de auto heen om afscheid te nemen van Ruth. Zijn gezicht stond zowel gretig als ongerust, alsof ze van gedachten zou veranderen en hem toch niet wilde achterlaten. Hij liet zich door haar omhelzen en stapte toen vlug achter in de auto.

Jenny draaide het raampje omlaag. 'Dag, Ruth. Doe iedereen de groeten.' Haar gezicht werd opeens weemoedig. Ze aarzelde, wilde nog iets zeggen, maar bedacht zich.

Ruth zwaaide hen na en ging het lege huisje in. Ze liep naar de koelkast en schonk een glas wijn in. Ze voelde een sluimerende opwinding. Haar leven en dat van Adam moest veranderen. Ze had een uitdaging nodig, iets wat ze kon opbouwen, waarvoor ze zich kon inzetten. Ze wilde in Londen werken met het donkere, Franse meisje en met Florence. Hopelijk zou het bedrijf haar aanstaan en kreeg ze een redelijk aanbod. Ze keek naar zichzelf in de verweerde gangspiegel. Peter had echt iemand anders gevonden en was waarschijnlijk blij een toekomst aan het uitstippelen. Haar maag deed pijn van verdriet. Ze wendde zich af. Ze moest hoe dan ook verder.

35

Tom en ik liggen in het park op een zondagmiddag, doezelig na een lunch met veel drank in het gezelschap van een paar vrienden van hem. De bries brengt een heerlijke geur van bloesem mee terwijl de dag afkoelt. Ergens is een concert, en flarden muziek bereiken ons met het verre geluid van verkeer.

Het was een volmaakte dag en ik wil niet dat er een einde aan komt.

We liggen op onze rug onder een plafond van bewegende takken die flikkerend licht en schaduw over onze uitgestrekte lichamen werpen.

'Dit is pas leven,' mompelt Tom. 'Wat zingen vogels luid en duidelijk als je je ogen dicht hebt.'

'Hm,' zei ik. 'Dat is zo.'

Mijn mobiele telefoon gaat. 'Verdorie,' mompel ik, en ik neem niet op. Ik dacht dat ik hem had uitgeschakeld. Even later gaat hij weer. Ik neem niet op.

'Je kunt vast niet laten om te zien wie het is.' Tom geeuwt en rekt zich uit.

Ik rommel in mijn tas en pak de telefoon. 'Het is Danielle.' Ik luister naar de boodschap: *Jenny. Neem alsjeblieft op. Het is belangrijk. Bel me terug zodra je kunt. Alsjeblieft.*

'Ze zegt dat het belangrijk is,' zeg ik terwijl ik toetsen indruk.

'Uiteraard.' Ik kijk of er een geërgerde uitdrukking op Toms gezicht ligt. Ze is in gesprek. Danielle heeft inderdaad de hebbelijkheid om ons te storen. Mijn telefoon trilt in mijn hand.

Tom knipoogt naar me. 'De aanhouder wint.'

'Danielle?' zeg ik.

'Jenny, kom zo gauw mogelijk naar me toe. Ik ben tussen Putney en Richmond. Neem de ondergrondse naar Putney East.' Ze komt bijna niet uit haar woorden van opwinding.

'Ik peins er niet over!' zeg ik. 'Het is zondagmiddag en we liggen heerlijk in het park. Ik ga nergens heen.'

'Jenny, je krijgt er spijt van als je niet komt. Doe het alsjeblieft voor mij. Je moet dit zien.'

'Wat? Wat is er zo belangrijk?'

'Ik heb het perfecte huis voor ons gevonden. Geloof me, het is zo.'

'Bij Putney! Je bent zeker je verstand kwijt. Huizen daar zijn ver boven onze draagkracht.'

'Het is het huis van mijn peetmoeder. Ze is ziek en ze moet het verkopen. Kom alsjeblieft. Vertrouw op me en kom.'

Haar opwinding is aanstekelijk. Ik aarzel, mijn blik op Tom. Hij ligt naar me te kijken, gaat zitten en slaakt zogenaamd een zucht. 'Waar moet je naartoe? We kunnen de auto halen.' Hij pakt de telefoon en Danielle raffelt instructies af.

Een halfuur later rijden we door het rustige zondagse verkeer naar Richmond. Tom heeft de kap omlaag gedaan en ik heb een heel goed gevoel als we over Battersea Bridge rijden.

Danielle staat als een kind voor de deur van een mooi maar vervallen huis op ons te wachten in een brede straat met bomen aan weerskanten. Ze holt de witte treden af en omhelst ons beiden. 'Dank je. Dank je dat jullie zijn gekomen.'

Tom en ik kijken omhoog naar de volmaakt gevormde openslaande ramen en de wilde wingerd die zich over de warme, gele stenen slingert. We staan heel stil, vlak naast elkaar, en we voelen elkaar huiveren alsof een goede geest stilletjes tussen ons in is komen staan in een moment van opgewonden herkenning.

Binnen is Flo, die ook alles uit haar handen moest laten vallen, aan het praten met de peetmoeder van Danielle. Ze is een aantrekkelijke Française die multiple sclerose heeft en gedwongen op de begane grond moet wonen. Met tegenzin heeft ze besloten terug te gaan naar Parijs om dichter in de buurt van haar familie te zijn. Ze schenkt wijn voor ons in en rijdt in haar rolstoel de tuin in. Haar liefde voor het huis is onmiskenbaar. Ik zie haar handen beven als ze ons vertelt dat ze zich niet langer zo'n groot huis kan veroorloven. 'Het brokkelt om me heen af. Het heeft veel liefde en aandacht nodig. Ik verkoop het alleen aan degenen die gevoel en respect hebben voor de ruimte en de ouderdom van het gebouw.' Ze kijkt naar Tom, die zwijgend rondloopt en het huis in zich opneemt met een uitdrukking van verbijsterde verrukking op zijn gezicht. Weemoedig zegt ze tegen me: 'Je vriend doet me denken aan een minnaar die ik ooit had, vlak na de oorlog. Hij raakte ook bij de eerste aanblik verliefd op het huis. Hij trok bij me in om het te schilderen, en hij is zes jaar gebleven. Danielle, neem ze mee naar boven. Laat alle kamers zien.'

Ook Danielle kijkt naar Tom met een uitdrukking die ik niet kan doorgronden. 'Was het de moeite waard om het park te verlaten?' vraagt ze hem in de hal.

Hij grinnikt. 'Ja.'

Het huis lijkt reusachtig na ons appartement. Reusachtig, mooi en verbijsterend door de vele mogelijkheden. We lopen met ons vieren rond, verdwaasd van verlangen. Ik denk: *o, hoe we dit licht en deze ruimte kunnen vullen!* In gedachten zie ik elke kamer getransformeerd worden van het formele, heel Franse decor in lichte, neutrale kleuren zodat het huis gewoon zichzelf kan zijn en kan ademen en bestaan zoals het hoort.

'Wat is de vraagprijs?' informeert Tom, de betovering verbrekend.

Danielle aarzelt en draait eromheen. 'Nou, het is goedkoper vanwege het slechte onderhoud en Marie wil het niet verkopen aan een projectontwikkelaar. Deze huizen staan zelden lang te koop. Als zakenvoorstel..'

'Hoeveel, lieverd?' dringt Flo aan.

Danielle fluistert de prijs zonder ons aan te kijken. Onze dromen vallen met een klap in duigen op de prachtige, ooit geboende vloeren. We zwijgen. Dan zegt ze verdedigend: 'Zelf dacht ik, voor ik jullie belde, dat als iets goed is, er altijd een manier is om geld te vinden. We moeten een businessplan maken en naar de bank gaan. We hebben immers een levensvatbaar, groeiend bedrijf.' Ze kijkt naar mij om hulp.

Ik vind het vreselijk om voor één keer eens praktisch te zijn. 'Het zou waanzin zijn om alles wat we hebben in een huis te stoppen, Danielle, hoe mooi het ook is. We zouden onze ziel aan de duivel verkopen. Zo gaan mensen ten onder. Hiervoor hebben we het geld niet.' Terwijl ik dit zeg, voel ik een soort paniek bij de gedachte dat iemand anders hier komt wonen. Danielle hoort het in mijn stem.

We staan op de overloop en ik loop een van de grote slaapkamers op de eerste verdieping in. Die moet vroeger van Marie zijn geweest. Hij is heel groot en hoog, met drie grote ramen die uitkijken op de brede straat. Vanaf hier kan ik de bomen in het park zien. Ik draai me om en kijk naar de haard, die nog intact is, en omhoog naar de rijkversierde kroonlijsten. De anderen zijn naar de tweede verdieping gegaan en het is heel stil in de kamer. Stofdeeltjes dansen in de avondzon. Tranen komen in mijn ogen. Terwijl ik daar sta, voel ik een vreemd wegvallen, een plotselinge, afschuwelijke, weemoedige triestheid die ondraaglijk aanvoelt.

Langzaam loop ik de kamer uit en steek de overloop over naar een kleinere kamer, die uitkijkt op de zijkant van de tuin. Een boom werpt patronen over de muren terwijl de takken in de bries bewegen. Ik ga op het eenpersoonsbed zitten. Opeens weet ik dat ik hier zal wonen en ik beef over mijn hele lichaam bij de absolute wetenschap. Mijn mond is droog en ik hol de trap af en vraag aan Marie of ik een glas water mag pakken. Ik drink het op bij de gootsteen en staar naar de keurig onderhouden tuin.

Achter me zegt Marie in haar rolstoel: 'Liep er iemand over je graf? Bij mij was dat ook zo toen ik het huis voor het eerst zag. Je komt hier wonen, dat weet ik gewoon.'

Ik draai me om. Probeert de oude vrouw het huis aan me te slijten? Maar haar gezicht staat vriendelijk, en ook triest. 'Een huis is een plek waar we zo veel van ons leven en beminnen doorbrengen, onze verliezen en drama's beleven. Geen wonder dat het de essentie van onszelf in zijn muren opslaat, ons bewust maakt van andere levens en die van onszelf. Ik geloof dat verleden en toekomst eigenlijk één zijn, alleen zijn wij niet in staat de tijd te begrijpen. Je voelde je eigen leven heel even in de hartslag van het huis dat klaar is om jouw leven met alle vreugde en verdriet in zich op te nemen, nietwaar?'

Ik staar haar aan en knik met een brok in mijn keel. Ik kijk op en Tom staat in de deuropening. Hij steekt zijn hand naar me uit. 'Flo vraagt of je naar de bovenverdieping komt.' Hij lacht naar de oude vrouw. 'Ik denk dat je ons hier nooit meer weg krijgt, Marie.'

Ze lacht. 'Is hij je minnaar?' vraagt ze uitdagend, want ze weet heel goed dat hij dat is.

Tom slaat een hand voor zijn mond. 'Dit,' zegt hij op verontwaardigde toon, 'is mijn lieve zusje.'

'Onzin,' zegt Marie, terwijl ze de rolstoel naar de koelkast rijdt om meer wijn te pakken. 'Jullie zijn een lief stel.'

'Lief!' moppert Tom terwijl we ons naar boven haasten. 'Wat ben ik blij dat mijn soldaten niet kunnen horen dat ik lief word genoemd.'

'Moet je dit zien, Jenny,' zegt Flo als we boven zijn. Er is een enorme ruimte met een dakraam. Het moet vroeger een studio van een kunstenaar zijn geweest.

'Iemand heeft meerdere kleine kamers tot één grote ruimte doorgebroken,' zegt Danielle. 'Een van Maries talloze minnaars, denk ik.'

Ik kijk in verwondering rond. 'Werkruimte,' fluister ik.

'Werkruimte,' herhalen Flo en Danielle.

We kijken elkaar aan. 'We moeten het doen, meisjes. We moeten dit huis hebben,' verklaart Flo vastberaden. Danielle en ik lachen naar elkaar. Flo negeert ons. 'We moeten nu weggaan en goed nadenken hoe we het kunnen realiseren.'

We nemen afscheid van Marie, die de zorgeloze houding heeft van iemand die weet dat we terugkomen. We gaan naar de rivier. We hebben dringend eten en nog meer wijn nodig. Terwijl Danielle en Flo praten, dringt tot me door dat Tom heel stil is geworden. Flo legt een hand op zijn arm. 'Vervelen we je, jongen?'

Tom keert terug tot de werkelijkheid. 'Ik was aan het denken. Ik heb een idee, maar het is nog te vroeg om het te vertellen. Mag ik er op terugkomen?'

Flo lacht. 'Natuurlijk. Ik heb ook een idee, meisjes, dat zacht aan het opborrelen is.'

'Mooi,' zei Danielle. 'Ik kan niet besluiten of we Terry op dit punt moeten bellen voor advies, of dat hij zich als een echte boekhouder zal gedragen en onze wilde plannen zal afwijzen.'

'We kunnen hem er beter buiten laten tot we een zakelijk plan hebben,' stel ik voor. 'Ik heb geen flauw idee hoe we uit het niets geld kunnen toveren.' Ik kijk naar Danielle. 'We kunnen natuurlijk proberen om ons lichaam te verkopen aan de rijke Arabieren van de ambassade aan het eind van de straat.'

'Pff!' zegt Danielle afwijzend. 'Wat moeten we dan voor ons plezier doen?'

36

Danielle opende de deur voordat Ruth kon aanbellen. 'Ik was bang dat je zou verdwalen omdat we helemaal aan het einde van de straat zitten. Je hebt ons dus gevonden.'

Ze kusten elkaar op beide wangen en Danielle ging voor naar een grote hal met een stenen vloer, waar een indrukwekkende trap naar boven leidde. Toen ze binnenkwam, voelde Ruth de opwinding door zich heen gaan.

Danielle bracht haar naar een kamer links van de trap. Het was een grote zitkamer, weelderig ingericht en blijkbaar bestemd voor cliënten. 'We drinken koffie,' zei ze, 'en dan zal ik de organisatie uitleggen voor we naar boven gaan. Flo komt dadelijk ook. Ik heb onze boekhouder gevraagd om vanmiddag met jou de financiële kant door te nemen. Hij zal ook uitleggen wat we je kunnen bieden, als je besluit bij ons te komen werken.' Dit was de zakelijke Danielle. Ze deed precies wat Ruth zelf zou hebben gedaan: meteen ter zake komen. Het was beter voor hen beiden om vandaag zakelijk te blijven. Dat maakte het makkelijker voor Ruth om de baan te weigeren zonder zich opgelaten te voelen.

Een Aziatisch meisje bracht koffie en croissants en zette alles op een ronde tafel voor het raam.

'Dit is Molly,' zei Danielle. 'Ze heeft veel talent en werkt parttime voor ons.' Ruth glimlachte naar haar. Ze was bijzonder mooi.

Flo kwam binnen en begroette Ruth hartelijk. Terwijl ze koffie-dronken, legden beide vrouwen hun werkdag uit aan Ruth. Veel was bekend. Ruth had bijna haar hele werkzame leven te maken gehad met kleren en ontwerpers, al bevonden die zich niet aan het dure en exclusieve eind van de markt.

Danielle legde uit dat zij en Jenny opdrachten kregen van winkel-ketens en dat ze ook ontwierpen voor selectieve zaken. Ook namen ze particuliere opdrachten aan. Winkelketens vormden hun groot-ste inkomen, maar ze kregen steeds meer succes met designermer-ken die ze naar het buitenland verkochten, hoofdzakelijk Italië.

'Als je de baan neemt, zul je Paolo Antonio ontmoeten. We doen veel zaken met hem.' Ze wierp een blik op Flo. 'We hadden plannen om onder een nieuw merk te ontwerpen dat uitsluitend bestemd is voor de Italiaanse markt. We waren aan het lunchen met Paolo An-tonio op die vreselijke dag dat Tom en Rosie om het leven kwamen. Daarna hadden we er geen zin meer in.' Danielle haalde haar schou-ders op, op die typisch Franse manier van haar. 'Pff! Ik weet niet wat er nu zal gebeuren, want zijn belangstelling ging eigenlijk uit naar Jenny's ontwerpen. Toch ga ik nog vaak naar Milaan om te verkopen en dat is een van de taken die ik aan jou wil overdragen, zodat ik me kan concentreren op het ontwerpen. Goed.' Ze stond abrupt op. 'Laten we naar boven gaan.'

Flo sloeg Ruth gade. 'Zou je het prettig vinden om te reizen, Ruth?'

'Ik zou het heerlijk vinden!' zei Ruth, en bedacht toen dat ze te gretig klonk. Ze wist wat ze dachten en voegde eraan toe: 'Adam is eraan gewend dat ik reis, hoewel ik dat de laatste tijd niet veel gedaan heb.'

Bij de trap gekomen zei Flo: 'Ga maar vast voor met Danielle. Ik ben langzaam. Tegenwoordig moet ik de tijd nemen om drie trap-pen op te gaan.'

Toen ze naar boven gingen, drong tot Ruth door dat het huis in feite uit twee huizen bestond.

Achter haar zei Flo: 'Toen het huis hiernaast te koop werd aan-geboden, wisten we dat we het moesten hebben. Het was gebruikt door ambassadepersoneel. Alleen twee kamers beneden en de keu-ken waren in goede staat. Voor de rest zag het er vreselijk uit, en daardoor konden we het ons veroorloven. We waren beperkt in wat we mochten doen omdat de huizen op de monumentenlijst staan. Uiteindelijk haalden we alleen op de middelste verdieping een wand weg tussen de huizen.' Ze bleef staan om op adem te komen en leunde tegen de balustrade. 'We hebben nog een grote werkruimte en kantoren gemaakt, en twee appartementen. Het ene is van Danielle en het andere verhuren we.'

'De werkruimtes zijn het domein van Flo,' zei Danielle. 'Ze bestiert ze als een directrice op een Engelse kostschool, vriendelijk maar streng. Niets ontgaat haar. Ze ziet alles, en iedereen die niet haar aandeel levert of slordig werkt wordt meteen de laan uitgestuurd, met een lieve glimlach.'

'Wat weet jij over Engelse directrices of kostscholen?' zei Flo minachtend toen ze boven aan de trap was gekomen.

'Dat weet ik niet. Die uitdrukking heb ik van Tom.'

'O ja?' Ruth zag de genegenheid voor de overleden man op Flo's gezicht.

Flo's kantoor was op de derde verdieping, met een groot prikbord vol opdrachten en stukjes stof. Het was er onberispelijk netjes. In de werkruimte werd elk meisje met naam aan haar voorgesteld. De meesten waren Aziatisch, maar de grapjes werden in Cockney gemaakt. De ruimte was licht en vrolijk, met een keuken en een rustgedeelte met zachte banken en een muziekinstallatie als de meisjes hun muziek wilden afspelen. Ruth was onder de indruk.

Ze lieten Flo achter en gingen terug naar de eerste verdieping. Danielle zei: 'Studenten komen solliciteren als ze van de kunstacademie of universiteit komen. Ze beginnen met theezetten en kleine klusjes. Tegen de tijd dat ze weggaan, hebben ze geleerd hun opleiding in praktijk te brengen. We benadrukken het belang van snit en het bestuderen van de altijd veranderende trends. Elk bloeiend talent nemen we onder onze hoede. We willen graag dat ze zich een deel van het team voelen en moedigen hen aan om met eigen ideeën te komen voor onze opdrachten. Ze leren al vlug dat er heel hard werken en geluk voor nodig zijn om ooit goed te verdienen en erkenning te krijgen.'

Danielle nam Ruth mee naar een andere zitkamer. 'De eerste verdieping hier was van Jenny en Tom, hoewel we allemaal steeds bij

Jenny en Rosie uitkwamen, vooral als Tom weg was.' Ze draaide zich om naar het raam, met haar rug naar Ruth. 'Met de hulp van Flo zorgden we om beurten voor Rosie. Het was net of ze van ons allemaal was.' Danielles hese stem stierf weg.

'Wat moet het erg zijn voor jou en Flo. Jullie hielden kennelijk heel veel van haar,' zei Ruth zwakjes.

Danielle draaide zich om en Ruth schrok van de pijn in haar ogen. 'Ik aanbad haar. Ik was de slechte katholieke peetmoeder die niet in God geloofde, maar toen ze gedoopt werd, zwoer ik dat ik haar hele leven voor haar zou zorgen. Ze was zo'n gelukkig kind. Ze hield van iedereen. Ze lachte altijd. Ze had niet mogen sterven. Ze had niet mogen doodgaan.' Danielle ging abrupt op de bank zitten en haar plotselinge woede verbijsterde mij. Ze deed haar ogen dicht en haalde diep adem. 'Neem me niet kwalijk.'

'Ben je kwaad, Danielle?' Ruth ging ook zitten, onhandig, op het puntje van een stoel.

'Ja, ik ben kwaad.' Danielle opende haar ogen. 'Als je gevaarlijke dingen doet, je onder gevaarlijke mensen begeeft, dan neem je je kind niet mee. Je neemt op geen enkele manier risico met je kind, alleen maar omdat je een dagje met haar weg wil.'

Ruth was geschokt. 'Hoe had Tom kunnen weten dat iemand een bom onder zijn auto zou bevestigen? Hij was met verlof, in burger.'

'Hij vergat onder de auto te kijken. Hij was in Noord-Ierland getraind om dat te doen. Hij keek altíjd onder zijn auto. Ik lachte hem daarom uit. Ik dacht dat hij overdreef of het deed om indruk te maken: de stoere soldaat. En die ene keer dat hij zijn auto had móéten controleren, deed hij het niet. Ik geef hem de schuld. Natuurlijk. Hij had zijn kindje bij zich.'

Ruth zei zacht: 'Danielle, een bom kan zo klein zijn dat hij tot ontploffing gebracht kan worden met een mobiele telefoon. Dat weet je van andere autobommen in Londen.'

'Een bom is niet te klein om ontdekt te worden, ook al kan hij geactiveerd worden door een mobiele telefoon.'

'Tom was maar een mens. Hij had geen dienst. Hij had gewoon een leuke dag met zijn dochter.'

Danielle glimlachte flauwtjes, opeens opgelaten. 'Het spijt me. Laten we het er niet meer over hebben.'

Flo kwam binnen. 'Kan ik je iets te drinken aanbieden, Ruth? De lunch staat klaar in de keuken.' Ze wierp een vlugge blik op Danielle en Ruth wist niet zeker of het een waarschuwing was.

'Ik neem een glas witte wijn,' zei Danielle.

'Ik graag hetzelfde,' zei Ruth. 'Mag ik gebruikmaken van jullie toilet?'

'Ik wijs je even de weg.' Flo nam haar mee over de overloop.

Een deur naar een slaapkamer stond open en Ruth wierp een blik naar binnen. Dat was overduidelijk Jenny's kamer. Op het tweepersoonsbed lag een prachtige handgemaakte sprei. Ruth bleef even in de deuropening staan.

Flo zei: 'Het is raar, maar Danielle en ik kunnen het niet opbrengen om de deur van de kamer van Jenny en Tom dicht te doen. Het is zo onherroepelijk. We kunnen het gewoon niet. We willen het idee hebben dat Jenny elk moment kan terugkomen. Ik beeld me in dat ik Jenny en Tom in dat bed zie liggen met Rosie giechelend tussen hen in terwijl Tom dwaze kinderliedjes voor haar zingt.' Flo zuchtte. 'Let niet te veel op Danielle. Ze is nog aan het rouwen. Ze was dol op Rosie en verwende haar, en ze keurde niet goed wat voor werk Tom deed. Hier is de badkamer.'

'Waar sliep Rosie?' De woorden waren eruit voor Ruth ze kon tegenhouden.

'De deur naast Jenny's kamer. Die houden we op slot. Jenny wilde dat alles precies bleef zoals het was. Lieve kind, laten we alsjeblieft niet somber worden. Ik ga iets voor ons inschenken.'

Mijn god, dacht Ruth terwijl ze de deur van de badkamer afsloot. *Niemand hier kan verder. Dat is niet gezond. Geen wonder dat Jenny niet in dit huis wil terugkomen. De geesten van Tom en Rosie worden overal in leven gehouden.*

'Hier,' riep Flo toen ze uit de badkamer kwam. Ruth liep de ruime keuken in waar Flo de lunch had klaargezet op een grote, veelgebruikte grenenhouten tafel.

Toen ze aan tafel zaten, hief Danielle haar glas. 'Dank je dat je helemaal naar ons toe bent gekomen, Ruth.'

Ze klonken en Flo zei, alsof duidelijk was wat Ruth had gedacht: 'Je denkt vast dat we ons wentelen in de dood van Tom en Rosie. Dat is niet zo. We hadden het nadien ontzettend druk en we werkten hecht samen als een team. Het was een enorme schok voor ons beiden toen Jenny instortte. Ze leek zich redelijk goed te kunnen houden.'

'Dat was waarschijnlijk ook zo,' zei Ruth. 'Ze draaide door nadat ze mij had ontmoet en Adam had gezien.'

'Daar kon jij niets aan doen, Ruth,' zei Danielle te vlug.

Opeens begreep Ruth het. 'Het komt omdat ik hier ben, nietwaar? Het plotselinge besef dat Jenny een poos niet terugkomt? Dat ik hier misschien in haar huis kom wonen? Dat voelt helemaal verkeerd voor jullie. Ik heb een schaduw geworpen die jullie niet verwachtten. Zo is het toch?'

'Niet jij, Ruth. Niet jij persoonlijk,' zei Flo gedecideerd. 'Alleen de realiteit dat iemand anders, wie dan ook, komt en dat is oneindig verdrietig. Het feit dat Jenny voorlopig niet naar huis komt, is iets wat Danielle en ik moeten accepteren, maar na al die jaren samen vinden we het moeilijk.'

'Natuurlijk,' stemde Ruth in. 'Dat kan ook niet anders. Danielle, je hebt me in een fantastische opwelling een baan aangeboden. Ik begrijp het heel goed als je er nu spijt van hebt.'

Danielle lachte. 'Maar ik heb er geen spijt van! Ik heb je cv gelezen, ik heb informatie ingewonnen bij collega's. Je bent precies wat we nu nodig hebben. Je kunt dit werk blindelings doen. Wij zijn klein, in vergelijking met de budgets die je gewend bent. We zouden heel graag willen dat je bij ons komt werken.'

'We zouden het een voorrecht en een zegen vinden,' vulde Flo aan. 'Drink je wijn en vertel wat je tot nu toe van ons vindt.'

Ruth was verrast en voelde zich heel erg gevleid.

'Schep de salade op,' zei Danielle. 'Kom, wat denk je ervan?'

Ruth zuchtte. 'Ik ben erg onder de indruk van alles hier. Ik zou niets liever willen dan bij jullie werken, maar...' Ze stak haar handen op toen Danielle een vreugdekreet slaakte. 'Ik moet mijn ontslag in Birmingham regelen. Ik moet een school zoeken voor Adam en ik moet weten wat jullie me financieel kunnen bieden.'

'Natuurlijk. Natuurlijk. Wat is dit goed nieuws.'

Ruth hief haar glas en bedwong haar opwinding. 'Ook ik zou het een voorrecht en een zegen vinden om hier te werken.'

Flo raakte Ruths arm aan. 'Lieve kind, je moet niet denken dat je in Jenny's schaduw zou werken. Jij komt in een heel andere hoedanigheid hier en je gaat heel ander werk voor ons doen. We hebben een poos heel hard iemand als jij nodig.'

Ruth wist in dat duizelingwekkende moment van kameraadschap dat het niet uitmaakte hoeveel ze haar boden. Vergeleken bij de eenzaamheid in Birmingham, waar ze te hard had gewerkt om echte vrienden te maken, en de mogelijkheid om in dit huis bij deze vrouwen te werken, zou ze met bijna niets tevreden zijn, maar ze wist dat ze dat niet zouden doen. Ze wilden haar net zo graag als zij hen.

37

Door de pillen kostte het me moeite om wakker te worden. De zon stroomde elke ochtend mijn kamer in, en dan bleef ik uren liggen omdat ik geen zin had me te bewegen. Het felle licht veroorzaakte gekleurde vlekjes achter mijn gesloten ogen. Ik voelde me zweven en zo licht als lucht, met het laken verward om me heen.

Wakker worden was elke dag het moeilijkste. De herinneringen kwamen meteen terug. Op sommige dagen gingen mijn gedachten naar plaatsen waar ik niet wilde komen, vooral niet als ik vroeg in de ochtend in het donker wakker werd. Mijn gedachten draaiden dan rond en kwamen steeds terug op dezelfde plek.

Wat was Tom aan het doen toen hij stierf? Waar was hij gestationeerd geweest? Wat voor werk deed hij? Waarom werd mijn telefoon wekenlang afgeluisterd nadat hij om het leven was gebracht? Niemand wilde het me vertellen.

De eerste twee, drie dagen na de dood van Tom en Rosie kwamen de kranten met diverse theorieën over terroristen, en toen ebde de belangstelling weg. Destijds vroeg ik me af of de pers een verbod had gekregen erover te publiceren, en natuurlijk zal ik dat nooit weten.

Het laat me niet los. Tom was met verlof, maar op geen enkele manier zou hij Rosie in gevaar hebben gebracht. Dat weet ik. Hij was heel beschermend ten opzichte van ons. Toen hij op het punt stond naar Irak te gaan, waarschuwde hij me dat zoals altijd dezelfde regels golden: *hij zou verdwijnen*. Post werd doorgegeven via legerkanalen in Bagdad of Basra. Hij zou voortdurend onderweg zijn en me niet kunnen bellen.

Voor we trouwden, legde Tom precies uit wat het leven met hem zou inhouden tot hij de leeftijd bereikte dat hij een bureaubaan kreeg. In het begin was ik verstijfd van angst als hij weer op een missie ging naar een onbekend land. Toen besefte ik dat ik zo niet kon leven.

Ik werkte als een gek om niet na te denken over de doodsangst dat hij zou sterven. Toen ging de angst geleidelijk over in mijn dagelijkse leven, op de achtergrond zeurend als kiespijn, maar beheersbaar.

Toen we Rosie kregen, zag ik dat Tom begon te veranderen. Hij dacht na over het leven dat hij leidde en welke invloed het had op hem en op mij. Misschien overwoog hij de mogelijkheid om terug te keren naar zijn regiment, om veiliger werk te doen. Toch wist ik dat hij nog steeds die adrenalinestoot kreeg, en genoot van een leven dat gevaarlijk was.

Hij vertelde me eens dat de kameraadschap in een kleine eenheid van mannen in een uitstekende conditie, die nauw samen leefden en werkten voor een gemeenschappelijk doel, verleidelijk was en een proef op een manier die moeilijk was uit te leggen. Je moest een blind vertrouwen hebben, absoluut kunnen afgaan op het oordeel van een ander, maar in essentie was je alleen.

Hij zei dat de kick bestond uit volledig vertrouwen op je inschattingsvermogen en kundigheid, en hoe ver je jezelf kon dwingen in vijandige omstandigheden. Je moest een beetje gek zijn, een beetje op het randje misschien om dat werk te kunnen doen.

Was hij te dicht bij de rand gekomen en had hij een vreselijke vergissing begaan? Werd ik daarom zo langdurig en meedogenloos ondervraagd? Wie was er in het huis geweest? Wie had hij gezien of gesproken tijdens zijn verlof? Waren er vreemde telefoontjes geweest?

Dag na dag kwamen het leger en de politie, en ze drongen er bij me op aan om na te denken over elke dag van zijn twee weken durende verlof. Wat hij had gedaan. Wat ik had gedaan. Wat iedereen in huis had gedaan.

Toen gingen ze weg en lieten me achter met die kille, donkere plek die me langzaam verteerde. Na de dood van Tom en Rosie waren die gedachten in de vroege ochtend zo diep, zo verwondend dat de dood het eenvoudigste leek.

Ik zie Rosies open mondje lachend in haar autostoeltje en dan: boem! Haar lichaampje is in een oogwenk uiteengereten. De stof van haar jurkje ligt in kleine flarden op het gekartelde open skelet van de auto. Er is niets van haar over om in een kistje te leggen.

Was er een onderdeel van een seconde dat Tom merkte wat er gebeurde? Was hij aan het zingen voor Rosie en deinde ze vrolijk mee in haar stoeltje achterin? Ik zou nooit weten of hij de afschuw van hun ophanden zijnde dood heeft gevoeld. Ik hoop van niet.

Ik bleef me afvragen of er iets was wat Tom me niet had verteld, of iets gevaarlijks dat hij over het hoofd had gezien. De pillen hielpen om de gedachten te blokkeren die me soms gek maakten.

Ik wist dat ik me op het enige tastbare moest richten dat Tom me had nagelaten, een deel van hemzelf: deze lieve jongen van wiens bestaan hij nooit heeft geweten. Een jongen die net als ik droomde van een man die hij nooit zou zien of horen of aanraken. Maar we hadden elkaar, Adam en ik. We hadden elkaar.

Vandaag, liggend in het zonlicht, herinnerde ik me opeens dat Adam bij ons logeerde. Ongerust pakte ik mijn horloge. Het was kwart voor tien. Ik stond moeizaam op en ging naar de douche. Dat waren de ergste bijwerkingen van kalmerende middelen. De pillen hielpen je om te slapen, maar de ochtenden waren alsof je door stroop moest waden.

Pap had op de overloop een waterkoker voor me neergezet met theezakjes en koffie, zodat mam geen drie trappen hoefde te lopen. Ik vermoedde dat ze toch naar boven kwam om bij me te kijken als ik sliep. Ik zette de waterkoker aan en dacht aan het huis in Londen.

Ruth zou er nu ongeveer aankomen. Flo en Danielle zouden haar een rondleiding geven door het huis dat we allemaal deelden. Die gedachte bezorgde me een slap en vreemd gevoel. Ruth overwoog om mijn plaats in het huis in te nemen. Misschien zou ze zelfs in het bed slapen dat Tom en ik hadden gedeeld. Doe niet zo gek, zei ik tegen mezelf. Flo en Danielle zouden er niet over piekeren. Het was een onwerkelijke gedachte.

Ik zette thee en trok een spijkerbroek en een T-shirt aan. Toen ging ik op het bed zitten, pakte de telefoon en belde Flo.

'Jen,' zei Flo resoluut, 'niemand gaat in jouw bed slapen of komt in jouw kamer. Die blijft zoals hij is. Dit is je thuis. Ik heb geen zitkamer nodig. We kunnen daar nog een slaapkamer van maken als het nodig is. Gekke meid. Wat een idee! Alsof dat ooit bij ons zou opkomen.'

'Sorry dat ik zo neurotisch ben.'

'Dat ben je helemaal niet. Je hebt de juiste beslissing genomen om nog een poos in Cornwall te blijven, maar het zal moeilijk zijn. Er zullen dagen komen dat je je op jezelf aangewezen voelt. Je hebt zo lang hard gewerkt. Ontwerpen is je leven geweest. Beloof me dat je de telefoon pakt als je je depressief of eenzaam voelt.'

Ik glimlachte. Ik was er niet zo zeker van of Flo inderdaad vond dat ik de juiste beslissing had genomen. Ze was er vast van overtuigd dat werken het beste voor me was, werken en mijn leven oppakken met degenen die om me gaven, in mijn eigen huis.

Ik kon niet terug naar het huis. Ik kon niet in het bed slapen dat Tom en ik hadden gedeeld, of een leven leiden dat voorbij was. Dat leven was nu ontdaan van alles waarvoor ik hard gewerkt had. Ik kon niet langer een huis verdragen waarin de echo hing van de geluiden van mijn kind. Tom was gekomen en gegaan als een dierbare wervelwind, maar Rosie had in me geleefd en was in me gegroeid. Ze was in Londen geboren. Ze had deel uitgemaakt van elk moment van elke dag. *Mijn constante. Mijn bron van vreugde.*

Zonder Tom en Rosie was langzaam de zin verdwenen uit alles wat over was. Zonder hen leek mijn werk leeg en waardeloos. Hoe moest ik dat uitleggen aan Danielle en Flo?

Ik had mijn leven met Tom nooit vanzelfsprekend gevonden voor het geval het ergste zou gebeuren. En dat was gebeurd, het allerergste.

'Ben je er nog, Jen?'

'Ja. Sorry. Ik beloof het.' Opeens voelde ik paniek. 'Flo, Rosies kamer moet precies hetzelfde blijven. Ik wil niet dat daar iets wordt aangeraakt.'

'Lieverd, we hebben samen Rosies kamer op slot gedaan, weet je nog? Er is niets van zijn plek gehaald. Je moet niet denken dat Ruth of wie dan ook in jouw plaats komt. We krijgen alleen hulp met het promoten en verkopen. Het is van belang dat je dat niet vergeet. Niemand kan jou vervangen.'

Ik kon het geluid horen van de meisjes die de trap opliepen naar de werkruimte, als bekende, lawaaiige mussen. Ik had heimwee naar een leven dat was verdwenen. Het leek nu zo onschuldig, dat leven, met zijn plannen voor de toekomst.

'Ik ga ophangen, Flo, ik hoor dat de werkdag al is begonnen.'

'Ik zal je vanavond bellen.'

Ik verbrak de verbinding. Ik vroeg me af waar mijn onzekerheid bij de gedachte dat Ruth bij Flo en Danielle werkte, vandaan kwam. Eigenlijk wist ik het wel. Ruth was ambitieus en slim. Ze zou onze kleren veel efficiënter promoten en verkopen dan ik ooit had gedaan. Het was hypocriet van me om ervoor te kiezen om niet terug te gaan, en dan beseffen dat ik niemand anders wilde toelaten. In elk geval niet Ruth.

Ik ging naar beneden. Bea zat aan de tafel rustig de krant te lezen met een kop koffie naast zich.

'Waag het niet om op te staan en dingen voor me te pakken,' dreigde ik terwijl ik een kus op haar hoofd gaf.

'Lieverd, je vader en Adam zijn naar St. Ives om vishaken of iets dergelijks te kopen. Daarna zouden ze naar de Symonsen gaan om te vragen of Harry, die ongeveer van Adams leeftijd is, zin heeft om mee te gaan vissen. James neemt hem soms mee in de boot.'

Ik schonk koffie in en ging tegenover haar zitten. 'Ik voel me schuldig. Ik heb te lang geslapen. Ik wil niet dat pap zich afmat.'

'Hij vindt het helemaal niet erg. Je bent toch niet vergeten dat je vanmiddag therapie hebt bij Naomi Watson? Ik breng je wel, dan ga ik wat winkelen in Hayle terwijl jij je gesprek hebt.'

Mijn hart zakte in mijn schoenen. Ik was het inderdaad vergeten. 'O, verdorie. Ik heb er zo'n hekel aan. Ik vind het werkelijk vreselijk om naar haar toe te gaan.'

Bea vouwde de krant op. 'Je vader heeft veel vertrouwen in haar.'

'Dat weet ik,' zei ik. 'Volgens mij heeft hij oogkleppen voor.'

'Is het misschien mogelijk, lieverd, dat Naomi te dicht bij je ware gevoelens komt en dat je je daarom niet op je gemak voelt?'

Ik keek haar aan. 'Mam, hoor ik me slecht op mijn gemak te voelen bij iemand die beweert dat ze me wil helpen?'

Bea zuchtte. 'Ik weet zeker dat ze je wíl helpen. Het gaat niet alleen om de dood van Tom en Rosie, lieverd. Het gaat ook om Ruth en Adam. Ik was zo blij toen ik jou en Ruth gisteren zag praten, maar het is een moeilijke situatie, vooral nu de man van Ruth bij haar weg is. Ze was altijd een grappig, eenzelvig meisje dat verlangde naar een gezin als dat van ons. Nu verwelkomen we weer zonder enige moeite in haar ogen Adam in ons huis, net zoals we vroeger bij haar deden.' Bea schoof me de muesli toe. 'Schat, ik weet dat je meer lijdt dan wij ooit kunnen begrijpen. Maar als je je ware gevoelens achterhoudt over het feit dat Adam Toms zoon is, als je zelfs tegenover jezelf niet eerlijk bent over je ambivalente gevoelens ten opzichte van Ruth, dan staat jullie alle drie nog veel meer lijden te wachten. Daarom vraag ik je om nog een poosje met Naomi te praten, alleen om het leven wat normaler te maken, alles vanuit een ander perspectief te zien.'

Ik voelde de tranen komen, snel en plotseling zoals steeds de laatste tijd, en ik legde mijn hoofd op tafel en huilde. Bea streelde over mijn haren en suste me zachtjes.

Ik wilde weer een kind zijn, weer de kansen hebben van mijn jonge leven. Ik wilde met Tom trouwen en hem overhalen om het leger uit te gaan. Ik wilde Rosie levend en ademend en groeiend in me. Ik wilde dat mijn echte leven uit deze nachtmerrie werd bevrijd. Ik wilde dat alles zou weggaan. Ik wilde mijn vroegere leven terug.

38

James reed de twee jongens naar Lelant en ging onder het oude station zitten om te kijken hoe ze liggend op hun buik vogels observeerden. Het was een vogelreservaat. Het was vloed en de slikken lagen bloot. Adam was in de zevende hemel. Harry had James' verrekijker geleend en begon Adams enthousiasme over te nemen. James was onder de indruk van Adams kennis en de voorzichtige manier waarop hij die kennis overbracht op Harry zonder een betweter te lijken.

James hield van deze riviermonding. Hij had die door de jaren heen zien veranderen. Aan de overkant van het water stonden nu moderne gebouwen en het dorp werd langzaam opgeslokt door bouwprojecten, maar tot nu toe waren de riviermonding en de strandvlakte en de klippen in de richting van St. Ives ongemoeid gebleven.

Hij had zijn kinderen hier gebracht, vooral Ben en zijn vrienden, die er graag kwamen surfen. James dacht aan al die keren dat hij bang was geweest zijn onbevreesde zoon kwijt te raken aan het verraderlijke water op nog geen twee minuten van waar hij zat. Maar hij en Bea hadden hun enige zoon moeten afstaan aan de verlokkingen van Californië en een bijzonder oppervlakkige schoondochter.

James dacht met pijn in zijn hart terug aan het magere blonde jongetje dat vanaf zijn geboorte nogal onbezonnen was geweest. Soms leek het of het leven dat hij had geleid met een drukke artsenpraktijk en een huis vol kleine meisjes, van iemand anders was geweest.

In de zomer, met Pasen en Kerstmis was het huis vol, niet alleen met diverse kleinkinderen, maar ook met stiefkleinkinderen en tweede of derde echtgenoten. Twee van zijn dochters waren gescheiden en hertrouwd met mannen met kinderen. Soms was het moeilijk om je te herinneren wie wie was. Je raakte aan de een gewend en opeens, na eindeloze hartverscheurende telefoontjes met Bea, kwam een dochter uiteindelijk thuis met een andere overspannen man en nog meer kleine, verbijsterde kinderen. Het was slopend, en James was heel blij dat hij en Bea bij elkaar waren gebleven.

'Hoe is het in Birmingham?' vroeg Harry.

'Waardeloos,' antwoordde Adam.

'Kom op,' zei Harry. 'Er zijn vast gave winkels en bioscopen en zo. Heel anders dan Cornwall.'

'Ja, de winkels zijn wel leuk. De school is waardeloos.'

'O ja? Heel groot, zeker?'

'Enorm. Ik vind het er vreselijk.'

'Word je gepest?'

'Dat niet. Nou ja, een beetje. Ze noemen me een sukkel.'

'Waarom?'

'Omdat ik op een muziekinstrument speel en lid ben van een muziekvereniging. Dat is net een klein orkest. Omdat ik van vogels observeren hou en ga vissen, en omdat ik goede cijfers haal en niks aan voetbal vind, alleen rugby. Omdat ik niet spijbel en niet steel in winkels. Dus ben ik een sukkel.'

'Waarom ga je niet naar een particuliere school? Daar zit ik ook op.'

'O ja?' Adam was verbaasd. Hij en James hadden Harry opgehaald uit een klein huis in St. Ives. Ze leken niet rijk te zijn.

'Ja. Mijn onderwijzer op de lagere school heeft een beurs voor me aangevraagd en die heb ik gekregen.'

'Bedoel je dat je niets hoeft te betalen?'

'Dat hoeven we niet omdat mijn moeder een alleenstaande ouder is. Het hangt er denk ik van af hoeveel je ouders verdienen.' Adam keek hem ongelovig aan en Harry vervolgde: 'Mijn moeder en ik wonen bij mijn opa. Hij is met pensioen. Mijn moeder werkt in een delicatessenwinkel.'

'Mijn moeder gelooft niet in particuliere scholen, al heeft ze er zelf wel op gezeten,' zei Adam. 'Ze vindt dat één systeem goed moet zijn voor iedereen, en als slimme kinderen worden weggehaald, zal het openbaar onderwijs nooit beter worden.'

'Mijn opa is ook wel zo, maar mijn moeder zegt dat het niet eerlijk is om je eigen kinderen op te offeren voor een schoolsysteem dat blijkbaar achteruitgaat.'

Adam was geïntrigeerd. 'Hoe is het bij jou op school?'

'Op de Truro School? Best. Ik zou graag intern willen, dat is gaaf, maar je moet dan kost en inwoning betalen. Dus ga ik elke dag met de trein. Dat is wel eens vervelend.'

'Hoe... hoe kom je meer te weten over beurzen?'

'Dat wil ik wel aan mijn moeder vragen. Ze geven er maar een bepaald aantal per jaar. Ik denk dat alle particuliere scholen beurzen geven. Vraag je moeder naar scholen in Birmingham.'

James riep: 'Hebben jullie zin om een uurtje vanaf de kade te gaan vissen? Ik zal jullie installeren en dan ga ik hier wachten tot Bea en Jenny onze picknick komen brengen.'

'Ja!'

'Gaaf!'

James glimlachte. Hij genoot van het ongecompliceerde gezelschap van jongens.

39

'Fijn dat je er zoveel beter uitziet, Jenny,' zei Naomi.

'Ik voel me ook beter. Ik wil graag af van de kalmeringsmiddelen. Ze geven me het gevoel alsof ik tot de middag door stroop moet waden.'

Naomi keek naar haar aantekeningen. 'Dat is nog te vroeg, maar ik zal de dosering aanpassen. Hoe slaap je?'

'Goed,' loog ik.

'Juist. Mooi.' Het was duidelijk dat ze me niet geloofde.

Er viel een stilte, waarin ze kritisch naar me keek. Ik kwam haar niet tegemoet. Ik wist dat ze er was om me te helpen, maar ik wist ook dat mijn vader voor deze gesprekken betaalde. Ik kon het gevoel niet van me afzetten dat ze problemen wilde creëren die niet bestonden. Voor mensen die niemand hebben om mee te praten en die geen familie of enige steun hebben, zou ze een godsgeschenk zijn geweest, maar ik had haar niet nodig.

Ik wist dat ik mezelf en iedereen een enorme schok had bezorgd. Ik wist werkelijk een poos niet wat ik deed en dat was heel angstaanjagend geweest. De dood van Tom en Rosie zou niet verdwijnen, maar ik had het gevoel dat ik weer mezelf was. Ik voelde pijn, maar die pijn wilde ik voelen; het maakte deel uit van degene die ik nu was. Ik had pijn nodig om Rosie en Tom bij me te houden.

Opeens besloot ik dat Naomi Watson mijn oprechtheid verdiende. Pap had haar om hulp gevraagd en ik lag dwars. Voor ik iets kon zeggen, zei ze: 'Jenny, je hebt het heel goed gedaan. Ik heb bewondering voor je dapperheid, echt waar. Ik weet dat je een hekel hebt aan deze gesprekken en misschien moeten we je behandeling na dit gesprek herzien. Wat vind je ervan als je drie maanden niet komt? Voordat we een besluit nemen, wil ik toch een paar dingen bespreken.'

Ik keek haar vol verwachting aan.

Ze vervolgde: 'Vertel me hoe je je een paar maanden na de dood van je man en kind voelde, voordat je Ruth in de trein tegenkwam.'

'Alsof ik aan het slaapwandelen was.'

'Je ging door met werken. Had je geen vrij genomen?'

Ik keek haar aan. 'Zonder mijn werk had ik zelfmoord gepleegd.'

'Slikte je medicijnen?'

'Alleen slaappillen.'

'Zou je zeggen dat je het maar net aankon in die tijd?'

Ik wist waar Naomi naartoe wilde. 'Ja. Ik wilde geen mensen zien. Ik bleef thuis en in de werkruimtes. Ik had je verteld dat ik een huis deelde met twee vriendinnen. Ze waren een grote steun, iedereen met wie ik werk trouwens. Als ik alleen was geweest, was het een andere kwestie.'

'Toen je die dag met de trein ging, was dat de eerste keer dat je in de buitenwereld kwam sinds de dood van je man en je kind?'

Ik knikte.

'Hoe voelde je je toen je Ruth na al die jaren terugzag? Was je blij om haar te zien, of wilde je het liefst verdwijnen en met rust gelaten worden?'

Ik dacht na. 'Het verbaasde me om haar te zien. Ik had in geen jaren aan haar gedacht. Ik had niet het gevoel dat ik wilde weglopen. Ik wilde weten wat er met haar was gebeurd en waarom ze al die jaren geleden was verdwenen. Het kwam allemaal opeens weer terug, hoe ik me in de steek gelaten voelde toen ze me nooit schreef.' Ik keek naar mijn handen. 'Naderhand, toen ze naar mijn leven begon te vragen, wilde ik wel weg. Het leek wel of ik in water veranderde. Voor het eerst moest ik iemand vertellen over hun dood. Ik zei tegen Ruth dat Tom bij een auto-ongeluk om het leven was gekomen.'

'Hadden jij en Ruth altijd een hechte band als kinderen of waren jullie soms rivalen?'

'We hadden een hechte band. Mijn vader heeft je vast verteld dat ze meer bij ons was dan bij haar thuis.'

'Dat is niet precies wat ik vroeg, Jenny.'

Weer was ik geïrriteerd. 'Ik kan me niet herinneren dat we ooit ruzie hadden. Ze werd vaak stil. Soms wilde ze niet met dezelfde dingen spelen als ik en mijn zussen. Op de kloosterschool volgden we verschillende richtingen. Ruth was meer een bèta. Ze koos de exacte vakken. Ik hield van Engels en kunst en zo. We zijn nooit rivalen geweest.'

Mijn stem stierf weg toen een vage herinnering zich naar boven drong als een jonge scheut. *En toen jij in de zesde klas zat en er jongens in beeld kwamen?*

Naomi sloeg me gade.

'Misschien waren we vlak voordat ze verdween in zekere zin rivalen. Ruth was lang en blond, kreeg veel aandacht. Maar ze was heel serieus en dat vinden jongens niet altijd leuk. Ik denk dat ik iets frivoler was. Ik kleedde me heel opvallend en nam niets serieus.'

'En denk je dat jullie nu rivalen zijn?'

Wat was die vrouw doorzichtig. 'We zijn geen rivalen wat Adam betreft,' zei ik koel.

'Adam,' herhaalde Naomi. 'Hoe...?'

'Luister eens, we hebben het erover gehad hoe ik me voelde toen ik Adam voor het eerst zag. Je weet heel goed hoe verschrikkelijk dat was. Hoe vaak moet ik nog...'

'Ben je nog steeds geschokt als je terugdenkt aan dat moment?'

Ik was er kotsmisselijk van, niet door toen ik Adam voor het eerst zag, maar door wat ik later deed, toen ik iemand anders leek te zijn, toen ik niet wist wat ik deed. Ik had hem de ene ochtend na de andere heel wreed angst aangejaagd in het donker. Ik wilde niet dat Naomi mijn handen zag beven, dus ging ik erop zitten.

'Jenny?' zei ze.

Opeens werd ik kwaad. 'Waarom? Waarom probeer je me steeds in een richting te duwen waarvan je weet dat ik erdoor van streek raak? Ik heb Adam bang gemaakt. Ik heb mezelf bang gemaakt. Ik wou dat het niet was gebeurd, niets van dat alles, maar ik ben die persoon niet meer...'

Naomi sloeg me zwijgend gade op die ergerlijke manier van haar.

'Nu ben ik blij dat ik Adam heb ontmoet. Het heeft blijkbaar zo moeten zijn. Natuurlijk vindt Ruth het moeilijk. Ik was getrouwd met de man die haar zwanger maakte. Adam, die niets van Tom wist, wil meer te weten komen over zijn vader. Ik heb geprobeerd Ruth gerust te stellen. Ondanks alles zijn we nog steeds vriendinnen. Als je me niet gelooft, vraag je het maar aan Bea en James.'

'Ik ben blij dat jij en Ruth nog contact hebben. Dat is goed,' zei Naomi dubbelzinnig. 'Je zegt dat Adam meer over zijn vader wil weten. Wat je me niet hebt verteld, Jenny, is wat jij van Adam wil.'

Wat een onbehouwen opmerking. Ik was woedend. 'Adam is de zoon van mijn man. Tom heeft nooit van zijn bestaan geweten. Ik wil dat Adam weet dat hij een fantastische vader had. Dat zal hem helpen. Als Tom nog had geleefd, was Adam hem gaan zoeken zodra hij achttien werd. Adam is een deel van Tom en als je het vreemd vindt dat ik hem in mijn leven wil, dan denk ik dat jij degene bent die hulp nodig heeft.' Mijn stem brak en ik stond woedend op en keek op haar neer.

Naomi stond ook op. Ze leek van streek, hoewel ze het probeerde te verbergen. Haar donkere ogen hielden de mijne meedogenloos vast. 'Natuurlijk begrijp ik het. Maar ik vraag me af of je wel helemaal eerlijk tegen jezelf bent. Soms kiezen we voor een versie van de waarheid. Hoe zie jij je toekomst? Moet Adam er deel van uitmaken? Ik ben bang dat je jezelf, en misschien Ruth, het ene wijsmaakt terwijl je je op een gevaarlijke reis begeeft waarbij je Adam een belangrijk deel van je leven wilt maken. Je bent kwetsbaar, maar dat zijn Adam en Ruth ook. Ik probeer je te helpen inzien dat je zonder het te weten hun levens kaapt om je herinnering aan Tom te bewaren.'

We staarden elkaar aan. Ik zei: 'Je bent vastbesloten dit te geloven en niets van wat ik zeg zal iets uitmaken wat jouw mening over mij betreft. Je staat niet open, Naomi. Je hebt besloten dat ik nog steeds onevenwichtig ben. Ik voel me inderdaad nog zwak, ik treur inderdaad nog, maar ik ben niet gek en ik heb ook niets in de zin. Ruth, Adam en ik zullen dit op onze eigen manier oplossen. Het spijt me als je teleurgesteld bent dat we het ook zonder jou afkunnen, maar zo is het wel.'

Ik liep naar de deur en Naomi's kalme stem volgde me: 'Ik heb geen moment gedacht dat je gek was. Ik probeer je alle professionele hulp te geven die ik kan bieden. Wat jij hebt doorgemaakt, is niet te vergelijken met wat de meesten van ons ooit moeten doormaken. Het zou bijna onmogelijk zijn dat iemand volkomen rationeel kan zijn in dergelijke omstandigheden. Het is misschien niet je bedoeling om Adam als reddingslijn te gebruiken, maar ik wil dat je je bewust bent van de mogelijkheid. Adam had een eigen leven met Ruth en haar man voor hij jou ontmoette. Tom kan nooit zo echt voor hem zijn als Ruth is, zijn moeder.'

Ik draaide me om bij de deur en legde mijn hand tegen de deurpost om steun te zoeken. 'Adam zou een deel van Toms leven zijn geworden als Tom niet was gestorven, en dus ook een deel van mijn leven. Hij zou ons allebei hebben gevonden en Tom zou trots op hem zijn geweest. Adam wil weten wie hij is, zijn wortels vinden. Dat wil iedereen. Dat wil niet zeggen dat Ruth zijn moeder niet kan blijven.'

Naomi liep om haar bureau heen. 'Ik begrijp dat Adam alles over zijn vader wil weten. Ik vraag alleen aan je waarvoor jij Adam nodig hebt, behalve dat hij je aan Tom doet denken. Hij zal altijd de zoon van Ruth blijven, Jenny. Want dat is hij. Ik hoop dat je dat hebt geaccepteerd, want dat zal veel moeilijker zijn dan die deur uitlopen.'

Ik hield me nog even vast aan de deurpost. Op dat moment haatte ik haar. 'Het spijt me als ik onbeleefd ben geweest. Ik geloof dat je me oprecht wilt helpen. Stuur de rekening alsjeblieft niet naar James, maar naar mij. Ik wil die betalen. Dag Naomi, bedankt voor je tijd.'

Naomi zei zacht: 'Het beste, Jenny. Kijk goed uit.'

40

James, op de kade, keek op zijn horloge. Bea zou Jenny meebrengen na haar gesprek met Naomi. Ze zouden dadelijk komen. Hij riep naar de jongens dat hij naar de Saltings ging om daar op hen te wachten. Hij was net de spoorweg overgestoken naar het kleine parkeerterrein van het station, toen ze aankwamen.

Bea glimlachte naar hem met opgetrokken wenkbrauwen. Hij keek naar Jenny's witte, strakke gezicht en dacht: *o jee. Arme Naomi.*

Hij gaf beiden een kus. Jenny liep voorop met de plaids en hij en Bea volgden met de picknickmand.

'Heb je toevallig bier gekocht?' vroeg hij hoopvol.

Bea lachte. 'Ja. Ik had bijna een gintonic voor één persoon gekocht, maar dat leek me een slecht begin.'

James gaf haar een arm. 'Geen onverdeeld succes, hè, die gesprekken met Naomi?'

'Ik heb begrepen dat Jenny haar met stomheid heeft geslagen. Ze heeft niet veel gezegd, maar ze is van streek. Ik geloof dat ze onbeleefd was tegen Naomi. Dat is niets voor Jen, dus misschien was Naomi niet de juiste persoon.'

'Dat kan gebeuren,' zei James gemoedelijk. 'Het is een prachtige dag, laten we die niet bederven. Ik hou zielsveel van mijn dochter, maar ze is over de dertig. We kunnen doen wat ons het beste voor haar lijkt, maar uiteindelijk zal ze zelf besluiten moeten nemen. Er moet een punt zijn waarop jij en ik ons geen zorgen meer maken over al onze kinderen.' Hij trok haar even tegen zich aan. 'Wij hebben ook een leven, Bea.'

Bea lachte. 'Zo is dat. Help me daar regelmatig aan herinneren.'

Ze legden de plaid op een stuk zand in de hoek onder het oude stationsgebouw. De jongens waren met lege handen teruggekomen. James keek toe terwijl Jenny zich over de jongens boog toen ze opgewonden naar een vogel wezen. 'Geluk is een bewust besluit, niet iets wat zomaar gebeurt. Weet je nog wat een blij, hartelijk kind Jenny was? Dat hadden zij en Tom gemeen. Samen waren ze vol vreugde.'

'Boezemvrienden. Ze waren dol op elkaar. Ik weet dat haar zussen soms jaloers waren.'

'Jenny en Tom zorgden zelf voor hun geluk. Alles was positief. Ze werkten allebei heel hard en klaagden zelden. In het begin van de oorlog belde Tom me op uit Irak, Bea, voor het geval hij zou omkomen. Hij wilde beslist dat ik wist dat, als hem iets overkwam, het Jenny en Rosie financieel aan niets zou ontbreken. Hij vertelde hoe gelukkig ze hem allebei hadden gemaakt en hoeveel hij van hen hield. Ik had hem nog nooit zo ernstig horen praten. Natuurlijk kon hij me niet zeggen waar hij naartoe ging of wat hij deed, maar het leek bijna of hij verwachtte te sterven. Ik kon horen dat hij terneergeslagen was, en toen hij ophing, besefte ik dat hij ook bang was.'

Bea draaide zich naar hem toe. 'O, James. Die arme, dappere Tom.'

'Wat ik probeer te zeggen is dit. Ik denk dat Jenny bewust heeft besloten om zo gelukkig te zijn als ze kan. Ik denk dat ze misschien gelijk had en dat het verkeerd van me was om Naomi erbij te halen. Ze wil door met haar leven, verdergaan. Zij en Ruth zijn allebei intelligente mensen die om elkaar geven, en ze zullen een oplossing vinden. Ik denk dat we haar hebben onderschat. Jen heeft volgens mij meer moed dan we achter haar zoeken.'

De twee jongens schudden de plaid uit en maakten gekheid. Ze hoorden Jenny opeens lachen terwijl ze achter hen aan rende over het strand en deed of ze hen op hun kop wilde geven.

Adam en Harry, hun buik vol met broodjes en pasteitjes, wierpen stenen in de opkomende vloed. Al die tijd dat ze hadden zitten vissen, had Adam aan scholen gedacht. 'Hoe zijn de lessen op jouw school? Hoeveel leerlingen zitten er in een klas?'

'In onze klas een stuk of twintig. Het is hard werken en je krijgt veel huiswerk én straf als je je niet gedraagt.'

Adam grinnikte. 'Dus er komen geen ouders naar binnen stampen en dreigen dat ze de leerkrachten in elkaar zullen slaan als ze straf geven?'

Harry lachte. 'Helemaal niet. Het schoolgeld bedraagt duizenden ponden. Ouders komen eerder binnen om te eisen dat hun kind straf krijgt als het zijn best niet doet.'

'Dus jij bent een slimme pik?'

Harry snoof. 'Noem me geen pik!'

Ze vielen om van het lachen. Jenny, op de plaid, legde haar boek neer en riep: 'Vertel eens wat er zo leuk is.'

Ze schaterden het uit. Een van hen liet een wind en ze liepen allebei paars aan en kregen de slappe lach. Toen holden ze weg over het strand.

James keek op vanonder zijn breedgerande hoed en glimlachte naar Jenny. 'Raar, hè, dat elk mannelijk wezen op de wereld bij een wind hysterisch wordt van het lachen?' Ze grinnikten naar elkaar.

Bea was naar huis gegaan om even wat tijd voor zichzelf te hebben. James legde zijn hoofd weer op de plaid en verzuchtte: 'Dit is heerlijk, lieverd. Dadelijk is het zomer.'

'Zalig,' zei Jenny. 'Pap, ik denk dat ik naar de Saltings ga lopen. Daar in de buurt staat een huis te huur, zag ik in *The Cornishman*. Ik wil even kijken of ik het kan vinden, gewoon uit belangstelling.'

'Zal ik meegaan?'

'Nee, doe jij maar een dutje. Ik blijf niet lang weg. Pap?' James deed een oog open. Hij wist wat er zou komen. 'Ik denk dat ik heel onbeleefd ben geweest tegen Naomi Watson.'

'Tja, als je dat weet, kun je haar een brief met excuses sturen, maar ik denk dat ze het wel gewend is.'

'Maar ik niet.'

'Mooi. Ga maar wandelen voordat de zon verdwijnt. We praten straks wel.'

41

Ik herinnerde me het huis vaag. Toen ik nog op school zat, was ik soms met Bea naar Lelant gegaan. Ze had een vriendin die bij de Saltings woonde en we hadden de hond van de vrouw uitgelaten over deze weg en langs de riviermonding naar het strand.

De bomen wierpen bewegende schaduwen over de weg en geuren uit de tuinen werden in mijn richting meegevoerd door de wind, en deden me denken aan mijn jeugd. Het werd vloed en het water glinsterde rechts van me, met zilveren glitters als sterren op het oppervlak. Voor het eerst sinds de dood van Tom voelde ik een sprankje van geluk en ik bleef abrupt met een bonzend hart staan door mijn verraad.

Op deze kalme middag gleed Toms lachende gezicht achter mijn ogen. Opeens kreeg ik het gevoel dat hij met me meeliep, alsof hij wilde ontdekken wanneer ik weer ging leven zonder hem.

Ik sloeg een hoek om en daar stond het huis, een eindje van de weg af, in een iets oplopende tuin vol hei en kleine sierbomen. Er stonden ook veel voederplanken en broedhuisjes. De vogels hier hadden beslist geen honger. Ik stond voor het hek en keek omhoog. Binnen hoorde ik vaag klanken van Mahler, die hier helemaal niet op hun plaats leken.

Ik aarzelde, en vroeg me af of ik over het pad naar de deur kon lopen en aankloppen zonder een afspraak te maken. Terwijl ik daar stond, kwam een jonge vrouw naar buiten met volle vuilniszakken. 'Hallo,' riep ze. 'Kan ik u ergens mee helpen?'

'Ik vroeg me af of dit het huis was dat in *The Cornishman* te huur stond aangeboden.'

'Dat klopt.' De vrouw klonk alsof ze uit Australië of Nieuw-Zeeland kwam. 'Wilt u binnenkomen om te kijken?'

'Als dat kan.'

'Natuurlijk. Maar let niet op de rommel, we houden een grootscheepse opruiming. Hallo, ik ben Maggie Bruce.' Ze stak een hand uit en ik pakte die.

'Hallo, ik ben Jenny Holland.'

'Dit was het huis van mijn tante. Ze is pas overleden. Mijn moeder voelt zich niet goed genoeg om naar Engeland te vliegen. Ik was met mijn vriend aan het werk in Europa, dus hebben wij de taak op ons genomen om op te ruimen. Kom binnen.'

Het was een chaos in huis. Overal stonden spullen opgestapeld. Een gebruinde man van het type surfer knikte naar me vanaf een vloer vol oude kranten.

'Jezus, Maggie, die oude vrouw gooide niets weg!'

'Alsof ik dat niet weet!' Het meisje lachte naar me. 'Deze zeur is Dean. Ik denk dat, als we naar bed gaan, de feeën alle kasten en planken weer zullen inruimen.'

'Zoek je iets om te huren?' vroeg Dean.

'Ja, voor minstens zes maanden.'

'Dat komt ons goed uit,' zei het meisje. 'Mijn tante was niet getrouwd en ze heeft het huis aan al haar familie nagelaten. We weten nog niet goed wat we ermee moeten doen. Misschien besluit mijn moeder het te verkopen, maar ze is een beetje sentimenteel. Ze kwam hier om het jaar in de zomer bij haar zus logeren. Dus wilden we het verhuren terwijl we een besluit nemen.' Ze duwde wat dozen uit de weg. 'Kom maar kijken. Het is vrij klein en het ziet er vervallen uit binnen, maar we hebben alle leidingen nagekeken en alles is in orde. De buitenkant is geschilderd, maar ik denk dat mijn tante te veel spullen verzamelde en dat niemand het daarom vanbinnen wilde aanpakken.'

Binnen was het geen mooi huis. De kamers waren klein en met vreemde hoeken zodat de zon naar binnen scheen, maar het was alsof die naderhand waren toegevoegd. Het leek of het huis was neergezet en de architect toen had gedacht: *oeps, ik had het dertig graden naar rechts moeten zetten*. Volgens mij moest hij of een beperkte fantasie gehad hebben, of hij was helemaal geen architect. Maar het huis lag op het zuiden, met alleen de weg tussen de tuin en de prachtige, golvende uitgestrektheid van de riviermonding. Terwijl ik daar stond, kon ik het lange, klagende geluid van wulpen horen. Ik huiverde, want het geluid was zo vertrouwd als ademen.

Dean draaide zich om naar een kleine cd-speler en Mahlers Vijfde klonk door het huisje. Ik stond als aan de grond genageld. Het leek een voorteken.

'Hoeveel huur per maand vragen jullie?'

Ze keek verrast. 'Je bent de eerste die het huis leuk vindt! Een paar mensen, meest mannen, hebben gezegd dat ze het zouden afbreken en opnieuw beginnen.'

'Nee, het is geen mooi huis, maar de ligging is prachtig.' Ik keek om me heen. 'Het kan makkelijk opgeknapt worden als er een paar muren worden weggebroken.'

'Tante Nelly was nogal excentriek. Ze kwam in de oorlog naar Engeland om les te geven en ze is nooit teruggegaan. Tijdens een vakantie werd ze verliefd op Cornwall. Ik denk dat ze dit huis zo'n beetje zelf heeft gebouwd en stukken toegevoegd toen ze het verkeerd had gedaan.'

'Dat lijkt me ook!' zei Dean.

'Om antwoord te geven op je vraag,' zei Maggie, opeens ongerust, 'hopen we eigenlijk dat we kunnen beginnen met een lage huur. Misschien kan de huurder dan de binnenkant opknappen. Het probleem is dat we over tien dagen weg moeten. We zijn musici en we moeten naar de rest van het ensemble in Wenen. In de zomer splitsen we ons op om op verschillende plaatsen te spelen. We moeten elke dag veel oefenen en er komt geen eind aan het opruimen hier.'

'Ik kom hier vast pas uit met een looprekje,' zei Dean.

'O, hou toch je mond,' zei Maggie.

'Aan hoeveel huur dachten jullie?'

'Ongeveer 350 pond per maand. Dat is niet veel.'

'Dat is zo,' zei ik. 'Maar op het moment is het niet echt bewoonbaar.' Ik stond in de kamer en keek om me heen. 'Jullie moeten de elektriciteit en leidingen grondig laten inspecteren en renoveren voordat jullie het wettelijk mogen verhuren. Jullie hebben geen makelaar, maar anders zou die zeggen dat het er bijna onberispelijk moet uitzien, en dan kun je waarschijnlijk 550 of zeshonderd pond vragen. Het opknappen en schilderen alleen al zal jullie veel kosten als je iemand moet betalen, omdat het zo verwaarloosd is.' Ik moest glimlachen om hun ontmoedigde gezichten. 'Mag ik een voorstel doen?'

'Ga je gang,' zei Dean hoopvol.

'Als ik nu eens alle reparaties en schilderwerk doe in plaats van huur te betalen, zeg gedurende drie maanden of tot het huis op orde is? Daarna zal ik het laten taxeren door een makelaar en jullie vanaf dat moment de gangbare huur betalen. Op die manier krijgen jullie makkelijk een volgende huurder.'

De twee Australiërs keken elkaar blij aan. 'Maggie, dan zijn we uit de problemen! De zon schijnt buiten en de golven wenken.'

'Lopen jullie alles na, zet de goede meubelstukken opzij en de dingen die jullie willen houden, en laat daarna een bedrijf komen dat het huis leeghaalt.'

Dean keek me grijnzend aan. 'Ben je een reddende engel of zo?'

Maggie zei: 'Een paar stukken zijn nog wel goed. Je wilt die zeker niet in het huis laten?'

'Jawel, hoor. Ik wil niets uit Londen laten komen, dus ik zal alles wat ik nodig heb een poos moeten lenen of inpikken.'

Maggie keek nieuwsgierig. 'Heb je hier een baan voor zes maanden of zo?'

'Nee. Mijn ouders wonen in St. Ives. Ik neem even een onderbreking van mijn werk.' De muziek zwol aan tot een crescendo en ik vond het ondraaglijk. 'Mijn god, wat is deze Mahler toch triest.'

'Sorry.' Dean zette hem af. Ze keken allebei naar me.

'Sorry. Het is een prachtig stuk, maar...'

'Je zou er bijna door de zee in lopen tot je verdwijnt!'

Maggie zag mijn gezicht en wierp Dean een waarschuwende blik toe.

Ik keek om me heen. 'Nog één ding: ik weet dat jullie moeten nadenken over mijn voorstel en met je moeder praten, maar zien jullie deze muur? Als die wordt weggebroken, heb je één mooie, grote kamer in plaats van drie kleine. De keuken zou lichter worden en de eetkamer is dan niet langer een driehoek.'

Ze keken allebei om zich heen. 'Ik zie wat je bedoelt. Ben je binnenhuisarchitect?'

Ik glimlachte. 'Nee. Ik ben modeontwerper, maar we hebben twee appartementen verbouwd in Londen en ik ben nogal praktisch ingesteld. Zeg, ik moet gaan. Mijn vader en twee jongens wachten verderop op me. Kunnen jullie me bellen? Ik weet dat ik jullie hiermee heb overvallen.'

Ze schreven mijn adres en telefoonnummer op en Maggie liep met me mee naar het hek. 'Het spijt me ontzettend van Deans opmerking over de zee in lopen. Ik zag je gezicht.'

Ik glimlachte. Wat een gevoelige musicus moest ze zijn. 'Het geeft niet. Het kwam alleen een beetje in de buurt van de waarheid. Hoor eens, ik begrijp het best als je moeder iets anders wil.'

Maggie snoof. 'Mijn moeder hoeft hier niet op te ruimen. Ik wil mijn sexy, rusteloze vriend niet kwijtraken vanwege een huis.' Ze lachte naar me. 'Tot gauw en hou je taai.'

De golven hadden de kademuur bereikt terwijl ik in het huisje was, en het water klotste. Ik hoopte dat de jongens op het tij hadden gelet, anders moesten ze helemaal omlopen over de kade en terug langs de weg.

Ik maakte me geen zorgen, want ik wist dat mijn vader zou hebben gecontroleerd waar ze waren. Ik voelde me opgewonden, want ik zou iets van dat lelijke huisje vol zon kunnen maken. Ik zag me er al wonen, met perzikkleurige muren en lege kamers. En ik zag voor me dat Adam op bezoek kwam en de vogels catalogiseerde die de oude vrouw in haar tuin had gelokt.

Het was een huis waarin ik rustig zou kunnen wonen tot ik niet langer overal de geluiden van een spelend kind hoorde, tot ik ophield met luisteren of ergens een man liep te fluiten in dat huis van vier verdiepingen. Het was een plek waar ik kon beginnen om Adam in alle rust over zijn vader te vertellen.

42

Ik word wakker in Toms appartement en zie hem bij het raam naar buiten staan kijken. Het is nog donker, maar ik kan de vogels horen zingen. Ik lig even naar hem te kijken, en voel me een voyeur. Hij staat met zijn rug naar me toe en hij draagt alleen een onderbroek. Zijn lichaam is bruin en glad en ik vind het heerlijk om naar hem te kijken, maar iets in zijn houding alarmeert me. 'Tom?' fluister ik.

Hij draait zich om. Zijn gezicht staat ernstig, triest misschien, dat kan ik niet zien in dit licht. Langzaam loopt hij naar het bed.

'Wat is er?' vraag ik.

'O...' Hij glimlacht half. 'Ik heb een somber moment. Sorry dat ik je wakker heb gemaakt.'

Dit is de eerste keer dat ik Tom terneergeslagen zie. Ik steek mijn hand uit. 'Kan ik helpen? Maak ik inbreuk op je privacy?'

Hij deelt dit appartement met een bevriende piloot en ik weet dat hij het fijn vindt als hij de ruimte voor zichzelf heeft. We zijn de hele dag samen geweest; misschien had ik naar huis moeten gaan.

Tom lacht en gaat weer in bed liggen. Hij strijkt mijn haren uit mijn gezicht. 'Hoe kom je in vredesnaam aan dit verbazingwekkende haar?'

'Van Bea's zus. Spaanse voorouders.'

Hij bukt zich en kust mijn neus, mijn voorhoofd, beide wangen, mijn kin en ten slotte mijn lippen, kuis, als een monnik. 'Jij,' zegt hij zacht, 'kan geen inbreuk maken op mijn privacy, al zou je het willen.'

Hij gaat op zijn zij liggen en legt zijn hoofd op zijn arm. 'Ik sta voor een dilemma,' zegt hij terwijl hij me aankijkt met die verrassend blauwe ogen. 'Ik hou van je, Jenny, ik hou van alles aan je.'

'Sorry dat dit een dilemma is.'

Hij legt een vinger op mijn lippen. 'Je hebt mijn zorgvuldig gemaakte plannen in de war gestuurd. Ik ga naar een feest waarin ik geen zin heb om Damien een plezier te doen. Ik word omringd door prachtige vrouwen die me, raar maar waar, vervelen. Wat mankeert me? vraag ik mezelf af. Dit hoort een droomwereld te zijn. Dan kijk ik op en zie een meisje in een witte, met goud omrande jurk. Ze loopt weg van het feest en blijft onder een boom staan, waarvandaan ze iedereen bekijkt. Opeens denk ik: daar is ze, mijn toekomstige vrouw, de moeder van mijn kinderen. Daar is ze. Het leek wel een donderslag bij heldere hemel.'

Toms stem is vol emotie. Tranen glijden uit mijn ooghoeken, zo opgelucht ben ik om die woorden te horen. Tom heeft het nooit over de toekomst gehad. Vanaf het begin wist ik dat ik hem boven alles wilde, en ik was doodsbang door zijn zwijgzaamheid en ook een beetje in de war. Alles wees erop dat Tom precies hetzelfde voelde, en toch had hij geen enkele aanwijzing gegeven wat de toekomst betrof.

Hij dept een traan met zijn vingers. 'Elk moment met jou, Jenny, lijkt het of ik thuiskom van een moeilijke reis. Ik wilde niets liever dan met je naar een kasteel rennen, de ophaalbrug optrekken en tegen elke man die naar je kijkt, schreeuwen: ga weg! Ze is van mij! Elke keer als ik je zie of je kus, heb ik willen zeggen: trouw met me. Trouw met me.'

Mijn tranen doorweken het kussen. Ik kan ze niet tegenhouden.

'Ik heb mezelf ingehouden vanwege mijn werk. Ik kán het je niet vragen. Ik hou van je, maar het zou niet eerlijk zijn. Ik heb een riskante baan gekozen en ik hou van wat ik doe. Ik ben egoïstisch. Ik wil niet ophouden. Dat kan ik niet. Mijn werk is een deel van wat ik ben. Ik zit midden in een carrière waar ik van hou. Dat gaat niet samen met een huwelijk, liefste. Til je hoofd op, dan draai ik het kussen om voor we allebei verdrinken.'

Ik begin te lachen en we houden elkaar stevig vast. 'Ik hou zo veel van je dat het pijn doet,' zeg ik tegen zijn hals. 'Ik weet dat je weg moet om de dingen te doen die je doet. Ik zal nooit proberen je tegen te houden. Je bent wat je bent en wat je doet. Mijn *grootste* angst is dat ik jou niet heb. Niet bij je ben. Ik kan alles verdragen, behalve de onzekerheid dat ik niet weet of jij hetzelfde voelt.'

'Ik kan gewond raken, of sneuvelen.'

Ik kijk hem aan. 'Hoe kan dat minder erg zijn als ik niet met je getrouwd ben, Tom?'

'Omdat ik dan niet jóúw last ben, jóúw probleem. Je kunt een aardige man vinden.'

'Dus,' zeg ik terwijl ik kwaad word, 'je stond bij het raam te denken: *goed, ik zal haar zeggen dat we het moeten uitmaken voor het geval ik doodga, voor het geval ik verminkt word. Sorry hoor, ik hou van je en jij houdt van mij, maar dat was het. Ik ga naar het front, dus vergeet me.*' Ik zwijg even om diep adem te halen. 'Ik heb nog nooit van mijn leven zoiets slaps of melodramatisch gehoord, zo veel eigenbelang. Als je je niet kunt of wilt binden, wees dan zo eerlijk om het te zeggen. Verpak het niet in angst en verstop je niet achter je baan.'

Tom begint te lachen. 'Zeg maar waar het op staat. Neem geen blad voor de mond!'

Dan sla ik naar hem, nog steeds kwaad, en hij houdt mijn handen in één van hem als een gevangen vogel. 'Luister jij eens. Al die angst kwam doordat we gisteren dat huis hadden gezien en het feit dat we nergens naartoe kunnen waar we alleen kunnen zijn. In jouw appartement is Danielle en hier loopt Simon in en uit.' Hij zwijgt even. 'Ben je wakker genoeg om in de keuken naar mijn plannen te komen kijken?'

Ik trek een overhemd van hem aan. Dan gaan we naar de keuken en zetten thee. Op de tafel ligt een aantekenboek met allemaal cijfers. Ik ga zitten en probeer een toenemende opwinding te onderdrukken.

'Het is maar een idee,' zegt Tom enthousiast. 'Misschien denk je dat ik aanmatigend ben en jouw wereld probeer binnen te dringen, maar ik vroeg me af of het ons zou helpen als ik meebetaal aan dat huis. Misschien kunnen we er een appartement maken voor ons samen. Iets van onszelf.'

Het was een briljant idee. Ik beefde over mijn hele lichaam.

'Ik heb geprobeerd een berekening te maken van mijn bezittingen. Simon zal het niet leuk vinden, maar als ik dit appartement verkoop...'

'Is het jouw appartement?' vraag ik ongelovig.

Tom grinnikt. 'Ja. Mijn ouders gebruikten het als ze in Londen waren. Ze hebben het aan mijn broer en mij gegeven toen ze te oud werden om de reis nog vaak te maken. Ik heb hem uitgekocht omdat hij in Sydney woont en werkt. Ik weet niet zeker wat het precies waard is. Misschien 350.000 pond, wat denk jij?'

'Minstens. Het is klein, maar het ligt centraal.'

'Ik heb ook wat spaargeld.'

'Tom, je kunt niet alles wat je hebt in het huis stoppen.'

'Waarom niet? Je moet pas tegen Danielle zeggen dat ik meedoe alsof het een laatste redmiddel is. Het huis is van haar peetmoeder en ik weet hoe ik me in haar plaats zou voelen. Het is ook mogelijk dat Flo en Danielle me er niet bij betrokken willen hebben. Misschien denken ze dat als ik er een belang in heb, ik kan beperken wat jullie met de zaak willen doen. Dat zou ik natuurlijk niet doen, maar we moeten het allemaal wel wettelijk vastleggen. Dat moet tactvol gebeuren, anders werkt het niet tussen ons. Als ze tegen het idee zijn, ben ik natuurlijk teleurgesteld, maar ik zou het respecteren.'

'Zij willen het huis net zo graag als wij, Tom.'

Ik pak zijn pen en maak wat sommetjes. Danielle en ik hebben een hypotheek op onze flat, die we met regelmaat aan het afbetalen zijn. Wat zou een huis van drie verdiepingen in Hammersmith nu waard zijn, met het grote souterrain dat we hebben gerenoveerd? Waarschijnlijk 400.000 pond.

Ik kijk naar Tom en ik voel me wit wegtrekken. 'Weet je dat het misschien mogelijk is om dat prachtige huis te kopen? Ik bedoel, écht mogelijk?'

We lachen als te opgewonden kinderen. 'Wil je met me trouwen, Jenny Brown? Huis of geen huis?'

'Ik zal de slechtste legervrouw zijn die er bestaat.'

'Dat weet ik, maar ik trouw niet met het leger.'

'Beloof me dat ik niet naar zo'n club van echtgenotes hoef?'

'Beloofd.'

'Beloof me dat ik geen kraagjes met ruches en degelijke kleren hoef te dragen?'

Hij probeert zijn gezicht in de plooi te houden. 'Het idee alleen al is belachelijk.'

Even word ik serieus. 'Ik zal altijd willen werken. Dat is wat ík doe, Tom.'

'Dat weet ik. Waarom zou ik je willen tegenhouden? Ik vind het prachtig wat je doet.' Hij grinnikt. 'Trouwens, als we dat huis kopen, zullen we allemaal moeten werken tot we tachtig zijn.'

'Dat klopt,' zeg ik, 'al is het niet erg romantisch.' Ik leg zijn hand tegen mijn wang en druk mijn mond tegen zijn handpalm. 'Goed dan. Ik wil met je trouwen.'

43

Ruth stapte in Truro uit de nachttrein, kocht een paar croissants en koffie en ging terug naar het huisje om te douchen. Ze wachtte tot negen uur voordat ze naar Tredrea belde, voor het geval ze anders iemand zou wakker maken. Bea nam op. 'Ik kom Adam ophalen. Het was heel aardig van je, Bea. Hij is toch niet lastig geweest?'

'Helemaal niet. Hij heeft een vriend gekregen en hij had het erg naar zijn zin.' *O jee*, dacht Bea. *Had ik dat wel moeten zeggen?*

'O ja?' Ruth klonk op haar hoede.

'Kom maar wanneer je zover bent, Ruth. Adam zal blij zijn je te zien.'

'Waar zijn Adam en Jenny?' vroeg Bea aan James toen hij in de keuken kwam. 'Ruth is weer in Truro.'

'Aan het eind van de oprit bij het hek. Ze praten met twee Australische musici in een kampeerbusje. Van hen krijgen ze blijkbaar kaartjes voor een of ander concert. Adam is helemaal weg van het busje. Hij zit erin.'

'Het is zo fijn om te zien hoe ontspannen en blij hij is. Het was een geniaal idee om hem aan Harry voor te stellen, James.'

'Ik dacht wel dat ze goed met elkaar konden opschieten. Harry is een vreemd jongetje die ook veel op zichzelf is. Adam heeft weinig haast om terug te gaan naar Truro, Bea. Ik hoop dat hij dat niet laat blijken als Ruth hem komt ophalen.'

'O mijn god, ik ook niet,' zei Bea.

Jenny kwam de keuken binnen met Adam achter zich aan. 'Die Australiërs zijn hartstikke gek, maar heel lief. Ik mag het huis huren als ik het wil. Is het niet fantastisch? En op mijn voorwaarden. Ik kan het bijna niet geloven.'

Adam keek haar grijnzend aan. 'Ze wilden alleen maar gaan surfen. Ze hadden er alles voor over om het huisje kwijt te raken. Dan zag je zo.'

'Jenny!' zei Bea. 'Je hebt toch hopelijk niet gezegd dat jij de rest van die rommel uit het huisje zal halen?'

'Dat wel, maar mam, het is in mijn eigen belang om ermee op te schieten. Daarbij is het een project voor me. Je weet hoe dol ik ben op projecten.'

'Inderdaad,' zei Bea droog.

'Ze hebben ons zes kaartjes gegeven voor hun concert vanavond in de kerk van St. Ives. Je zult het prachtig vinden, pap. Het is hoofdzakelijk Mozart. Adam is heel opgewonden omdat Dean hobo speelt, Adams favoriete instrument.'

'Jenny, Ruth heeft net gebeld,' zei Bea vlug. 'Ze komt Adam halen. We weten niet wat voor plannen ze verder heeft voor vandaag.'

'Ze zal vast wel meewillen naar het concert,' zei Adam hoopvol.

'We vragen het wel als ze er is. Adam en ik gaan de stad in, mam. Ik moet naar de bank. Heb jij nog iets nodig?'

Bea schreef een kort boodschappenbriefje. Ze zei zacht: 'Blijf alsjeblieft niet lang weg. Het lijkt me beter dat Adam hier is als Ruth komt.'

'Je maakt je onnodig zorgen, mam. Ruth heeft toch niet precies gezegd hoe laat ze komt? We blijven hooguit een halfuur weg.'

'En met die woorden snelde ze naar buiten,' zei James. 'Weet je nog wat we gisteren zeiden, Bea, over dat volwassen kinderen zichzelf moesten zien te redden?'

'Prima in theorie, moeilijk in de praktijk,' zei Bea nijdig. 'Ik ga mijn uitgebloeide rozen verwijderen en doen alsof ik een non ben.'

James schoot in de lach. 'Dan moet je wel veel fantasie hebben, na me vijf kinderen te hebben geschonken!'

Bea wierp hem een veelzeggende blik toe en ging de tuin in. Ze ging de uitgebloeide oude rozen met de schaar te lijf en maakte zich zorgen. Arme Adam, tussen twee vuren. Waren Jenny en Ruth wel in staat om zich in te denken wat de ander moest voelen? Natuurlijk niet. Pijn is allesbeheersend en zelfzuchtig.

Adam was een gezeglijke en beleefde jongen. Bea had gezien hoe hij zich ontspande en op hen beiden reageerde, maar vooral op James. Hem waren twee paar grootouders ontzegd, en Bea wist dat zij en James een leemte opvulden. Adam voelde zich hier veilig, en hij was in zijn hart ontegenzeggelijk een jongen van het platteland. Ze had hem gisteren met Harry bezig gezien; hij was letterlijk in zijn element.

Als Ruth de baan in Londen bij Flo en Danielle aannam, hoe zou Adam zich dan aanpassen? Ze wist dat James zou zeggen: *schat, dat is niet jouw probleem.* Hij had gelijk, maar Ruth was kwetsbaar en alleen, en ze zou enkele moeilijke beslissingen moeten nemen.

Cornwall was zo ver verwijderd van Adams echte leven, en zijn echte leven moest op de een of andere manier het natuurlijke ritme hervatten met Ruth, waar dan ook. Bea slaakte een zucht en knipte verder.

Na de lunch in de tuin liep Adam de heuvel af om aan Harry te vragen of hij zin had om die avond met hen mee te gaan naar het concert.

'Ik hoop dat het niet ongelegen komt,' zei Ruth tegen Bea.

'Natuurlijk niet,' zei Bea. 'Ik weet dat je naar huis wilde, Ruth, maar Adam wil zo graag naar dat concert.'

'Het is goed. Ik was niets speciaals van plan. Adam mist het dat hij niet meer met Peter naar concerten kan, dus het is fijn voor hem dat hij hier de kans heeft.'

Jenny zei: 'Vertel ons hoe het in Londen is gegaan, nu Adam bij Harry is.'

'Ik was onder de indruk van de hele organisatie. Je hebt een fantastisch team.'

Bea en James verontschuldigden zich en gingen in de serre de kranten lezen.

'Denk je dat je het aanbod van Danielle en Flo aanneemt?'

Ruth zag even een verontruste blik in Jenny's ogen, een kortstondige onzekerheid. 'Ik overweeg het, maar ik moet het met Adam bespreken.' Ze zweeg even. 'Ik wil alleen in Londen werken als jíj het er helemaal mee eens bent.'

Jenny stond op en schonk weer koffie in. Even later zei ze: 'Het is een vreemd idee dat iemand anders met Flo en Danielle gaat werken, maar het is in ons belang dat we de beste persoon voor die baan nemen, en we vinden allemaal dat jij dat bent.' Ze gaf Ruth haar kopje. 'Je moet niet het gevoel hebben dat je tot iets gedwongen bent. Misschien bedenk je je wel over je baan in Birmingham. Wees dus heel zeker van jezelf voor je ja zegt.'

'Ik bén er zeker van. Absoluut.' Ruth lachte. 'Ik denk dat al het andere – een school zoeken voor Adam, alles wat er verder bij komt kijken – vanzelf in orde komt als ik eenmaal een besluit heb genomen, maar ik zal wachten tot ik een officieel aanbod heb.'

Ze stonden op en liepen over het gazon. 'Ik heb een paar ontwerpen van je gezien. Een van een trouwjurk, werkelijk prachtig! Je hebt veel te veel talent om lang niet te ontwerpen, dat weet ik zeker. Ik verwacht niet daar te blijven als je weer helemaal beter bent.'

'Je hoeft me niet te sussen. Ik beschouw je niet als iemand die me vervangt. Ook al was ik in Londen gebleven, dan nóg hadden we iemand voor de pr nodig gehad. Iemand die ons met succes kan promoten en verkopen.'

'Het is veel makkelijker om anderen te verkopen. Ik zou mijn eigen grootmoeder kunnen verkopen. Je weet hoe volhardend ik ben, maar ik kan geen kleding ontwerpen, dus is er toch geen competitie?'

Nee, dacht Jenny. *Alleen ga je in mijn huis wonen. Waar Tom en ik hebben gewoond.*

Ze bleven staan en keken elkaar aan. Jenny zei, verbaasd door een vage herinnering: 'Was er rivaliteit tussen ons als kind? Dat kan ik me niet herinneren.'

Ruth lachte. 'Niet toen we klein waren. Misschien een beetje toen we ouder werden. Iedereen wil zich enigszins laten gelden. Danielle en Flo missen je vreselijk. Ik benijd je om een dergelijke vriendschap. Ik had er blijkbaar nooit de tijd voor, of misschien de mogelijkheid.'

Ze gingen op een tuinbank zitten die uitzicht bood op de zee.

Jenny hoorde de spijt in Ruths stem. 'Het huis in Londen werkt als een team. Flo en Danielle zouden je niet aannemen als ze je niet mochten of dachten dat je niet in het team zou passen.'

'Dank je,' zei Ruth zacht. 'Dat is aardig van je.' Over de daken glinsterde de zee in de halfronde baai beneden hen. 'Weet je nog dat we om het hardst koprollen deden tot het hek?' mompelde ze.

'Ja. Wat lijkt dat lang geleden. En toch...'

'Soms lijkt het wel gisteren. Alsof we onze ogen maar dicht hoeven te doen om terug te gaan naar onze jeugd.'

'Maar dat kan niet,' zei Jenny. 'Dat kan niet.'

Harry zei: 'Ik heb hier de papieren voor de Truro School voor je. Er staat van alles in over verschillende beurzen en zo. Mijn moeder zei dat je moeder ook de penningmeester kan bellen voor inlichtingen.'

'Zeg dat niet waar mijn moeder bij is. Ik wil eerst alles lezen. Ze is net terug uit Londen. Ik weet niet of ze weer van baan verandert. Als dat zo is, dan zal ik het tegen haar zeggen.'

'En als ze geen andere baan neemt en in Birmingham blijft?'

Adams gezicht verstrakte. 'Dan zal ik het toch tegen haar zeggen. Ik zal zeggen hoe ik die school haat. Door Peter werd het wat beter. Hij was vaak weg, maar hij hielp me thuis en hij nam me mee naar de bioscoop en concerten en zo, en ik kon met hem praten. Hij heeft nooit gewild dat ik naar die school ging. Ik geloof dat hij zelfs heeft aangeboden om een particuliere school voor me te betalen.'

'Waarom mocht dat dan niet van je moeder?'

'Omdat hij mijn stiefvader was, niet mijn echte vader. En uiteindelijk ging hij toch weg.'

'Waarom? Hadden ze ruzie?'

'Nee. Bijna nooit. Maar ze gaven elkaar nooit een kus of zo.'

'Geen klef gedoe waar je van over je nek gaat?'

Adam lachte. 'Echt niet! Wat is er met jouw vader gebeurd?'

Harry schopte tegen een blikje. 'Hij is dood. Hij zat bij de reddingsbrigade en verdronk toen ik zeven was.'

Adam zag de schaduw die over Harry's gezicht trok. 'Wat erg voor je.'

'Wie het eerste bij The Sloop is.'

De twee jongens zetten het op een rennen langs de mensen op het trottoir. Harry won. Buiten adem, leunend tegen de zeewering, zei hij: 'Mijn vader en moeder zaten altijd klef te doen. Dan deed ik een kussen voor mijn hoofd, want ik schaamde me dood!'

Terwijl Adam die avond in de parochiekerk naar het concert luisterde, voelde hij zich geraakt door de Australiërs die met zoveel overgave speelden. Hij was zich alleen maar bewust van de muziek. Het leek wel of hij opgekruld in een warme schelp van muziek zat. Dean, de hoboïst, wist geluiden te produceren waarvan Adam alleen maar kon dromen. De klanken weerkaatsten trillend tegen de muren en dakspanten, bleven als zwevende zeemeeuwen in de warme lucht hangen. Adam hield vol ontzag zijn adem in, helemaal in beslag genomen.

De kerk was verlicht met kaarsen en afgeladen met een publiek dat in vervoering was. De Australiërs logenstraften hun nonchalante, zongebruinde voorkomen. Ze waren jong en gedreven, alsof ze hun hele ziel en zaligheid in hun muziek legden.

Maggie speelde een vioolstuk van Mozart dat bijna volmaakt klonk in Adams oren. Vanwege de hitte in de overvolle kerk stond een zijdeur open, en Adam kon het ritmische geluid van de zee horen. Zijn hart werd verscheurd van verlangen. Hij wist niet dat hij huilde. Tranen liepen stilletjes over zijn wangen in de schemerige kerk, en terwijl het klagende geluid van de viool door hem heen trok, bad hij: *God, help me. Ik wil in Cornwall wonen. Ik wil naar school gaan met Harry. Ik hou van mijn moeder, maar ik wil niet in Birmingham of Londen wonen. Ik wil bij de zee wonen. Ik wil alles weten over mijn vader. Ik wil dat Jenny het me vertelt, en er is nooit tijd voor. Zorg alstublieft dat dit gebeurt en dat ik een beurs krijg en dat mijn moeder me hier in de buurt van James en Bea laat wonen. Als u me helpt, zal ik nooit meer om iets vragen. Dank u, God.*

44

Het huis in Birmingham voelde kil aan toen Ruth en Adam thuiskwamen. Ruth huiverde. Het had nooit koud aangevoeld. Ze had
Adam tijdens de rit naar huis verteld over de baan in Londen. 'Ik
weet dat je van school zal moeten veranderen, Adam, maar op deze
school vind je het toch niet leuk. Londen heeft zo veel te bieden. Het
fijne is dat ik je meer zal zien omdat ik in Jenny's huis zal wonen en
werken.'

'Als je niet op reis bent,' zei Adam botweg. 'Je zei net dat je hun
bedrijf moet promoten en hun kleren verkopen. Dat betekent toch
dat je net als altijd vaak weg bent?'

'Ja, soms wel, Adam.'

'Dus blijf ik achter in een huis in Londen bij mensen die ik niet
ken. Nee, bedankt.'

'Adam, luister nou even. We hebben in dat huis onze eigen kamers. We gaan samen naar Londen om naar scholen te kijken. Dit
is zo'n mooie gelegenheid voor ons. Dit huis is triest zonder Peter.
Je hebt het hier nooit fijn gevonden op school. We kunnen allebei
verdergaan. Ik denk echt dat je het leuk zult vinden in Londen, met
alles wat het te bieden heeft.'

'Heb je al ja gezegd?'

'Nou, ik wacht nog op een officieel aanbod van Danielle en Flo.'

Adam stopte een ander bandje in zijn cd-speler en maakte aanstalten om de dopjes weer in zijn oren te doen. 'Ga je meer verdienen? Is dat een van de redenen waarom je wil verhuizen?'

'Nee, het gaat niet om het geld, Adam. Dit is een mooie kans om voor een klein bedrijf te werken, het op te bouwen en er mijn stempel op te drukken, net als in Glasgow.' Ruth hoorde zelf hoe overdreven enthousiast ze klonk, en ze wist dat haar babbelpraatje helemaal verkeerd was.

Adam keek haar aan met die verontrustende, heldere blauwe ogen van hem. 'Je neemt die baan. Het maakt niet uit wat ik denk of vind. Je doet toch altijd wat jíj wilt.' Hij deed de dopjes in zijn oren en sloot zijn ogen, waardoor hij Ruth buitensloot. De verdere reis verliep in stilte.

Ruth voelde verontwaardiging opkomen. Hij was lief geweest bij Bea en James. Zijn nukkige houding leek alleen bestemd te zijn voor haar.

Maandag ging Adam weer naar school. Dinsdagochtend kreeg ze een brief uit Londen waarin haar de baan werd aangeboden. Ruth jubelde in stilte. *Yes!* Het salaris was beter dan ze had verwacht. Het hield in dat ze er beduidend op vooruit zou gaan als zij en Peter het huis verkochten en de hypotheek aflosten.

Voordat ze het bod accepteerde, belde ze Peter op om zijn advies over Adam te vragen en de verkoop van het huis in Birmingham te bespreken. Het was fijn om zijn stem te horen, al klonk hij gespannen en moe. 'Hoe gaat het?' vroeg ze.

'Niet zo best. Het vergt moeite om je aan te passen.'

'Ja,' zei Ruth. 'Verdomd veel moeite.'

'Zijn er problemen?'

Ruth vertelde hem over de baan in Londen en Adams weerstand.

'Tja, het is geen ideale leeftijd om van school te veranderen. Voelt hij zich al meer op zijn gemak op deze school?'

'Nee. Ik denk dat een verandering onvermijdelijk is.'

'Adam weet waarschijnlijk niet wat hij wil. Jij bent de volwassene, Ruth, jij zult waarschijnlijk die beslissing voor hem moeten nemen en hopen dat hij zich gelukkiger voelt op een school in Londen. Je weet hoe ik denk over de school waar hij nu op zit. Wat dat betreft kan het alleen maar beter voor hem worden. Als je een prestigieuze en goedbetaalde baan opzegt en Adams thuis verkoopt om in het huis van een ander te gaan wonen, dan moet je er wel heel zeker van zijn dat dit de juiste baan voor je is. Daarna komt alles wel terecht.'

'Dank je,' zei Ruth. 'De vorige keer wilde ik niet naar je luisteren over scholen, deze keer zal ik het wél doen.'

'Als ik kon, zou ik wel aanbieden om te betalen voor een particuliere school, maar mijn omstandigheden zijn veranderd en ik verkeer niet meer in de positie om dat te doen.'

'Mijn hemel, Peter, dat is niet de reden waarom ik belde. Ik wilde het destijds niet accepteren, en al helemaal niet, nu we gaan scheiden.'

'Eerlijk gezegd heb ik dat nog niet in gang gezet. Ik heb het ontzettend druk gehad.'

'O.' Ruth was verbaasd. 'Dan zal het toch een opluchting zijn als ik dit huis te koop zet? Ik neem aan dat jij je aandeel wilt, ondanks wat je eerder hebt gezegd?'

'Eigenlijk wel. Ik moet hier zelf wat accommodatie regelen. Ik heb wat problemen gehad.'

'Wat vervelend voor je.' Ruth wachtte of hij zou zeggen wat voor problemen dat waren, maar dat deed hij niet. 'Ik hang nu maar op,' zei ze. 'Ik moet werken en jij hebt het druk.'

'Ik was toch al van plan om Adam te bellen. Misschien dat hij bij mij zijn hart wil uitstorten. Ik mis hem.'

Ruth hoorde in zijn stem de spijt dat alles zo verkeerd was gegaan. 'Hij mist jou ook. Bedankt, Peter. Pas goed op jezelf,' zei ze zacht.

'Jij ook.'

Zodra ze had opgehangen, werd er meteen weer gebeld. 'Mevrouw Hallam?'

'Ja.'

'Met de secretaresse van de school. Meneer Hastings geeft nu les, maar hij heeft me gevraagd om u te bellen. Is Adam ziek of bent u nog met vakantie? Adam is namelijk nog steeds niet teruggekomen op school.'

Ruth had het gevoel of de grond onder haar wegviel. 'Wat bedoelt u? Ik zag hem vanmorgen in de schoolbus stappen. Wilt u zeggen dat hij gisteren en vandaag niet op school is geweest?' Ze hoorde zelf de paniek in haar stem.

'Helaas wel, ja. U hebt ons altijd ingelicht als Adam afwezig zou zijn, en meneer Hastings hoorde twee van de jongens praten, dus vond hij dat we u moesten opbellen.'

'Praten over Adam? Wat zeiden ze dan?'

'Blijkbaar dat hij helemaal niet meer zou terugkomen op school.'

'Mijn god. Zijn George Woo en Darren Singh op school? Die twee en Adam zijn goede vrienden.'

'Ja, maar als ze al weten waar Adam uithangt, dan willen ze er niets over zeggen.'

'Ik kom nu meteen naar school. Misschien zeggen ze wel iets tegen mij.'

Ruth greep de autosleutels en rende naar haar auto. Dit kon niet waar zijn. Adam die door Birmingham zwierf terwijl hij veilig op school hoorde te zijn. En nu was hij overgeleverd aan pooiers en verslaafden en... Ze zette haar verstand op nul en concentreerde zich op het rijden. Ze had geen idee waar hij gisteren was geweest, omdat ze pas laat uit haar werk was gekomen.

Op school wachtte meneer Hastings, een lange, vermoeid uitziende man, haar al op met George en Darren.

'Als het een ander was geweest dan Adam zou ik u waarschijnlijk niet ongerust hebben gemaakt, maar Adam is niet zo door de wol geverfd als anderen. Dit is niets voor hem. Hebt u enig idee wat hem kan dwarszitten?'

'Ik ben bang van wel. Ik verhuis misschien naar Londen om daar aan een nieuwe baan te beginnen.'

Meneer Hastings glimlachte wrang. 'Het lijkt mij dat hij niets liever zou willen, mevrouw Hallam. Ik denk dat hij zich hier niet helemaal gelukkig voelt. Dat heeft te maken met geaccepteerd worden.'

'Waarom denkt u dat?' Ruth werd opeens kwaad. 'Wordt hij gepest?'

'Wij tolereren geen enkele pesterij.' Ruth hoorde de ironie in zijn stem. Hij aapte blijkbaar de directeur na. 'Adam en de twee jongens daar zijn intelligenter dan de meeste anderen. Ze leren graag en ze kunnen zich goed uitdrukken. Als je hier weet waar je het over hebt, is dat een bedreiging voor degenen die minder begaafd zijn. Helaas geldt dat voor een groot aantal leerlingen op deze school. Uw zoon komt hier niet tot ontplooiing. Als u het zich kunt veroorloven om hem op een andere school te doen, dan raad ik u dat aan. George Woo gaat naar een kostschool en Darren Singh gaat met zijn familie terug naar India. Dit kan invloed hebben gehad op de twee dagen afwezigheid van Adam.' Hij draaide zich om en nam Ruth mee naar de twee jongens die aan het einde van de gang op een stoel zaten. 'Wij hebben dit politiek niet-correcte gesprek nooit gevoerd, tenzij u wilt dat ik word ontslagen en dat mijn pensioen wordt gehalveerd. Kijk maar wat u uit deze twee kunt loskrijgen. Ik ben hier tot halfzes, voor het geval ik van dienst kan zijn. Ik zou het graag willen horen als u hem hebt gevonden.'

Darren Singh was de eerste die het opgaf. George had meer uithoudingsvermogen. 'Hij ging naar de bibliotheek om dingen op te zoeken.'

'Welke bibliotheek? Wat voor dingen?'

'Weet ik niet.'

'Was hij van streek toen hij hoorde dat jullie van school gaan?'

'Dat wel, maar ook opgewonden.'

'Opgewonden?'

'Ja. Net alsof hij iets van plan was.' George gaf Darren een schop.

'Dit is geen spelletje,' beet Ruth hen toe. 'Jullie weten hoe Adam is. Hij is niet opgegroeid in een grote stad zoals jullie, hij is niet zo gewiekst. Als jullie echt zijn vrienden zijn, dan proberen jullie hem te helpen en hem geen gevaar te laten lopen.'

'Hij had het over een school waar hij naartoe wilde. Hij wilde er alles over te weten komen voor hij het tegen u zou zeggen. Hij is helemaal van de kaart omdat hij denkt dat u hem niet naar die school zal laten gaan, maar naar Londen.'

Opeens duizelde het Ruth en ze ging naast hen zitten. *Nee, alsjeblieft, nee.* 'Welke bibliotheek, jongens?'

'Ik denk de streekbibliotheek in Fairfield Road,' zei George vlug.

'Dank je. Jullie hebben Adam niet verraden, geen van beiden.'

Ruth draaide zich om en haastte zich terug naar haar auto. Ze haalde de plattegrond uit haar dashboardkastje. Toen ze bij de bibliotheek was aangekomen, parkeerde ze de auto en haalde een paar keer diep adem.

Adam zat in de leeszaal gebogen over dikke boeken. Ruth slaakte een zucht van verlichting. Hij had een oude trui aangetrokken over zijn schooluniform. Zijn haar viel over zijn gezicht en in de lege zaal zag hij er mager, hoekig en weerloos uit.

Ruth voelde zich afschuwelijk terwijl ze hem gadesloeg. Ze herinnerde zich dat ze tegen haar ouders riep als ze op haar kop kreeg: *ik heb er niet om gevraagd om geboren te worden. Voor mij hoefde het niet!*

Dat gold ook voor Adam, en ze moest luisteren naar zijn angsten en verlangens. Hij bevond zich opeens in een wereld zonder enige zekerheid.

Ruth kende zichzelf. Ze was te egoïstisch om de baan in Londen af te slaan. Dat kon ze niet. Dus moest ze proberen om het allemaal goed te maken voor Adam. Meer kon ze niet doen. Ze zou hem niet in de steek laten, wat het haar ook zou kosten.

Ze ging op de stoel naast hem zitten.

Adam spreidde al zijn bevindingen uit op de keukentafel. Op zijn hoede legde hij Harry's brochure over de Truro School ernaast, en begon zijn moeder uit te leggen wat hij te weten was gekomen over beurzen en wat ze inhielden. Ruth onderdrukte haar verdriet toen haar ergste vrees werd bewaarheid, en dwong zich ernaar te kijken. Ze las alles in drie kwartier door terwijl Adam in bad ging.

Toen hij weer beneden was, zei Ruth opgewekt: 'Ik ben onder de indruk. Je hebt dit heel grondig gedaan. Heb je gezien dat je een beurs kunt krijgen voor elke methodistische school in elke provincie, niet alleen in Truro? Die hebben ze ook in Londen.'

'Dat weet ik. Maar de Truro School heeft vijf muziekbeurzen per jaar, mam. Ik kan proberen er één te krijgen plus één voor een algemene opleiding, waarvoor je toelatingsexamen moet doen. Dan heb ik twee kansen.'

'En als ze de voorkeur geven aan jongens die daar wonen, en als het eens niet lukt? Er zal een hoop concurrentie zijn. We moeten wel realistisch blijven.'

'Harry's oom heeft Harry bijles gegeven in zijn zwakste vakken, en hij heeft oude examens met hem doorgenomen. En muziek is juist iets wat ik altijd heb bijgehouden. Laat me het alsjeblieft proberen. Toe!'

Ruth zuchtte. 'Goed. Ik beloof niets, maar morgen zal ik de penningmeester van de Truro School bellen. Dan krijgen we meer informatie en dan kunnen we de mogelijkheden bestuderen. Wil je in ruil daarvoor alsjeblieft mee naar Londen gaan en een paar particuliere scholen daar bekijken die ook beursen toekennen?'

Adam beet even op zijn lip en knikte toen met tegenzin.

Ruth glimlachte. 'Kom, geef me een knuffel. En laat me niet meer zo schrikken.'

Adam kwam naar haar toe en omhelsde haar. 'Het spijt me. Bedankt, mam. Bedankt.'

'Lieverd, verwacht er nog niet te veel van.'

Toen hij naar bed was, schonk Ruth iets te drinken in. Ze kon zich met geen mogelijkheid vier jaar schoolgeld permitteren. Als Adam geen beurs kreeg, en hij had hier in Birmingham al weinig te verteren, wat moest ze dan?

Waarom was ze zo koppig geweest om Peters aanbod voor Adams school te weigeren toen ze pas met hem getrouwd was? Wat leek dat nu onvoorstelbaar egoïstisch. Wat had haar bezield? Dat Adam intelligent was en het wel zou redden, ook al zat hij in een klas met veel te veel leerlingen? Nee, het was nog veel egoïstischer. Ze had een uitweg gewild voor het geval haar huwelijk met Peter zou mislukken. Ze had financieel niet afhankelijk van hem willen zijn, of bij hem in de schuld willen staan. Nou, goed hoor! Met een beetje meer financiële afhankelijkheid had ze misschien meer haar best gedaan om haar huwelijk met een fantastische, liefhebbende man in stand te houden. Dan had Adam een veilig thuis gehad in plaats van te dromen over kostscholen à la Harry Potter, kilometers van haar vandaan.

Ze besloot om de volgende ochtend meneer Hastings te bellen om te kijken of Adam bijlessen kon krijgen. Ze ging naar haar slaapkamer. De sterren fonkelden aan een wolkeloze avondhemel. Dit was het huis en het leven dat ze zo achteloos als vanzelfsprekend had beschouwd en niet naar waarde had geschat. Haar leven met Peter was niet alleen van haar geweest. Het was ook het leven van Adam en Peter.

Wie kaatst, kan de bal verwachten. Wat een rotspreekwoord. Ze had Adams gevoelens over een vader die hij nooit had gekend, verkeerd ingeschat; en over het feit dat Peter wegging; en over het feit dat hij elke dag zonder te klagen naar een school ging waaraan hij een vreselijke hekel had. Wat verwachtte ze eigenlijk? Natuurlijk verheugde hij zich op het kalme, stabiele leven zoals dat van Bea en James; op de routine en betrekkelijke veiligheid van een kleine school in Cornwall; op de kwetsbare, warme Jenny, de enige persoon ter wereld die hem over zijn vader kon vertellen. De enige persoon die leven en perspectief kon brengen in de centrale, schaduwachtige figuur die de dromen uit zijn jeugd had gedomineerd.

Tom. Een persoon over wie Ruth altijd had gefantaseerd dat hij weer plotseling in hun leven zou komen. En dat had hij gedaan.

45

Toen ik het huisje helemaal had leeggeruimd, kwamen Bea en Loveday, die zo lang ik me kan herinneren voor mam schoonmaakte, me helpen. Ik wilde alles kaal en geschrobd hebben voor ik besloot welke grote veranderingen er moesten komen. Volgens goede Cornishe traditie hielden we het in de familie. Lovedays zoon Roger, die aannemer was als hij niet viste, kwam me advies geven.

Pap was bang dat ik te veel geld zou uitgeven. Ook hij zag dat de muren weggebroken moesten worden. Hij kalmeerde pas toen hij zag dat geen van de muren dragend was. Het huis was gebouwd zoals een kind met lego bouwt. Een grote ruimte was onderverdeeld in vier kamertjes met dunne, behangen wanden die wel stevig leken maar het niet waren.

Roger brak ze binnen een week weg en gooide de brokstukken in een container. Hij legde een grenen vloer aan, en toen gingen pap en ik de binnenkant schilderen met Italiaanse poederverf die ik in een emmer mengde. Nu had ik een open woon- en keukengedeelte, twee kleine slaapkamers en een badkamer, die we lichter maakten door de muur van het toilet ernaast door te breken.

Ik gaf het op om Bea en James ervan te weerhouden me te helpen. Ze vonden het kennelijk leuk en ik vond het spannend om hen te verrassen met mijn kleurenmengsels en hun te laten zien hoe ze bij elkaar konden passen. Binnen enkele weken was het huis onherkenbaar. Ik maakte foto's van elk stadium van de verbouwing om die aan de Australiërs te laten zien.

Ik was dankbaar dat ik het zo druk had. Tegen de tijd dat ik me op bed liet vallen, was ik zo uitgeput dat ik meteen in slaap viel. Ik koesterde deze tijd bij Bea en James. We waren zo'n groot gezin dat ik ze zelden voor me alleen had.

Het weer had niet beter kunnen zijn. Juni en juli waren snikheet, en we werkten dagen in het huisje. 's Avonds zorgde pap voor een barbecue en dan dronken we koude witte wijn in een tuin vol vogelgezang. Mam dutte wat onder een boom en pap ging een poosje vissen.

Voordat we de foto's naar de Australiërs stuurden, opperde pap dat ik het huis opnieuw zou laten taxeren door een makelaar. Ik had gezien hoe de zon naar binnen viel en het licht veranderde. Ik had de wanden geschilderd in een perzikkleur, die naar de keuken toe veranderde in terracotta. Aan de achterkant, waar de takken van de bomen bijna de ramen raakten, had ik bladgroen gebruikt tegen een boog van roestkleurig Toscaans rood. Met de lichte grenen vloerplanken en grotere ramen stond het fantastisch. In stilte was ik dolblij, want ik wist dat ik hier kon wonen.

De mond van de makelaar viel open toen hij het zag. Hij dacht dat ik minstens 50.000 pond aan de waarde had toegevoegd. We berekenden wat ik had uitgegeven, en toen deden we een bod dat pap redelijk leek. Tom had een levensverzekering, en pap vond dat ik het geld verstandig moest beleggen en dat het huis een goede investering zou zijn.

Ik kreeg bijna direct antwoord van Maggies Australische moeder. Ze greep het bod met beide handen aan alsof ze niet kon geloven dat ze zo bofte.

'Was het gemeen om haar niet te laten zien wat we met het huis hebben gedaan?' vroeg ik aan pap. 'Ze heeft het verkocht met in gedachten hoe het was.'

Pap en mam sloegen hun ogen ten hemel.

'O, Jen! Ze hadden er zelf geld in kunnen steken om het huis op te knappen, als ze dat hadden gewild. Wat is het verschil tussen deze transactie en als je het huis in slechte staat had gekocht en het dan had opgeknapt?'

Natuurlijk was dat zo. Alleen viel het me makkelijk om veranderingen aan te brengen, dingen op een bepaalde manier te bekijken en instinctief te weten hoe je bepaalde stoffen moest knippen of welke kleuren en materialen mooi bij elkaar zouden staan. Ik had het gevoel dat ik op de verkeerde manier snel geld had verdiend. Ik had Maggie en Dean aardig gevonden.

Pap schudde lachend zijn hoofd. 'Ik zal nooit een zakenvrouw van je kunnen maken.'

Dat klopte. Ik wist dat er af en toe misbruik van me werd gemaakt. Tom en Danielle waren er soms woedend over geworden. Ik wist ook van wie ik het had: van mijn ouders. Zij zouden nog hun laatste cent weggeven, en hadden dat figuurlijk gesproken ook vaak gedaan. Mijn vader kon alleen maar zakelijk zijn voor zijn kinderen.

Als ik alleen in het huis was, ging ik in mijn korte broek vol verfvlekken op de drempel in de zon zitten, en dan luisterde ik naar de wulpen bij de riviermonding. Ik voelde me een ander mens. De zomer ging langzaam voorbij. Terwijl ik werkte, voelde ik dat Tom bij me was. Ik dacht aan het huis in Londen waaraan we allemaal samen zo lang geleden hadden gewerkt, en ik probeerde met de perfectionistische blik van Tom mijn verbeteringen hier te bekijken. Ik stuurde prentbriefkaarten naar Adam en Ruth en zij stuurden afgezaagde prentbriefkaarten van een drukke stad terug.

Nu het huis bijna klaar was, begon ik het moment uit te stellen waarop ik erin zou trekken en verder zou gaan met mijn leven. Ik kon tegenover niemand toegeven dat ik bang was om alleen te zijn. Soms beefde ik bij de gedachte om in een leeg huis naar bed te gaan en wakker te worden. Ik was nog nooit van mijn leven alleen in een huis geweest.

Ik was bang dat de kleine geest van mijn kind de ruimte zou vullen met haar tegenwoordigheid en me zou terugtrekken in die zware deken van duisternis. Ik was bang voor mijn lichaam, dat snakte naar Tom, en voor zijn stem, die me in stille momenten zou overvallen.

Ik had er zo naar verlangd om alleen te zijn met de twee mensen die ik had verloren, en nu was ik er bang voor. In mijn verwrongen fantasie zag ik dat ik op de een of andere manier Adam hier bij me had. Ik wist van Flo en Danielle dat Adam en Ruth naar Londen waren geweest om een school voor hem te zoeken.

Danielle zei dat Ruth het moeilijk had met het regelen van haar ontslag in Birmingham, en dat het nog moeilijker was om haar huis te verkopen. Ik dacht aan Adam die zijn laatste trimester op school afmaakte. Ik maakte me zorgen over hem. Verandering is zo moeilijk op zijn leeftijd.

Londen en Birmingham leken onmogelijk ver weg voor me. Ik had Adam maar één keer aan de telefoon gehad. Hij klonk moe.

Op een ochtend kwam er een prentbriefkaart van een kokmeeuw. Er stond op:

Lieve Jenny,

Ik hoop dat alles goed met je gaat. Ik zal je heel gauw zien. Mam en ik gaan binnenkort naar Cornwall en we komen naar je toe als je dat goedvindt. Duim alsjeblieft voor me (het is een geheim). Ik heb ook een e-mail naar Harry gestuurd om te zeggen dat ik kom.

Veel liefs,
Adam

46

Als ik Flo vertel over Toms aanbod om mee te doen met de aankoop van het huis, vindt ze het een briljant en verstandig idee, vooral als we gaan trouwen. Ik kan merken dat ze verrukt is. Ze is het met Tom eens om niets tegen Danielle te zeggen tot ze alle mogelijkheden bij elke bank heeft uitgeput.

Zelfs ik weet dat geen enkele bank of hypotheekverstrekker het bedrag zal goedkeuren dat we moeten lenen. Als ze dat wél deden, zouden we opgezadeld worden met een enorme schuld, zonder enige ruimte voor fouten of een slecht zakelijk jaar.

Flo zet haar huis te koop. Ze zal veel meer kunnen bijdragen dan Danielle en ik bij elkaar kunnen schrapen. Pas als Danielle tot wanhoop is gedreven, opper ik voorzichtig het idee dat Tom wel wil meedoen. Haar reactie is volslagen negatief. Ze wil het per se als een zakelijke onderneming zien en ze zou liever van de bank lenen.

De gezondheid van haar peetmoeder gaat echter achteruit, en pas na een weinig belovend taxatierapport en het besef dat we gevaar lopen het huis te verliezen, begint Danielle te aarzelen. Flo's mooie huis in Chiswick wordt snel verkocht, net als het appartement van Tom. Financieel gezien maken zij en Tom het mogelijk om het huis te kopen. Dan uit Danielle haar bezorgdheid omdat Tom de grootste investering doet. Ze denkt dat de rest van ons dan in een kwetsbare positie komt.

Vanaf het moment dat ik haar vertelde dat ik met Tom ga trouwen, begon ik te beseffen dat Danielle een probleem met hem heeft. Ze wil hem niet in ons leven en ik vraag me af wat hij gedaan kan hebben dat ze zo afstandelijk is geworden. Hij doet zó zijn best om te zorgen dat de wettelijke kant ten gunste van ons wordt opgesteld.

Zonder Tom zou het huis een droom zijn gebleven. Dat weet Danielle. Door Tom kunnen we een prestigieus bedrijf hebben en zullen we veel geloofwaardiger worden. Als ik haar vraag wat het probleem is, zegt ze: 'Een scheiding is al erg genoeg voor twee mensen. Als het verkeerd loopt, worden we er alle vier bij betrokken.'

Voor het eerst zie ik dat Flo haar geduld verliest. Ze stuurt me de kamer uit en ik ga de stad in naar een vriendin. Ik voel me ellendig. Het lijkt allemaal opeens op een kaartspel. Niets zal lukken als we niet kunnen samenwonen in vertrouwen en harmonie. Ik ben blij dat Tom op cursus is. Het is kwetsend als iemand de persoon van wie je houdt, niet mag.

Als ik terugkom, ligt Danielle met migraine in bed.

Flo vertelt dat ze een lang gesprek hebben gehad. Danielle is bang dat ze me kwijtraakt, dat alles tussen ons zal veranderen. Dat Tom onze werkrelatie en vriendschap zal bederven. 'Eigenlijk,' zegt Flo, 'stoort ze zich aan het feit dat Tom onze vrouwelijke enclave binnendringt. Ze is een en al onzekerheid. Ik heb haar verteld dat Tom en jij een stel zijn en dat ze eraan zal moeten wennen, of we het huis nu kopen of niet. Ik denk dat ze zelf niet weet of ze jaloers is dat Tom en jij zo verliefd zijn, of dat ze jaloers is omdat Tom jou weghaalt van haar en de zaak.'

'Op deze manier haalt Tom me van niemand of niets weg,' zeg ik.

'Daar heb ik haar ook op gewezen,' zegt Flo nuchter.

Ik heb nooit ruzie gehad met Danielle, en de volgende avond gaan we samen uit. Ze verontschuldigt zich. Ze zegt dat ze nooit van veranderingen heeft gehouden en dat ze wou dat wij tweeën het allemaal alleen hadden kunnen doen. Ze zegt dat ze altijd bang is geweest voor grote verplichtingen of om zich aan iemand of iets te binden. Natúúrlijk heeft ze niets tegen Tom, of tegen het feit dat we allemaal in hetzelfde huis zouden wonen. Ze wil dat ik gelukkig ben. Ze wil dat we allemaal gelukkig zijn. Als we in het donker onvast naar huis lopen, arm in arm, zweren we dat we nooit meer ruzie zullen maken.

Zes maanden later is het van ons. We lopen met ons vieren door het lege huis en schrikken toch wel even. Zonder de zware Franse meubels is angstwekkend duidelijk wat voor werk er gedaan moet worden, zoals het rapport van de taxateur al had voorspeld. We huren een architect in voor de structurele veranderingen, en een aannemer die we vertrouwen.

Na een jaar is Tom zes maanden in Oman, en ondanks het feit dat we nog steeds leven met lagen stof en rommel van de aannemer op de benedenverdieping, ondanks alles wat we nog moeten doen, kan niemand van ons zich voorstellen dat we ooit ergens anders hebben gewoond. Na twee jaar verzwelgt het huis ons en koestert het ons tegelijkertijd. We hebben allemaal onze plaats, apart en samen. Het is gelukt. Het is echt gelukt. Tom keert terug uit Sierra Leone. Na twee jaar en drie maanden ben ik zwanger en begint Tom de kleine kamer naast onze slaapkamer te verven en te behangen. Ik weet niet wie meer opgewonden is: ik, Tom, Flo of Danielle. Deze baby zal verwend worden.

47

Ik trok die week in het huis met verschillende meubelstukken. Ik zorgde ervoor opgewekt te doen in het bijzijn van Bea en James. Ik ging inderdaad verder, maar het was niet zo makkelijk als ik had gedacht. Ik wist dat ik een reden moest vinden om 's morgens op te staan. Ik wist dat ik nog steeds als een baksteen kon zinken. Bea en ik stortten ons op boekwinkels en ik kocht een heleboel romans en kunstboeken, potloden en blanco papier.

Ik keek naar mezelf terwijl ik gretig inkocht, maar in mijn hart wist ik dat ik niets ervan voorlopig zou aanraken. Het was net of ik een vreemd spel met mezelf speelde.

Bea was sluw; ze reed met me naar Truro en we kochten rollen lichte katoen in lichtgeel en crème met bloemetjes om er gordijnen van te maken. Terwijl ik de tere stof tussen mijn vingers liet glijden, voelde ik instinctief genoegen bij de gedachte er iets van te maken.

Op mijn eerste dag in mijn nieuwe huis werd er een groot boeket bloemen bezorgd. Het was van Paolo Antonio. Danielle had het hem zeker verteld. Ik was geroerd dat hij nog wist dat ik van witte lelies hield, ondanks hun pijnlijke associatie.

Bea wilde de eerste week bij me blijven, maar ik wist dat ik dit alleen moest doen. Pap bracht champagne en Bea heerlijke grote garnalen en stokbrood en salade, en we proostten op het huis en op de toekomst. Ik liet me in een heerlijke, door de champagne veroorzaakte bedwelming op bed vallen en werd pas wakker toen de zon over mijn bed scheen. Het was goed. Meer dan goed.

Ruth en Adam kwamen zaterdagochtend, onverwacht. Ik schrok toen ik zag hoe mager Ruth was.

'We konden je niet bellen, maar Bea en James zeiden dat je hier was,' zei ze terwijl onze wangen elkaar even raakten.

'De telefoon komt volgende week. Gaat het, Ruth? Je bent afgevallen.'

Ze glimlachte. 'Prima. Het leven is alleen een beetje meedogenloos op het moment. De Fayad Groep beult me af om me in te peperen dat ik ontslag heb genomen. Het huis in Birmingham wordt maar niet verkocht en Adam en ik hebben het vreselijk druk met onze spullen in kisten pakken.'

Toen draaide ik me om naar Adam. Ik was zo blij hem te zien dat de tranen in mijn ogen sprongen. Hij kwam naar me toe en omhelsde me stevig. Ik merkte dat hij in een paar weken tijd langer was geworden dan ik.

Vervolgens zette ik koffie en ze liepen vol bewondering door mijn kleine domein.

'Wauw!' riep Adam steeds. 'Wat gaaf!'

'Heel mooi,' zei Ruth. 'Het is fantastisch, Jenny. Je hebt nog steeds dat flair om dingen samen te voegen. Ik voel me zo fantasieloos.'

'Pff!' zei ik in een imitatie van Danielle. 'Ik heb gehoord van de zakenideeën die je Flo en Danielle hebt voorgelegd. Ze zijn dolblij dat je zo efficiënt bent en vooruitdenkt.'

Ik zag dat Adam popelde om me iets te vertellen, en ik grinnikte naar hem. 'Oké, voor de draad ermee! Wat is dat voor geheim waarover je het had op je briefkaart?'

Hij lachte. 'Raad eens, Jenny! Vorige week ging ik naar de Truro School om een muziekbeurs aan te vragen. Ik moest op twee instrumenten spelen, de piano en de klarinet, én een schriftelijk examen doen. Dat was heel moeilijk. Gisteren ging ik terug om toelatingsexamen te doen. Daarom zei ik dat je moest duimen, maar het zal nog wel een poos duren voor ik weet hoe ik het heb gedaan.'

Sprakeloos staarde ik hem aan. Toen ging ik abrupt zitten en draaide me om naar Ruth.

Haar gezicht was uitdrukkingloos. 'Adam wilde intern op de Truro School en ik heb erin toegestemd dat hij een beurs probeert te krijgen, zolang hij blijft openstaan voor scholen in Londen. Ik heb hem veel liever bij me in Londen, maar in elk geval heb ik het huisje hier en ik kan regelmatig hier naartoe komen, als hij wordt toegelaten.'

Buiten hoorde ik James, en Adam holde naar hem toe om hem zijn nieuws te vertellen.

'Het is van belang dat Adam gelukkig is en een geregeld leven heeft,' zei Ruth met een triest gezicht.

'Wat gebeurt er als hij de beurs niet krijgt?'

Ze haalde haar schouders op en glimlachte. 'Met mijn inkomen is een beurs maar vijfentwintig procent van het schoolgeld. Dat beseft Adam niet. Ik zal het geld van de verkoop van het huis moeten gebruiken. Ik heb grote problemen gehad met Adam. Als ik er niet in had toegestemd dat hij die beurs probeerde te krijgen, zou het helemaal uit de hand zijn gelopen met hem. Ik had geen keus. Er is weinig hoop dat hij zelfs met een particuliere school in Londen zal instemmen. Hij is vastbesloten dat hij in Cornwall wil wonen en naar school wil gaan met Harry.' Toen pap en Adam over het tuinpad naar de deur liepen, voegde ze er vlug aan toe: 'Ik denk dat Adam een goede kans maakt om aangenomen te worden. Hij heeft ontzettend hard gewerkt. Zijn klassenleraar is zo aardig geweest om hem veel bijlessen te geven, en hij heeft ook extra muzieklessen gehad. Elke dag heeft hij urenlang vlijtig geoefend.' Opeens stroomden de tranen over haar wangen.

Ik sprong op toen James bij de deur was. 'Pap, wil jij vast met Adam naar huis gaan voor de lunch? Ruth en ik komen zo.'

Pap zag Ruths ineengedoken gestalte, knikte, draaide zich om en zei joviaal tegen Adam: 'Meisjespraat! Ga mee naar Bea, dan kun je haar je nieuws vertellen.'

Ik ging naar Ruth en legde voorzichtig een hand op haar arm. Ze was heel gespannen en ze kon niet ophouden met huilen. 'Je bent moe,' zei ik. 'Heel erg moe, Ruth.'

Ze knikte. 'Sorry. Dit is helemaal niets voor mij. Of in elk geval voorheen niet.'

'Waarom heb je in je eentje strijd geleverd met Adam? Waarom heb je ons niet gebeld?'

'Het is míjn probleem, Jenny.'

Ik ging mijn tissues halen. 'Ga even op mijn bed liggen en een paar uurtjes slapen als je zo uitgeput bent.'

'Mag dat?'

Ik glimlachte. 'Natuurlijk. Vooruit, kruip onder de dekens. Ik zal wat soep voor je maken; dat is mijn voornaamste dieet.'

Ze ging naar mijn slaapkamer en toen ik naderhand binnenkwam met het dienblad met soep, lag ze boven op het bed in haar spijkerbroek, grauw van vermoeidheid.

'Als je dit op hebt,' zei ik, 'slaap je maar zo lang je wilt.'

'Ik zal het proberen, maar alleen als je me hier gewoon laat liggen en gaat lunchen met je ouders en Adam. Toe. Ik zal wel slapen als ik alleen ben. Heerlijk.'

'Goed,' zei ik. 'Heb je je mobiele telefoon?'

'Ga nou maar.' Ze glimlachte. 'Hou op met bemoederen.'

'Het is nu mijn beurt om te bemoederen.'

Ik holde het pad af naar mijn auto. Het leek alsof een schaduw over me heen was getrokken en ik weer in het licht was.

48

Peter vloog naar Birmingham om het contract voor de aanstaande verkoop van het huis te ondertekenen en om de verhuizing van de rest van zijn spullen te regelen. Het huis was eindelijk verkocht aan een weduwe die er contant voor wilde betalen, maar dan op heel korte termijn. Ruth noch Peter wilde de verkoop kwijtraken.

Hij keek schuldig naar de muren zonder schilderijen en de verhuiskratten in elke kamer. Een bleke, uitgeputte Ruth en een geagiteerde Adam wachtten hem op, en hij liep naar zijn vroegere werkkamer om te bellen. Een halfuur later kwam hij naar de keuken. 'Het spijt me, Ruth, maar ik duld geen tegenspraak. Ik heb voor ons allemaal een kuurhotel aan de Helford besproken. Ik ga daar nog een week zeilen met een vriend. Adam en ik gaan elke dag op pad en dan kun jij een hele week heerlijk niets doen.'

Ruth opende haar mond om te protesteren.

'Beschouw het als een bedankje. Jij hebt alle rompslomp gehad met de verkoop van het huis en al het inpakken. Ik had moeten komen om je te helpen en ik voel me vreselijk schuldig. Het zou ook fijn zijn om wat tijd met Adam door te brengen. Hij moet er ook even uit.'

O god, wat zou dat heerlijk zijn. Ze had een onderbreking nodig voor ze haar werk in Londen zou beginnen. Adam was verrukt van het idee, maar ongerust over de brief die nu elke dag van de Truro

School kon komen. Ruth belde de penningmeester op en gaf hem het nummer van haar mobiele telefoon en de naam van het hotel.

Op een middag ging haar telefoon toen ze bij het zwembad lag met uitzicht op zee. Terwijl ze luisterde naar de stem aan de andere kant van de lijn die Adam feliciteerde, voelde ze een golf van pure trots die haar verraste. Ze hoorde zichzelf hardop lachen. Adam verdiende dit werkelijk. Hij had zo zijn best gedaan en hij had alles tegen gehad. Ze stond op en ging champagne bestellen.

Toen Adam en Peter terugkwamen, zongebruind en met zout op hun huid, was het eerste wat Adam vroeg: 'Heeft er nog iemand gebeld, mam?'

Ruth wenkte de ober en rekte zich uit. 'Of er iemand heeft gebeld? Eh... o ja, dat is waar. Jij,' zei ze nonchalant, 'hebt zojuist de Daniel Hammett Muziekbeurs gewonnen ondanks de enorme competitie!'

Adam trok wit weg en ging abrupt zitten. 'Echt waar? Meen je het, mam? Je maakt toch geen grapje?'

'Ik maak geen grapje! Ik meen het. Kijk, daar komt de champagne als bewijs. Een brief van de Truro School ligt in het huisje op ons te wachten.' Ze ging naar hem toe en omhelsde hem. 'Knappe jongen die je bent! Ik ben zo trots op je, Adam. Je was zo vastberaden en het is je gelukt!'

'Van wie zou hij dat toch hebben?' zei Peter terwijl hij de champagne inschonk. Ze hieven hun glazen. 'Goed gedaan, Adam! Dat is een heel prestigieuze prijs.'

Adam grinnikte opgelaten en kon niet ophouden met grijnzen. Hij nam een grote slok champagne, verslikte zich, werd groen en rende naar het toilet, waar hij overgaf. Hij leunde tegen de muur en beefde van opluchting. Hij wist dat hij had moeten instemmen om naar een school in Londen te gaan als hij het niet had gehaald. Het schoolgeld was astronomisch hoog, en dat nog zonder kost en inwoning. Hij had niet van zijn moeder mogen verlangen om dat te betalen.

Terwijl Ruth wachtte tot hij weer naar buiten kwam, wist ze dat ze Adams leven voor zich uiteen zou hebben zien vallen als het antwoord anders was geweest.

Toen Adam was verdwenen om te gaan douchen en Harry te bellen en Jenny, zo vermoedde ze, vroeg Peter: 'Hoe zul je het vinden om voor het eerst zonder Adam te wonen?'

'Vreselijk, verwacht ik. Ik heb een grote fout gemaakt door erop te staan dat hij naar die vorige school ging. Ik moet proberen om dat goed te maken en denken aan wat Adam wil, en hij wil Cornwall. Hij heeft het bereikt door wilskracht en hard werken, en dat moet ik respecteren.'

'Hij is beslist een jongen voor het platteland. Je had hem op de boot moeten zien, met de verrekijker in de aanslag, dolgelukkig. Het was heerlijk om de spanning uit hem te zien verdwijnen. De beurs zal natuurlijk helpen, maar met het geld voor kost en inwoning wordt het zeker wel krap?'

'Ik red het wel. Ik zal mijn aandeel van het huis erin stoppen, en Danielle betaalt me goed.'

'Dat houdt in dat je geen huis meer hebt. Als die baan nu eens tegenvalt en je wilt weg?'

Ruth lachte. 'Ik heb mijn huisje in Cornwall.'

Peter glimlachte. 'Dat is zo. Ga je mee zwemmen?'

Ruth lag een week lang elke dag bij het zwembad en las en sliep. Ze maakte gebruik van alle behandelingen die het kuurhotel bood en ze voelde zich heerlijk verwend en decadent. Ze begon weer op gewicht te komen en ze voelde de uitputting van zich afglijden. Ze betrapte zichzelf erop dat ze glimlachte zonder reden.

Op een ochtend lachte Adam naar haar. 'Je ziet er zo blij uit, mam. Ik heb je nooit eerder niets zien doen. Het is gewoon griezelig.'

Ruth dacht: *wat houdt geluk zichzelf in stand. Ik moet eraan terugdenken en het niet vergeten, want ongelukkigheid is ook aanstekelijk en kan een gewoonte worden.*

Op hun laatste dag in het hotel was er een dansavond. Adam ging met een paar Amerikaanse tieners op het strand barbecueën.

Opeens zei Peter scherpzinnig: 'Maak wat van de toekomst, Ruth, voor jou en Adam. Die nieuwe baan klinkt fantastisch, maar je gaat in Jenny's huis wonen bij Jenny's vriendinnen en collega's. Adam zal Jenny en haar familie waarschijnlijk vaker zien dan jou buiten de vakanties. Als je reëel bent, kun je niet naar Cornwall op elke vrije dag die hij heeft. Adam moet dan wel de school uit. Ben je daartoe bereid? Heb je er goed over nagedacht?'

Ruth, die zich op de maat van de muziek bewoog, wist dat eigenlijk niet. De schaduwen waren terug, als verre stemmen uit een andere kamer, zwak maar volhardend. Ze moest de realiteit onder ogen zien en de gevolgen van wat Adams beurs werkelijk inhield. Ze vermeed het om haar gevoelens te onderzoeken over iets wat zo snel leek te zijn gebeurd.

Peter zei vriendelijk: 'Je moet het voor jezelf allemaal duidelijk hebben. Ergens voel ik me verantwoordelijk. Ik ben bij je weggegaan en dat heeft de beslissingen bepaald die je hebt genomen.'

Ruth keek hem aan. 'Je bent bij me weggegaan omdat ik je niet gelukkig maakte, en...' Ze zweeg.

'Anders zou jij wel bij mij zijn weggegaan,' maakte Peter met een wrang glimlachje de zin voor haar af.

Ze gingen terug naar hun tafel, pakten hun glas en liepen de tropische tuin van het hotel in. Het rook er naar kruiden en zeewier, en de krekels klonken luid in het donker achter het zwembad.

'Hoe gaat het met je?' vroeg ze. 'Je familie zal wel dolblij zijn dat je bij hen bent.'

Peter deed een grappige imitatie van zijn Joodse moeder, en toen zei hij: 'Ik ga een eigen huis kopen. Ik ben te oud om thuis te wonen, ondanks de smeekbeden van mijn moeder.' Hij zuchtte. 'Het is moeilijk om relaties te krijgen als je ouder bent. Misschien heb ik vastgeroeste gewoontes. Nou ja, laten we zeggen dat het niet helemaal zo is gegaan als ik had gehoopt. Het is moeilijk om dingen te delen.' Hij sloot zijn ogen en haalde diep adem. 'Ik wil gewoon ouderwets een vrouw en een kind. Dat klinkt niet ingewikkeld, maar dat is het kennelijk wel.'

Ruth voelde zich triest. Ze wist niet wat ze moest zeggen. Opeens pakte Peter haar hand. 'Ik heb zonet jou lopen vertellen wat je met je leven moest doen. Nu weet je waarom. Dat moet ik ook, waar is het anders allemaal goed voor geweest? Waar is het allemaal goed voor geweest?' Ze keken elkaar zwijgend aan. Toen zei Peter: 'Kom, laten we nog een keer dansen en dan gaan we Adam halen.'

Onder het dansen zei Ruth: 'Dank je voor deze week. Die had ik echt nodig. We zijn toch nog goede vrienden, Peter?'

'Dat zijn we zeker.' Hij keek glimlachend op haar neer terwijl ze dansten.

'Waarom glimlach je zo naar me?'

'Omdat je behalve mijn goede vriendin nog steeds mijn vrouw bent en ik je nog steeds heel aantrekkelijk vind.'

Ruth lachte. 'Breng me niet in de verleiding! Dat zou niet goed zijn, Peter. Ik ben alleen op papier je vrouw. We moeten allebei verder. Dat weet je. Laten we niet het risico nemen deze week te bederven. Je hebt al tegen me gezegd dat we wat van ons leven moeten maken.'

'Dat is zo.' Peter gaf een kus op het puntje van haar neus. 'Dat is zo.'

Terwijl ze naar het strand liepen, zei Ruth: 'Pete, maak als je erop terugkijkt niet meer van mij of ons huwelijk dan het was. Dat gebeurt snel, vooral als het even niet goed gaat. We hebben nu waarschijnlijk een hechtere band dan toen we nog samen waren.' Ze bleef staan en draaide zich naar hem toe. 'Als je de scheiding niet in gang zet, zal eenieder met wie je op een gegeven moment bent, zich onzeker voelen en twijfelen aan wat je echt wilt.'

Peter keek schuldbewust. 'Dat weet ik. Ik weet dat ik het moet doorzetten. Ik dacht alleen dat ik drie jaar zou wachten. Dan is de scheiding automatisch een feit.'

'Maar een van de redenen waarom je wegging, was omdat je bij een ander wilde zijn.'

'Ja,' zei hij triest.

Ruth legde haar wang tegen de zijne. 'Ga terug en zet de scheiding in gang. Ga terug en probeer het opnieuw.'

'Dank je,' zei Peter. Hij zuchtte. 'Het zijn heerlijke dagen geweest, Ruth. Die had ik ook nodig.'

Adam kreeg hen in het oog en zwaaide. Hij zag er blozend en blij uit. Toen Peter naar hem keek, dacht hij: *ik wil kinderen van mezelf. Ik moet zorgen dat het lukt daar, dat moet ik. Maar het is zo moeilijk om deze twee los te laten. Zo moeilijk.*

49

Ik werd vroeg wakker in mijn huis en lag dan in bed te luisteren naar de wulpen en de zangvogels in de tuin. Ik kon ze over het kleine gazon zien huppen en de talloze voederplanken verkennen van de oude Nelly.

In de tuin ernaast stond een enorme Californische cipres. De grote takken waren gebogen door de meedogenloze wind en sommige moesten zijn gespleten en afgehakt, want er waren open plekken in de stam alsof er tanden misten. De boom was zo breed dat het leek of hij naar alle kanten reikte om de lucht te bedekken. Hij was onthutsend mooi; de bovenste takken waren platgedrukt door de wind. Hij leek net een Afrikaanse acacia midden in de woestijn. 's Avonds als de zon erachter onderging, kregen de takken een zilveren kleur. Ik was zo bang dat iemand hem zou willen kappen. Dat gebeurde zo vaak. Mensen uit de stad kochten een huisje, of er kwamen project-ontwikkelaars, en die zagen alleen een boom die hun zonlicht tegenhield, of wiens stam de plaats innam voor nog een huisje. Ze deden niet eens of het hun iets kon schelen dat bomen van honderden jaren oud hier meer recht hadden dan de meedogenloze wedstrijd om van elk dorp een uniforme wijk te maken.

Het was lang geleden dat ik naar de geluiden had geluisterd van een nieuw aangebroken dag. Mijn geest werd er helder door, er kwam ruimte voor rust, maar ook voor verdriet.

In mijn afgezonderde eerste paar weken in het huisje voelde ik een ondefinieerbare groei en expansie, alsof ik onbewust begon te accepteren dat de pijn die ik meetorste, nooit zou weggaan maar een deel zou worden van wie ik was. Mijn gedachten waren vaak scherp en levendig terwijl ik begon voort te kruipen naar een toekomst zonder Rosie en Tom, de twee mensen die me hadden verankerd aan zoveel geluk, een geluk dat ik nooit als vanzelfsprekend durfde te beschouwen vanwege Toms werk.

Het werd september en het licht begon te veranderen. De bladeren verloren hun kleur en krulden op, met bruin geworden randen. Slechts enkele dappere vakantiegangers zaten nog in groepjes op het strand en keken naar het hoge doodtij.

Soms stond ik vroeg op en liep dan over de verlaten riviermonding die nog kleurloos was, zwart en wit met de zon nog gevangen achter de mist. Zeevogels stegen in wolken vol veren voor me op en scheerden in een cirkel weg, als stille minivliegtuigen.

De zee was als lood en zo stil als glas. Ik vond het heerlijk om mijn gevoelens na te gaan op het wateroppervlak, in de wetenschap dat, als ik me afwendde, mijn donkere gedachten zouden verdwijnen als een rimpeling, geluidloos zouden wegzinken in de eindeloze diepte van deze periode van mijn leven die ik probeerde te doorgronden.

Elke dag belde Bea of James, Danielle of Flo me, omdat ze niet vertrouwden op mijn vermogen om het alleen te doorstaan. Zelfs in mijn zwartste momenten besefte ik hoe ik bofte dat ik hen had. Die onvoorwaardelijke liefde verwarmde me en gaf me hetzelfde gevoel van verwondering als mijn boom of als het klagende, aanzwellende geluid van de wulpen. Of als Adam.

Terwijl ik terugdacht aan mijn leven met Tom – wat ik de hele tijd deed, nu ik eindelijk alleen was – leek het een dierbaar, heilig verhaal dat ik samenstelde voor Adam. Ik wilde dat alles er was voor hem, dat niets werd weggelaten, zodat het hem altijd zou bijblijven, een levendig, onuitwisbaar beeld van zijn vader.

Er heerst een hittegolf op de dag dat we trouwen in de parochiekerk van St. Ives. De straten staan vol mensen als de trouwauto over Tregenna Hill naar beneden rijdt. Iedereen kent James. Sinds hij begon te werken heeft hij altijd in St. Ives gewoond. De meeste oudere mensen hebben al zijn kinderen zien opgroeien. In deze auto voelen we ons een beetje als de koninklijke familie. Ik zwaai aan de ene kant van de auto uit het raam, pap aan de andere. We krijgen allebei de slappe lach.

De deuren van de kerk staan open vanwege de hitte. De kerk zit bomvol, en mensen verdringen zich in de smalle straten buiten. Het lijkt wel of iedereen, vakantiegangers en inwoners, besloten hebben om opgewekt mee te doen vanaf de deuren en hoeken van de kerk.

Danielle heeft mijn trouwjurk ontworpen. Hij is bedrieglijk eenvoudig en prachtig van snit, net als de jurk waarin Tom me voor het eerst zag. Deze keer hebben Danielle, Flo en alle meisjes er ontelbare pareltjes op genaaid. Om het middel is een smal, zijden lint kruislings bevestigd. De pareltjes weerkaatsen het licht en het lijkt wel alsof ik uit de auto zweef als een zeemeermin, met de helderblauwe lucht boven me en een glimp van de diepblauwe zee als ik naar de kerk loop.

Mijn haar is te weerbarstig voor een sluier, en die zou ook ongepast zijn, gezien de tijd die Tom en ik in bed doorbrengen. Danielle heeft een kleine tiara gemaakt van witte zijden rozen en er nog meer met speldjes in mijn haar bevestigd.

Als ik in de kerk kom waar ik ben gedoopt en het vormsel heb gekregen, met mijn twee blonde nichtjes als bruidsmeisjes, houden de mensen hoorbaar hun adem in. Ik hoop van harte dat Danielle het hoort. Ik weet niet meer hoeveel uren ze tot na middernacht aan deze jurken heeft gewerkt. Een onbaatzuchtig gebaar van liefde.

Als ik bij Tom kom, zie ik dat zijn handen beven. Ik ben laat. Ik ben altijd laat. Dacht hij dat ik niet zou komen? Zijn ongelooflijk violette ogen worden groot als hij me ziet. *Wat hou ik van hem.* Ik steek mijn hand uit. Hij pakt die aan alsof ik elk moment kan breken, en hij slaakt een zucht als we ons omdraaien naar het altaar.

In de kerk hangt de zware geur van witte lelies en wierook, van witte en roze rozen, allemaal mijn lievelingsbloemen. Bea en mijn zussen hebben de kerk versierd en het is prachtig. Ik beleef de dienst alsof ik zweef, en als in een moment van trance blijken we getrouwd te zijn. Ik wil het allemaal overdoen en elke seconde van de dienst echt beleven.

We lopen naar buiten tussen Toms erewacht door, die veel opzien baart in hun gala-uniform en sporen. Dan lopen we hand in hand tussen de menigte door naar het strand bij de haven voor de trouw-foto's, op de voet gevolgd door zijn getuige en andere officieren, die regelrecht afstappen op The Sloop en een biertje.

'Waag het niet!' mompel ik.

'Ik moet er niet aan denken, vrouwtje,' zegt hij.

Ik kijk naar Toms ouders terwijl ze met ons poseren voor de foto's. Zijn vader is nogal bruusk en ontzagwekkend, maar zijn moeder is kalm en ongedwongen. Terwijl de bruidsmeisjes met mij op de foto gaan terwijl we op de zeewering zitten, zie ik Tom naar Danielle lopen. Hij buigt zich voorover en zegt iets tegen haar. Dan trekt hij haar plotseling tegen zich aan in een stevige omhelzing. Hij zegt tegen haar hoe mooi mijn trouwjurk is. Ik zie dat ze bloost van ge-noegen. Ik zie dat ze zijn omhelzing beantwoordt en zie ook wat ze hoopt dat niemand zal zien: er staan tranen in haar ogen. Met een brok in mijn keel wend ik me af. Het mooiste huwelijkscadeau dat ik me kon wensen, is dat mijn beste vriendin en mijn man vrienden zijn.

We wandelen de heuvel op naar Tredrea en de feesttent in de tuin. Bea is in paniek over de cateraars en James kalmeert haar. De droomachtige dag gaat over in de avond, en als het dansen begint zien Tom en ik hoe onze vrienden het lachend en giechelend met elkaar aanleggen. Wij zijn nu deugdzaam getrouwd. Dat alles ligt achter ons.

We lopen samen naar de rand van de tuin en kijken hoe de zon ondergaat op onze trouwdag. Het was zo volmaakt. Het weer, vrien-den en familie die goed met elkaar konden opschieten; het eten, de toespraken. Alles.

Morgen vliegen we naar Maleisië met de ouders van Tom. We hebben tien dagen samen op het eiland Pangor Laut, vervolgens een week voor Tom met zijn familie, waarin hij gaat golfen en naar de Club gaat met zijn vader en kostbare momenten doorbrengt met zijn moeder.

Zodra we weer thuiskomen, zal Tom naar Noord-Ierland vertrek-ken. Om de activiteiten van de IRA-leden in de gaten te houden die zich verzetten tegen een vredesproces, vermoed ik. Hij heeft een paar maanden in Londen gewerkt en dat was heerlijk. Hoe kan ik verdragen dat hij weer weggaat?

Tom omhelst me. Zijn stem klinkt vol emotie. *Dit is de mooiste dag van mijn leven geweest,* zegt hij. *Ik heb alles en iedereen van wie ik het meeste hou bij elkaar op een prachtige, onvergetelijke plek. Wat een geluk hebben we, mijn liefste Jen. Dit moeten we nooit vergeten. Dat we zo'n geluk hebben.*

Ik denk dat ik alle afwezigheid kan verdragen. Door de vreugde en de wetenschap dat ik zojuist met een heel bijzonder iemand ben getrouwd.

50

Ruth reed met Adam naar Cornwall om met zijn huismeester te praten en een rondleiding door de school te krijgen voor het nieuwe schooljaar begon. Cornwall was op zijn natst, en Adam durfde niet aan Ruth toe te geven hoe nerveus hij was, nu de eerste schooldag naderde.

Terwijl ze om de schoolgebouwen op de heuvel liepen met uitzicht op de stad, kreeg hij zijn gevoel van opwinding en ongeloof weer terug dat hij werkelijk op deze school was toegelaten. Pas toen ze bij de slaapzalen kwamen en hij werd geconfronteerd met de realiteit van met groepen slapen, raakte Adam opeens in een redeloze paniek.

De slaapzalen bevonden zich in aparte gebouwen met een inwonende huismeester en diens echtgenote. Er was een gemeenschappelijke kamer met een magnetron en een broodrooster. De kamers waren klein, met drie of vier bedden. Niet zoals hij zich had voorgesteld, met lange rijen bedden, maar zonder echte privacy. Hij had amper plek voor zichzelf. Adam voelde het zweet uitbreken op zijn voorhoofd. Hij had nog nooit met iemand een kamer gedeeld, en op zijn dertiende leek het volslagen vreemd en benauwend.

Ruth had hem gadegeslagen, en toen zijn huismeester hem wegstuurde met zijn muziekleraar, zei ze: 'Ik denk dat Adam moeite zal hebben met het intern wonen. Hij is enig kind en gewend aan zijn privacy. Hij heeft veel tijd alleen doorgebracht.'

'Het zal Adam beslist moeilijker vallen om zich op een kostschool aan te passen dan wanneer hij op jongere leeftijd bij ons was gekomen. De eerste paar weken zijn moeilijk voor alle leerlingen, tot ze vrienden maken. Probeer u niet ongerust te maken. Adam is een intelligente jongen en hij zal zich vast snel aanpassen.' De huismeester schonk koffie in voor Ruth. 'We stellen wel voor dat ouders pas na twee of drie weken hun kinderen mee naar buiten nemen, opdat ze zich kunnen schikken naar de schoolroutine.' Hij glimlachte toen hij haar bezorgde gezicht zag. 'Maakt u zich alstublieft geen zorgen, mevrouw Hallam. Kostschool – een poos weg zijn van huis – is uitstekend voor jongens zonder broers of zussen. Dan kunnen ze volledig integreren in het schoolleven en een wereld ervaren die mannelijker georiënteerd is.'

Ruth wist dat hij eigenlijk jongens zonder vader bedoelde, jongens die vastzaten aan alleenstaande moeders, en ze was een beetje geïrriteerd. Het versterkte haar vooroordelen over particuliere jongensscholen, ook al waren die nu gemengd.

Adam kwam lachend terug, blij met de muziekkeuze voor het aanstaande trimester. De muziekleraar gaf Ruth een hand. 'Ik vrees dat we veel van uw zoon zullen vergen. Behalve het huiswerk zijn er elke dag muziekoefeningen, maar uw zoon heeft talent en hij is enthousiast, en we zijn blij dat hij hier is.'

Toen ze afscheid namen, herhaalde Ruth dat ze wel in Londen werkte, maar dat ze een vakantiehuis in Truro hadden en dat ze regelmatig zou komen om Adam mee te nemen. Ze had al verteld over Bea en James, en ze had hun adres aan de school doorgegeven voor noodgevallen.

'Is dat dokter Brown die huisarts is geweest in St. Ives?' vroeg de huismeester.

'Ja,' antwoordde Ruth. 'Als kind heb ik in St. Ives gewoond en ze zijn altijd heel aardig voor me geweest.'

'Ik ken de familie. Hun zoon kwam hier op school toen ik net als leraar begon. Ben, heette hij toch? Hij was een eigenzinnige, aardige jongen te midden van een heleboel meisjes. Hij was me er eentje! Ik denk dat dokter Brown en zijn vrouw het heel jammer vonden toen hij emigreerde.'

'Ik was bevriend met hun jongste dochter, Jenny. Ben was ouder en ik heb hem nooit goed gekend. Hij was altijd aan het surfen of hij zat op de universiteit,' zei Ruth. 'Ik was bijna vergeten dat iedereen in Cornwall elkaar kent.'

'Dat is zo!'

De huismeester gaf haar een hand, en toen ze terugreden naar het huisje, zei Adam opeens: 'Raar, hè? Als jij een baan in Cornwall had, kon ik elke avond naar huis lopen of fietsen.'

Ruth keek naar hem. 'Lieverd, heb je bedenkingen?'

'Echt niet, mam. Ik kan niet wachten. Je hebt het muzieklokaal gezien. Te gek! Ik vind het alleen niet leuk om bij andere jongens te slapen met hun zweetvoeten, of om te horen hoe ze scheten laten en snurken.'

Ruth lachte. 'Wat een aanlokkelijk beeld!'

Toen ze in het huisje waren en Adam brood roosterde, zei Ruth: 'Adam, je weet toch dat ik niet genoeg geld zou verdienen als ik hier ging wonen. Ik vind het vreselijk dat je ergens anders woont, dat zal zo moeilijk zijn.' Ze zag een behoedzame uitdrukking op zijn gezicht komen, alsof hij bang was dat ze sentimenteel zou worden of lyrisch over weekends en vakanties in Londen.

Na de vakantie in Cornwall hadden ze even in Londen gelogeerd. Danielle was uit haar appartement getrokken zodat Ruth en Adam samen tijd konden doorbrengen. Ruth had het zo kunnen regelen dat ze 's morgens werkte omdat Adam tot laat in bed bleef lezen, en als hij eindelijk opstond, ging hij uren oefenen op zijn klarinet.

In de middagen had Ruth hem bezienswaardigheden laten zien. Adam was beleefd en geïnteresseerd geweest, maar nergens echt enthousiast over. Zodra ze terug waren in het appartement verdween hij naar de slaapkamer en pakte zijn boek of een muziekinstrument. Ruth had sterk de indruk dat hij vastbesloten was zich niet te amuseren, dat hij met opzet afstand wilde scheppen tussen hem en haar leven in Londen. Hij wilde er geen deel van uitmaken.

Ten slotte zei Flo voorzichtig: 'Ruth, neem Adam een week mee naar wat hem leuk lijkt. Als hij eenmaal op school zit, kom dan terug en dan begin je goed.'

Ruth had hem meegenomen naar Spanje. Daar had ze een vriendin van vroeger die een villa met zwembad had. Nu het huis in Birmingham verkocht was, had ze zich ontheemd en kwetsbaar gevoeld. Adam had het leuk gevonden, maar hij was duidelijk de tijd aan het doden.

Nu keek hij haar lachend aan en zei: 'Het is goed, mam. Je weet dat je een stadsmens bent. Omdat ik hier naar school wil gaan, wil dat niet zeggen dat ik vind dat jíj in Cornwall moet wonen. Het is alleen toevallig dat het huisje vlak bij de school is, en...' Hij aarzelde. 'Ik maak me zorgen omdat jij kost en inwoning voor me moet betalen. Ik wou dat dat niet hoefde.'

Ruth schonk twee bekers thee in en overhandigde hem er één. 'Je hoeft je geen zorgen te maken. Het huis is uiteindelijk voor een goede prijs verkocht, dus er is niets aan de hand.'

Ze hoorde een klank in haar stem komen die ze haatte. 'Je zult het ontzettend druk krijgen, lieverd, maar ik hoop dat je me toch een beetje zult missen. Dat jij hier woont en ik in Londen zal heel vreemd zijn.'

Adam propte geroosterd brood met marmite in zijn mond en mompelde iets wat ze niet kon verstaan. Toen hij zijn mond leeg had, zei hij: 'Natuurlijk zal ik je missen, mam. Het zal in het begin vreemd voor je zijn tot je eraan gewend bent, maar ik kon merken dat je het leuk vond bij Flo en Danielle. Je wilde die baan graag en je houdt van Londen en zo, dus het komt wel goed. Maak je geen zorgen over mij. Ik kan...' Hij zweeg en stond op. 'Ik ga naar buiten om verbinding te krijgen. Ik denk dat ik Harry even ga bellen. Kunnen we morgen naar St. Ives als we klaar zijn voor mijn uniform?'

'Ik weet niet hoe lang dat zal duren, maar als we klaar zijn, vind ik het goed.'

Adam pakte automatisch zijn verrekijker en hing die om zijn hals. Hij deed de deur achter zich dicht en liep in de richting van het meer. Hij voelde zich schuldig. Sinds hun vakantie met Peter waren de dagen lang en als een anticlimax. Hij wist niet goed waarom, maar hij wilde niets te maken hebben met het leven van zijn moeder in Londen. Zelfs hier voelde hij zich rusteloos. Hij wilde doorgaan met zijn eigen leven. Hij wilde dat Ruth háár nieuwe leven begon en dat ze gelukkig zou zijn. Hij was bang om haar te kwetsen. Nog maar net op tijd had hij weten te voorkomen dat hij zou zeggen: *ik kan altijd nog naar Jenny gaan.*

Op een bank bij het meer haalde hij zijn telefoon uit zijn zak, maar hij belde niet naar Harry maar naar Jenny.

Jenny nam buiten adem op: 'Adam! Wat leuk.'

Adam lachte en ontspande zich. 'Heb je hardgelopen?'

'Ik was in de tuin. Het was zo bijzonder. Ik zag iets uit mijn oog-hoek en een heel grote vos sloeg me gade op een paar meter afstand. Hij liep niet weg, maar bleef naar me kijken. We stonden elkaar aan te staren.'

'Wat leuk! Misschien voerde die oude vrouw hem wel, net als de vogels.'

Jenny lachte. 'Vertel eens hoe het vandaag was.'

'De muziekleraar is geweldig. Ik heb de directeur weer gezien en mijn huismeester en zo. In de schoolwinkel hebben we wat voor mijn schooluniform gekocht. We moeten morgen alleen nog mijn blazer en sokken en naamplaatjes en zo kopen.'

'Zeg tegen Ruth dat Bea en ik graag willen helpen om je naam-plaatjes vast te naaien als ze er geen tijd meer voor heeft. Kom je morgen?'

'Ja, dat hoop ik, nadat we de rest van mijn spullen hebben ge-kocht. Bedankt, mijn moeder heeft een hekel aan naaien. Ik denk dat ze ervan gaat stressen. We hebben mijn grote koffer om alles in te doen. Jenny?'

'Ja?'

'Jouw broer ging ook naar de Truro School. Was hij intern of kwam hij elke avond thuis, net als Harry?'

'Ben was door de week intern. Hij kwam elk weekend thuis. Mijn vader wist dat hij met zijn vrienden op stap zou gaan of elke avond zou surfen als hij elke dag zou thuiskomen.' Haar stem verzachtte. 'Hij was nogal ondeugend, Adam, maar ook heel innemend, dus hij kreeg alles voor elkaar. Hoe vind jij het om intern te gaan? Het zal vast leuk zijn.'

'Vond je broer het leuk?'

'Nee, hij vond het vreselijk om ergens in een kleine ruimte te zit-ten, maar hij was niet leergierig. Jij zult het wel leuk vinden.'

'Je hoeft niet leergierig te zijn om niet met een heleboel stinkende jongens te willen slapen. Ik denk dat ik er te oud voor ben.'

Jenny lachte weer en hij voegde er serieus aan toe: 'Ik wou dat mijn moeder in St. Ives woonde en ik elke avond naar huis kon gaan met Harry.'

Naar huis. Jenny hoorde de wanhopige klank in zijn stem. Ze zweeg even en toen zei ze zacht: 'Adam, je zou ook elke avond naar huis kunnen gaan met Harry.'

Adam huiverde van hoop, maar hij durfde niets te zeggen.

'Heb je niet aan Ruth verteld wat je ervan vond om intern te zijn?'

'Mam weet dat ik het niet leuk vind, maar ik ben degene die over dit alles begonnen is. Ik wilde in Cornwall naar school. Ze betaalt veel geld zodat ik intern kan gaan, dus hoe kan ik er iets over zeggen?'

Jenny zweeg. Toen zei ze: 'Hoe zou je het vinden om bij mij te wonen en elke dag met Harry naar school te gaan? Dat is natuurlijk veel saaier dan bij jongens van je eigen leeftijd wonen...'

'Nee, dat is het niet, echt niet, Jenny. Mag het? Ik bedoel, meen je het? Kan het echt?'

'Rustig aan. Ik meen het echt en het mag. Maar alleen als Ruth het goedvindt. Wil je dat ik het morgen aan haar vraag?'

'Ja. Ja, alsjeblieft.'

'Hoe denk je dat ze het zal vinden?'

'Dat weet ik niet,' zei hij. 'Misschien als ze weet dat ik het echt vreselijk vind om met andere mensen in een kleine ruimte te moeten slapen. Ik verwachtte niet dat ik me zo zou voelen, maar toen ik zag hoe klein die kamers waren... Het zweet brak me opeens uit.'

'Ik denk dat je een kleine paniekaanval hebt gehad. Je moet eerlijk zijn tegen Ruth, Adam, en tegen haar zeggen wat je ervan vindt.'

'Voordat jij met haar praat, bedoel je?'

Jenny dacht even na. 'Misschien moet je op je gevoel afgaan. Ik zal nadenken over hoe ik het zal voorstellen. Ik wil haar niet kwetsen. Ze zal je vreselijk missen en het idee dat je bij mij woont is misschien nog erger voor haar dan als je op school bent bij een heleboel jongens.'

'Ja, dat weet ik, maar zij gaat in jouw huis wonen en dat kun jij toch ook vervelend vinden?'

'Eerlijk gezegd vind ik dat af en toe ook. Ga nu terug naar je moeder en heb nog een fijne avond. Tot morgen en maak je geen zorgen, we proberen er wel iets op te verzinnen.'

'Ik wil meer dan wat ook bij jou wonen, Jenny. Ik zal niet lastig zijn. Ik kan je helpen met dingen en...'

'Adam,' zei Jenny vriendelijk. 'Of je nu bij me woont of niet, je bent nu een deel van mijn leven en we zullen heus wel over je vader praten. Ik heb je zo veel te vertellen. We hebben tijd genoeg, nu je in Cornwall bent, alle tijd van de wereld. Dag, lieve jongen.'

Dag, lieve jongen. Adam holde terug over het pad en sprong dolgelukkig over de plassen. *Alle tijd van de wereld om over je vader te praten.*

Ruth werd 's nachts wakker en hoorde Adam lopen. Ze bleef even liggen omdat ze geen zin had om uit haar warme bed te komen. Het was koud in het huisje. De herfst naderde en ze wilde terug naar Londen. De baan zou een uitdaging zijn, en terwijl ze naar Adams rusteloze bewegingen luisterde, zakte de moed haar in de schoenen. Zou dit alles opeens op een rampzalige manier verkeerd gaan?

Ze stond op, trok haar ochtendjas aan en ging naar zijn kamer. Adam zat in de raambank, gehuld in een oud, verbleekt dekbed dat haar hele jeugd op het bed had gelegen.

'Wat is er, Adam?' vroeg ze.

Het licht van de overloop scheen zijn kamer in, maar Adam hield zijn gezicht naar het raam gekeerd. 'Het spijt me, mam.'

'Wat spijt je?' Ruth kwam dichterbij en ging op het voeteneind van zijn bed zitten.

Adam dwong zich haar aan te kijken. 'Ik weet dat ik je pijn heb gedaan omdat ik niet bij je in Londen wilde blijven en hier naar school wilde.'

'Natuurlijk heb ik je liever bij me in Londen. We zijn altijd samen geweest, maar ik begrijp het van de scholen in de stad en ik begrijp dat je je aangetrokken voelt tot Cornwall.'

Adam keek naar haar en vroeg zich af wat ze daarmee bedoelde. Meende ze het of dacht ze aan Jenny?

'Toe, Adam, vertel me waarover je je zorgen maakt. Het is heel normaal om op het laatste moment zenuwachtig te zijn omdat je naar kostschool gaat. Het zou niet normaal zijn als je dat niet was.' Adam keek weer uit het raam en gaf geen antwoord. 'Ik kan je niet helpen als je niet met me wilt praten.' *God, alsjeblieft,* dacht ze. *Laat Adam niet zeggen dat hij van gedachten is veranderd en toch naar een dagschool in Londen wil. Dat kan ik niet aan. Echt niet. Ik moet vanaf*

het begin greep krijgen op die baan. Ik kan niet helemaal opnieuw be-
ginnen met die scholen. Flo en Danielle hebben zich in allerlei bochten
gewrongen om me tegemoet te komen.

Adam slaakte een beverige zucht en draaide zich naar haar om. 'Ik wil niet intern. Ik wil geen kamer delen met andere jongens. Ik wil na schooltijd weg, net als Harry. Ik zal meer dan ooit mijn best doen. Ik beloof dat ik je niet zal teleurstellen. Ik wil... alsjeblíéft, ik wil buiten de vakanties bij Jenny wonen.'

Ruth staarde hem aan. Ze voelde haar gezicht verstrakken door de schok terwijl het bloed eruit wegtrok. *Nee, o nee. Dit is niet eerlijk. Dit is te veel. Dit is verdomme te veel.* Diep in haar hart had ze geweten dat het onmogelijk was om elk weekend naar Cornwall te gaan. Ze zou geen regelmatige werkuren hebben; ze zou letterlijk op haar werk wonen. Danielle en Flo waren royaal geweest wat de financiën betrof, maar ze verwachtten veel werkuren van haar. Ze had toegegeven aan alles wat Adam wilde in de wetenschap dat Jenny hem vaker zou zien, en nu... Ze had zichzelf gedwongen om zich voor te stellen dat Adam en Jenny bij elkaar zouden komen om over Tom te praten. Ze had geprobeerd haar gevoel van paniek weg te beredeneren dat ze Adam misschien zou kwijtraken aan het lokkende verleden, aan het leven dat Jenny leidde, aan de troost van Bea en James en dat prachtige huis bij de zee. Nu wilde hij bij Jenny wonen en elke avond uit school naar haar toe gaan. Niet naar haar, zijn moeder, maar naar Jenny.

'Mam...' Adam boog zich naar haar toe. 'Mam, toe, kijk alsjeblieft niet zo.'

Ruth richtte haar blik op zijn gezicht. Tranen welden op in zijn ogen. Hij zag er ellendig uit, maar ze kon niets uitbrengen.

'Ik hou echt van je, mam, echt. Het spijt me zo vreselijk. Het is niet zo dat ik niet bij jou wil zijn, echt niet. Ik wil alleen niet in Londen wonen.'

Ruth wist dat dit niet waar was. Adam wilde op dit moment van zijn leven niet bij haar zijn. Hij wilde bij Jenny zijn vanwege Tom. Mijn god, als ze had geweten dat een vrijpartij onder een lading jassen met de jonge Tom veertien jaar later deze pijn zou veroorzaken, dan zou ze gillend het huis uit zijn gerend.

'Mam? Gaat het?'

'Je vraagt te veel van me, Adam. Je vraagt om het niet erg te vinden dat je elke avond naar iemand anders gaat. Dat is gewoon te erg. Alsof ik een klap in mijn gezicht heb gekregen.'

Hete, dikke tranen rolden over Adams wangen. 'Ik weet het, ik weet het. Ik ben gewoon wanhopig. Ik weet dat het stom is om het erg te vinden om bij vreemde jongens te moeten slapen. Ik had er nooit over nagedacht. Ik ben zo gewend om op mezelf te zijn.'

Ruth wilde vragen: *weet je zeker dat die angst niet komt omdat je gewoon bij Jenny wilt wonen?* Maar dat durfde ze niet.

'Waarom denk je dat Jenny je in huis wil hebben, Adam?' vroeg Ruth, terwijl ze wist dat het een zinloze vraag was. 'Ik dacht dat ze alleen wilde wonen; daarom is ze in dat huisje getrokken.'

Adam gaf geen antwoord.

Ruth stond op van het bed en liep naar de deur. 'Ik ben moe en ik heb het koud. Morgenochtend praten we verder, Adam. Ga terug naar bed.'

'Ben je kwaad op me, mam?'

Achter Adam begon de hemel al lichter te worden en kondigde langzaam een nieuwe dag aan. 'Nee,' zei Ruth. 'Ik ben niet kwaad op je. Ga slapen. We komen er wel uit.'

Terwijl ze de kamerdeur sloot, hoorde ze hem zeggen: 'Ik wilde je geen pijn doen.' Nou, dat had hij wél gedaan. Ruth ging naar beneden en zette de waterkoker aan. Ze maakte thee en ging aan de tafel zitten. De keuken met de oude Aga was de warmste plek in het huis. Ze dacht aan haar peetmoeder, die hier altijd slapeloos zat, gehuld in een oude chenille ochtendjas, haar lange haren gevlochten als een Duitse Frau. Woede kwam in haar op, waardoor ze niet begon te huilen. Ze voelde zich beetgenomen, bedonderd. Door Jenny? Was Jenny in staat tot deze dubbelhartigheid? Natuurlijk niet. Adam was zijn zelfvertrouwen kwijt. Dit had niets met Jenny te maken. 'Wat moet ik doen?' vroeg ze in de lege keuken.

De aanwezigheid van haar peetmoeder was tastbaar.

Het is tijd om Adam los te laten. Hij is geen kleine jongen meer; hij heeft je niet meer op dezelfde manier nodig. Ook als jullie bij elkaar zouden wonen, zou die afstand tussen jullie zijn gekomen. Hij zou je ontgroeien. Dat gebeurt nu eenmaal, Ruth. Laat hem Tom verwerken en Jenny ook. Laat ze. Je hebt gedaan wat je kunt. Ga terug naar Lon-

den en grijp met beide handen deze zeldzame kans aan om voldoening te krijgen. Bekijk het op een positieve manier. Als Adam op een slaapzaal vol jongens is, zou je je onvermijdelijk zorgen maken. Bij Jenny weet je dat hij goed wordt verzorgd en tevreden is. Het laat jou vrij. Probeer het zo te beschouwen. Je was vastbesloten om die baan in Londen te nemen. Niemand kan alles hebben wat hij wil. Je hebt jouw leven gekozen. Adam kiest dat van hem. Accepteer het. Ga verder. Je zult Adam alleen maar verliezen als hij denkt dat je wilt komen tussen hem en wat hij over Tom wil weten. Bekijk het op de lange termijn en geniet van de vrijheid dat je voor het eerst in dertien jaar alleen aan jezelf hoeft te denken. Je hebt de kans op een nieuw leven en geluk. Pak die kans, Ruth, en kijk niet achterom. Pak die kans.*

Ruth glimlachte. Hoe sterk klonk Sarahs wijze stem door de jaren heen. Ze sloot haar ogen en in de keuken hing een geur van versgebakken cake, en klonk Sarahs gemopper: 'Ik begrijp er niets van. Die cake is helemaal ingezakt in het midden. Ik heb alles gedaan wat er stond. Laten we glazuur maken en er zilveren balletjes op leggen, dan kunnen we het ingezakte stuk verbergen. Dan zijn wij de enigen die weten dat de cake niet gelukt is.'

Ruth stond op en leunde tegen de Aga. *Maak wat van de toekomst, Ruth*, had Peter gezegd. Ze deed het keukenlicht uit en ging naar boven. Ze zou zeker wat van de toekomst maken. Ze had geen andere keus dan Adam een poos overlaten aan het leven dat hij wilde. Ze moest niet achteromkijken.

DEEL TWEE

51

Adam stond stampend met zijn voeten in de koude, vochtige ochtend te wachten op het treintje. Tijdens het wachten bracht hij zijn verrekijker naar zijn ogen en keek over de Saltings. Tureluurs waren druk in de weer in groepjes. Grote zwermen kanoetstrandlopers stonden op hun korte poten op de gladde modder, allemaal met hun koppen in dezelfde richting, als oude mannetjes die aan het bowlen waren.

Soms had Adam zin om hardop te lachen. *Hoeveel jongens kunnen midden in een vogelreservaat op een trein wachten?* Hij hoorde de trein en keek achterom naar het kleine kreupelbos en het huis erachter. Jenny zou nog aan tafel zitten met haar handen om haar beker koffie. Hij zuchtte. Het was heerlijk dat er iemand thuis was als je naar school ging, en dat die er nog steeds was als je terugkwam. Het gaf hem elke dag een warm gevoel vanbinnen.

Jenny had Danielle gevraagd om wat familiefoto's te sturen. Zij en Adam zouden ze sorteren om een collage te maken voor op de donkere wand tussen de badkamer en de keuken. Elke dag dat ze samen praatten, hoorde hij iets meer over Jenny's leven met zijn vader in het huis in Londen. Hij vond het vreemd om te bedenken dat zijn moeder in Jenny's huis woonde en het soort leven leidde als Jenny vroeger.

Hij wou dat hij het huis waar Tom en Jenny hadden gewoond, had verkend toen hij daar met Ruth had gelogeerd. Hij wou dat hij in alle kamers had gekeken. Hij wou dat hij in Toms leren fauteuil had gezeten en de planken had bestudeerd waarop zijn cd's en boeken stonden, maar hij had het te druk gehad met zich op te winden. Zijn tijd daar werd grotendeels in beslag genomen door zijn diepe angst dat Ruth van gedachten zou veranderen; dat ze hem zou dwingen te leven in een Londen dat ze hem kennelijk probeerde te verkopen tijdens de middagen dat ze van alles gingen bekijken.

De trein pufte lawaaiig het station binnen en Adam stapte in. Harry knikte en gromde iets toen Adam naast hem ging zitten. Harry was geen ochtendmens. Hij had er een hekel aan om wakker te zijn of te praten voor ze Redruth bereikten. Adam vond het best; dan had hij tijd om te denken of om zijn huiswerk na te kijken.

De eerste paar weken op school had hij problemen verwacht, maar die waren er helemaal niet geweest. Geen ellende, geen pesterijen door andere jongens. Hij was zenuwachtig geweest door al het huiswerk en inhalen dat hij moest doen, maar als hij een leraar om hulp vroeg, kreeg hij die. Geen enkele leraar hier voelde zich bedreigd door grote, brede pestkoppen. Niemand kon een klas niet in de hand houden en maar weinig jongens verstoorden de orde.

De kinderen kwamen van verschillende achtergronden en landen, en ze waren ambitieus. De klassen waren gestructureerd en de nadruk lag op leerprestaties. Er waren uitslovers die de lolbroek wilden uithangen of in eindeloze discussie gingen met een leraar, maar Adam werd nooit uitgelachen omdat hij welbespraakt en serieus was. Het was er zo anders dan op zijn vroegere school in Birmingham, dat hij wel op een andere planeet leek te zitten.

Adam had nooit ten volle beseft wat een invloed de school in Birmingham op zijn leven had gehad, tot hij bij Jenny ging wonen. De wreedheden waren meedogenloos geweest en hadden zijn dagen in beslag genomen. Het ergste was om het allemaal verborgen te houden voor Ruth. Peter had zijn vermoedens en had geprobeerd het makkelijker te maken voor hem, maar na zijn vertrek was het ondraaglijk geweest.

Opeens vroeg Harry, de ochtendstilte verbrekend: 'Hoe is het om naar huis te gaan naar iemand die je moeder niet is? Ik denk niet dat ik het fijn zou vinden. Moet je je steeds netjes gedragen?'

'Nee,' zei Adam. 'Het is cool. Jenny maakt cake en zo voor als ik thuiskom en... nou ja, ze is gewoon makkelijk. Ze zegt niet wat ik moet doen of zo. Ze heeft me een bureau gegeven met lampen en alles, en ik gebruik haar laptop uit Londen. Die is gaaf, veel sneller dan de mijne.'

'Bofkont.' Harry was onder de indruk. 'Mijn computer is zo traag dat ik thee kan zetten terwijl hij opstart. En televisie? Moet je naar vrouwenprogramma's kijken?'

Adam lachte. 'We hebben geen televisie.'

Harry was verbijsterd. 'Wat doe je dan?'

'We gaan na school een stukje wandelen en vogels observeren als het licht genoeg is, of we gaan over het strand lopen. Dan ga ik huiswerk maken en Jenny maakt het eten klaar. Dan ga ik weer huiswerk maken en dan praten we en luisteren naar muziek of zo en dan ga ik naar bed.'

Harry bleef een hele tijd stil. 'Ik weet niet of ik medelijden met je heb of dat ik stinkend jaloers ben. Soms is het vreselijk om huiswerk proberen te maken terwijl mijn moeder naar *EastEnders* zit te kijken. Een poos terug bedacht ik nog dat het nooit stil is bij ons thuis. Er staat altijd een radio of televisie aan. Ik weet niet eens wat stilte is.'

'Je mag komen logeren wanneer je wilt, heeft Jenny gezegd.' Adam grinnikte hoopvol. 'Vooral als we huiswerk voor natuurkunde hebben. Ik heb een stapelbed.'

Adam had Harry nooit verteld over de relatie tussen hem en Jenny. Harry dacht dat Ruth en Jenny vriendinnen waren. Het was iets tussen hem en Jenny. Hij kon dit nieuwe gevoel van welzijn ook niet aan Ruth uitleggen. Hij had gewacht tot hij heimwee zou krijgen, gewacht op de doffe pijn van het gemis, maar die was niet gekomen.

Natuurlijk miste hij haar. Maar het deed geen pijn. Ruth belde meestal 's avonds op voor hij naar bed ging om hem welterusten te wensen, en dan wisselden ze nieuwtjes uit. Zijn moeder had het behoorlijk druk. Ze vloog vaak met Danielle naar Italië of naar Frankrijk. Ze klonk ook gelukkig. Adam was voorzichtig met wat hij vertelde over school, want hij kende haar tegenstrijdige gevoelens over particuliere scholen.

Ruth zou nooit tolereren dat hij zich bevoorrecht voelde, en heimelijk, met een schuldgevoel, genoot hij ervan dat hij zich veilig voelde bij zijn eigen soort. Hij was zich ervan bewust dat hij bij Jenny een makkelijker en meer bevoorrecht leven leidde. Hij hield van het huis van Bea en James in St. Ives en voelde zich er altijd welkom. Hij vond het heerlijk om een soort grootouders te hebben en boven alles was hij dolgelukkig dat hij in Cornwall woonde bij Jenny. Hij had het gevoel dat hij een leven had gekregen dat zo vertrouwd was als ademhalen. Opeens voelde hij zich goed in zijn vel zitten, en dat gevoel maakte hem euforisch.

Jenny had hem een doosje met foto's van Tom in uniform gegeven. Elke avond haalde hij het onder zijn bed vandaan en stond zichzelf toe om er één of twee te bekijken. Hij moest zich beperkingen opleggen, want deze foto's waren alles wat hij van Tom had. Hij staarde uren naar Tom in legerkleding, in uniform. Als hij naar die foto's keek, voelde hij zijn hart opzwellen van trots, en een sluimerende ambitie om net zo'n leven te leiden als zijn vader vroeger.

Jenny vond het nog moeilijk om naar foto's van haar kind of van Tom en Rosie samen te kijken. Hij wist dat de grote bruine envelop uit Londen vol foto's van Rosie zat. Hij had Jenny's gezicht gezien toen ze die aanpakte van Shaun, de postbode: zo zwaarmoedig dat hij haar had willen troosten. Ze had de envelop in haar kamer gelegd en die was ongeopend gebleven.

Als hij naar haar keek, leek ze soms zo klein en breekbaar. Hij was die middag bij de kreek nooit vergeten of de dagen ervoor, toen Jenny hem had achtervolgd. Op het moment dat hij zich omdraaide en haar zo gebroken op de grond had zien liggen, was alles veranderd. Hij voelde een overweldigende behoefte om haar te beschermen, en dat gevoel was nooit verdwenen of verminderd. Op dat afschuwelijke moment was op slag een band ontstaan. Toen Jenny in het ziekenhuis lag, was Adam ontzettend ongerust geweest dat haar iets zou overkomen. Hij was zo gelukkig en zo blij met zijn leven nu, dat hij zichzelf af en toe moest knijpen om zeker te weten dat hij niet droomde.

Uit het treinraam zag hij een roofvogel vlak boven de bomen, zwevend op trillende vleugels. Adam tilde zijn verrekijker op. Fantastisch. Het was een sperwer die op de thermiek zweefde, omhoog schoot en helemaal alleen door de oneindige helderblauwe lucht zeilde. Adam grinnikte. Vrij, zo vrij als een vogel.

52

Danielle hief haar glas naar Flo en Ruth. 'Wat een bizarre dag!'

'Waarschijnlijk de meest bizarre dag die we ooit hebben meegemaakt,' zei Flo.

Ze zaten met zijn drieën in hun favoriete Italiaanse restaurant en maakten een karaf rode wijn soldaat. Ze keken elkaar aan en barstten in lachen uit.

Ruth zei: 'Ik kon mijn ogen niet geloven toen ik in de paskamer kwam en de hooggeboren Daisy Monkton door een briefje van tien pond coke zag snuiven op je antieke bureau.'

Danielle rolde met haar ogen. 'Je had dat gezicht van Ruth moeten zien, Flo. Ze schoot terug de kamer in met ogen als schoteltjes, waardoor lady Monkton halverwege een zin zweeg. "Wat doet mijn dochter daar?" vroeg ze argwanend. "Hoelang duurt dat passen? Is ze nog meer afgevallen?" Ruth stond daar haar mond open en dicht te doen als een goudvis.'

'Ik probeerde subtiel een waarschuwing naar je te seinen.'

'Waarschuwing! Je stond te piepen als een muis. "Ik ben bang dat Daisy zich niet helemaal goed voelt. We hebben de jurk nog niet gepast." Pff! Het was zo grappig.'

Ruth lachte. 'Lady Monkton snauwde: "Zeg tegen Daisy dat ze zich moet beheersen. We hebben vanavond een liefdadigheidsbijeenkomst en zij moet het podium op." Ze dacht vast dat ik een tic had.'

'Dit is de eerste keer dat ik iets van paniek in Danielles stem heb gehoord.' Flo grinnikte. 'Gelukkig werd de situatie gered door Molly's exotische sandwiches en een glas champagne. De lady werd afgeleid tot jullie Daisy overeind kregen.'

Danielle snoof. 'Dat domme kind dwaalde giechelend door de kamer met haar ogen achterover gerold, in haar slipje en met haar hoofdtooi op. Het kostte ons een heleboel tijd om haar in die jurk te krijgen, die trouwens wéér ingenomen moet worden. Ik moest hem een heel stuk vastspelden op de rug.'

Flo begon weer te lachen. 'Ik wou dat ik een foto had kunnen maken toen jullie naar buiten kwamen met een wezenloos lachende Daisy die zich aan jullie beiden vasthield. Ze zag er zo mooi uit, maar er zaten nog duidelijk sporen van wit poeder in haar neusgaten en op haar bovenlip. Toen lady M. jullie een standje gaf dat jullie haar dochter te veel champagne hadden gegeven... die gezichten van jullie! Het was werkelijk hilarisch.'

'Je wordt bedankt,' zei Danielle droog. 'Ik hou er niet van om te worden toegesproken als een schoolkind terwijl er elk moment iemand kan komen om te passen en op mijn bureau resten van verboden middelen liggen.'

'Denk je dat lady Monkton echt zo dom is dat ze de verslaving van haar dochter niet merkt en dat ze zo mager is geworden?' vroeg Ruth.

'Ja,' zeiden Flo en Danielle tegelijkertijd.

Flo zuchtte. 'Het zou niet zo grappig zijn geweest als een bestelling werd ingetrokken. Als lady Monkton gezichtsverlies had geleden, hadden we geen cent gekregen. Ze zou hebben beweerd dat wij het spul in huis hadden en, waar of niet waar, roddels en slechte publiciteit blijven hangen. Kom, laten we bestellen voordat we over onze trek heen zijn.'

Ruth voelde voldoening opwellen. Het leven was leuk. Ze voelde dat ze iets naderde waar het veilig was.

Flo, die met een half oor luisterde terwijl Ruth en Danielle zaten te praten en te lachen, dacht aan Jenny en haar aanstekelijke lachje, dat Rosie had geërfd. Ze miste haar aanwezigheid in het huis en de levendigheid, energie en geluk die Jenny ooit had uitgestraald. Ze bestelden hun eten en ze liet haar blik door het restaurant dwalen.

'Mijn hemel,' zei ze opeens terwijl een man in hun richting kwam. 'Dat is Antonio.'

Ruth draaide zich om toen een donkere, stevige man hun tafel naderde. Hij keek lachend op hen neer. 'Florence, Danielle, wat fijn om jullie te zien.' Zijn blik ging nieuwsgierig naar Ruth.

'Dit is Ruth Hallam, Antonio. Ze werkt sinds kort bij ons. Ze is onze uitstekende nieuwe pr-manager.'

Antonio maakte een buiging en glimlachte naar haar over de tafel heen. 'Nog een mooie vrouw. Prettig kennis met je te maken, Ruth.'

Hij gaf hun een handkus en verviel even in snel Frans. Toen wendde hij zich tot Flo. 'Vertel eens hoe het met Jenny gaat.'

'Beter. Het gaat goed. Ik denk dat ze het juiste besluit heeft genomen door een poos in Cornwall te blijven. Aanstaand weekend gaan we er allemaal naartoe.'

'Jullie zullen haar wel missen. Wij in Italië missen haar ontwerpen ook. Zeg haar alsjeblieft dat ik naar haar heb gevraagd en doe haar mijn groeten en de beste wensen. Aha, daar komt jullie eten, dan ga ik weg.' Hij keek naar Danielle. 'Mag ik je morgen bellen? Ik ben maar een paar dagen hier en ik hoopte je te ontmoeten. Het lot zal ons naar hetzelfde restaurant hebben gevoerd.'

Danielle keek verheugd. 'Natuurlijk. Ik kijk uit naar je telefoontje.'

Ruth zag haar blos en vroeg zich af of ze een oogje had op de Italiaan.

Hij was niet knap in de klassieke zin van het woord. Hij was niet slank of lang, maar hij had een sensuele aantrekkingskracht, en zijn ogen en stem waren verrukkelijk, echt een 'sluit je ogen en zwijmel'-stem.

Voordat Antonio wegging, draaide hij zich nog even om en zei zacht op een heel andere toon: 'Zeg tegen Jenny dat ze in mijn gedachten en hart is.'

Toen hij weg was, zei Flo tegen Ruth: 'Antonio was er op die afschuwelijke dag.'

'Jenny en ik hadden een werklunch met hem op de dag dat Tom en Rosie om het leven kwamen. Ze zou eigenlijk met hen zijn meegegaan. Als Antonio ons niet had gevraagd voor die bespreking, zou Jenny ook dood zijn geweest.'

Danielle haalde met een grimmig gebaar haar schouders op om het grillige lot, en Ruth huiverde.

'Hij was ontzettend aardig voor Jenny,' vervolgde Flo. 'Hij doet ongetwijfeld graag zaken met ons, maar hij toonde zich ook een loyale vriend. Na de dood van Tom nodigde hij Jenny uit in zijn huis in Italië met Danielle, om er even uit te zijn en tot rust te komen.'

'Hij heeft een prachtig huis aan de kust van Amalfi,' vulde Danielle aan. 'Ik kende hem alleen als zakenman. Hij bleek een fantastische gastheer en vriend te zijn voor Jenny.'

Flo en Ruth meenden iets van spijt in haar stem te horen. Danielle gebruikte instinctief, waarschijnlijk zonder het zich bewust te zijn, voortdurend haar seksualiteit, zelfs tegenover de ober die zich naar hen toe haastte met de obligate grote pepermolen. Ze was eraan gewend dat mannen voor haar vielen. Dat had Antonio blijkbaar niet gedaan. Ruth vroeg zich af of Danielle het ooit naar Tom toe had geprobeerd.

Toen ze bij het huis uit de taxi stapten, zei Flo opeens: 'Zien jullie die grijze Audi daar? Ik durf te zweren dat het dezelfde bestuurder is als die in een rode BMW vorige week. Hij zit de hele dag de krant te lezen.'

Danielle en Ruth keken. Een man zat achter het stuur met zijn gezicht verborgen achter een krant.

'Kan hij lezen in een donkere auto zonder licht aan?' vroeg Ruth.

'Dat denk ik niet,' zei Danielle terwijl ze de taxichauffeur betaalde.

Hij gaf haar een stuk papier door het raampje. 'Ik heb het nummer van die auto opgeschreven. Als ik jullie was, zou ik de politie bellen. Hier staan mooie huizen van diplomaten en politici. Die heb ik allemaal in mijn taxi gehad. Jullie willen toch niet dat er bij jullie wordt ingebroken?'

Terwijl Flo de deur achter hen op slot deed, zei ze: 'Al staat het misschien dom en is het een privédetective die met een geval van overspel bezig is, ik ga toch de politie bellen.'

'Ik vind dat je het moet doen, Flo,' beaamde Ruth. 'Het zou vreselijk zijn als er iets gebeurt en wij hebben er niets aan gedaan. Het is raar, maar niemand denkt dat hem of haar iets kan overkomen, het zijn altijd andere mensen.'

'Dat denk ik niet meer,' zei Danielle zacht. 'Je hebt gelijk, Flo. Heel alert van je.'

Toen Danielle zich had uitgekleed, wierp ze een blik uit het raam. De auto was weg. Bladeren waaiden door de straat. De zwarte kat zat zoals altijd op de muur van het huis aan de overkant. Zjn ogen glinsterden heksachtig in de gele gloed van de straatverlichting.

Ze stond bij het raam en rilde van de kou. Ze haatte dit moment van de dag als de wereld stilstond en de herinnering aan het kleine, warme kind van wie ze had gehouden, naar haar terugglipte in de nacht.

Ze vouwde haar armen om zich heen en huiverde. Slechts één ding hielp tegen de herinnering aan erge dingen: seks; een ruwe, ongecompliceerde neukpartij met een vreemde verjoeg haar demonen. Op het moment was een abrupt einde gekomen aan haar seksleven doordat ze een appartement deelde met Ruth. Het was een van de redenen waarom ze het had aangeboden. De gelegenheden werden zo beperkt en het zou haar helpen, alsof ze een verslaving moest overwinnen.

Kon ze maar terug in de tijd en het leven dat ze hier ooit had gehad opnieuw beleven, de compleetheid en de kleine dingen van elke dag herleven die ze zo achteloos als vanzelfsprekend had beschouwd.

Danielle trok de gordijnen dicht en stapte in bed. Ze trok het dekbed op tot over haar oren. In de veiligheid van het donker liet ze beelden van Rosie toe in de warmte; ze probeerde haar vrolijke stemmetje weer te horen, het gezichtje te zien en de warmte van het kind op haar heup te voelen terwijl ze haar tijdens het werk door het huis droeg. *Die kleur, Ellie? Rodie ook mee? Ellie dragen. Waarom, Ellie? Rodie kan niet slapen.*

Rosie, het kind dat ze met Jenny had gedeeld. Bijna als haar eigen vlees en bloed. Het kind dat naast haar in dit bed had geslapen, het kind dat ze had aangekleed en omhelsd en gebaad en voor wie ze had gezongen. Een kind dat er zonder enige moeite in was geslaagd om haar te bereiken en haar soms lege hart te doen smelten.

53

Danielle staat met haar bagage op het trottoir en zoekt haar huissleutels. Is Flinke Jongen er nog? De sfeer van zelfvoldane eigendunk als Tom thuis is, maakt haar bijna misselijk. Flo is net zo erg, medeschuldig door haar adoratie. Danielle voelt zich er cynisch en strijdlustig door.

Ze vindt haar sleutels en sleept haar koffer de trap op. Binnen kan ze Rosie horen lachen en haar gezicht verheldert. Ze roept door de brievenbus: 'Rosie, Rosie Holland, ik hoor je!'

Het gelach houdt even op en dan: 'Ellie... mama, Ellie terug!'

Het lachen begint weer. 'Rodie komt, Rodie komt.'

Voetstapjes stommelen ongelijkmatig de trap af, en als Danielle de voordeur opent, laat Jenny Rosies hand los en ze rent naar haar toe. Danielle tilt haar op en draait zich om om de deur dicht te doen, waarbij ze de zachte uitdrukking op haar gezicht verbergt voor Jenny terwijl ze het kind tegen zich aandrukt.

'Hallo, Danielle.' Jenny staat op de onderste tree en de zon van het raam op de overloop valt op haar weerbarstige haar. 'Wat ben ik blij dat je terug bent. Ik heb net thee gezet, of...' Ze kijkt naar Danielles gezicht. 'Je ziet eruit of je beter een borrel kunt gebruiken.'

'Absoluut een borrel. Het vliegtuig had twee uur vertraging. Zo vervelend.' Danielle glimlacht naar Jenny. 'Is Grote Liefde weer verdwenen?'

Jenny trekt een grimas en lacht. 'Ik ben bang van niet. Hij vertrekt overmorgen. Kijk uit voor je jasje, Rosie heeft net een chocolade-koekje gegeten.'

Danielle probeert een zich aan haar vastklampende Rosie én haar koffer de trap op te dragen.

'Geef me je koffer, anders vallen jullie dadelijk van de trap, klef stel dat jullie zijn.'

Op de overloop fluistert Danielle tegen Rosie: 'Ik heb een cadeau-tje voor je.'

Rosie klapt in haar handen. 'Nu, Ellie?'

'Ik kom het zo brengen, *chérie*. Ga met mama mee en schenk iets voor Ellie in terwijl ik mijn handen ga wassen.'

Ze pakt haar koffer en gaat naar boven naar haar appartement. Onderweg maakt ze even een babbeltje met Flo. In haar apparte-ment wachten zes boodschappen op haar antwoordapparaat. Ze glimlacht en bewaart de verwachting voor later.

Als ze weer naar beneden gaat, is Flo in Jenny's keuken en reikt haar een grote gintonic aan. Danielle gaat aan de tafel zitten en kijkt toe terwijl Jenny Rosie roerei voert. Rosies ogen worden groot als ze het mooi ingepakte pakketje ziet dat Danielle bij zich heeft.

'Dit is voor jou, lieverd, zodra je bordje leeg is.' Ze vervolgt, terwijl ze zich afvraagt waar Tom is: 'Ik wist dat ik gelijk had over die rok-lengte, Jen. Parijse vrouwen pronken graag met hun benen.'

'De snit was prachtig. Wat ben ik toch obstinaat, hè? Ik denk dat ik het bij Jaeger probeer, of we kunnen ze proberen in Birming-ham.' Jenny veegt de handjes en het gezicht van de wriemelende Rosie af en tilt haar uit de stoel. Meteen rent ze naar Danielle en het cadeautje.

'Elle, je verwent haar,' protesteert Jenny.

'Pff! Rosie heeft nog niet de leeftijd van verwend. Ze kent niet die woord. Ze is nog zuiver in plezier.'

Jenny en Flo lachen. Danielle is altijd heel Frans als ze terugkomt uit Parijs, maar ze weten precies wat ze bedoelt. Rosie is nog niet verwend. Jenny vraagt zich af waarom Danielle deze kant van haar zo zelden toont als Tom erbij is; de aardige, zachtere kant die zij en Flo vaak zien. Danielle tilt kind en cadeautje op en ze gaan naar de zitkamer.

De telefoon gaat. Het is Tom. Danielle ziet hoe Jenny's ogen oplichten. Als ze ophangt, lacht ze toegeeflijk naar Flo en Danielle. 'Tom is op de sportschool een vriend tegengekomen. Ze gaan een uurtje naar de pub.'

Rosie zit op de vloer en rukt met glanzende ogen van opwinding aan het papier. Ze concentreert zich met haar tongetje tussen haar tanden. In het papier is een doos, en in de doos een kleine, heel mooie pop. Rosie slaakt een kreet van verrukking. Danielle bukt zich en trekt aan een touwtje op de rug van de pop. De mond van de pop begint te bewegen en ze zingt een Frans slaapliedje. Rosies mond valt open in een 'Ooo' van verwondering.

Jenny buigt zich als betoverd naar voren. 'Danielle! Wat een prachtige pop. Ik zou hem zelf wel willen hebben.'

'Moet je Rosies gezicht zien!' mompelt Flo.

Verbijsterd dat ze opeens zoiets moois heeft, zit Rosie met haar mollige beentjes gespreid met de pop op haar schoot, en ze trekt steeds weer aan het touwtje als het liedje is afgelopen. Danielle bukt zich om haar een kus te geven. Rosie slaat haar armen om haar hals en ze legt haar warme wang tegen die van Danielle, sprakeloos van dankbaarheid.

Als Flo pop en kind ten slotte naar bed brengt, zegt Jenny: 'Dat is een prachtige maar heel dure pop. Je moet niet al je geld uitgeven aan Rosie.'

Danielle haalt haar schouders op. 'Voor wie moet ik anders cadeautjes kopen?'

Jenny omhelst haar. 'Het is heel lief van je. Kom mee naar de keuken en praat met me terwijl ik aan het avondeten begin.' Ze trekt een fles wijn open. 'Vertel me je nieuwtjes. Heb je deze reis veel oude vrienden gezien?'

'Ik had het te druk.' Danielle lacht en schudt haar glanzende haren. 'Maar op de terugweg heb ik een zakenman ontmoet.'

'Leuk?'

Danielle denkt na. 'Mm, gaat wel. Heel sexy, maar heel Engels. Beleefd praatje, daarna diner. Ik denk dat hij me wel leuk vindt, maar het is zo raar, Jenny, hij heeft me niet gevraagd om met hem naar bed te gaan.'

Jenny slaat een hand voor haar mond. 'O mijn god! Wat vréselijk voor je, Elle! Hij wilde tijdens een éérste afspraakje niet met je naar bed. Je kunt hem wel afschrijven, hij is vast homo!'

'Houd toch je mond!'

Ze barsten allebei in lachen uit. 'En hoe gaat het met Tom? Hebben jullie een fijn verlof gehad?'

'Fantastisch.' Jenny slaakt een zucht. 'Het is zo vlug voorbijgegaan.'

'Terug naar Irak?'

'Ja. En daarna naar Afghanistan.' Danielle hoort hoe strak Jenny klinkt.

'Tom kan wel op zichzelf passen, lieverd.'

'Dat hoop ik. Is een quiche met salade goed voor het avondeten?'

'Flo en ik trekken ons terug. Je zult Tom wel voor jezelf willen vanavond.'

'Hij is nog lang niet terug. Ik denk eigenlijk dat hij met die man ergens Indiaas of zo gaat eten.'

Even later zegt Danielle, terwijl ze haar glas omdraait in haar handen: 'Je houdt nog net zoveel van Tom als in het begin, hè?'

Jenny kijkt op van de gootsteen. 'Helaas wel. Meer dan ooit.'

Danielle zucht. 'Het huwelijk verbaast me. Wat valt er te zeggen, te doen, te voelen dat steeds weer nieuw is? Hoe houden mensen het mysterie van elkaar in stand? Natuurlijk,' voegt ze er droog aan toe, 'is het voor jou iets anders, Jenny, omdat Tom zoveel weg is en geváárlijke dingen doet.'

Er klinkt een nauw verholen sarcasme in haar stem dat Jenny heeft geleerd te negeren. Dat komt altijd naar boven als Tom thuis is. Ze husselt de sla. 'De eerste opwinding verandert in iets met meer diepte. Voor de meeste mensen zal het leven alledaagse routine zijn, Elle, maar de warmte en behaaglijkheid om dicht bij iemand te zijn, maakt het verlies van het mysterie meer dan goed. Ik heb nog niet genoeg tijd met Tom doorgebracht om me al te vervelen of te ergeren, maar vaak wou ik dat het wél zo was. Soms is het een hectisch leven en dan wil ik een langzamer, gewoner leven waarin Tom elke avond veilig thuiskomt.'

'Misschien ken jij het geheim. Leef niet elke dag samen. Zorg dat je geen conventioneel huwelijk hebt.'

'Daarvoor hoef jij niet bang te zijn, Danielle. Misschien kun je wel met een piloot trouwen die intercontinentale vluchten maakt! Dat is een goed idee. Misschien zou je je dan niet vervelen.'

'Nee! Ik denk niet dat ik ooit zal trouwen.'

'Verlang je niet af en toe naar een hechte of permanente relatie? Naar iemand die de omvang van je achterwerk niet kan schelen, of het feit dat je je benen niet geschoren hebt? Iemand die om je geeft omdat jíj het bent? Word je nooit eens moe van steeds maar andere mannen aantrekken zonder ze ooit echt te leren kennen?'

Danielle lacht. 'Je hoeft een man niet te kennen om goede seks met hem te hebben.'

Jenny slaat met een glimlach haar ogen op naar het plafond. 'Je kunt fantastische seks hebben met een man die je wél kent.'

Danielle zit aan de tafel met haar glas te spelen. 'In elk geval kan niemand het permanent met me uithouden, dus zorg ik dat het nooit gebeurt.'

Verbaasd over de klank in haar stem houdt Jenny op met tomaten snijden. 'Wat bedoel je in vredesnaam? Waarom zeg je dat? Doe niet zo raar.'

'Niet raar, Jenny. Je weet heel goed dat ik een heleboel seksuele contacten heb. En horen dat soort mensen niet een heel lage dunk van zichzelf te hebben? Dat zeggen ze toch?'

Flo is weer in de keuken en staat zwijgend te luisteren.

Jenny staart naar Danielle, van streek. Dit is niets voor Elle. 'Waarom zou je een lage dunk van jezelf hebben? Je bent mooi, je hebt talent en succes. Je bent praktisch en grappig. Alles zit je mee.'

Danielle laat een hard, kort lachje horen. 'Behalve mijn scherpe tong en de slechte gewoonte om iemand naar de keel te vliegen, lieverd. Mannen vinden het niet leuk om uitgelachen te worden. Hun ego is te teer.' Ze glimlacht naar Flo. 'Ik ben moe en de wijn stijgt naar mijn hoofd. Let maar niet op me. Zullen we het alsjeblieft over iets anders hebben?'

Flo pakt bestek uit de la. 'Lieverd, laat het succes dat je van je leven maakt, niet verpesten door een ellendige jeugd.'

Danielle is verbaasd. 'Hoe weet je dat ik een ellendige jeugd heb gehad?'

'Dat is aan alles te merken. Zet het van je af. Ik was aanzienlijk ouder dan jij voor ik dat kon, en het heeft vele jaren bedorven die ik nooit meer terug kan krijgen.'

Danielle en Jenny kijken zwijgend naar haar. Flo heeft het nog nooit over haar verleden gehad.

Flo lacht om hun gezichten. 'Ook al lijk ik oud, ik heb ooit een jeugd gehad, hoor. Ik had zelfs een leven voordat ik hier kwam. Vooruit, waar is mijn avondeten? Laten we het over leuke en belangrijke dingen hebben zoals het werkschema voor morgen.'

In bed ligt Danielle aan Flo te denken. Mensen van wie je het totaal niet verwacht, hebben een geheim verleden. Ze denkt aan de weinige mannen die ze aardig vond én met wie ze naar bed wilde. Tom, bijvoorbeeld? Ze sluit haar ogen bij de herinnering aan zijn kille afwijzing, jaren geleden. *Ik ben voorbestemd voor dat niemandsland, voor het eenzame halflicht op de rug van een vreemde.*

Ze denkt aan Rosie met haar pop. Haar heimelijke verlangen naar kinderen is als een fysieke pijn in haar maag. Jammer dat je een man nodig hebt om ze te maken. Wat heerlijk als je een kind kon scheppen uit je eigen liefde en verlangen.

Flo ligt in de kamer beneden die van Danielle. Misschien zal ze haar op een dag vertellen dat ze twintig naïeve, vruchtbare jaren van haar leven had verspild aan een man die uiteindelijk niet bij zijn vrouw is weggegaan. *Als de kinderen wat ouder zijn. Als ze hun examen achter de rug hebben. Als Betty wat is aangesterkt. Als de kinderen uit huis gaan... met sint-juttemis.*

Ze had voor een tweede plaats gekozen omdat ze geloofde dat ze niet meer waard was. De stemmen van haar ouders hadden haar jeugd gedomineerd. *Florence mag van geluk spreken als ze ooit een man krijgt. Met dat lelijke gezicht van haar. Welke man kan ooit verliefd worden op Florence?*

Een getrouwde man dus; maar niet verliefd genoeg. Florence Kingsley besloot toch 'mevrouw' voor haar naam te zetten, als een victoriaanse huishoudster.

Al die kerstdagen en vrije dagen in haar eentje. Tot ze hier kwam. Misschien zal ze op een dag tegen Danielle zeggen: *je leven is kostbaar. Vergooi het niet. Geluk kan je verrassen. Moet je mij nu zien.*

Ik lig verstrengeld met Tom, weer slapeloos. Een wind die naar regen ruikt, beweegt de gordijnen en laat de ramen rammelen. Er komt storm. Het lijkt tijdverspilling om te slapen. Tom houdt me vast, met een been over mijn heup alsof ik anders zou kunnen ontsnappen. Ik brand het moment in me, nu we huid tegen huid liggen. Ik adem hem in en geniet van zijn gewicht op me.

Rosie wordt twee keer huilend wakker, en als ik haar optil, klampt ze zich snikkend aan me vast. Ik wieg haar in mijn armen. Misschien komt het door de wind buiten die de oude, openslaande ramen doet rammelen. De tweede keer dat Rosie wakker wordt, neem ik haar mee naar ons bed. Het begint een gewoonte te worden die moeilijk te doorbreken zal zijn.

Ik houd haar bevende lijfje vast en luister naar de wind die de bladeren van de bomen rukt nog voor ze verdord zijn. We zijn veilig in dit sterke, oude huis en het voelt heerlijk beschut en onwrikbaar aan.

Ik vraag me af of ons huis in St. Ives door dezelfde storm wordt geteisterd. Ik merk dat ik mijn oren spits, net als vroeger, of ik het geluid van de vuurpijlen hoor die om de reddingsboot vragen. Ik herinner me hoe ik huiverde en dieper onder de dekens kroop terwijl ik luisterde of ik de tweede keer pijlen hoorde afschieten, wat betekende dat de reddingsboot veilig te water was gelaten. Heel even kan ik bijna het kolken en breken van de golven buiten het raam horen.

Rosie is warm. Misschien heeft ze zich te veel opgewonden door de pop. Ze draait zich om en kruipt tegen Toms rug aan, met opgetrokken beentjes in een foetushouding. Ze raakt met een handje Toms rug aan, steekt de duim van haar andere hand in haar mond en valt met een beverige zucht weer in slaap. Ik lig naast haar en probeer niet de uren af te tellen. Nog een hele dag samen. Ik vraag me ongerust af of Rosie op de leeftijd komt dat ze aanvoelt wanneer Tom weer bij ons weggaat. Welke vage, ongevormde verschrikkingen kan een kind van twee in gedachten hebben dat ze zich aan me vastklampt en het uitschreeuwt van angst?

54

Als Adam naar school was, ging ik in de herfstzon wandelen bij de riviermonding. Er was een oude reiger die de hele dag op een rottend houtblok zat terwijl meeuwen en kraaien hem voortdurend te lijf gingen. Ze cirkelden om hem heen en doken naar hem, drongen om hem heen als pestkoppen op school die het instinctief op de zwakkeren hebben voorzien. Hij was oud en sjofel, met losse veren die als een haveloze jas om hem hingen. Ik was bang dat hij het had opgegeven en dat de andere vogels het wisten, hoewel Adam me vertelde dat daarvoor geen wetenschappelijke bewijzen waren.

Het was zo vredig met de opkomende vloed die met zuigende geluiden over de stenen spoelde. Ik vroeg me af hoe ik al die jaren tevreden in een stad had kunnen wonen.

Mijn dagen hier met Adam begonnen en eindigden met de vogels. Adams enthousiasme was aanstekelijk. Daardoor bekeek ik alles om me heen op een speciale manier. Tot ik in Londen ging wonen, beschouwde ik alles wat ik in de buurt had als vanzelfsprekend. Door Adam ging ik anders kijken. Ik begon de wereld te bezien met verwondering over alle kleine dingen die ik over het hoofd had gezien.

Ik droeg een kleine rugzak met mijn schetsboek en pennen, potloden en een verrekijker. Ik was weer begonnen met tekenen, voor mijn eigen plezier. Ik noteerde de kleuren en textuur die ik elke dag zag. Ik verzamelde stukjes drijfhout en zeewier, en nam zakken vol parelmoerachtige roze schelpen van het strand mee naar huis.

Urenlang kon ik in de beschutting van de zandduinen zitten terwijl ik de wind de toppen van de golven zag raken in een witte nevel. De ideeën kwamen sterker en sneller dan ik ze kon noteren.

Ik had de stad als een stoffige oude jas van me afgeschud. Nu dronk ik de veranderende heldere zee en lucht in zoals ik in mijn jeugd had gedaan.

's Avonds, als het eb was, liepen Adam en ik langs de kustlijn en over de oude kade, waar de plaatselijke bewoners zaten te vissen, en dan naar het strand. St. Ives lag in de verte te glinsteren, omgeven door een stralenkrans van roze licht.

'In de zomer kunnen we zo'n weggooibarbecue meenemen en in de duinen worstjes grillen als de zon ondergaat,' zei ik tegen Adam.

'Cool,' zei hij. Hij kon uren naar de windsurfers kijken. Ze leken geen angst te kennen zoals ze achter hun enorme, kleurige zeilen tijdens harde wind over het water vlogen en soms gered moesten worden.

Als Adam in bed lag, bladerde ik door mijn modeboeken en mijn boeken over het Victoria en Albert Museum. Ik schetste ideeën voor jurken en rokken in de gedempte kleuren van zeevogels. Ik maakte lijsten van materialen voor accessoires. Riemen van schelpen en leer en touw, kleurige canvas tassen met schelpen, zomerkleding voor aan zee.

Opeens zat ik vol ideeën. Ze verdrongen elkaar in mijn hoofd. Het was vreemd. Ik had het werk opgegeven omdat ik leeg was en met de dag leefde. Door hier te zijn kwam er iets in me los alsof het al tijden popelde om naar buiten te kunnen komen.

Ik was niet van plan mijn werk aan iemand te laten zien. Ik deed het voor mezelf en voor Tom. Vroeger liet ik Tom altijd mijn schetsen voor ontwerpen zien. Dan bevestigde ik stukjes gekleurde stof aan de schetsen opdat hij enig idee had van wat ik deed, en ik kon zijn stem horen zeggen: *Wauw! Die vind ik heel leuk, en die. Prachtig. Daar ben ik niet zo zeker van... en die is voor mij een beetje extreem. Die avondjurk is fantastisch. Hoe kan iemand die zo trendy is en zo veel talent heeft, met zo'n saaie legerman trouwen?*

Ik had geen idee of mijn experimenten goed waren. Ik wist alleen dat het iets in me losliet, een fundamentele behoefte om van elke dag iets te maken. Misschien leek het een beetje op het schrijven van een gedicht: een stukje van jezelf stoppen in elke regel om te voelen dat je leeft.

Ik voelde me heimelijk zo opgewonden als vroeger, voor een collectie werd getoond. In het ziekenhuis dacht ik dat ik alle creativiteit kwijt was. Ik dacht dat die met Rosie en Tom was gestorven. Door Adams aanwezigheid was die op een wonderbaarlijke manier weer tot leven gekomen, als een wedergeboorte. Daardoor werd het makkelijker om in mijn eentje naar bed te gaan. Ik kon het beter aan om zonder Tom wakker te worden.

Ik wist dat ik binnenkort Adam moest vertellen over de dag dat Tom stierf. Ik moest er nu nog niet aan denken. Die dag zou ik opnieuw moeten beleven om het hem te vertellen. Ik wist dat het voor ons beiden nodig was. Adam wilde het kleinste detail van ons leven weten. Ik wist dat hij alles wat ik vertelde zorgvuldig in zich opsloeg om een lappendeken te maken van mijn herinneringen, van ons leven en hoe we hadden geleefd: Tom, Rosie en ik.

Ik denk dat hij die details in een speciaal hoekje van zijn brein opsloeg, en zorgvuldig het leven in kaart bracht van een man aan wie hij zijn hele jeugd had gedacht.

Als we onze foto's uitzochten, legde Adam soms een vinger op Toms wang, met een gezicht vol verlangen. Het deed me pijn. Ik wilde hem tegen me aantrekken en hem wiegen zoals ik vroeger bij Rosie had gedaan.

Op een avond, toen de wind om het huis gierde, bracht ik de envelop met foto's die Danielle had gestuurd, naar de kamer.

Adam keek op van zijn boek. 'Gaat het?'

'Het wordt tijd dat ik deze openmaak, Adam. Deze foto's moeten hun doos uit en in het huis hangen, vol herinneringen aan de gelukkige tijden. Ik doe het liever met jou hier en ik zal proberen om niet van streek te raken.'

'Het geeft niet als je dat wél bent,' zei hij bruusk. 'Het is ook... om van streek te raken.'

We gingen op de vloer zitten en ik knipte het touw om de dikke envelop los en haalde er een grote en kleine doos met foto's uit. Ik voelde me misselijk. Ik wilde zo graag Rosie in zwart-wit en in kleur zien op al die foto's, maar ik was er ook bang voor. Ik zag er tegenop om de aandenkens aan haar korte leven te zien: zomer in Richmond Park, Kerstmis in St. Ives. We hadden allemaal honderden foto's gemaakt van mijn verwende maar nog niet bedorven kleine meisje.

Ik was bang voor de afschuw die ik op een afstand probeerde te houden als ik onder ogen moest zien, toegeven, en accepteren dat zij in haar onschuld in haar stoeltje achter Tom had gezeten. Ik klampte me vast aan de herinnering van hoe ze samen waren geweest: Tom en mijn lieve Rosie. Zo hecht. *Mijn twee vrouwen*, fluisterde Tom. *Mijn twee prachtige vrouwen.*

Adam raakte mijn schouder aan. 'Wacht,' zei hij. 'Wacht even.'

Ik hoorde hem in de keuken bezig en hij kwam terug met rode wijn in mijn favoriete glas.

Ik glimlachte, ontroerd door het gebaar. 'Dank je. Dit zal vast helpen, lieverd.'

Ik opende de dozen en samen spreidden we de foto's uit op de vloer, als een spel kaarten. Tom, slapend in een stoel terwijl hij haar vasthield als een baby, terwijl Rosie nieuwsgierig naar de camera gluurde alsof ze wilde zeggen: *eigenlijk hoor ik degene te zijn die in slaap is gevallen.*

Haar eerste wankele stapjes op de geboende vloeren, in een van de jurkjes die ik voor haar had gemaakt, de armen opgeheven om haar evenwicht te bewaren, met een verontrust gezicht omdat haar mollige beentjes zo onbetrouwbaar waren. En daar waren alle foto's van mij en Rosie die Tom had gemaakt. Ons weerbarstige haar domineerde elke foto. We leken zo op elkaar. Ze was een miniversie van mij, een vitaal, fundamenteel deel van me.

Hoe vaak kan een hart breken? Mijn handen beefden. Ik kon niets tegen Adam zeggen terwijl ik de foto's een voor een omdraaide. Het geluk van die dagen vulde de kamer, keek naar me op. Het leven van mijn kind in heldere herinneringen. Alles wat ik had. Alles wat ik kwijt was.

Het kon nooit genezen, dit verlies. Het zou voor altijd in me voortleven, alles wat ik deed zinloos maken, niet meer dan een poging tot afleiding. Hoe had ik kunnen denken dat mijn verlangen om weer te creëren iets anders was dan afleiding, een wanhopig vastgrijpen van een strohalm? Hoe had ik dat kunnen denken?

Adam fluisterde: 'Jenny, Jenny, alsjeblieft niet huilen. Niet huilen. We kunnen alle foto's terugdoen in de doos.'

Ik keek naar hem. Ik wist niet dat ik huilde. Hij zag heel bleek. Ik opende mijn armen en hij sloeg zijn armen om me heen op de vloer en ik rook zijn schooljongensgeur. We wiegden een poosje en ik voelde hoe hij zijn best deed om zijn emotie onder controle te krijgen. Ik wist dat hij iets troostend wilde zeggen, maar de woorden niet kon vinden.

Ik duwde hem voorzichtig van me af. 'Het spijt me. Ik had je dit niet mogen aandoen, Adam. Ik ga nu naar bed. Morgen praten we verder.' Ik gaf een kus op zijn voorhoofd. 'Welterusten.'

Ik laat hem achter met de caleidoscoop van mijn leven. Ik doe het licht niet aan, ik neem geen bad. Ik doe mijn kleren uit, trek een oude pyjama aan en ga in het donker in bed liggen. Zodra ik me heb laten gaan, kan ik niet ophouden. Ik smoor mijn snikken in het kussen. Ik verlies alle gevoel voor tijd terwijl mijn lichaam schokt in het bed.

Ik wil Rosie en Tom voelen en aanraken en ruiken en vasthouden. Ik wil hun lach horen en hun stemmen horen zingen. Ik wil hen terug. Ik wil mijn leven terug en alles wat ik had. Ik wil dat dit een vreselijke vergissing is. Ik wil wakker worden en merken dat het een nachtmerrie is en dan zal ik opgelucht lachen, lachen dat ik zo'n droom kon hebben. Ik wil mijn leven terug.

55

Adam zat te midden van de zee van foto's op de vloer, niet wetend wat hij moest doen. Hij vond dat hij het recht niet had om ze aan te raken of terug te doen in de doos. Langzaam liet hij zijn blik over ze glijden, en tuurde naar de lachende gezichten. Iedereen zag er zo gelukkig uit. Iedereen in dat huis in Londen leek voortdurend te lachen en toch wist hij dat niemand foto's maakte van treurige of boze mensen. De camera legde de speciale momenten vast. Levens konden vervormd worden door wat je zag, niet door wat werkelijk plaatsvond.

Hij wou dat hij deel had kunnen uitmaken van het leven in dat huis. Hij wou dat hij de tijd had meegemaakt dat Jenny gelukkig en zorgeloos was. Hij wist niet hoe het ooit mogelijk zou zijn geweest om levens te delen waarmee hij geen band had. Maar hij wist dat herenigingen gebeurden, meestal als je volwassen was. Vervreemde of geadopteerde kinderen doken op in het leven van hun ouders. Voor hem was het te laat. Hij was het altijd van plan geweest, maar nu was het te laat.

En als zijn moeder hem stukjes informatie had gegeven over Tom die hij jaren geleden had kunnen nagaan? Zoals bij het Leger des Heils of zo? Dan had hij in het geheim contact kunnen zoeken, dan had hij Tom misschien leren kennen en dan hadden ze gepraat en gepraat en dan was hij geen vreemde meer geweest. Jenny en Tom zouden tegen hem hebben gezegd hoe blij ze waren dat hij hen had gevonden. Hij had misschien deel kunnen hebben aan waar hij nu naar keek. Had zijn moeder maar geen geheim van Tom gemaakt.

Door de gesloten slaapkamerdeur hoorde Adam vaag dat Jenny huilde. Het bleef maar doorgaan, als een verontrustend gregoriaans gezang. Hij zat geknield in het stille huis waar de gordijnen nog niet dicht waren en het donker zich buiten diep en gewelddadig ophoopte. Het enige wat te horen was, was het huilen van Jenny en de kreten van de wulpen in de stormachtige nacht, die zich voegden bij de oneindige jammerklacht in het huis.

Adam stond op en trok de gordijnen dicht. Hij ging douchen en luisterde toen aan Jenny's deur. Ze huilde nog steeds. Hij moest een manier bedenken om haar te laten ophouden. Straks maakte ze zichzelf weer ziek. Misschien moest ze zelfs terug naar het ziekenhuis.

Hij ging naar de keuken, zette een beker thee en deed er melk en suiker in. Suiker hielp tijdens een crisis, zo meende hij zich te herinneren. Hij klopte op Jenny's deur, opende die zonder op antwoord te wachten en ging naar binnen. De kamer was in duister gehuld en Jenny lag ineengedoken in bed met haar hoofd in de kussens. 'Ik heb thee gebracht.' Onhandig stond hij in zijn pyjama naast het bed. In elk geval was ze opgehouden met huilen. Voorzichtig zette hij de beker thee op haar nachtkastje en liep op zijn tenen de kamer uit voor het geval ze sliep. Hij deed alle lichten uit, controleerde of de deuren op slot waren, en ging toen naar bed.

Ergens in het kleine bos achter het huis hoorde hij een uil, en dat bezorgde hem een gevoel van grote eenzaamheid. Hij hoorde hoe Jenny het bad liet vollopen toen hij bijna in slaap was, en hij voelde zich opgelucht.

In de nacht werd hij wakker uit een nare droom vol snerende, lachende gezichten die steeds groter werden en hem dreigden te verstikken in hysterisch plezier. Hij schoot overeind met het zweet op zijn voorhoofd. Buiten leek de nacht verstikkend, intens en eindeloos. Hij was bang om weer te slapen voor het geval de gezichten hem weer zouden achtervolgen.

Hij stond op om een glas water te pakken en zag een glimp licht onder Jenny's deur. Zachtjes klopte hij aan, en Jenny riep: 'Kom maar binnen, Adam, ik slaap niet.'

Hij opende de deur en ging naar binnen.

Ze zat in bed te lezen. 'Kun jij ook niet slapen?' Ze glimlachte naar hem. 'Dat verbaast me niets. Het spijt me vreselijk dat ik je dat heb aangedaan, lieverd. Ik had die foto's moeten bekijken als ik alleen was.'

'Nee, niet waar. Ik wilde erbij zijn. En ik ben blij dat ik erbij was. Ik had een nachtmerrie.'

Jenny klopte op het bed. 'Kom even praten. Zal ik iets te drinken voor je halen?'

Adam schudde zijn hoofd.

'Moet je niet even je ochtendjas pakken? Dadelijk krijg je het koud.'

Adam aarzelde. 'Mag ik bij je in bed komen? Ik wil niet alleen blijven, Jenny. Ik weet zeker dat die droom terugkomt.'

Hij voelde zijn gezicht rood worden. Hij wist dat hij veel te oud was om dit te zeggen. Jenny aarzelde, keek hem een poos aan en toen sloeg ze het dekbed open aan de andere kant van het bed.

Adam ging in de warmte naast haar liggen en zuchtte. Hij legde zijn hoofd in het kussen en sloot zijn ogen. 'Ik denk dat ik nu wel kan slapen.'

'Mooi.' Jenny boog zich naar hem toe en streek zachtjes het haar uit zijn warme gezicht. 'Als de droom terugkomt ben ik hier, vlak naast je. Ga nu maar slapen, lieve jongen.'

56

Toen ik wakker werd, lag Adam nog naast me. Hij zag er jong en kwetsbaar uit in zijn slaap. Zijn lange, blonde haren vielen over zijn ogen en ik moest me bedwingen om ze niet uit zijn gezicht te strijken.

Terwijl ik daar lag, voelde ik een intense blijdschap dat hij er was. Ik wilde hem beschermen tegen alle wreedheden die hem misschien te wachten stonden, en ik wist dat ik dat niet kon. Ik had Rosie niet kunnen beschermen en ik kon Adam ook niet beschermen tegen de buitenwereld. Dat stemde me droevig. Wat lagen vreugde en verdriet dicht bij elkaar. Net als licht en schaduw.

Zachtjes stond ik op. Ik wilde niet dat hij naast me wakker werd, want ik wist dat hij zich opgelaten en beschaamd zou voelen. We wisten allebei dat hij te oud was om bij mij in bed te kruipen. Toch school in alle puberjongens een kind vol onzekerheden. Dat had ik gezien bij de kinderen van mijn zussen.

Ik ging naar de keuken om thee te zetten. Ik vroeg me af of het geen nadelige invloed op hem had om bij mij te wonen en geconfronteerd te worden met mijn soms verlammende pijn. Toch wist ik dat we gelukkig waren, Adam en ik. Ik wist het zeker als ik zijn brede glimlach zag zodra hij me in het oog kreeg als hij uit de trein stapte, of als hij in de keuken kwam om toe te kijken als ik kookte, tijdens onze wandelingen, gewoon door samen te zijn. Het was niet moeilijk om van Adam te houden, om bij hem te zijn.

Als ik dacht aan onze eerste ontmoeting in het huis van Ruth in Birmingham besefte ik dat Adam en ik meteen een goed contact hadden gehad, nog voor hij wist wie ik was.

Ik nam mijn thee mee naar de badkamer. Adam was nog in diepe slaap. In de douche fluisterde een kil stemmetje: *sinds je hem voor het eerst zag heb je hem je onverdeelde aandacht geschonken, heb je aandachtig naar hem geluisterd. Ruth had het te druk om hem al die aandacht te geven, en zijn school schoot tekort. Je kwam precies op het juiste tijdstip... Nee.* Ik sloot mijn ogen voor die innerlijke stem. Ik was op het eerste gezicht van Adam gaan houden, net als toen bij Tom.

Ik wikkelde de handdoek om me heen en stapte uit de douche. Ik beefde van een intense emotie die ik niet begreep. Ik had Adam hier nodig, bij mij. Hij was een deel van Tom en dus een deel van mij. Als hij bij me was, bleef Toms gezicht duidelijk, helder en levend.

Ik wilde niet naar de slaapkamer om mijn kleren te pakken en hem te storen, dus trok ik mijn pyjama weer aan en ging terug naar de keuken. Door de open slaapkamerdeur hoorde ik Adam uit bed komen. 'Hallo,' riep ik. 'Wil je thee?'

Adam kwam de keuken in. Hij vermeed mijn blik en mompelde: 'Ja, graag.'

Ik schonk een beker voor hem in en concentreerde me op de thee terwijl ik luchtig praatte om hem op zijn gemak te stellen. Gelukkig was het zaterdag en had hij vrij van school. 'Wat ben je vandaag van plan? Ik ga een heel grote worteltaart maken om indruk te maken op Flo, Danielle en Ruth. Ze komen eerst hier, want Danielle en Flo willen het huis bekijken.' Ik gaf hem zijn thee.

Adam snoof en begon zich te ontspannen. 'Ik denk dat we gaan vissen, Harry, James en ik,' zei hij.

'Goed, lieverd. In dat geval zal ik spek en eieren voor je bakken. Er staat een venijnige wind buiten.'

'Dat hoeft niet, Jenny. Jij eet nooit spek en eieren.'

'Ja, maar ik kan ze wel goed bakken!'

Adam grinnikte. Ik grinnikte terug. 'Ga je aankleden. Over een paar minuten is het klaar.'

Zijn gezicht verhelderde omdat alles tussen ons weer normaal was. Hij draaide zich om en ging naar zijn slaapkamer.

Toen hij terugkwam, ging ik met mijn koffie bij hem zitten terwijl hij at. 'Komt James je halen?'

'Ik geloof dat hij zei dat hij zou bellen.'

'Dat kan dan elk moment zijn. Waar gaan jullie vissen?'

'Dat hangt van het weer af.' Adam keek over mijn hoofd. 'Ik denk niet dat we met deze wind met de boot weggaan, dus misschien gaan we bij het veerboothuis vissen.'

'Zorg je dat je om vier uur terug bent, als ze komen?'

Hij keek naar me op. 'Oké. Ik geloof niet dat mam het erg zou vinden als ik nog niet terug was.'

Ik wel. Ik zei, voorzichtig mijn woorden kiezend: 'Misschien niet, maar ze zou het vast fijn vinden als je hier op haar zat te wachten. Dat zou ik in elk geval wél vinden.'

Hij keek me aan en ik zei luchtig, terwijl ik zijn lege bord weghaalde: 'Ik wil dat dit een fijn weekend wordt, vooral voor Ruth. Ze moet je ontzettend missen.'

Ik legde het bord in de gootsteen en draaide me naar hem om terwijl ik tegen het aanrecht leunde. Hij luisterde, maar wel op zijn hoede. 'Ik weet niet wat voor plannen Ruth met je heeft dit weekend, maar jullie zullen vast tijd voor elkaar willen. Misschien wil ze met je naar het huis in Truro.'

Ik zweeg toen Adams gezicht betrok. 'Maar het feest dan? Ik heb Harry gevraagd. Ik dacht dat iedereen bij Bea en James zou blijven.'

'Dat feestje is pas morgenavond...'

'Ik wil hier blijven. Ik wil bij jou blijven. Misschien heb je me nodig.' Zijn stem klonk schor.

Ik slikte mijn hypocriete en verraderlijke blijdschap weg. Ik ging achter zijn stoel staan, legde mijn armen om zijn hals en mijn gezicht tegen de bovenkant van zijn hoofd. 'Adam, we zijn elke dag bij elkaar. Je moeder is hier alleen maar het weekend. Het is belangrijk om haar niet te kwetsen of het idee te geven dat ik haar op een bepaalde manier heb vervangen. Het is al moeilijk genoeg voor haar. Ze heeft toegestaan dat je niet bij haar woont omdat ze van je houdt. Nu is het tijd dat jij haar laat blijken hoeveel je van haar houdt en hoe blij je bent haar te zien. Dat is toch niet meer dan eerlijk?'

Adam zweeg. Toen zei hij: 'Ja.' Hij keek naar me op. 'Ik hou echt van mijn moeder, Jenny.'

Ik gaf een kus op zijn hoofd en liep weg. 'Dat mag ik hopen! Zorg dat zij het ook weet. Kijk, daar is mijn vader. Ga je gauw gereedmaken terwijl ik hem koffie geef.'

Pap omhelsde me. 'Lekker, koffie. Bea wilde om vier uur vanmorgen met me kletsen bij thee en geroosterd brood. Toen was het leuk, maar naderhand kon ik niet meer slapen.'

Adam verscheen met zijn visspullen en James zei: 'Goed, dan gaan we Harry halen. Hij komt met de trein. Hij was nog niet aangekleed toen ik belde. Ik neem aan dat je Adam terug wilt hebben voor ze allemaal hier komen?'

'Nou en of. Adam heeft zijn orders gekregen. Veel plezier.'

'Dag, lieverd.' James liep op die vage manier van hem naar de voordeur en ik zag dat hij de tred van een oude man had. *O, pap, niet oud worden.*

Adam volgde James naar buiten, maar opeens holde hij terug naar mij. 'Ik kom op tijd terug, dat beloof ik.' In een opwelling gaf hij een kus op mijn wang.

'Waar was dat goed voor, lieve jongen?'

'Ik hou van mijn moeder, maar ik hou ook van jou, Jenny.' Toen was hij weg en viel de voordeur achter hem dicht. Ik bleef achter in het stille huis.

57

Toen Ruth langs de Saltings reed, zag ze een bekende gestalte bij Jenny's huis. Hij droeg zijn hengel en zijn oude, groene vistas hing over zijn schouder. Ze glimlachte, minderde vaart achter hem en riep hem.

Adam draaide zich om en lachte toen hij zag dat het Ruth was. 'Hoi, mam!'

'Hallo, Adam. Wat fijn om je te zien.' Ze sprong uit de auto en omhelsde hem terwijl Jenny naar buiten kwam.

Flo stapte stram van de voorbank. Lange ritten begonnen lastig te worden. Danielle stapte vlug uit en kuste Jenny op beide wangen. 'Mijn god, elke keer als we met de auto komen vergeet ik hoe ver het is.'

James, die met Harry achter Adam aan was komen lopen, begroette iedereen en stapte toen in de auto om terug naar Bea te rijden.

'Net op tijd. Op het nippertje!' siste Jenny hem toe voor hij wegging.

Flo en Danielle waren weg van het vreemde huisje waar overal Jenny's stempel op was te zien.

'Dit is echt jou, Jen. Ik had meteen herkend dat jij hier woont, ook al had het midden in de Sahara gestaan,' zei Flo.

Danielle keek met een professionele blik om zich heen. Alles was nonchalant en moeiteloos samengesteld door Jenny's hand, met haar natuurlijke flair voor kleur en textuur die ze in haar ontwerpen gebruikte. Ze was een en al opluchting terwijl ze rondliep en alles bekeek en aanraakte. *Pff! Als Jenny dit kan, is haar fantasie nog springlevend.*

'Kom mee naar de keuken. Ik heb een ouderwetse thee klaargezet.'

Jenny's worteltaart stond midden op tafel. Een kunstwerk.

'O, wauw!' riep Adam.

'Mijn hemel,' zei Flo lachend. 'Wat prachtig! En ook nog van die kleine sandwiches met ei. Wat een welkom, Jen.'

Danielle staarde naar de tafel en herinnerde zich de prachtige taarten die Jenny had gebakken voor de twee verjaardagen van Rosie.

Ruth werd heel stil. *Dit is te perfect. Adam leidt dit behaaglijke en magische bestaan zonder mij. Het lijkt wel een leven in een film. Ik zie dit allemaal op een scherm. Hier kan ik niet tegenop.*

Ze gingen aan tafel zitten en iedereen praatte door elkaar. Ruth zag dat Adam melk voor Jenny uit de koelkast haalde en de sandwiches ronddeelde. Ze probeerde uit alle macht het woedende, aanhoudende en venijnige stemmetje te verdringen dat haar blijdschap dreigde te overstemmen dat ze weer bij Adam was.

Ze was vreselijk jaloers. Nog nooit had zij een taart voor Adam gebakken. Toch ging Adam naast haar zitten, zorgde dat ze iets te eten had en lachte voldaan naar haar, om duidelijk te maken dat hij blij was haar te zien.

Jenny boog zich over de tafel. 'Ruth? Wat ben je stil. Is alles in orde?'

Geniet in godsnaam van dit kostbare weekend. Bederf het niet.

Ruth vermande zich en glimlachte. 'Sorry, alles is in orde. Dadelijk kan ik er weer helemaal tegenaan.'

'Jenny?' vroeg Flo. 'Heb je ergens een tafel kunnen bespreken voor vanavond? Ik wil niet dat Bea gaat koken.'

'Ja, met enige moeite. Bea vond het veel te luxe, maar heimelijk verheugt ze zich erop. Ik heb een tafel besproken voor acht uur.'

Vlug wendde ze zich tot Ruth. 'Je zult wel plannen hebben voor het weekend. We willen geen beslag op jou en Adam leggen. Bea wilde je alleen laten weten dat je vroegere kamer klaar voor je is als je niet helemaal naar Truro wilt rijden. Je kunt natuurlijk ook hier logeren als je geen bezwaar hebt tegen een stapelbed.'

Jenny klonk warm en attent, dus waarom had Ruth het gevoel dat ze werd gepaaid? Ze draaide zich naar Adam toe, zag zijn verontruste gezicht en wist meteen dat hij in St. Ives wilde blijven. Vlug dacht ze na. 'Vanavond met z'n allen eten klinkt leuk. Is het goed als ik hier blijf logeren met Adam?' Ze wendde zich tot Adam. 'Ik moet wel even het huisje controleren, nu ik hier ben, Adam. Misschien kunnen we dat morgen doen? Een vriend van Peter wil het een poos huren.'

Door de opluchting was Adam een en al inschikkelijkheid. 'Natuurlijk, mam. Dan gaan we morgenochtend. Dan kunnen we de boel luchten en zo.'

Danielle was weg gedrenteld en bevond zich aan de andere kant van de keuken in een soort rudimentaire serre. Daar zag ze Jenny's eerste voorzichtige ontwerpen. Ze stond ze te bekijken toen Jenny zich blozend naar binnen haastte. 'Danielle! Ik wilde niet dat jij of wie dan ook dit zou zien. Ik ben wat aan het rommelen voor mijn eigen plezier. Kijk er alsjeblieft niet naar.'

'Jenny, als je dit voor je eigen plezier doet, wil je er dan ook een paar doen voor mijn plezier? Ze zijn heel goed. Geloof me.'

Jenny leek oprecht verbaasd. 'Meen je dat?'

'Tja, ik ben een ontwerper en ik heb heel lang met je samengewerkt. Vertrouw op me! Vorige week heb ik met Antonio geluncht. Hij wil nog steeds met ons samenwerken. Hij wil nog steeds jouw ontwerpen aan de man brengen in Italië.'

'Danielle...'

'Luister nu even. Antonio kent de situatie. Hij weet dat je er een poos tussenuit wilt, maar mag ik alsjeblieft een paar van deze tekeningen meenemen om ze aan hem te laten zien? Het verplicht je tot niets, maar er blijkt wel uit dat je het nog niet verleerd bent.'

Jenny schudde haar hoofd. 'Ik ben nog niet zover. Het is te snel. Antonio zal jouw ontwerpen nemen, en je kunt je aanpassen aan wat hij wil.'

'Ik wil geen compromissen in mijn werk, Jenny. Wij zijn heel verschillende ontwerpers, en daarom gaat onze samenwerking zo goed. Antonio wil jouw werk, niet het mijne. Ik wil geen andere ontwerper aannemen...' Danielle zag Jenny's gezicht en sloot haar ogen. 'Sorry, ik doe wat ik aan Antonio had beloofd dat ik niet zou doen. Ik zet je onder druk. Vergeet het maar, lieverd.' Ze glimlachte. 'Ik was zo op-gewonden toen ik hier binnenkwam en zag dat je weer aan het werk bent. Ik kon mijn ogen niet geloven.'

Jenny zag hoe moe Danielle eruitzag. Flo en Ruth ook. Ze waren allemaal bezig om de zaak draaiende te houden omdat zij had be-sloten zich terug te trekken. 'Je hebt toch altijd willen samenwerken met Antonio?'

'Ja. Dat is de weg die we moeten inslaan. Dat weet ik zeker.'

'Ik zal nadenken over wat je hebt gezegd. Alleen nadenken. Goed?'

'Ik zeg er geen woord meer over. Dank je. Dank je.' Ze kuste Jenny verheugd op beide wangen en liet toen haar stem dalen. 'Is alles goed hier met Adam en Ruth?'

Jenny knikte. 'Ja, we hebben het geregeld. Ruth logeert vannacht hier en ik slaap bij mijn ouders, zodat Ruth Adam voor zich alleen heeft.'

'Mooi!' Danielle gaf haar een arm. 'Dan kunnen we samen dron-ken worden en roddelen zoals vroeger. We kunnen nu beter naar St. Ives gaan. Misschien wil Flo wat slapen. Haar artritis wordt erger. Die trappen doen er ook geen goed aan.'

'Ik zag het toen ze uit de auto stapte. Misschien kan James haar overhalen om naar een arts te gaan.'

'Ze wil niet met pensioen. Dat zou haar dood worden.'

'Ik weet het, maar wij zullen er altijd zijn om voor haar te zorgen.'

Een volle maan hing dramatisch boven de zee toen ze allemaal aan het eten waren met uitzicht over de haven. Ruth begon zich te ont-spannen. Adam was gelukkig. Zij hield van haar werk. Waar had ze zich zo druk om gemaakt? Het leven was goed.

Terug in Jenny's huis genoot Ruth ervan om Adam voor zichzelf te hebben. Hij vertelde over school en over Harry, over de leraren en muziek. Hij leek meer zelfvertrouwen te hebben en het kostte hem blijkbaar geen moeite om vrienden te maken. Hij sprak ook met ge-negenheid over Bea en James, maar hij leek heel voorzichtig met wat hij over Jenny zei.

Toen Ruth hem vroeg of het allemaal goed ging, het wonen hier bij Jenny in dit kleine huis, zei hij vlug. 'Het is allemaal heel gaaf. Dat weet je, mam, anders had ik het je wel verteld als het niet zo was. En jij? Hoe gaat het in Londen?'

Ruth lachte. 'Ik vind het er heerlijk, behalve dat ik jou mis.'

'Ja, maar ik moet door de week heel hard werken. Ik heb ladingen huiswerk en dan moet ik ook nog muziek oefenen. We zouden waarschijnlijk nooit tijd hebben om te praten omdat jij ook tot laat werkt. Er zijn trouwens een heleboel kinderen van mijn leeftijd op kostschool, dus zo moet je het maar bekijken.'

Hij lachte naar haar en Ruth zei: 'O, wat zijn we rationeel en slim geworden op die particuliere school!'

Adam wierp haar vlug een blik toe, zich afvragend of hij iets in haar stem had gehoord. Hij zag dat ze lachte en toen ontspande hij zich weer.

Adam had een onderbroken nacht gehad en was doodop. Hij liet zich in zijn bed vallen zonder zijn tanden te poetsen. Ruth drentelde door het huis. Ze had zich voor niets drukgemaakt. Ze neuriede zacht in het donker en toen ze de zeevogels hoorde, huiverde ze omdat de geesten van haar jeugd bij haar terugkwamen.

Waren ze dood of leefden ze nog, die bedriegers van ouders? Hadden ze ooit het geluk gevonden? Waren ze op hoge leeftijd hun angst verloren voor het niet beantwoorden aan een verwrongen beeld van fatsoen? Ze zou het nooit weten en het was beter om niet aan hen te denken.

Ze ging bij Adam kijken terwijl hij lag te slapen. Het licht van de gang scheen zijn kamer binnen. Ruth was doodmoe, maar ze wilde nog niet naar bed.

Alleen wij tweeën. Net als vroeger. Opeens verlangde ze terug naar de besloten wereld toen hij een baby was. Toen herinnerde ze zich dat ze nooit echt alleen was geweest met Adam. Haar tante was hoofdzakelijk aanwezig geweest tijdens zijn eerste jaren. Zij had gewerkt. Ze had altijd gewerkt. Toen was Peter gekomen. Het was een mythe die ze zichzelf had voorgehouden dat ze Adam ooit voor zichzelf had gehad.

Adam was gelukkiger en hij voelde zich meer op zijn gemak op school dan ooit. Hij hield van zijn leven hier in Cornwall. Hij was echt blij geweest haar te zien. Mettertijd zou hij ook genieten van zijn vakanties bij haar in Londen. Wat kon ze meer van het leven verlangen dan dat haar kind gezond, veilig en gelukkig was?

Niets, zei ze tegen de maan terwijl ze in Jenny's bed stapte. Helemaal niets.

58

De volgende ochtend gingen Danielle en Jenny St. Ives in om te winkelen en bij de talloze kleine galerieën te kijken.

Flo zat met Bea en James in de keuken koffie te drinken en de kranten te lezen. Toen liet ze de kleurenbijlage zakken die ze aan het lezen was, en haalde diep adem. 'Van de week is er iets vreemds gebeurd.'

Iets in haar stem zorgde ervoor dat James zijn krant neerlegde. 'O ja?'

'Ik zag een man in een auto zitten voor het huis. De auto werd verwisseld en de man ook, maar het leek net alsof iemand ons huis of het huis ernaast in de gaten hield. Niemand anders had hem blijkbaar opgemerkt. Toen ik het tegen Ruth en Danielle zei, leek het ons allemaal beter om de politie te bellen, voor het geval ze een inbraak van plan waren. Zoals jullie weten, wonen er veel diplomaten in de straat.'

Flo zweeg even. James sloeg haar aandachtig gade.

'Ik belde de politie. In plaats van een beleefd gebrek aan belangstelling kwam er meteen een inspecteur Wren langs. Hij vertelde dat ze de gangen van een niet nader genoemde diplomaat in de straat in de gaten hielden, en wie er kwamen of het huis verlieten. Ik zei dat ik de indruk had dat óns huis in de gaten werd gehouden. Hij verzekerde me dat ik me vergiste en dat hun mensen afgelost moesten worden. Hij wilde kennelijk dat ik me niet met hun onderzoek bemoeide en dat ik alles wat hij me vertelde, vóór me zou houden. Ik wilde hem best geloven, alleen had ik het idee dat ik hem eerder had gezien. Opeens wist ik het weer. Dat was toen Tom om het leven kwam. Hij was een van de rechercheurs die thuis waren geweest. Ik wist dat hij loog en ik kon merken dat hij dat vervelend vond. Bij de voordeur zei hij: "U bent een opmerkzame vrouw, mevrouw Kingsley. Het is in het belang van de weduwe van Tom Holland dat een onderzoek door ons niet op het spel wordt gezet of in gevaar wordt gebracht." Toen ging hij weg. Ik zei tegen Ruth en Danielle wat hij wilde dat ik zou zeggen. Dat een van de diplomaten in de straat werd geschaduwd.'

James en Bea staarden Flo sprakeloos aan.

'Ik zag er het nut niet van in om dit tegen Jenny te zeggen. Ze begint net weer op te krabbelen en er is niets concreets dat ik haar kan vertellen. Heb ik daar goed aan gedaan?'

'Natuurlijk, Flo,' zei Bea vlug. 'We hebben geen idee wat deze navraag of onderzoeken door de politie inhouden. Het heeft geen enkele zin om het te vertellen.'

'Dat vind ik ook,' zei James. Tom moest uiteraard recht worden gedaan, maar het leek hem onwaarschijnlijk dat de politie er nu pas achter zou komen wie verantwoordelijk was voor de moord. Door de aard van Toms werk waren er talloze mogelijkheden. 'Het heeft geen zin dat Jenny weet dat de politie nog steeds onderzoek doet naar de moord. Het moet heel vervelend voor je zijn geweest.'

'Ach, ik ben een ouwe taaie. Mijn vader was politieman en hij liet me altijd een spel doen waarin ik moest onthouden hoeveel voorwerpen er op een bord lagen. Daardoor ben ik opmerkzaam geworden.'

'Ik ben blij dat ze de dood van Tom niet zijn vergeten,' zei Bea.

'Dank je dat je het ons hebt verteld, Flo. Zo, en hadden jullie ouwe taaien niet met de meisjes bij de Tate afgesproken?'

'Wat ga jij doen, schat?' vroeg Bea.

'Ik ga heerlijk in mijn eentje in de tuin rommelen.'

Flo pakte haar jasje. 'Dat is een hint dat we hem met rust moeten laten, Bea. Hij wordt dit weekend natuurlijk ondergesneeuwd door vrouwen.'

'Lieve Flo, wanneer ben ik niet ondergesneeuwd geweest door vrouwen? Dat is al dertig jaar mijn lot.'

'En je hebt van elke minuut genoten,' zei Bea zonder enig medeleven. Ze pakte haar jas van de kapstok en gaf hem een kus op zijn wang.

'Dit huisje begint vochtig en onbewoond aan te voelen,' zei Ruth terwijl ze de ramen opende. 'Als ik het houd, dan zal ik centrale verwarming moeten laten aanleggen.'

'Je gaat het toch niet verkopen, mam?'

'Dat wil ik niet.' Ze keek naar Adam. 'Maar misschien ben jij... zijn wij het ontgroeid. Ik moet praktisch zijn.'

Adam schudde zijn hoofd. 'Nee,' zei hij ernstig. 'Het is jouw erfenis, je moet het houden. Doe wat Peter zei en verhuur het een poos. Als je centrale verwarming neemt, kun je misschien een nieuwe Aga kopen die werkt als wij er niet zijn. Dan blijft het huis droog.'

Ruth deed haar best om niet te lachen. 'Je hebt gelijk. Het is mijn erfenis. Misschien zal ik dat doen. Dan stop ik er een deel van het geld uit Birmingham in. Kom, we doen de ramen open en dan lopen we naar Polmarrick en gaan lunchen in de Egret.'

Adam liep naar zijn eigen kamer om het raam te openen. Hij bleef staan en keek naar zijn bed en de boeken op de plank erboven. Wat was hij nog klein geweest toen ze met z'n allen naar het huisje kwamen. Nu voelde hij zich zo volwassen. Het leek wel of hij zich iemand anders herinnerde. Maar wat was het ook eenvoudig geweest. Alleen vissen en picknicken en mam en... vaak Peter. Even gleed een schaduw over zijn horizon en voelde hij een steek van spijt om Peter, die Adam zo onzelfzuchtig jaren van hemzelf had geschonken. 'Je mag dit niet verkopen, mam,' riep hij. 'Het is ook een deel van mijn erfenis.'

Hij hoorde dat zijn moeder in de lach schoot. 'O ja? Blij dat te horen, lieverd.'

Op de terugweg naar St. Ives, aan het eind van de middag, pakte Adam zijn mobiele telefoon.

'Wie ga je bellen? Harry? Die zie je over een paar uur.'

'Nee.' Adam bloosde. 'Hallo, Jenny. Ja, prima. We zijn op de terugweg. Hoe laat zullen we naar St. Ives komen? Ja? Oké. Tot straks.

Ik zei net tegen Jenny dat we op de terugweg zijn,' zei hij overbodig tegen zijn moeder.

'Dat heb ik begrepen,' merkte Ruth droog op.

Danielle en Jenny keken uit over de havenmuur naar de zwermen zeemeeuwen die de vissersboten de haven in volgden.

'Het is prachtig, Jen, en er zijn mooie galerieën en leuke winkels, maar mis je de opwinding van Londen niet? Voor een vakantie is het heerlijk, lijkt me, maar om hier te wonen... Pff, ik zou me al gauw vervelen.'

Jenny lachte. 'Dat komt omdat jij een stadsmeisje bent. Dit is mijn thuis, Elle. Op dit moment kan het niet beter voor me zijn.'

Danielle draaide de zee haar rug toe. Ze hoorde dat 'op dit moment' en ze vatte moed. 'Natuurlijk. Het is anders als je ergens bent opgegroeid. Ik ben alleen zo egoïstisch dat ik je mis, dat is het 'm.'

'Het gaat toch wel goed met Ruth?'

'O, ja. Ze weet waar ze mee bezig is. Ze is heel goed wat marketing betreft, een goede pr-manager en ze heeft veel nieuwe contacten voor ons gevonden. Ze is ook heel aardig. Dat weet je, want jij bent met haar opgegroeid. En hoe gaat het met jou, nu de jongen bij je woont?'

Ze verlieten de haven en liepen terug naar huis. Bea had hen vooruitgestuurd om de Aga aan te zetten.

'Prima.'

Op dat moment ging Jenny's mobiele telefoon over. Ze glimlachte terwijl ze praatte. 'Hallo! Heb je een leuke dag gehad? O, kom om een uur of halfzeven, zeven uur, wanneer jullie klaar zijn. Oké, lieverd, tot straks.'

'Niet te prima voor de gemoedsrust van Ruth, hoop ik,' zei Danielle.

Jenny wierp haar een scherpe blik toe. 'Ruth moet het toch een geruststelling vinden dat Adam gelukkig is, en dat is hij. Ik weet dat ik er zo over zou denken als hij mijn zoon was.'

Danielle slikte de woorden *maar hij is je zoon niet* in, en gaf haar een arm. 'Lieverd, doe niet zo verdedigend. Het is een wankel evenwicht voor jullie beiden, of niet soms? Ik zie het van een afstand, als iemand die...'

'Neutraal is? Objectief?'

'Allebei. Laten we het over iets anders hebben.'

Na een poosje zei Jenny: 'Ik mis de stad niet, maar wél het huis en het samenwerken met jou en Flo. Ik mis het leven dat ik had en soms, als Flo of jij me belt en ik op de achtergrond de drukte hoor, voel ik een groot verlies. Het leven dat ik nu leid, lijkt dan opeens vreemd. Alsof ik in een andere wereld ben terechtgekomen en een andere persoon ben geworden.'

'Je bent Jenny en dat zul je altijd blijven. Je komt bij ons terug. Dat weet ik. Je komt terug als je je beter voelt en eraan toe bent.'

'Misschien.' Jenny glimlachte. 'Ik heb nagedacht over wat je zei. Ik voel me schuldig dat je in je eentje alle verantwoordelijkheid op je moet nemen. Het probleem van verdriet is dat je er egoïstisch door wordt zonder dat je het beseft. Het is net of je in een zeepbel leeft en dat niets buiten die zeepbel echt is. Als je een paar van die schetsen aan Antonio wilt laten zien, ga je gang. Maar het zal niet voldoende zijn om hem te interesseren. Ik probeer alleen op de tast de weg terug te vinden.'

Danielle slaakte een kreet van dankbaarheid. Ze droomde al heel lang over een zakenrelatie met Antonio.

Ze zag dat Jenny lachend naar haar keek. 'Vind je Antonio aantrekkelijk, Elle?'

Danielle bloosde. 'Natuurlijk niet! Het zou geen enkel verschil maken als het wél zo was. Hij heeft altijd alleen maar oog gehad voor jou. Jij kunt niets verkeerds bij hem doen.'

'Wat een volslagen onzin. Hij vindt mijn ontwerpen goed, dat is alles, en hij is ontzettend vriendelijk voor me geweest na de dood van Tom. Hij is een heel aardige man.'

Danielle lachte. 'Ja, dat is hij zeker. En hij zal een heel dankbare man zijn als ik hem jouw ideeën laat zien. Wacht maar af.'

'Ik hoor het wel. Kom, we moeten opschieten en die oven aanzetten, anders krijgen we het met Bea aan de stok.'

Links van hen hing de zon laag, bloedrood en dramatisch boven de zee terwijl de dag langzaam overging in zwart en wit.

Die avond, na het diner bij Bea en uren vol door drank ingegeven charades, bleef iedereen in Tredrea logeren. Ruth werd vroeg in de ochtend wakker met het idee dat ze in slaap was gevallen met nog steeds dit beeld voor ogen: Adam en Jenny die samen de vaatwasser inruimden. Ze was met een stapel borden in de keuken gekomen en zag hen gebogen boven de open deur van de machine, hun gezichten dicht bij elkaar, terwijl ze om iets moesten lachen. Zo op hun gemak met elkaar, en op de een of andere manier zo intiem.

Harry was achter haar naar binnen gekomen met nog meer borden, en de betovering was verbroken, maar Ruth had hen gezien. Wat gezien? Er viel niets te zien. Ruth wist diep vanbinnen dat Jenny Adam van haar afpakte; achteloos, met liefde en aardige woorden. Opzettelijk, terwijl ze Ruth aankeek, vormde Jenny een onverbrekelijke band met háár kind.

Ruth stond in het donker op en liep zachtjes de trap op naar boven, waar Harry en Adam in de zolderkamer naast die van Jenny sliepen. Beide jongens waren in diepe slaap, maar Jenny niet. Ze hoorde Ruth en opende haar deur. Ze was thee aan het zetten in haar kamer. 'Kom een kop thee drinken. Ik ben ook vroeg wakker geworden,' fluisterde ze.

Ruth schudde haar hoofd. 'Ik denk dat ik nog wat probeer te slapen. Het is een lange rit terug naar Londen.'

'Oké. Neem dan een beker mee naar bed.' Jenny schonk thee in en gaf haar de beker.

'Bedankt. Tot straks.' Ruth draaide zich om en liep de steile trap af. Ze wist dat Jenny haar verbaasd en misschien gekwetst nakeek, maar het kon haar niets schelen.

59

Ik wist dat ik moest proberen om met Ruth te praten voor ze terugging naar Londen.

Op de middag vóór ze allemaal vertrokken, kreeg ik mijn kans. Adam kwam opeens tot de ontdekking dat hij een boek over vogels nodig had voor een opstel dat hij moest maken. Ruth nam Adam mee en ik volgde met Danielle en Flo, opdat ze daarna meteen op de snelweg naar Londen konden komen.

Ruth wilde langs de kreek wandelen vóór de lange rit naar huis, en we volgden het pad naar de stroom. Flo en Danielle bleven in het huisje om kranten te lezen.

Ik vond het vreemd om weer over dit pad te lopen. Na een poos gingen we op een bank in de zon zitten. De smalle moddergeulen die het tij achter zich had gelaten, maakten de kreek interessant voor Adam. Hij bekeek de vogels en gaf zijn verrekijker beurtelings aan Ruth en mij.

Links van ons, aan de waterkant, lag de oude schuur met de bomen erachter. Onwillekeurig huiverde ik. Zelf zou ik hier nooit zijn teruggekomen. Ik zag dat Adam zijn verrekijker op de schuur richtte, en ik wist dat hij het zich moest herinneren. En Ruth ook.

Adam wierp een blik op haar, maar ze bleef net zo zwijgzaam en afstandelijk als in de vroege ochtend. Hij voelde de sfeer aan en liep weg langs de waterkant om een kijkje te nemen bij het meer.

Ik draaide me om naar Ruth. 'Dank je.'

Ze keek me vragend aan. 'Waarvoor bedank je me?'

'Dat je er nog bent. Dat je niet bent weggegaan en geen honderd kilometer afstand tussen jou en Adam en mij hebt gezet. Dat Adam hier bij mij mocht blijven na alles wat hier is gebeurd.'

'Ik wilde niets liever dan weggaan.' Haar stem klonk hees.

'Nog steeds?'

'Soms. Ik wou dat ik kon teruggaan naar hoe het was. Peter, Adam en ik in dat huis in Birmingham. Het is ironisch dat je pas beseft wat je had als je het niet meer hebt.'

'Sorry. Ik heb je leven verpest, hè?'

Ze keek me aan zonder te glimlachen. 'Ach, ik heb jouw leven verpest door opeens uit het verleden op te duiken.'

Een kleine zwerm kievieten draaide en kwam het zonlicht in vliegen. Hun witte buiken lichtten op. Opeens werd Ruths stem laag en hees: 'Ik wou dat we elkaar nooit waren tegengekomen in die trein naar Birmingham.' Het leek of ze me een klap in mijn gezicht had gegeven. Ze wendde haar blik af en keek naar het water.

'Ik weet niet wat ik moet zeggen. Ik dacht dat alles goed ging in Londen. Ik dacht dat je gelukkig was.'

'Ik hou van het werk. Ik vind het fijn om met Flo en Danielle te werken, maar dat alles compenseert niet het feit dat ik Adam niet bij me heb.'

Ik keek haar verbaasd en geërgerd aan. 'En daarvan geef je míj de schuld? Adam wilde in Cornwall op school omdat hij zijn school in Birmingham vreselijk vond. Het was je eigen beslissing om in Londen te gaan werken. Niemand heeft je gedwongen. Ik kwam er pas op het laatste moment bij omdat Adam in paniek raakte over kostschool.'

Ruth draaide zich naar me toe met een strak en vijandig gezicht. 'Het stond al vast. Adam kreeg een dode vader die een held was, en de belangrijkste connectie met die vader was jíj. Hij heeft jóúw liefhebbende, warme gezin ontdekt om zich mee te identificeren. Wat kon ik hem bieden, vergeleken bij dit alles, dit paradijs in Cornwall?' Ze gebaarde naar het water. 'Deze voortdurende vakantiesfeer, deze veilige vluchthaven. Ik kon alleen een mislukt huwelijk bieden, een leven in de stad bij mensen die hij niet kende. Daar kon ik toch niet tegenop?'

Ik was geschokt door haar bitterheid. Ze wilde me niet aankijken. Ze stond met een strak gezicht te staren naar de modder en de zon die schitterde op het inkomende tij.

'Waarom wil je zo graag geloven dat je Adam kwijt bent? Hij had in Truro of waar dan ook op kostschool kunnen zitten. Zou je dan ook over verlies hebben gesproken? Hoe vaak had jij tijd voor hem in Birmingham? 's Avonds? Hoeveel vrije tijd heb je in Londen? Ik weet hoeveel uren we draaien, Ruth.'

Ik had een gevoelige snaar geraakt en ze draaide zich nijdig om. Ze begon iets te zeggen wat klonk als *voor jou kwam het allemaal goed uit.* Toen zweeg ze en liep weg in de richting van het huisje.

Ik volgde langzaam, met een ellendig gevoel. Ik was bang dat Adam ons had gehoord.

Opeens bleef ze staan en wachtte tot ik haar had ingehaald. Ze zei op kalmere toon, maar met grote moeite: 'Het spijt me. Ik ben moe en ik heb een kater. Ik ben dankbaar voor alles wat je voor Adam doet. Hij is gelukkig en dat is het belangrijkste. Laten we dit gesprek maar vergeten.'

'Komt het door hier? Kun je niet vergeten wat hier is gebeurd? Denk je ondanks alles dat ik nog steeds een bedreiging voor Adam ben? Denk je dat ik nog steeds gestoord ben of gek?'

Ruth keek me aan. 'Ik heb nooit gedacht dat je gek was, Jenny. Weet je wat ik wél denk? Dat je niet eerlijk bent tegen jezelf. Adam is je laatste schakel met Tom. Elke keer als je naar hem kijkt, zie je het beeld van de man van wie je hebt gehouden. Daarom voel ik me bedreigd. Hij is míjn zoon. Míjn vlees en bloed. Van míj...'

Haar stem brak en werd zo'n jammerlijke noodkreet dat we elkaar ontzet aanstaarden. Een wulp steeg op met die karakteristieke, vreemde kreet, en we liepen in gespannen stilte zonder uitgepraat te zijn, terug naar het huisje. Flo en Danielle kwamen ons al tegemoet.

60

Woensdagochtend had Danielle er genoeg van. Ze ging op zoek naar Flo. 'Ik kan dit niet langer aan, Flo. Ik ben niet gewend aan humeurige mensen.'

'Is Ruth nog steeds chagrijnig en zwijgzaam? O jee. Ik heb geen idee wat er tussen haar en Jenny is voorgevallen, maar het heeft vast met Adam te maken.'

'Ik begrijp dat het moeilijk voor haar is. Jenny is idolaat van hem, maar hij is heel tevreden. Ik vond het een leuk weekend. Volgens mij maakt ze er een probleem van...'

'Wil je dat ik met haar ga praten?'

'Ja, graag, Flo. Haar verdriet heeft invloed op iedereen. We hebben altijd een prettige werksfeer gehad. We zijn te kleinschalig om een slechte sfeer te kunnen hebben. Jenny was altijd het zonnetje in huis. Ik vind Ruth aardig. Ze doet haar werk goed, maar ik moet niets hebben van die onderdrukte gevoelens en nare sfeer.'

'Dat begrijp ik. Ik zal proberen om haar vanmorgen even te spreken.'

'Als ik het doe, bak ik er niets van. Ik erger me en daarom kan ik niet met haar meevoelen.'

Rond de middag trof Flo Ruth alleen aan in haar kantoor. 'Kan ik je even spreken, Ruth?'

'Natuurlijk. Wil je koffie?'

'Nee, ik blijf maar even. Luister, er is duidelijk iets mis. Je bent sinds het weekend al van streek. Kan ik je ergens mee helpen?'

Ruth schudde haar hoofd. 'Nee, dank je. Het gaat prima.'

'Maar dat ís niet zo en je drukt een stempel op iedereen hier. We voelen het allemaal en dat kan zo niet doorgaan.'

Ruth voelde zich zo opgelaten dat ze bloosde.

'Heb je twijfels over wat je met Jenny hebt geregeld wat Adam betreft? Als je spijt hebt, Ruth, als je denkt dat je het verkeerde besluit hebt genomen of dat je niet tevreden bent over hoe het allemaal heeft uitgepakt, dan is het nooit te laat om er iets aan te doen. Als je het niet aankunt om zonder Adam te leven, dan moet je overwegen om in Cornwall te gaan wonen. Misschien is dit dan niet de juiste baan voor je.'

Ruth keek verbijsterd. 'Maar ik vind deze baan fantastisch, Flo. Ik vind het heerlijk om met jou en Danielle te werken. Mijn hele leven heb ik gewerkt om iets als dit te kunnen bereiken.'

Flo keek haar aan op een manier waardoor Ruth zich niet op haar gemak voelde. 'De meeste dingen in het leven hebben hun prijs, Ruth. Deze baan vergt veel uren en reizen van je. Als Adam hier was, zou hij bij Danielle en mij moeten blijven, en dan had hij ook aan een nieuwe school moeten wennen. Adam voelt zich nu blijkbaar gelukkig. Je kunt hem vaak zien. Wat wil je nog meer? Hoe kun je anders een zo veeleisende baan bij ons invullen?'

Ruth schudde haar hoofd. 'Dat weet ik niet.'

'Ik vind dat je je begrijpelijke jaloezie over het feit dat Adam bij Jenny woont, moet proberen te onderdrukken als je hier een succesvolle carrière wilt hebben. Adam houdt van je, dat is duidelijk. Dat zal nooit veranderen. Je moet je aanpassen en doorgaan. Dat is de enige manier.'

Ruth probeerde te glimlachen, maar Flo zag dat ze zich gekwetst en alleen voelde. Ze zei vriendelijk: 'Tot dit weekend leek je het leven bij ons heel leuk te vinden. Danielle en ik vinden het fijn dat je bij ons bent komen werken. Je brengt frisse lucht. Je doet het heel goed.'

Ruths gezicht klaarde op. 'Meen je dat?'

'Dat weet je best.'

'Ik wil niet weg, Flo. Ik weet dat je gelijk hebt. Het spijt me. Ik wist niet dat ik iedereen van streek maakte.'

'Je hoeft je nergens voor te verontschuldigen. Vrees en schuldge-voel horen blijkbaar bij het moederschap. Ga je vanaf nu weer opge-wekt zijn en van het leven genieten?'

'Ja. Ik begrijp het. Opmonteren of wegwezen!'

Flo lachte. 'Lieve Ruth, ik denk niet dat ik zo bot was!'

Adam lag te slapen, maar ik kon de slaap niet vatten. Ik liep op blote voeten door het huis, luisterend naar de vogels bij de riviermonding terwijl ik keek naar het silhouet van de grote conifeer in het don-ker. Het huis ademde om me heen. Door de wind waaiden de tak-ken door de lucht en de dunne, bevende schaduwen vielen door het raam over de vloer als onzichtbare voetstappen.

Ik kon de woorden van Ruth of haar gezicht toen ze die uitsprak, niet van me afzetten. Ik probeerde ze te verdringen, omdat ik niet de onderliggende, ingewikkelde waarheid tussen ons onder ogen wilde zien.

Ik dacht aan Adam, aan zijn kleine, gretige gezicht dat zo op dat van Tom leek. Ik dacht aan het plezier dat ik aan hem beleefde in dit kleine huis.

Mijn schuldgevoel lag in het gemak waarmee dit allemaal tot stand was gekomen. Ik dacht niet dat ik berekenend was geweest. Door mijn inlevingsvermogen wat Adam betrof, wist ik dat dit was wat hij altijd had gewild. Nu genoot ik van elke dag dat hij bij me was. Ik dacht dat het voor iedereen een goede oplossing was.

Wat kwam dat goed gelegen, wierp een stemmetje in me tegen. Ik krulde me op in de stoel. Er was iets gebeurd in de afgelopen dagen. Gingen de woede en verbittering van Ruth alleen over Adam, of gin-gen die dieper, tot onze jeugd?

Voelde ze al die jaren die ze bij ons in huis had doorgebracht, on-bewust, woede en verbittering om het leven dat zij had gekregen met die ouders? Wilde ze dat Bea en James haar ouders waren geweest? Had ze míj willen zijn?

Ik keek naar het donker buiten. Vond ík het erg dat ze in het huis woonde dat Tom en ik hadden gedeeld? Opeens snakte ik naar vol-wassen gezelschap.

De telefoon ging. Ik schrok op en nam op voordat Adam wakker kon worden. Ik dacht dat het Flo of Danielle zou zijn, maar het was

Ruth. Ze stortte haar hart uit. Ik vroeg me af of ze had gedronken voordat ze me belde. 'Ik wil mijn excuses aanbieden, Jenny. Ik heb veel aan je te danken. Ik ben jaloers dat Adam het zo naar zijn zin bij je heeft. Ik ben jaloers dat jullie zo goed met elkaar overweg kunnen. Zo, nu heb ik die lelijke kant van me blootgegeven waarvan ik me niet eens bewust was. Pas vandaag herinnerde ik me hoe jaloers ik altijd was op die aanbidders van je.'

'Maar, Ruth, jíj was degene met het lange, blonde haar en die lange benen!'

'Dat kan wel zo zijn, maar de jongens waren uit op jou, met je gekke kleren. Je was altijd een en al lach en levendig en vol grapjes. Ik was te serieus.'

'We hadden elkaar. We hebben toch nooit ruzie gehad over jongens?'

Terwijl ik dat zei, dacht ik: *maar we hadden elkaar de haren uit het hoofd getrokken om Tom.*

'Nee,' zei Ruth. 'Dat is ook zo. Morgen ga ik met Danielle naar Frankrijk, maar ik wilde je bellen voor ik vertrok.'

'Daar ben ik blij om.'

'Doe morgenochtend de groeten aan Adam. Welterusten, Jenny.'

'Welterusten, Ruth.' Ik ging in mijn bed liggen. Ik wist wat dat telefoontje haar moest hebben gekost, en ze had het volste recht om jaloers te zijn.

61

'Jenny, kom eens kijken wat ik heb ontdekt,' riep Adam met gesmoorde stem. Ik liep via de achterdeur naar buiten en zag dat hij op zijn buik in het kreupelhout lag, met zijn benen eruit. Hij kwam achteruit gekropen met een bordje in zijn hand. Zijn haren zaten onder de gele blaadjes. 'Ik vroeg me af of de egel hier zat,' zei hij. We hadden brood en melk klaargezet voor een egel die ons elke avond amuseerde door die luidruchtig op te slurpen. Adam veegde de aarde van een aardewerken bord en stond op. Ik kwam kijken. Samen lazen we:

> *Gebed van Socrates: O dierbare en alle andere goden, vergun mij dat ik goed van ziel zal zijn en dat alle bezittingen in harmonie zullen zijn met mijn innerlijk. Moge ik de wijze man erkennen en moge ik een dergelijk welzijn kennen zoals slechts hij die zich in bedwang kan houden en met mate weet te genieten.*

'Cool. Is het heel oud, denk je?'
   'Waarschijnlijk victoriaans. Wat een vondst.'
   Nelly moest een interessante oude vrouw zijn geweest, want we vonden steeds meer kleine schatten in haar tuin. Ik kreeg de indruk dat ze dingen waar ze graag naar keek in de tuin zette en dat die dan overwoekerd werden.

'Ik ga het even afwassen.' Adam klonk zo blij alsof hij net van een archeologische opgraving was teruggekomen.

'Doe voorzichtig. Ik weet niet of het de bedoeling was dat het buiten kon blijven.'

Adam maakte het schoon in een sopje en we zetten het op de brede vensterbank boven het aanrecht, waar we het elke dag konden zien.

Opeens zag ik de lucht buiten het keukenraam. 'Adam, kijk eens wat voor weer er aankomt.'

We gingen naar de zitkamer. Daar zagen we dat de lucht als een donkere beurse plek laag boven het water hing, waardoor de dag opeens donker leek en ons insloot in het kleine huis. Ik huiverde. 'Laten we de haard aansteken.' Het was zondag, en het was de hele week al mistig en bewolkt geweest.

'Ik haal wat haardblokken.' Adam haastte zich naar de stapel buiten in de hoek bij de achterdeur.

Het duurde even voor het hout brandde, en toen deed ik de kleine tafellampen aan. Ik had zin om de gordijnen dicht te doen en de dag buiten te sluiten, maar daarvoor was het nog te vroeg. 'Ik ga die foto's van Rosie pakken. Het wordt tijd dat ik die collage voor de gang maak, tijd dat ik ze uit hun dozen haal en aan de muur hang. Wil je me helpen?' vroeg ik aan Adam.

'Natuurlijk.' Adam draaide zich om van het vuur met een wang die rood was van de vlammen.

Ik ging een groot stuk wit karton pakken en legde het op de vloer. 'We zullen de foto's uitzoeken en ze hierop leggen. Eerst proberen we diverse combinaties uit en dan pas zullen we ze vastlijmen. We maken zelf een lijst, een dunne, denk ik, bijvoorbeeld bamboe. Of we kunnen het middelste stuk naar voren halen, met een vierkante plint als contrast en dan schilderen we de rand wit om de foto's te benadrukken. Laten we gaan experimenteren.'

'Gebruiken we alleen de zwart-witfoto's?'

'Ja. Het contrast tussen zwart en wit zal mooi staan. Met kleur zou het maar goedkoop lijken. Laten we een opvallende foto zoeken voor in het midden. Daarna doen we elk een kant en dan zien we hoe het wordt. Alles moet in evenwicht zijn.'

Adam wierp me een nerveuze blik toe. 'Ik heb zoiets nooit eerder gedaan. Straks bederf ik het nog.'

'Welnee. We zullen uren bezig zijn met de foto's. Het zal lang duren voor we tevreden zijn. Waarschijnlijk laten we het ook nog een poos liggen en kijken we er later weer naar.'

Ik ging wat muziek opzetten. Het vuur brandde nu goed en het was opeens warm en licht in de kamer. Ik glimlachte naar Adam. 'Wat zal ik opzetten? Kies jij maar.'

Adam dacht even na. 'Norah Jones, of misschien Mahlers vijfde.'

Ik staarde hem aan. 'Die cd's waren allebei van Tom. Mahler was een van zijn favoriete stukken.'

Adam keek met stralende ogen op. 'O ja? Cool. Het is melancholiek, maar het doet iets met je en je blijft het nog heel lang in je hoofd horen.'

'Tom draaide het steeds als hij weg moest. Het doet me altijd denken aan het einde van een verlof. Ik vind het mooi, maar zullen we eerst Norah Jones draaien?'

'Best,' zei Adam. Hij keek naar de foto's van mijn lachende kind. 'Hier word je vast weer verdrietig door.'

'Ja, maar het is nu wel makkelijker, Adam. Ik wil het doen. Ik wil Rosies lachende gezicht in dit huis zien. Ze was zo'n vrolijk kind, ze lachte altijd.'

Adam keek glimlachend naar de foto in zijn hand. 'Ze ziet eruit of ze vaak giechelde. Ze lijkt op jou. Ik wilde vroeger altijd dat ik een broer of zus had. Peter wilde kinderen. Hij en mam maakten er soms ruzie over. Mam wilde geen kinderen meer. Ik denk dat ze het moeilijk heeft gehad omdat ze mij zo jong heeft gekregen, en dat ze zich niet meer gebonden wilde voelen. Ik denk dat Peter daarom is weggegaan en een vriendin heeft in Israël.'

'O,' zei ik geïnteresseerd. 'Dat wist ik allemaal niet.'

We lagen op onze buik voor de haard en begonnen de stapels zwart-witfoto's door te werken. Af en toe neuriede Adam binnensmonds, en ik kon hem wel omhelzen voor de kameraadschap en het vredige gevoel die hij me gaf. Wat jammer dat die lieve jonge stem binnenkort zou verdwijnen als hij de baard in zijn keel kreeg. Dan zou hij ook zijn onschuld kwijtraken.

Voor de foto in het midden kozen we er een van Tom die Rosie boven zijn hoofd hield. Rosie stak haar mollige armpjes uit om zijn neus te pakken. Ze schaterden het allebei uit.

We keken een hele poos naar de foto. Tom en Rosie leken zo echt, zo levend. Ik kon bijna geloven dat ze in de andere kamer waren. Wat was het moeilijk om in alle opzichten de dood te accepteren. Om niet vervuld te worden van een afschuwelijk gevoel van doelloosheid en ongeloof.

Het vuur knetterde achter ons en Norah Jones fluisterde: *Come away with me... in the night. Come away with me and we'll kiss on a mountain top... in a field of blue... on a cloudy day. Come away, come away with me.* Ik hoorde Toms stem in mijn oor en Rosies lach, en ik rook de geur van koffie.

Ik slikte. 'Kom, jongen, help me om er iets moois en gedenkwaardigs van te maken.'

Twee uur lang draaiden we foto's om en sorteerden en verschoven ze tot ze symmetrisch en ordelijk lagen, zodat de vrolijke momenten die waren vastgelegd van Rosies korte leven en de mensen die er deel van hadden uitgemaakt, hun eigen speciale verhaal vertelden.

Er stond zo'n harde wind dat de bomen eronder bogen. Daardoor hoorden Jenny en Adam niet dat Bea het hek opende en over de oprit kwam aanlopen met een cake die ze voor Adam had gebakken. De zitkamer was verlicht in de donkere middag, en Bea keek naar de twee gestalten die dicht bij elkaar voor de haard lagen, omgeven door een zee van foto's. Hun lichamen raakten elkaar bijna, en de manier waarop ze zo ongedwongen naast elkaar lagen, gaf Bea een naar gevoel. Ze herinnerde zich hoe Tom en Jenny, liggend op de vloer, hadden gekaart of een gezelschapsspel deden. Het leek of ze er een herhaling van zag, maar op een manier die haar stoorde, zonder dat ze precies wist waarom.

Voordat ze aanklopte en naar binnen ging, vroeg Bea zich af of haar twijfels over het onschuldige tafereel haar dwarszaten omdat niets op de wereld nog helemaal onschuldig leek te zijn.

Adam en Jenny keken allebei verbaasd op toen ze de kamer binnenkwam. Ze waren zo verdiept in hun werkje dat Bea het idee kreeg dat ze hun vredige middag had verstoord.

'Mam! Je liet me schrikken.' Jenny stond een beetje duizelig op, alsof ze had liggen slapen.

'Ik kwam een cake brengen voor jou en Adam. Het was zulk slecht weer dat ik dacht dat jullie wel een oppepper konden gebruiken.'

'Wat lief van je. Ik zal de waterkoker aanzetten.' Jenny volgde Bea's blik. 'Wat vind je ervan? Het is nog niet klaar.'

Bea keek neer op haar dode kleindochter, en heel even was de pijn ondraaglijk. Ze liet zich op een stoel zakken. 'Ik wist niet dat je zoveel foto's had. Wat een mooie collage zijn jullie aan het maken. Een aandenken vol vreugde. Die lieve, blije kleine Rosie...'

Jenny ging naar Bea en ze hielden elkaar zwijgend vast. Adam glipte de kamer uit en ging naar de keuken. Daar kwam hij op het idee om de waterkoker aan te zetten. Even later kwamen Bea en Jenny de keuken binnen.

Bea glimlachte naar hem. 'Ik hoop dat je trek hebt, Adam. Ik gebruik jou als proefkonijn. Ik probeer de ultieme chocoladecake te bakken. Zeg maar wat je ervan vindt.'

Adam lachte. 'Ik heb nog nooit zoveel cake gegeten tot ik in Cornwall kwam.'

Jenny moest ook lachen. 'Ik kan je vertellen dat ik in mijn jeugd nooit zoveel cake kreeg. Dat was voor speciale gelegenheden. Pas toen Bea oma werd, begon ze meer te bakken. Lieverd, wil je nog wat houtblokken halen? Het vuur begint te doven.'

Toen ze voor de haard zaten, zei Bea tegen hen beiden: 'Ik ben onder de indruk van jullie uithoudingsvermogen, maar missen jullie de televisie niet, vooral met dit weer?'

Jenny draaide zich naar Adam toe. 'Jij eerst. En wees eerlijk.'

'Als hier televisie was, zou ik wel in de verleiding komen om hem aan te zetten voor de programma's waar ik vroeger naar keek. Nu kan ik door de week beter huiswerk maken en muziek oefenen. Ik heb nooit gewenst dat er televisie was, nooit.'

'Mooi,' zei Jenny. 'Ik mis hem niet, Bea. In Londen keken we er ook niet vaak naar. Ik gaf de voorkeur aan de radio omdat ik steeds aan het naaien was. Ik vond het leuk om met Tom films te zien. Volgens mij kijken mannen toch vaker.'

Terwijl Bea naar huis reed, dacht ze na over de functie van televisie en hoe die een huishouden domineerde en afleidde. Hoe het de wereld en andere levens bij je bracht. Al was dat misschien geen onverdeeld genoegen, het bood in elk geval tegenstellingen, politiek en gespreksstof. Zonder die afleiding in hun dagelijks leven bestond de mogelijkheid dat Jenny en Adam afgleden in een afgezonderd, veilig en teruggetrokken bestaan zonder normale, alledaagse en sociale contacten. Zodra ze de voordeur achter zich dicht hadden getrokken en alles en iedereen buitensloten, leken ze op te gaan in een wereld die ze zonder enige moeite voor zichzelf hadden gecreeerd. Dat leek niet juist en dat mocht niet zo blijven. Toen Bea het tafereel beschreef voor James, kostte het haar moeite om haar vrees, die eigenlijk nergens op gebaseerd was, onder woorden te brengen.

James zei langzaam: 'Als Jenny Adams eigen moeder was en ze het zo prettig vonden om samen te zijn, zouden we zeggen dat het ongezond was en dat de jongen meer tijd moest doorbrengen met andere jongens. Dan zouden we tegen Jenny zeggen dat ze hem moest loslaten, dat ze allebei meer een eigen leven moesten leiden. Maar Jenny is Adams moeder niet; de omstandigheden waardoor ze bij elkaar zijn gekomen, zijn niet normaal maar wel heel heftig. Het is heel verontrustend dat Jenny nu de zoon van Tom en Ruth opvoedt.'

'Is dat de reden waarom je Adam vaak in de weekends meeneemt en hem met Harry dingen laat doen?'

'Ja.'

Bea stak haar handen uit naar de haard in haar eigen huis, dat haar omgaf als een vertrouwde jas, en ze sloot haar ogen. James kon haar onbestemde gevoelens altijd omzetten in iets wat begrijpelijk en troostend was.

'Ze waren een heel bijzondere collage aan het maken uit honderden foto's van Rosie. Het was prachtig gedaan, als een lappendeken van herinneringen om Rosies korte leven te vieren. Het was geen klaagzang, James. Het was iets van wonderbaarlijke vreugde. Daar waren ze mee bezig toen ik kwam.'

62

Ik had een heerlijke droom. Tom, Rosie en ik waren aan het wandelen in een park. Rosie holde voor ons uit in rode kaplaarsjes, en schopte bruine, verdorde blaadjes uit elkaar. Ze stampte lachend met haar voetjes en Tom, die haar lege buggy duwde, rende achter haar aan en schopte dikke hopen bladeren uiteen. Tijdens het rennen kwam onze adem in wolkjes naar buiten en ik dacht: *o god, ik heb gedroomd dat ze dood waren, Rosie en Tom.*

Toen werd ik wakker in een vreemd huis terwijl de regen tegen de ramen striemde en van de buitenmuren droop. Ik hoorde het geluid van overstromende goten en ik bleef bewegingloos liggen, in de wetenschap dat rennen door herfstbladeren de droom was en dit, nu, hier, de werkelijkheid.

Ik stond op, trok sokken aan en een oud vest over mijn pyjama, hurkte neer op de vloer en keek naar mijn verloren gezin. Ze keken terug, gevangen in momenten van geluk, van er zijn. Ik dacht: *Geen moment van mijn leven kan ik ooit nog als vanzelfsprekend beschouwen. Overal ligt de tragedie op de loer, klaar om toe te slaan.* In de stille kamer leek het meer een kwestie van *wanneer* dan van *als.*

Morgen zou ik een lijst maken en de collage ophangen in de gang waar Adam en ik talloze keren per dag doorheen liepen. Dan zouden ze weer een deel van mijn leven zijn, voor altijd.

Ik ging in een stoel zitten en keek hoe de lucht lichter begon te worden boven het water. De wulpen riepen en het huis kraakte om me heen. Adam sliep zoals altijd met zijn deur halfopen, en ik voelde zijn aanwezigheid in het huis, een warme, dierbare nabijheid die de hopeloosheid op afstand hield. Het werd tijd om Adam te vertellen over de dag dat Tom stierf. Het werd tijd dat hij het wist, want het was een fragment van een verhaal waarvan hij deel moest en wilde uitmaken. Daarna moesten we het achter ons laten, de herinnering aan een gewelddadige dood. Ik moest de levende herinneringen ophangen die we gisteren hadden gemaakt, om de levens van Rosie en Tom te vieren. Ik zette thee en liep zachtjes terug naar bed.

Op dat moment verscheen Adam slaperig in de deuropening. 'Gaat het, Jenny?' fluisterde hij.

Ik knikte. Hij bleef heel stil staan, huiverend, hoopvol om vijf uur in de ochtend.

Ik tilde het dekbed op. 'Kom maar,' fluisterde ik terug. In één snelle beweging lag hij in bed en we sliepen weer in, warm en behaaglijk. De nacht voordat Tom en Rosie stierven, was er ook zo'n storm geweest. Als we wakker werden, zou ik Adam vertellen over de ochtend na de storm, de dag waarop Tom stierf.

63

Ik word vroeg wakker en sta voorzichtig op om de nog slapende Rosie en Tom niet te storen. We willen voor de eerste keer met Rosie naar de dierentuin en ik wil niet dat ze te moe is. Ik ga naar de keuken, zet de waterkoker aan en ga de trap op naar de lege werkruimte om te kijken wat voor werk er die dag gedaan moet worden. Ik wil geen crisis op mijn laatste dag met Tom. Ik laat briefjes achter voor Flo en algemene instructies voor de meisjes.

Danielle en ik hebben geluk. Alle vrouwen die voor ons werken, zijn enthousiast en toegewijd. Ik probeer het schuldgevoel van me af te zetten dat ik tijdens een drukke week een hele dag vrij neem. Morgen om deze tijd heeft Tom zijn spullen gepakt en zal hij rusteloos door het appartement lopen. Dan is hij in gedachten al weg.

Na de storm van de afgelopen nacht is het vreemd stil. De straten beneden zijn schoongewassen en alles is nog in diepe rust gehuld. Ik ga naar het raam, open het en leun naar buiten om de geur van de regen in te ademen. Op de huizen aan de overkant liggen donkere, natte plekken en op de straat en de trottoirs beneden liggen bladeren en takken. Arme bomen. Ik voel me onverklaarbaar gelukkig en rek me uit als een kat bij de gedachte aan de komende dag.

Als ik beneden koffie ga zetten voor Tom, hoor ik hem in de badkamer douchen. Terwijl ik met twee bekers over de overloop kom aanlopen, klinkt er een woedende kreet van Rosie, die in een groot leeg bed wakker is geworden en haar ouders niet ziet. Samen verschijnen we op de drempel en we lachen haar uit tot ze giechelend op Toms knie kruipt.

Terwijl Tom me over Rosie heen aankijkt, zegt hij: 'Ik denk dat ik de Mini maar vroeg ga halen. Als er problemen zijn gevonden na de keuring, kan ik altijd nog een auto van de garage huren.'

'De garage heeft niet gebeld, dus de keuring zal wel in orde zijn.'

Tom kijkt naar Rosie. 'Ik ga de auto halen, schat, en daarna gaan we met mama naar de dierentuin. Wat vind je daarvan? Trek je je mooiste jurk aan voor papa?'

'Ga je lopen?' vraag ik terwijl ik Rosie optil.

'Het is te mooi weer om met de bus te gaan. En de garage is nu toch nog niet open.'

Hij trekt een spijkerbroek en een T-shirt aan en geeft een kus op mijn hoofd. 'Tot straks, allebei.'

Ik ben juist in bad gestapt met Rosie, die er ook per se in wil, als ik de telefoon beneden hoor gaan. Danielle neemt op, en dan komen de meisjes door de voordeur naar binnen en stampen als babyolifanten de trap op naar de werkruimte. Ik begin een giechelende Rosie in te zepen als Flo op de badkamerdeur klopt. 'Jen? Danielle wil je nu meteen spreken. Zal ik Rosie verder doen?'

Ik stap uit bad, wikkel een handdoek om me heen en ga naar mijn slaapkamer. Danielle loopt ongeduldig en opgewonden heen en weer.

'Wat is er in godsnaam aan de hand?' vraag ik terwijl ik me afdroog.

'Ik had Antonio aan de telefoon. Hij is hier voor een bliksembezoek en hij wil ons spreken. Hij heeft een zakelijk voorstel.'

'Je doet al zaken met hem. Hij exporteert kleding van ons.'

'Nee, nee, dit is anders, Jenny. Hij wil jóú deze keer spreken. Ik durf te wedden dat hij wil dat we voor hem gaan ontwerpen. Een contract met een Italiaans bedrijf, daar hebben we op gehoopt! We kunnen uitbreiden! Er zijn talloze mogelijkheden voor export naar het buitenland. Nu kunnen we echt bekend worden.'

'Wacht even, Danielle.' Ik deins terug voor haar enthousiasme zo vroeg in de ochtend. 'Dat is wel heel plotseling. We kennen hem amper.'

Terwijl ik me aankleed, zit Danielle op het bed alles gretig uit te leggen. 'Ik heb hem vaak gesproken als ik in Milaan was. Neem van mij aan dat hij de kleren die we maken, mooi vindt. Ik heb onderzoek naar hem gedaan. Hij heeft een goede reputatie. Hij zegt dat jouw merk goed is verkocht in Milaan en hij vindt ook sommige dingen mooi die we samen hebben ontworpen. Ik had het vermoeden dat hij ons zou benaderen, maar ik heb nog niets tegen je gezegd omdat het dom zou zijn om misschien vergeefs te hopen.' Ze zwijgt even om op adem te komen. 'Hij is geïnteresseerd in jóúw kleren. Hij vindt ze perfect voor de Italiaanse markt.'

'Nou, dat is heel vleiend, maar...'

'Hij is in Londen en hij wil ons spreken. Hij had een afspraak die is afgezegd. We moeten naar zijn hotel bellen en een boodschap achterlaten of we met hem kunnen lunchen.'

'O, néé, Danielle, vandaag niet.' Ik trek een spijkerbroek en een bloes aan.

'Hij is hier maar één dag. Dit is zo belangrijk.'

Dat is mijn dag met Tom ook. Ik voel me terneergeslagen. Ik heb Danielle nog nooit zo opgewonden gezien. 'O, verdorie!' jammer ik. 'Waarom vandaag? Waarom niet morgen? Elke dag behalve vandaag.'

'Ik kan alleen gaan, maar dat lijkt me niet goed. Hij wil jou ontmoeten voor hij een besluit neemt, dat weet ik.'

Ik geef het op, ziek van teleurstelling. 'Oké, Danielle. We kunnen het ons niet veroorloven om een dergelijke kans te laten lopen.'

Ik hoor Toms sleutel in het slot en hij rent de trap op terwijl hij roept: 'Jen? Alles is goed met de auto.' Hij blijft staan als hij Danielle in onze kamer ziet en naar onze gezichten kijkt. Hij kent de voortekenen. Het is al eerder gebeurd en het zal vaker gebeuren. 'Zeg niet dat er iets tussen is gekomen.'

Danielle verdwijnt en ik leg het uit.

Zijn gezicht betrekt. 'O, Jen, wat jammer. Onze laatste dag samen. Verdorie.'

'Het spijt me zo. Ik weet niet wat ik moet doen.'

Tom zegt vlug: 'Natuurlijk moet je die Italiaan ontmoeten. Je hebt dit verdiend. Jullie hebben allemaal ongelooflijk hard gewerkt en ik weet dat je de beste ontwerpster in Londen bent.'

Ik glimlach. 'Ben jij bevooroordeeld of niet?'

'Helemaal niet! Op een dag word je rijk en beroemd. Weet je wat, morgenochtend staan we vroeg op en dan gaan we nog ergens een uurtje naartoe voor ik wegga.'

Hij probeert me op te beuren. 'Dat is niet hetzelfde. Ik voel me schuldig. Het spijt me...'

'Stil. Er is niets aan te doen.' Hij legt een vinger tegen mijn neus. 'Gaan jij en Rosie nog naar de dierentuin?'

'Natuurlijk. Wij hebben een afspraakje, hè schat?' Hij steekt zijn armen uit naar Rosie, die net schoongeboend de kamer komt binnenlopen in een nieuwe jurk, helemaal glimmend en roze. 'Wat zie je er verrukkelijk uit!' Hij tilt haar op. 'Kom, dan gaan we samen koffiedrinken. Daarna gaan wij weg en dan kun je me vanavond vertellen over al je triomfen vandaag.'

Ik kijk hen na vanuit de voordeur. Tom zet Rosie in haar autostoeltje. Rosie werpt me kushandjes toe met een mollig handje en ik werp kushandjes terug. Vlak voordat hij in de auto wil stappen, rent Tom naar me terug, omhelst me, draait me rond en zegt lachend: 'Tot vanavond. We zullen gebakken vis en patat mee terugnemen en een grote fles wijn. Veel succes vandaag.'

'En jullie veel plezier. Dag, schat. Dag, Rosie! Braaf zijn!'

Toms lange benen verdwijnen in de kleine auto. Ik tuur in het warme zonlicht tot de Mini zijn claxon laat horen en om de hoek verdwijnt. Bladeren dwarrelen naar beneden, dansen om me heen en belanden aan mijn voeten. Ik buk me en voel de dorre, kruimelige, bruingroene textuur. Ik voel zo'n opwelling van geluk om het leven dat ik heb, dat ik in plotselinge dankbaarheid mijn ogen sluit. Dan draai ik me om en hol de trap op, roepend naar Danielle, terwijl ik me afvraag wat ik in godsnaam moet aantrekken voor deze belangrijke lunch.

64

Paolo Antonio is een gezette, gedrongen Italiaan met een verbazingwekkende glimlach. Om de een of andere reden wordt hij altijd aangesproken met zijn achternaam. Hij is donker, en zijn armen en handen zijn behaard. Hij doet me denken aan een gangster uit een maffiafilm, maar zijn glimlach en stem compenseren zijn lichamelijke beperkingen, en zelfs meer dan dat. Hij spreekt heel mooi, bijna volmaakt Engels.

Hij vleit mij en Danielle op een typisch Italiaanse manier, en ik merk dat hij en Danielle tot op zekere hoogte aan het flirten zijn. Ik glimlach in mezelf en vraag me af hoeveel zaken er in bed zijn besproken.

'Jenny, ik zal mijn voorstel uitleggen. Ik heb je kleding onder je eigen merk geëxporteerd naar Milaan. Die is heel goed verkocht, maar het is duur voor me om je kleding in Italiaanse winkels te krijgen. Ik kan me het niet veroorloven om jouw kleding massaal te verkopen en jij kunt het je niet veroorloven om alleen voor mij te ontwerpen. Dus stel ik het volgende voor. Ik wil een bedrijf in de buurt van Milaan beginnen dat dure en exclusieve Engelse ontwerpen maakt en verkoopt. Ik zal geld bieden voor het exclusieve recht om je ontwerpen in Italië te verkopen onder het merk Antonio.'

Antonio slaat me aandachtig gade terwijl hij praat. 'Ik wil beginnen met een klein team dat jouw kleding maakt om de markt uit te proberen. In Milaan wemelt het van rijke, jonge Italiaanse vrouwen die graag Engelse ontwerpen willen omdat die anders zijn. De werkkrachten in Italië zijn goedkoper en de mode wordt daar serieus genomen en als een goede zaak beschouwd. We hebben er veel minder last van bureaucratie dan hier.'

Hij zwijgt even. 'Ik heb de markt zorgvuldig bestudeerd. Het is rendabeler om je kleding in Milaan te laten maken dan vanuit een reguliere basis in Londen.'

'Voor jou misschien,' zeg ik. 'Op dit moment zijn de vaste bedrijfsuitgaven in orde en kunnen we de kwaliteit garanderen van de kleding die we maken.'

'Maar jullie werknemers kunnen niet de hoeveelheid aan die ik in gedachten heb. Jullie zijn allebei succesvolle ontwerpsters. Uiteindelijk zullen jullie gedwongen worden om uit te breiden, dus waarom niet op een plek waar een groeiende markt is?'

Danielle slaat me verontrust gade. Zij heeft meteen de mogelijkheid om te groeien gezien, maar ze weet dat ik aarzel om meer werk op me te nemen vanwege Rosie en Tom. 'We verliezen niets door onder het merk Antonio te werken, Jenny. Het blijven nog steeds onze ontwerpen.'

'We raken onze onafhankelijkheid kwijt, onze autonomie.' Ik wend me tot Antonio. 'Ben je van plan om het werk van ons beiden op de markt te brengen?'

Hij aarzelt. 'Jullie ontwerpen zijn heel verschillend. Ik zou me hoofdzakelijk op jouw werk willen concentreren, Jenny. Dat is moderner en goedkoper, voor de jongeren. Als dat eenmaal in gang is gezet, zou ik Danielles werk willen introduceren bij een andere leeftijdsgroep. Ik weet dat jullie elkaars werk beïnvloeden. Daarom is jullie kleding zo prachtig wat details betreft. Jullie werken samen. Danielle heeft het op een mooie manier voor elkaar gekregen dat er voor jullie beiden een Europese markt is. Dat wil ik uitbuiten. Groothandelaren die jullie kleding opkopen, hebben me doen beseffen dat er een enorm potentieel voor zaken is.' Hij werpt me een prachtige glimlach toe. 'Ik gooi geen geld weg, Jenny. Ik ben een voorzichtige zakenman.' Hij buigt zich voorover en raakt voorzichtig met een wijsvinger mijn pols aan. 'Bedenk hoe jij je fantastische verbeelding kunt vormgeven. We kunnen van overal de stoffen halen die je nodig hebt. Thailand, Singapore, noem maar op! Door mijn geld krijg je meer vrijheid in je werk, niet minder.' Hij is heel overtuigend. 'Maak gebruik van mijn zakeninstinct. Ik ken mijn markt. Als ik er geld in steek, wat heb jij dan te verliezen?'

Veiligheid. Ik houd van mijn kleine, overzichtelijke personeels- bestand. Verandering is riskant, angstwekkend, maar ik moet aan Danielle denken. Het is ook haar bedrijf.

Alsof ze mijn gedachten heeft gelezen, zegt Danielle: 'Jen, we krij- gen meer werk dan we aankunnen. Het loopt al weken de spuigaten uit. Door onze buitenlandse markt naar Italië te verplaatsen, zouden we de problemen oplossen die we vooruit hebben geschoven.'

Ik weet dat ze gelijk heeft. We hebben meer meisjes moeten aan- nemen en een van de kamers op de tweede verdieping ervoor moe- ten opgeven.

'Danielle is de ideale persoon om het project voor me op te zet- ten. Ze kent Milaan goed en uiteraard spreekt ze Italiaans. Kun je het zonder haar stellen, Jenny?'

'Dat zou moeilijk zijn.'

Danielle haalt haar schouders op met dat expressieve gebaar van haar. 'Pff! Het is niet voor altijd. Ik zou het heerlijk vinden om iets op poten te zetten.'

'Kunnen we aan de winkelketens blijven leveren zonder jouw ontwerpen? Je weet dat we daarmee ons brood verdienen. Het heeft ons jaren gekost om die markt op te bouwen, onze contacten.'

'Ik zie geen reden waarom ik niet vanuit Italië kan ontwerpen, ook al kan ik niet dezelfde hoeveelheid werk leveren. Het is maar een korte vlucht, minder tijd dan het jou kost om naar Cornwall te gaan.'

Ik kijk haar lachend aan. 'Dat is zo. Je wilt dit echt, hè?'

Danielle buigt zich naar me toe. 'We kunnen een studente aan- nemen, iemand die net de opleiding achter de rug heeft. Dat kunnen we ons nu permitteren.'

Ik schud mijn hoofd. 'Mijn god! Ik heb zo'n hekel aan grote beslis- singen.'

Antonio schenkt de fles wijn leeg. 'Lieve Jenny, je kunt niet met- een een besluit nemen. Denk na over mijn voorstel en laat het me weten. Praat met elkaar en bel me op als ik in Milaan ben.' Hij raakt weer even mijn arm aan. 'Ik zou heel graag willen dat je voor mij ontwerpt.' Zijn hand ligt vierkant en donker op mijn roomkleurige jasje. Lange haren groeien op zijn hand. Ik weet niet of het me afkeer inboezemt of dat ik iets van seksuele opwinding voel. Hij wil mijn ontwerpen en Danielles zakelijk inzicht.

Terwijl ik het laatste restje wijn opdrink, denk ik aan Tom en Rosie en vraag ik me af waar ze zijn. Opeens krijg ik een opwelling om het restaurant uit te rennen en ze te zoeken. Ik kijk op mijn horloge. Bijna drie uur. Zijn ze nog in de dierentuin?

Ik had zo graag Rosies gezicht willen zien als ze de dieren zag. Opeens word ik overstelpt door spijt dat ik deze dag met Tom heb gemist. Het is overweldigend, als een soort verdriet. Het komt door de wijn. Door te veel wijn bij de lunch word ik altijd sentimenteel.

65

Eenmaal weer thuis, gaan Danielle en ik in de serre koffiedrinken en praten we met Flo over Antonio en zijn zakelijk voorstel.

Door de wijn val ik in de zon in slaap en ik word pas wakker als de meisjes om halfzes de trap af stommelen. Tom had al terug moeten zijn, en ik vraag me af waar hij nog verder met Rosie naartoe kan zijn gegaan. Ik ga naar boven en neem een douche om op te frissen. Rosie zal nu heel moe zijn, tenzij ze een dutje heeft gedaan.

Ik ga naar mijn kantoor en doe alsof ik wat aan het werken ben. Ik pleeg wat telefoontjes, en dan ga ik weer naar beneden om thee te zetten. Ik heb nog steeds een zwaar hoofd en een kater.

Om halfzeven ben ik ongerust. Waar blijven ze toch? Tom vergeet af en toe dat Rosie pas twee is. Waarom heeft hij me niet gebeld? Ik probeer zijn mobiele telefoon, maar die staat uit. Ik kan niet eens een bericht inspreken.

Flo, die de keuken in komt en mijn gezicht ziet, zegt kalm: 'Het is ontzettend druk als Tom de tijd verkeerd heeft ingeschat en in de spits zit. Maak je geen zorgen. Ze kunnen elk moment terug zijn. Rosie ligt vast te slapen in haar autostoeltje.'

Ik neem mijn thee mee naar de slaapkamer en ga op bed liggen. Ik wil dat ze thuis zijn. Nu. Opeens schiet me iets te binnen en ik loop naar Toms bureau. Daar ligt zijn mobiele telefoon. Hij vergeet bijna nooit om die mee te nemen. Hij kan me niet eens bellen als hij in een file zit.

In de verte klinkt de sirene van een politieauto, gevolgd door nog een en nog een en nog een. Het bloed stolt in mijn aderen. God, alsjeblieft geen ernstig ongeluk terwijl zij nog in het verkeer zitten. Tom had vóór de spits naar huis moeten gaan. Mijn hart bonst van ongerustheid.

Ze zullen vast zo thuis zijn. Elk moment kunnen ze de hoek om komen en dan toetert Tom en parkeert de auto. Hij zal een uitgeputte Rosie naar binnen dragen en klagen over het verkeer, zich verontschuldigen en met een hand door zijn verwarde haar strijken. Dadelijk. Elk moment. Zie je wel, daar hoor ik een auto.

Ik spring op en loop naar het raam, maar het is een andere auto. Ik kijk door de brede straat met bomen aan weerskanten, maar er verschijnt geen kleine auto.

De sirenes lijken nu van overal te komen. Tom zal niets kunnen doen als er iets is gebeurd. Hij weet hoe ongerust ik ben en hij zal zichzelf vervloeken omdat hij zijn mobiele telefoon thuis heeft laten liggen. Ik laat me weer op bed vallen en ondanks mijn ongerustheid dut ik in.

Ik word gewekt, uit mijn onnatuurlijke slaap gerukt, door de deurbel. Voor ik tot mezelf ben gekomen, hoor ik Flo naar beneden gaan. Ik kom met moeite overeind en doe de lamp aan. Halfnegen. In paniek spring ik uit bed. Dat moeten Tom en Rosie zijn. Hij is vast zijn sleutel vergeten.

Ik sta onder aan de trap als Flo de voordeur opent. Een agente en een agent staan op de drempel. 'Mevrouw Holland?'

Alles gaat in slow motion terwijl ik mezelf naar de deur zie lopen.

Flo trekt me zachtjes opzij om hen binnen te laten. Ze legt een hand onder mijn elleboog. Ik kijk naar hen. Een misselijkmakend gevoel komt op in mijn maag. Ik kan de sirenes nog steeds horen. Het bloed gonst zo in mijn hoofd dat ik me duizelig vastklamp aan Flo. Ik kan niets uitbrengen. Ik sta daar als verlamd, en probeer aan hun gezichten te zien wat er is gebeurd.

De agent schraapt zijn keel. 'Mevrouw Holland, kunt u bevestigen dat uw man een auto heeft met het kenteken WH20VTT?'

Ik knik. Heel even krijg ik een beetje hoop. *Misschien is de auto gestolen. Misschien is Tom aangehouden voor een verkeersovertreding.*

'Reed uw man vandaag in de auto?'

Waarom vraagt hij me dat?

'Ja, natuurlijk.' Ik probeer om niet tegen hen te schreeuwen. 'Mijn dochtertje is bij hem. Wilt u me in godsnaam vertellen wat er is gebeurd?'

De agent wendt zich af en zegt iets in zijn telefoon. De agente komt naar me toe. 'Het spijt me ontzettend, mevrouw Holland. Uw man en kind zijn helaas betrokken geweest bij... bij een ernstig verkeersongeluk. We moesten er zeker van zijn dat uw man achter het stuur zat.'

Ik luister niet naar haar woorden. Ik wil alleen maar naar de plek waar Tom en Rosie zijn heen gebracht. Ik probeer langs de beide agenten bij de deur te komen, en tast blindelings naar de glazen deurknop. 'Breng me naar ze toe. Hoe ernstig zijn ze gewond? Waar zijn ze? Toe, laten we opschieten. Ik wil naar ze toe.'

De agente steekt een hand uit om me tegen te houden. 'Mevrouw Holland, het spijt me. Uw man en kind zijn op slag om het leven gekomen. Ik kan u verzekeren dat ze er niets van hebben gemerkt. Ik vind het zo erg voor u.'

Ik deins terug en schud heftig mijn hoofd. Ik weet dat het niet waar is. Ze zijn gewond, maar niet dood. Ze zijn niet dood.

'Kom mee naar boven, lieverd,' zegt Danielle opeens naast me, en ze fluistert in het Frans tegen me, en zij en de agent brengen me voorzichtig naar de zitkamer. Ze zetten me in Toms stoel en Flo komt met een glas cognac. Ze probeert het me te geven, maar haar handen beven net zo erg als die van mij. Danielle knielt voor me neer, vouwt mijn handen om het glas en laat me drinken. Haar gezicht is als dat van een geest.

Ik zit met het cognacglas tussen mijn handen, mijn blik strak gericht op het gezicht van de politieman. Dadelijk zal ik bezweet wakker worden in het donker en me vastklampen aan Tom, en hem uitleggen dat ik een vreselijke nachtmerrie heb gehad. En hij zal me vasthouden en troosten en lachen om mijn afschuw. Ik zal wakker worden. *Dat zal ik. Dat zal ik.*

Ik doe mijn ogen dicht en smeek: 'Zeg alstublieft dat het niet waar is.'

De agent zegt: 'Ik vind het zo erg voor u.'

Ik hoor dat de agente in de keuken thee aan het zetten is. Ik zweef bij het plafond en kijk neer op ons allemaal.

'Wat is er gebeurd?' fluister ik.

De agent aarzelt. Hij kan me niet aankijken. 'Op dit moment is niet helemaal duidelijk wat er is gebeurd, maar een vrachtauto is achter op de auto van uw man gereden. Hij had geen schijn van kans. In beide voertuigen zijn de motoren in brand gevlogen. Tot nu toe weten we de toedracht niet. Ik verzeker u dat het zo vlug is gegaan dat uw man en kind er niets van gemerkt kunnen hebben.'

Ik staar naar zijn gezicht. Ik kijk hoe zijn mond welbedoelde maar zinloze woorden vormt. *Rosie, mijn Rosie achterin, met een gebroken schedel als een ei. Tom, heel even verstijfd van schrik als hij in de achteruitkijkspiegel kijkt. En dan boem. Het is allemaal voorbij.*

'Is de vrachtwagenchauffeur omgekomen?'

'Helaas wel. En een fietser en twee voetgangers zijn ook zwaargewond.'

Er valt een stilte in de kamer. Danielle en Flo zitten naast me op de armleuningen van Toms stoel. Het lijkt niet echt. Niets hiervan lijkt echt. Flo staat op en gaat naar de keuken om de agente te helpen. Ik bedenk hoe oud ze eruitziet.

Ik kijk naar de agent. 'Waar zijn ze? Waar zijn mijn man en kind?'

Hij slikt en kan me geen antwoord geven. Ik krijg het ijskoud. 'Weet u,' fluister ik tegen hem. 'Mijn man heeft de oorlog in Irak overleefd. Hij heeft Noord-Ierland en Bosnië, Kosovo en Afghanistan en Joost mag weten wat nog meer doorstaan. Al die jaren was ik als de dood dat hij om het leven zou komen. Nu, terwijl hij geacht werd veilig te zijn, sterft hij met mijn kind bij een verkeersongeluk.'

Het gezicht van de agent verandert. Hij komt naar me toe. 'Mevrouw Holland, bij welk regiment zat uw man?'

'Bij de SAS. Hij was met verlof...'

De agent wendt zich af en verlaat de kamer. Hij roept iets naar de agente, en dan holt hij de trap af en naar de politieauto buiten. Danielle en ik kijken elkaar aan. We staan op en lopen naar het raam. De agent heeft zijn zender in de armen en gebaart heftig.

De agente komt de keuken uit en praat dringend in haar zender. Terwijl ze naar beneden rent, hoor ik: 'Alarm aan alle eenheden. Zeg tegen het gerechtelijk laboratorium... Speciale Eenheid... Bom...'

Op dat moment weet ik het zeker. Ik ga terug naar Toms fauteuil en kijk naar onze zitkamer met de mooie haard en het hoge plafond. Ik bekijk de prachtige kroonlijsten die Tom en ik samen hebben overgeschilderd.

Ik begrijp wat ik gedeeltelijk al vermoedde toen ik de sirenes hoorde en Tom en Rosie maar niet thuiskwamen. Tom is niet om het leven gekomen door een bom in een vreemd land, maar door een bom hier in Londen, op een paar kilometer van me vandaan, terwijl hij mijn kind bij zich had.

Was ik vanmorgen maar met hen meegegaan. Was ik maar gestorven met Tom en Rosie. Waren we allemaal maar samen doodgegaan.

66

We zitten dicht bij elkaar terwijl politiemannen in burger en mensen van het leger komen.

Ze doorzoeken ons huis centimeter voor centimeter. Ze analyseren de telefoon en maken lijsten van alle mensen die hier komen en gaan.

Een legerarts geeft me wat pillen. Ik wil niet naar bed. Ik kruip in elkaar in Toms stoel en Flo brengt een deken. Het is net of ik alles vanuit het verkeerde uiteinde van een telescoop zie. In de verte hoor ik dat Danielle en Flo eindeloze en herhaalde vragen worden gesteld over de auto en de garage, over wat Tom die ochtend heeft gedaan. Ik vind het allemaal zinloos.

Danielle steekt de haard aan en we brengen er de avond door, dicht bij elkaar als troost, terwijl mannen om ons heen komen en gaan alsof het huis van hen is. Dan wordt het een poosje stil. Danielle en Flo slapen. Als het licht wordt, sta ik op uit mijn stoel en baan me duizelig een weg naar de badkamer. In de keuken zitten twee agentes.

Ik gooi koud water in mijn gezicht en kom weer op de overloop terwijl ik steun zoek bij de muren.

Een van de agentes komt de keuken uit. 'Gaat het?'

Ja hoor, knik ik.

'Ik zal u een kop thee geven,' zegt ze.

Ik loop terug naar de zitkamer, schuif de gordijnen een beetje open en kijk naar buiten. Een agent houdt de wacht voor het huis. Wat denken ze dat er zal gebeuren?

Dan zie ik dat er aan het einde van de straat televisiecamera's en een heleboel fotografen zich verdringen achter het politielint. Ik ga terug naar mijn stoel en trek de deken op tot over mijn hoofd. Toms dood is nieuws. Een soldaat met verlof wordt op een zomermiddag vermoord met zijn kind.

Ik schud mijn hoofd om het beeld van me af te zetten van Rosie in de auto. Ik smeek God kreunend om dat beeld weg te nemen. *Dat is niet te verdragen. Dat kan ik niet verdragen. Mijn kleine, onschuldige Rosie.*

Flo ziet er oud uit in haar slaap. Danielle ziet grauw. Ik zie hoe hoekig en mager ze is. Wij drieën zullen nooit meer hetzelfde zijn. Ons leven is ons afgenomen. Ik drink mijn thee, zonder slaap, met zware en droge oogleden. Het is nog vroeg als de legerpredikant komt die ons in de echt heeft verbonden.

Opeens komt Damien de trap op gerend, de peetvader van Rosie. Ik weet meteen dat hij en Tom moeten hebben samengewerkt. Ik vlieg naar de deur en hij tilt me op en wiegt me in het grijze licht van een nieuwe dag. Hij kan niets uitbrengen, en ik ook niet.

Ik klamp me aan hem vast. Hij is groot en stevig en veilig. 'Waarom? Waarom Tom, Damien?' fluister ik.

Hij laat me los. 'Dat weet ik niet. Tom was altijd zo voorzichtig. Er is iets misgegaan. We komen er wel achter wie de dader is. Niemand zal rusten voor we ze te pakken hebben. Maisie is onderweg. Ze blijft zolang je haar nodig hebt.'

'Je weet het echt niet?'

Zijn stem breekt. 'Ik weet het echt niet.'

Iedereen probeert me ervan te weerhouden om naar het nieuws te kijken of om de kranten te zien met foto's van de opgeblazen auto en die van Tom en Rosie toen ze nog leefden. Hoe komen ze aan die foto's? Ik kijk naar de andere mensen die ook om het leven zijn gekomen, omdat ze op dat moment toevallig in de buurt waren.

Terwijl de dagen voorbijgaan kan ik me alleen maar verwonderen over de wreedheid van het lot waardoor ik niet met hen ben gestorven. We hadden met ons drieën moeten zijn. Ik probeer voortdurend te bedenken hoe ik dit kan goedmaken. Dat houdt me bezig. Daardoor verlies ik mijn verstand niet.

Honderden bloemen zijn neergelegd op de plek waar Tom en Rosie stierven. Ik trotseer de camera's en ga er kijken met Flo en Danielle. Ik ben ontroerd door de boeketjes die kinderen hebben neergelegd, met lieve en eenvoudige briefjes. Ik herken ook namen van de moslimmeisjes uit de werkplaats. Met mijn zonnebril op hurk ik neer om ze te lezen.

De vrouw van de vrachtwagenchauffeur schrijft me. Ze zegt dat haar man ooit in Noord-Ierland heeft gediend. De ironie van zijn dood ontgaat haar niet.

Ik krijg zoveel ontroerende brieven van legervrouwen en -moeders die hun man of zoon hebben verloren. Ze schrijven recht uit het hart, en ik voel me niet zo alleen. Het leger sluit de gelederen om me en beschermt me dag en nacht tegen de opdringerige en meedogenloze pers. Dat is iets wat ze goed doen. Het lijkt alsof, gedurende een korte periode, de wereld met me mee treurt in een shock, en mijn verdriet inademt.

Er klinkt geen gelach of snelle voetstapjes meer in huis. De meisjes in de werkruimte draaien hun muziek niet meer. Ik moet blijven werken, maar als ze me zien, komt er een uitdrukking van verdriet op hun gezicht. Elke dag laten ze een klein geschenk voor me achter in mijn kantoor.

De bomen beginnen hun bladeren kwijt te raken in de parken van Londen. Er hangt een geur van vuur als de winter voor de deur staat. Het leven maalt verder in een vreemd, veraf bestaan. De politie noch het leger weet wie de bom onder Toms auto heeft geplaatst. Ze weten het niet of ze kunnen het me niet vertellen. Zelfmoordaanslagen zijn makkelijker te identificeren per groep. Een zelfgemaakte bom onder een auto kan van iedereen zijn.

De wereld draait door. Een ander drama overkomt iemand anders.

Ik zie Flo's verdriet, maar ik kan haar niet helpen. Ze heeft haar huis en haar privacy opgegeven om bij mij en Tom in te trekken en te helpen met Rosie. We zijn haar familie. Ze houdt onvoorwaardelijk van ons allemaal. Ik zie hoe ze haar smart verbergt; ik hoor haar 's nachts rondlopen, en zie hoe verloren en vermagerd ze is door hun dood.

Danielle vlucht in een woede die ze niet helemaal voor me kan verbergen. Ze is woedend op God maar ook op Tom vanwege Rosie. Ze gelooft dat Tom Rosie in gevaar heeft gebracht. Ik weet niet waarom, maar dat denkt ze. Het maakt me van streek, in de war. Ik ga erdoor naar plekken waar ik niet wil zijn.

Avond na avond zit ik in de raambank van onze slaapkamer naar de donkere lucht te staren. Ik zie mensen op straat in en uit hun auto stappen, uitgaan, normale dingen doen. De wereld is niet blijven stilstaan omdat Tom en Rosie dood zijn. Ik voel een vreemde verbazing dat dit kan.

Ik ga naar Rosies kamer. Ik lig op haar bedje en zie wat zij zag als ze wakker werd: de mooie Franse pop binnen handbereik, een blauw konijn met een afgekloven poot, een grote, geelbruine beer die Tom voor haar heeft gekocht, kleine poppen die ik van lappen stof heb gemaakt.

Op de vloer staat een mooi poppenhuis dat Toms ouders voor haar hadden gekocht toen ze in Londen waren. Het is nauwelijks gebruikt omdat Rosie nog te klein was om de hendels te hanteren. Haar handjes waren nog niet stabiel genoeg om de kleine meubels niet om te stoten. Haar speelgoed ligt op de vloer zoals ze het heeft achtergelaten. Open boeken liggen op haar zitzak. *Mevrouw Tiggy Winkle* en *Peter Konijn*. Houten blokken liggen in haar karretje. Ik wil dat alles precies zo blijft, zoals ze het heeft achtergelaten. Ik verstop mijn gezicht in haar dekbed, sluit mijn ogen en adem diep haar warme babygeur in, de essentie van Rosie. Ik zie en hoor haar overal in huis.

Voordat Damien terugvliegt naar het front, stel ik hem de vraag die in mijn hoofd blijft rondspoken: 'Kon Tom hebben geweten dat er die dag ook maar het geringste gevaar was? Ik weet dat hij de auto die ochtend heeft gecontroleerd voordat hij Rosie erin zette.'

'Tom kan onmogelijk hebben geweten dat hij werd geschaduwd. Hij zou ver uit jullie buurt zijn gebleven als hij had gedacht dat er gevaar dreigde voor jou, Rosie of de anderen in huis. Hij was heel professioneel en zou nooit risico's hebben genomen. Hij was in Londen. Hoevelen van ons zouden denken dat iemand een bom onder onze auto zou plaatsen terwijl we met onze kinderen naar de dierentuin gaan?'

'Dat weet ik ook wel. Ik moest het gewoon vragen.'

'Het werk dat we doen brengt risico's mee, Jenny. Ik controleer mijn auto elke ochtend, dat is een gewoonte, maar niet iedere keer als ik uitstap. Denk je dat we ooit zouden thuiskomen als we dachten dat onze vrouw en kinderen gevaar liepen?' Hij drukt me even tegen zich aan. 'Tom was het doelwit, niet Rosie. Dat is de dubbele tragedie en een walgelijke misdaad. Hoe voorzichtig we ook zijn, we kunnen verraad niet voorkomen.'

'Was dat het?'

'Met het werk dat we doen is het mogelijk. We komen er wel achter.'

Ik weet dat ik hem niet meer mag vragen. Ik wil het eigenlijk ook niet weten.

Ik kijk hem na terwijl hij in zijn auto stapt en wegrijdt. Los van Damien is het legerleven met Tom verdwenen. Hoe hartelijk de mensen ook zijn, we zullen uit elkaar groeien. De brede straat is leeg, behalve de dorre bladeren die als kleine relmuizen heen en weer schieten. Ik voel me net zo stuurloos en nutteloos als die over de grond waaiende bladeren.

67

'En toen vond je mij,' zei Adam vlug omdat Jenny's gezicht zo bleek en diepbedroefd was. Hij stak een hand uit en legde die zacht om haar arm.

Jenny glimlachte. 'Toen vond ik jou.'

Adam draaide zich op zijn rug en sloot zijn ogen. Dat was zijn vaders laatste dag op deze aarde. Wat had hij zelf gedaan op de dag dat Tom Rosie meenam naar de dierentuin? Een aloud verdriet kwam in hem op.

Hij draaide zich naar Jenny en steunde zijn kin in zijn handen. 'Waarom kwamen er zoveel politiemensen? Waarom doorzochten ze je huis?'

'Dat gebeurt als er iemand vermoord wordt. In Toms geval wilden ze zien of de telefoon werd afgeluisterd. Of er iets in de kranten stond dat erop kon wijzen waarom iemand een bom onder zijn auto had geplaatst. Ze vonden niets, maar het duurde lang omdat er zoveel mensen voor ons werken. Mensen komen en gaan voortdurend in dat huis in Londen, en...'

Adam wachtte.

'De meeste meisjes die voor ons werken, zijn moslim. Het was vreselijk voor ze, Adam, ze moesten allemaal ondervraagd worden, en hun familie. Geen van hen is bij ons weggegaan. Geen van hen heeft geklaagd of was verbitterd. Het was vernederend.'

Adam knikte. Geen wonder dat Jenny zo vreemd had gedaan toen hij haar voor het eerst ontmoette. Geen wonder dat ze bijna gek van verdriet was geworden toen ze hem zag.

'Ik wil niet dat je blijft stilstaan bij de dood van Tom, Adam. Ik heb het niet verteld om je verdrietig te maken, maar omdat we zoveel over zijn leven hebben gepraat, en zijn dood maakt deel uit van hoe hij leefde. Je bent een deel van hem en ik ben zo dankbaar dat je in mijn leven bent gekomen. Nu moeten we samen verder, ja toch?'

Adam knikte.

Jenny keek op haar horloge. 'Ik wil nu even slapen. Het is toch je dag om thuis te leren, dus moet je gaan werken en oefenen. Daarna zal ik je meenemen naar St. Ives en dan kopen we voor jou en Harry gebakken vis met patat. Oké?'

'Oké.'

Adam wist dat Jenny wilde dat hij naar zijn eigen bed ging, maar hij kon haar niet alleen laten. Ze draaide hem de rug toe en trok met een vermoeide zucht haar benen op tot onder haar kin. Adam keek naar de massa krullend haar op het kussen en kreeg opeens een brok in zijn keel. Ze was zo klein. Hij wilde de wacht houden voor het geval ze hem nodig had.

Hij liet zich onder het dekbed glijden en lag heel stil. Na een poos meende hij dat ze zachtjes huilde. Niet zeker hoe hij haar moest troosten, draaide hij zich om en schoof iets naar het midden van het bed, zodat ze de warmte van zijn rug kon voelen. Toen vielen ze allebei in slaap.

68

Danielle belde me op toen ze zich haastte om met Ruth een vlucht naar Parijs te halen. 'Ik moet je waarschuwen, Jen. Antonio belde me om te vragen of je hem misschien in Londen wilt ontmoeten. Ik zei dat daar geen kans op was. Waarschijnlijk is hij nu van plan om naar jou in Cornwall te komen.'

Ik schrok. 'Danielle, heb je duidelijk gemaakt dat...'

'Ja, heel duidelijk. Ik geloof niet dat hij van plan is om je onder druk te zetten. Ik moet nu afbreken.' Danielle klonk buiten adem van het snelle lopen.

'We – komen – morgen – terug. Wees – aardig – voor – Antonio, Jenny.'

Ik ging naar de tuin om de vogels te voeren. Nu wenste ik dat ik Danielle nooit mijn schetsen had laten meenemen om ze aan Antonio te laten zien. Ik wilde niet dat de buitenwereld binnenkwam. Ik wilde dat het leven rustig doorging zoals nu. Ik had mijn eigen plannen.

Er hingen dikke, grijze wolken. De dagen waren winterkort en melancholiek. Ik draaide me om en ging het huis weer in. Toen de telefoon ging, wist ik dat het Antonio zou zijn. Hij vroeg of hij naar me toe mocht komen voor een gesprek. Ik had tijd gehad om te overwegen wat ik zou zeggen. 'Antonio, ik wil niet dat je je tijd verspilt. Ik heb geen plannen om serieus aan het werk te gaan.'

'Denk je dat die ontwerpen die ik in mijn hand heb, niet serieus zijn? Ik kom niet om je onder druk te zetten, alleen om een paar uurtjes te praten als je zo vriendelijk wilt zijn om me wat van je tijd te gunnen.'

Ik kon de geamuseerde klank in zijn stem horen. Omwille van Danielle wilde ik niet onbeleefd doen. Ik zei tegen hem dat ik vrijdag op het vliegveld van Newport moest zijn om Adam op het vliegtuig naar Gatwick te zetten. Dan kon ik hem ontmoeten na de inkomende vlucht, als dat niet te vroeg was.

Hij verzekerde me dat het prima was. Dan hadden we tijd om te praten en hij zou 's avonds terugkeren naar Londen. Ik slaakte een zucht van verlichting. Eén dag was te doen.

Het was vakantie en Ruth nam Adam mee naar Birmingham. Daar zouden ze Peter ontmoeten, die er voor een conferentie was. Peter had kaartjes besteld voor een concert van het London Philharmonic, dat daar optrad, en Adam was in de wolken. Hij verheugde zich erop om Peter te zien, en daar was ik blij om. Heimelijk was hij ook opgewonden omdat hij helemaal alleen zou vliegen.

We stonden op het kleine vliegveld van Newquay te wachten tot de passagiers van de inkomende vlucht uitgestapt waren. Antonio viel op als een exotisch dier toen hij over het tarmac liep.

Adam grinnikte. 'Hij ziet er heel Italiaans uit. Hoelang blijft hij?'

'Alleen maar een dag.' Ik omhelsde hem. 'Heel veel plezier, jij. Tot volgende week. Wees voorzichtig. Blijf bij de uitgang staan op Gatwick, zodat Ruth je niet misloopt.'

'Ja, ja, ja. Ik bel je wel, Jenny. Ik zal je vertellen wat ik doe.' Hij rende achteruit, lachend, en haastte zich toen achter een rij passagiers aan. Ik draaide me om en begroette Antonio.

Hij keek me stralend aan. 'Wat goed om je weer te zien. Je bent mooi als altijd.'

Hij kuste me op beide wangen en we liepen naar de auto.

'Dus hier houd je je schuil, in deze uithoek van Engeland.'

'Ik ben bang van wel. Aardig van je dat je bent gekomen.'

'Het is me een genoegen.'

Antonio was stil toen we naar het huis terugreden. Hij keek belangstellend uit het raam, maar hij maakte geen praatje en hij probeerde het ook niet over zaken te hebben. Het was nog vroeg, en toen we de verhoogde weg bereikten stak de zee rechts van ons ruw en koningsblauw af tegen een dramatische lucht. Hij zuchtte en boog zich voorover om naar de kustlijn te kijken.

We sloegen af naar de Saltings. Het was vloed, en toen ik bij het huis stopte, slaakten de zeevogels hun kreten in een dag die glimmend en nat was van de regen. Antonio stond zwijgend naar het hoge water te kijken en te luisteren, helemaal gefascineerd. Ik merkte dat ik hem aardiger begon te vinden.

Eenmaal in huis voelde ik me opgelaten. Antonio glimlachte naar me terwijl hij de kleine kamers bekeek. 'Wat mooi, Jenny. Ik begin te begrijpen waarom je hier in dit huisje bij het water wilt zijn met al die roepende vogels en wisselende luchten. Dit is een plek voor een kunstenaar.'

We keken elkaar glimlachend aan. 'Ik zal koffie zetten. Als je je handen wilt wassen of zo, dan is dáár de badkamer.'

Ik zette ontbijt klaar in de keuken en vroeg me af of de koffie wel sterk genoeg was. We zaten tegenover elkaar croissants te eten en Antonio amuseerde me met verhalen over wederzijdse kennissen in de modewereld. Ik bedacht dat ik hem kon meenemen naar St. Ives omdat hij maar één dag had. In de zomer had het iets weg van de kust van Amalfi. Dan kon ik zien of James of Bea met ons wilde lunchen. Tegen die tijd wist ik misschien niet meer wat ik tegen Antonio moest zeggen.

Na het ontbijt gingen we naar de zitkamer. Antonio pakte mijn ontwerpen uit een mooi, licht varkensleren koffertje. 'Je riemen en tassen. Ik kan er onbeperkte aantallen van verkopen, dat verzeker ik je.'

Ik nam hem mee naar de kleine serre en liet hem wat riemen zien die ik de vorige week had gemaakt. Flo had wat van mijn gereedschap opgestuurd en het pure plezier om mijn handen weer te gebruiken, had me verrast. Ik haalde diep adem en zei tegen hem: 'Ik heb kennisgemaakt met een groepje kunstenaars en we hebben een klein collectief opgericht om ons werk in Cornwall te verkopen. Er is hier verbazingwekkend veel talent. Veel van de kunstenaars en ambachtslieden verkopen over de hele wereld, maar kiezen ervoor om hier te wonen en te werken. Er is ook veel onbekend aankomend talent, zoals schilders, pottenbakkers, glasblazers. De sieraden zijn prachtig.'

Antonio luisterde aandachtig.

'Ik heb besloten om me bij hen aan te sluiten om de markt uit te proberen, maar ik wilde ook mensen hier in de buurt leren kennen die mijn ontwerpen kunnen maken. Deze riemen en tassen zijn trendy. Volgend jaar zijn ze uit de mode.'

'Maar in Italië kunnen ze helemaal nieuw zijn. Waar verkopen jullie? Waar is de winkel?'

'Iedereen deelt de huur van een winkel in St. Ives. Achterin is een kleine werkplaats. De kunstwinkels uit Cornwall komen kijken wat ze mooi vinden en bestellen rechtstreeks van ons. Ik heb me pas vorige week aangesloten. We zijn met ons zessen. Dat houdt in dat we ons geld bij elkaar kunnen leggen en ook mensen van hier in dienst kunnen nemen. Ik wil er niet te veel bij betrokken raken, maar het is een manier om...'

'Hier naam te maken?'

Ik aarzelde. 'Misschien.'

'Weten Danielle en Florence dit?'

'Nee. Nog niet. Ik heb het alleen aan mijn ouders verteld. Ik zal het tegen Danielle en Flo zeggen. Alleen... ze willen allebei graag dat ik terugkom naar Londen. Misschien wil ik bewijzen dat ik daar niet persoonlijk hoef te zijn om te ontwerpen of een bijdrage te leveren aan het bedrijf. Begrijp je?'

Antonio begon te lachen. 'Jenny, waar komt het verhaal vandaan dat je geen zin meer hebt om te ontwerpen? Danielle leest me de les dat ik je niet onder druk mag zetten.'

'Ze heeft gelijk. Ik ben nog van niets zeker. Ik probeer het alleen maar uit. Voorlopig voelt dit goed, beheersbaar.'

Antonio wendde zich af en keek naar de schetsen die ik op de wand tussen de ramen had geprikt, en vervolgens naar het werk waarmee ik experimenteerde. Hij vroeg zich vast af waarom hij hier was. Ik zou niet snel genoeg werk kunnen leveren voor hem én een lokale markt. In Londen werkten ze hard aan dure ontwerpen die veel geld binnenbrachten, heel anders dan dit schijntje.

Opeens bedacht ik dat Antonio en Danielle me naar de mond praatten, in de hoop dat ik weer fulltime zou ontwerpen. Misschien zou ik dat ook doen. Ik wist het gewoon niet. Ik liep terug naar de keuken om weer koffie te zetten.

Even later kwam Antonio me achterna. 'Weten de mensen hier wat een bekende ontwerpster uit Londen je bent?'

'Tja, ik ben hier opgegroeid, dus sommige mensen kennen mijn werk.'

Antonio ging aan de keukentafel zitten en maakte zijn stropdas los. Opeens leek hij jonger en aantrekkelijk, en heel even was ik terug in zijn villa na de dood van Tom. Ik voelde het bloed naar mijn gezicht stromen en zette de filter op de kan.

Toen ik me weer naar de tafel omdraaide, zei Antonio: 'Ik moet zeggen, lieverd, dat je heel verstandig bent. Je wilt jezelf bewijzen, buiten de schijnwerpers, dat je de kunst niet verleerd bent. Hier kun je in alle rust ontwerpen. Je kunt doen wat je zelf wilt. Je laat heel beleefd blijken dat je nog niet toe bent aan de druk van mij en Danielle?'

Ik glimlachte en ging tegenover hem zitten. Ik was vergeten hoe aardig hij was. 'Arme Danielle. Wat zal ze kwaad op me zijn. Het is aardig van je om belangstelling te tonen voor deze eenvoudige ontwerpen.'

'Ik doe niet aardig. Ik weet wat verkoopt. Hoe zou je het vinden als ik het grootste gedeelte van je ontwerpen hier onder een aparte merknaam laat maken in Italië? Zou je dat willen? Het zou minder rendabel zijn.'

Het was een goed idee. Na even te hebben nagedacht, zei ik: 'Ja, dat zou ik wel willen, maar verkoop ze niet onder een nieuwe merknaam. Breng ze op de markt met de kleding die je naar Italië exporteert onder de naam Danielle Brown. Dan is het allemaal onder één vlag. Danielle en Flo zullen blij zijn dat ik voor je ontwerp en dan heb ik het idee dat ik het bedrijf niet helemaal in de steek heb gelaten.'

Antonio lachte. 'Afgesproken! Straks praten we verder. Zullen we langs de zee lopen? Wil je me iets van je wereld laten zien?'

Ik nam hem mee naar St. Ives, waar ik hem aan de haven de kleine winkel van het collectief liet zien, en hij kocht wat mooie sieraden. Voor een vriendin? vroeg ik me af. Ik wist dat hij niet getrouwd was. We slenterden langs de kleine galerieën en ik nam hem mee naar de Tate en vervolgens naar de beeldentuin van Barbara Hepworth. Hij was prettig gezelschap omdat hij zo oprecht enthousiast was en voor alles belangstelling toonde.

James en Bea kwamen te voet om met ons te lunchen. We aten in het Elba, dat ooit de loods was waar de reddingsboten lagen. Het was chic en mediterraan. Ik wilde hem laten zien dat Cornwall veel meer te bieden had dan alleen een prachtige kustlijn.

Bea was weg van Antonio, en ze oefende haar slechte Italiaans op hem. Pap en ik krompen in elkaar, maar Antonio vertrok geen spier en gaf haar met onnavolgbare charme complimentjes voor haar pogingen.

Na de lunch nam ik hem mee naar het eiland, over het strand van Porthmeor en Clodgy Head en de kliffen op.

We gingen naar Tredrea voor de thee en Bea en James lieten hem het huis en de tuin zien. Ik zat op de raambank boven de haven en kreeg een sms'je van Adam. 'Vliegtuig cool. Ma op Gtw. Liefs A.'

Antonio was heel ontspannen bij mijn ouders. Ik schatte hem op een jaar of veertig, maar hij leek jonger als hij geanimeerd was. Hij en James raakten in gesprek over Engelse oorlogsdichters.

Pap was de eerste die zag dat er slecht weer op komst was. Hij belde naar het vliegveld van Newquay om te informeren naar de avondvluchten naar Gatwick. Hij kreeg te horen dat alle vluchten naar en van Newquay voor die avond waren afgelast.

Bea en James zeiden meteen tegen Antonio dat hij moest blijven logeren. Hij voelde zich opgelaten. 'Nee, nee, doe geen moeite. Ik ga naar een hotel.'

'Als je dat liever wilt. Je bent van harte welkom.'

Antonio keek uit het raam terwijl hij nerveus met het kleingeld in zijn zak rammelde. 'Wat slaat het weer snel om, Jenny. Angstaanjagend.'

Ik glimlachte. 'Voel je alsjeblieft niet in de val gelokt. Ik had je moeten waarschuwen voor de grillen van het vliegen vanaf Newquay. Loop je nu iets belangrijks mis?'

Hij draaide zich om. 'Niets dat mijn assistent niet kan afhandelen. Maar ik voel me opgelaten. Ik wil deze heerlijke dag met jou en je ouders niet bederven. Ik denk dat een hotel minder moeite voor jullie is.'

'Dit is een groot huis en mijn ouders vinden het leuk als je blijft logeren, maar als je liever naar een hotel wilt om te werken of uit te rusten, zullen ze niet beledigd zijn.'

'O, nee. Ik heb een hekel aan hotels. Dan wil ik jullie bedanken voor jullie vriendelijkheid.' Hij bukte zich en gaf me met een glimlach van opluchting een kus op mijn hand. 'Ik kan merken waarom het hier goed voor je is en hoe het je fantasie prikkelt. De kleuren veranderen elk moment en de weerselementen moeten je tot in je ziel raken.'

Pap kwam binnen met drankjes op een dienblad en ik ging naar de bovenste verdieping om mijn bed op te maken en handdoeken klaar te leggen. Behalve het uitzicht hier zou Antonio ook zijn eigen badkamer hebben. Ik zou vanavond beneden slapen en hem morgenochtend vroeg naar Newqay brengen.

James nam hem mee naar de pub terwijl Bea kookte en ik de tafel dekte.

'Wat een charmante man, Jen. Ik vind hem heel aardig.' Mam had een blos op haar wangen en ze keek blij. Ze vond het leuk om nieuwe mensen te ontmoeten.

Ik omhelsde haar. 'Zeker omdat je dat abominabele Italiaans van je kunt oefenen?'

'Wat ben jij brutaal.'

Ze stond erop om de Venetiaanse wijnglazen te gebruiken die zij en James tijdens hun huwelijksreis hadden gekocht. Pap en Antonio kwamen nogal vrolijk terug. Antonio had kennisgemaakt met het bier van Cornwall. Ik had hem moeten waarschuwen.

Het was warm in huis en kaarslicht flakkerde over de tafel. De haven beneden was vol glinsterende lichtjes in de regen en herinnerde ons eraan dat er buiten een bewoonde wereld was, terwijl wij hier behaaglijk en veilig in ons hooggelegen huis waren. Als kind bedacht ik vaak hoe ik bofte. Dat gevoel had ik nog steeds.

Ik keek naar de gezichten van mijn ouders in het kaarslicht. Ze leken leeftijdloos. Thuis was een toevluchtsoord dat altijd liefdevol, welkom en veilig was. Wat had ik zonder Bea en James moeten beginnen in de afgelopen maanden? Ik keek hoe vrolijk ze met Antonio praatten, een man die ze pas vandaag hadden ontmoet maar die ze allebei duidelijk mochten.

Ik hief mijn glas, overstelpt door liefde voor hen. 'Bea, James, op jullie!'

Verbaasd keken ze in mijn richting en ik voegde er vlug aan toe terwijl ik met mijn glas tegen hun glazen tikte: 'Gewoon om dankjewel te zeggen, voor het geval ik dat een keer vergeet.' Ik lachte, opgelaten, en zij lachten ook.

Antonio klonk ook met hen. Zijn blik ontmoette de mijne en hield die vast. Er was respect in te lezen en iets wat ik niet kon thuisbrengen. 'Waarom noem je je ouders soms bij hun voornaam?'

Pap lachte. 'Ze is opgegroeid met een vriendinnetje dat ons Bea en James noemde. Toen ging zij dat ook doen en het is een gewoonte geworden. Ze weet niet eens dat ze het doet!'

Na het eten stond Antonio erop om me te helpen afruimen. Bea en James gingen naar het nieuws kijken, en wij spraken over zaken terwijl we de vaatwasser inruimden. Als het weer morgen niet beter was, zou Antonio met de trein naar Paddington moeten omdat hij de volgende avond terug naar Milaan vloog.

Ik nam hem mee naar mijn kamer. 'Ik hoop dat je hier al het nodige kunt vinden.' Ik liet hem de kleine badkamer zien en wilde de gordijnen sluiten.

'Laat maar, liever. Ik wil graag de lucht zien en de zee horen.' Hij liep naar het raam en keek naar de honderden lichtjes rond de haven beneden. 'Een betoverende plaats...' Hij draaide zich naar me om.

'Nou, welterusten dan maar.' Ik voelde me opgelaten. Ik had behoorlijk wat wijn op.

'Welterusten, Jenny. Het spijt me dat ik je kamer in beslag heb genomen. Ik zal goed slapen.'

Antonio's stem klonk als een liefkozing. Hij bukte zich en terwijl ik mijn wang ophief voor zijn kus, wankelde ik en moest ik me aan zijn armen vastgrijpen. Ze voelden warm aan onder mijn vingers, warm en verrassend sterk. Begeerte schoot door me heen en ik moest mijn best doen om niet instinctief mijn adem in te houden.

Zijn mond bleef even bij die van mij rusten, alsof de seksuele spanning wederzijds was. Hij kuste de zijkant van mijn mond. Ik voelde zijn handen verstrakken om mijn schouders en ik kon me niet bewegen. Ik voelde de druk van zijn vingers en zijn mond bleef op de mijne rusten. Toen trok ik me bevend terug, keek hem aan, fluisterde welterusten en vluchtte.

Ik trok mijn kleren uit en liet me op bed vallen. Het beeld van Antonio bij het raam, kijkend naar de avondlucht, liet me niet los.

Ik had gewild dat hij me op bed wierp en nam. Neem me. Neem me vlug en zonder iets te zeggen.

Ik lag te woelen in bed, terwijl mijn verraderlijke lichaam gloeide en Tom ontrouw was. *Ik wil zijn vierkante donkere lijf op me voelen. Ik wil die zachte stem me horen aansporen in mijn oor. Ik wil tree voor tree die trap op en zien dat hij op me wacht.* Kreunend ging ik overeind zitten. *Ik ben dronken. Morgen sterf ik duizend doden van ontzetting omdat ik deze gedachten had.*

Ik stapte uit bed, sloeg het dekbed om me heen en ging op de raambank zitten. Deze slaapkamer had uitzicht op het eiland, en het kruis van de kleine kapel was verlicht op de bewolkte avond. Aan de horizon bewoog de oceaan zich als een dunne slang.

Met toenemende opgelatenheid herinnerde ik me dat ik in Italië ooit het bed had gedeeld met Antonio. Ik had het uit mijn gedachten verdreven. Het leek nu zo onwaarschijnlijk en lang geleden. Alsof het met iemand anders was gebeurd.

Ik stond op. Als ik een keer uit eenzaamheid en behoefte in zijn bed was gaan liggen, kon ik dat dan niet weer doen? Ik liep naar de trap en keek naar boven. Er klonk geen geluid. Het huis kraakte en ademde om me heen. Mijn moed liet me in de steek. Ik draaide me om en ging terug naar mijn koude bed.

Ik mis Adams lieve warmte. Ik vond het niet meer prettig om alleen te slapen.

69

Antonio's villa staat op een heuvel en kijkt uit op zee. Tussen het huis en het water loopt een pad tussen bomen door naar het strand. Het is allemaal zo mooi en onverwacht dat Danielle en ik heel even sprakeloos zijn. We wisten dat Antonio een luxueuze moderne flat in de modewijk in Milaan had, en we hadden gedacht dat zijn huis op het platteland een moderne split-levelwoning zou zijn.

Het huis is oud en wordt omgeven door een formeel aangelegde tuin en wijngaarden. Om de een of andere reden ben ik niet voorbereid op een huis vol elegant comfort. Antonio heeft alles eenvoudig gehouden in natuurlijke houttinten. De vloeren zijn geboend en er liggen kleurrijke Perzische kleden op. De meubels zijn van licht eiken. Voor de ramen hangen geen gordijnen, alleen luiken, en het huis staat er sereen in gespikkeld zonlicht bij.

Voor het eerst sinds weken voel ik me warm. Antonio slaat me ongerust gade. We zijn met de veerboot gekomen en het lijkt of we in een compleet ander land terecht zijn gekomen, een wereld zonder nachtmerries.

'Wat een prachtig huis. Volmaakt. Dank je dat je ons hebt uitgenodigd.' Wat klinkt mijn stem vreemd.

Antonio pakt mijn hand en ik zie de uitdrukking van genoegen op zijn gezicht. 'Zolang je hier bent, lieverd, is het ook jouw huis. Ik wil dat je rust en beter wordt en gaat zwemmen en in de zon liggen.'

'Dank je. Dat is heel aardig van je.' Ik draai me om naar de open ramen. 'Mag ik op onderzoek gaan?'

Ik stap in de hitte van de nazomer en hoop dat ze me alleen zullen laten. In de verte glinstert de zee. Ik loop door de gang naar mijn kamer om mijn zwemspullen aan te trekken. Daarna wandel ik over het pad naar de zee terwijl Antonio en Danielle door het huis lopen en naar elkaar roepen in het Italiaans.

Antonio komt naar de openslaande deuren en schreeuwt me na: 'Je kunt veilig zwemmen, maar ga niet te ver in zee. Wij komen ook zo.'

Ik steek mijn hand op als teken dat ik het heb gehoord. Ik wil alleen zijn om de schoonheid hier in te drinken. Terwijl ik loop, voel ik de hitte op me drukken. Ik hoor alleen de krekels en de bries door de bomen en het geluid van mijn voetstappen.

De kleine baai is verlaten en de zee is warm, met kleine golven die op het strand breken. Het voelt troostrijk aan, net als Cornwall. Ik ga een eindje zwemmen en kijk dan al watertrappend uit over de zee. Ik weet bijna zeker dat als ik me omdraai en naar de villa kijk, ik twee gestalten zie die me ongerust gadeslaan vanaf het terras.

Het water is helder. Onder me zwemmen scholen kleine vissen. Ik zwem heen en weer en probeer me af te sluiten voor alles, behalve voor de fluweelachtige aanraking van het zoute water.

Heen en weer, heen en weer door het lichtblauwe water terwijl ik me door de zon laat verwarmen. Ik zwem naar het ondiepe en laat de kleine golven over mijn rug en benen klotsen. Boven het water hangt een waas van hitte, waardoor zon en hemel in elkaar overgaan. Ik sluit mijn ogen.

Mama, mama. Handje. Spring! Spring over golf, mama. Ik kijk op en kom blij overeind uit het water om Rosie in mijn armen op te vangen. Er is geen kind dat naar me toe rent. Geen man die achter zijn dochter aan holt in het ondiepe. Er is helemaal niemand in het verlaten landschap. Het strand ligt in een bocht voor me, leeg.

Ik trek een lichtgroene jurk aan die Danielle voor me heeft gemaakt. Hij is zo licht, zo dun dat ik amper mezelf erin kan voelen. Twee banen veelkleurige zijde hangen vanaf de schouders, als vleugels om mee weg te vliegen. Ze heeft er twee dagen over gedaan. Twee dagen en twee avonden. Een liefdevol gebaar. Tom zou het mooi hebben gevonden. Het is klassiek, maar net een beetje anders.

Ik heb niet Danielles mooie, olijfkleurige huid die meteen bruin wordt, maar ik ben nog bruin van de zomer en ik denk dat mijn gezicht niet meer zo wit is na drie dagen in Antonio's huis in de zon.

Antonio geeft een feest. Hij zegt dat het deels zakelijk en deels voor het plezier is; een laatzomerse bijeenkomst voor zijn vrienden. Ik stel het zo lang mogelijk uit om naar beneden te gaan., maar nu moet ik me vermannen om geen onbeleefde indruk te maken. Ik denk aan thuis. Ik mis Flo. Ik bel haar met mijn mobiele telefoon.

'Jen!' Ze klinkt ongerust.

'Het gaat goed.' Mijn stem breekt.

'Je hebt heimwee. Je vraagt je zeker af wat je daar doet?'

'Ja. Waarom heb ik in 's hemelsnaam ingestemd om te gaan? Het is te vlug. Ik ben er nog niet aan toe. Antonio geeft een feest en ik heb de moed niet om naar beneden te gaan.'

'Je hebt meer dan genoeg moed. Maak een stijlvolle entree in Danielles prachtige jurk. Doe alsof je een rol speelt. Bekende modeontwerpster die op het punt staat beroemd te worden...' Flo, ver weg in Londen, zwijgt even. 'Het zal beter worden, lieverd. Stapje voor stapje wordt het makkelijker. Danielle en ik zullen je hier doorheen helpen.'

'Dank je, Flo,' fluister ik, en dan zeg ik gedag.

Flo en Danielle verbergen hun eigen verdriet om dat van mij niet nog groter te maken. Ik kijk in de spiegel. Een mager schepsel met onwillig haar staart terug. *Doe alsof je een rol speelt.* Ik haal diep adem en ga naar beneden. Antonio hangt rond bij de trap alsof hij mijn bewonderaar is.

Hij pakt mijn hand en geeft er een kus op. 'Jenny. Je ziet er verrukkelijk uit.' Hij grist een drankje van een dienblad en geeft het aan me. 'Ik weet hoe moeilijk dit allemaal voor je moet zijn. Ik dank je uit de grond van mijn hart dat je naar beneden bent gekomen. Sommige mensen hier zijn belangrijk voor ons en sommige zijn heel goede vrienden van me. Kom, ik zal je niet alleen laten. Als we elkaar kwijtraken, kom me dan meteen zoeken.'

Ik glimlach. Het is bijna alsof ik weer een kind ben. Ik pak vaak een glas van de vele dienbladen die door de obers rond worden gedragen. Ik wandel aan Antonio's arm en glimlach opgewekt. Ik beantwoord vragen over het werk, over Londen. Ik flirt. Ik lach. Ik pak nog een glas van een dienblad. Ik vind dat ik het heel goed doe. Ik zie wat een succes ik ben.

Dan krijg ik Danielle in het oog. Ze ziet er prachtig uit, helemaal in het wit, haar lange, glanzende donkere haren los en sexy. Af en toe kijkt ze fronsend naar het glas in mijn hand en schudt ze bijna onmerkbaar haar hoofd. Dan komt ze naar me toe en fluistert: 'Voorzichtig met de wijn. Volg mijn voorbeeld niet. Ik kan hoeveelheden wegwerken als een alcoholist, dat weet je.'

Ik glimlach. Ze is bang dat ik mezelf voor schut zal zetten, in dronken tranen zal uitbarsten of opeens op de vloer zal vallen of niet meer uit mijn woorden kan komen. Maar ik ben helemaal niet dronken. De wijn lijkt geen enkel effect te hebben, behalve dat die de scherpe kantjes verzacht en alles net iets beter maakt. *Ik speel alleen maar een rol.*

Als het tijd is om te eten, kan ik de buffettafel vol eten niet aanzien. Ik glip weg en loop door de openslaande deuren de trap af naar het lager gelegen terras. Het licht uit het huis valt over me heen als ik naar de schaduw loop. Ik houd mijn hand op in het licht en die wordt roze, doorzichtig en vreemd. Ik kijk er nieuwsgierig naar.

Wat doe ik weg van huis, zo snel na de dood van Tom? Ik laat mijn hand zakken en draai me om naar de zee. Als ik mijn oren spits, kan ik het vage ruisen horen. Ik vraag me af of ik genoeg energie heb om naar de waterkant te lopen. Ik staar naar de purperen streep achter de fruitbomen. Regelmatig wordt het oppervlak verstoord door kleine schuimkoppen.

Wat zou Tom dit heerlijk vinden. Die onmiskenbaar zware, mediterrane geur. Het geluid van de cicaden, een vleug olijfolie.

Achter me komen de geluiden van het feest in golven van stemmen en gelach. Ik wil smelten en opgaan in het donker, deel worden van de stenen trap waarop ik zit. Ik wil als een schaduw worden van de oude, stenen balustrade waartegen ik leun. In het licht uit de vertrekken achter me bestudeer ik het mos op de oude, oneffen stenen, haartjes die uitsteken als stoppels op de kin van een oude man. Het mos voelt sponsachtig en klam aan, en diep erin zie ik een lieveheersbeestje. Ik heb het gestoord.

Boven alles wil ik naar bed, maar ik lijk niet in staat om me te bewegen. Ik word overstelpt door lethargie. Ik blijf op de koude trap zitten. Dan hoor ik iemand door de openslaande deuren achter me komen, en Antonio is bij me. Hij hurkt bij me neer. Even zegt hij niets. Ik voel zijn ongerustheid, maar ik kan me nog steeds niet bewegen of mijn hoofd omdraaien. Langzaam legt hij de rug van zijn hand tegen mijn arm, als een vraagteken. 'Je krijgt het koud. Wil je nu mee naar binnen komen?'

Ik kan niets uitbrengen, en hij slaat voorzichtig een arm om me heen. 'Je bent moe, lieverd. Kom, dan breng ik je naar je kamer.'

Ik knik en hij helpt me overeind alsof ik ziek of oud ben. Hij voert me mee om het huis heen en door een kleine zijdeur die uitkomt op een achtertrap. Ik voel mijn benen verslappen en klamp me aan hem vast. Eenmaal binnen tilt hij me op en draagt me naar boven alsof ik niets weeg. Hij duwt mijn slaapkamerdeur open met zijn voet en zet me op bed. 'Kleed je uit en ga naar bed, schat. Ik zal iets warms te drinken halen en wat brood.'

Maar ik kan gewoonweg niet de energie opbrengen om me uit te kleden. Alles lijkt ver weg en ik sla mezelf gade van een afstand. Duizelig draai ik me op mijn zij en trek mijn benen op. Antonio komt terug. Hij mompelt iets in het Italiaans en ik zie dat er een oude vrouw bij hem is. Ze klakt met haar tong en laat me zitten. Mijn jurk wordt over mijn hoofd getrokken en dan lig ik onder de deken.

'Drink hier wat van, Jenny.' Antonio steunt mijn hoofd met zijn arm en ik neem een slokje melk met iets erin, nootmuskaat of kruiden. Dan laat hij me los. Hij kijkt met zijn mooie, trieste ogen op me neer. De oude vrouw praat snel tegen hem en gaat weg. Als ze weg is, aarzelt Antonio. Hij weet niet wat hij moet zeggen tegen een gast in zijn huis die wou dat ze dood was.

Ik hoor mijn stem, iel en dun van angst: 'Laat me niet alleen, Antonio.'

Hij kijkt me aan en ik houd smekend zijn blik vast, wanhopig, als een kind. Hij laat zich weer op het bed zakken en ik voel me getroost door zijn nabijheid en gestalte. Hij straalt een dierlijke warmte en goedheid uit. Hij glimlacht. 'Ik ga afscheid nemen van mijn gasten. Ik zal kijken of alles in orde is met het personeel en dan kom ik terug.' Hij pakt mijn hand en brengt die naar zijn lippen. 'Ik blijf de hele nacht bij je. Wees niet bang, ik laat je niet alleen. Ik zal hier zijn om je te troosten. Ik zal niet proberen om met je te vrijen.'

'Dat vind ik niet erg,' zeg ik tegen hem.

'Maar ik wel,' zegt hij zacht. 'Probeer nu te slapen. Ik kom dadelijk terug.'

Ik lig in het donker op hem te wachten. Stemmen sterven geleidelijk weg en het geluid van de zee in de verte wordt luider en monotoon, alsof je een schelp tegen je oor houdt. Antonio komt zo zachtjes terug dat ik hem amper hoor. Als hij zijn ochtendjas uitdoet, lijkt zijn schaduw op de muur opeens enorm, als een gorilla. Ik voel paniek en verstijf als hij naast me in bed gaat liggen.

Hij gaat voorzichtig op zijn rug liggen omdat hij denkt dat ik slaap. Ik ontspan me als zijn ademhaling langzamer wordt en hij in slaap valt. Ik ben blij dat ik iemand in mijn bed heb, blij dat ik een nacht niet alleen hoef te zijn.

Ik slaap tot de zon in de kamer valt en ik abrupt wakker word met de bekende afschuw. *Tom en Rosie zijn dood.* Instinctief schuif ik naar de warme gestalte in bed. Slaperig trekt Antonio me tegen zich aan, strijkt mijn haren uit mijn gezicht, en legt zijn arm onder mijn hoofd, en ik val weer in slaap, getroost.

Als ik weer wakker word, zie ik dat hij naar me kijkt, met zijn gezicht dicht bij het mijne. Hij zegt zacht iets tegen me in het Italiaans. Ik versta de woorden niet, maar de toon is onmiskenbaar. Ik kijk hem aan en voel een schok in mijn maag. Terwijl onze blikken elkaar vasthouden, bewegen we geen van beiden. Ik wacht tot hij me aanraakt, maar hij trekt zacht zijn arm onder mijn hoofd vandaan, stapt uit bed en gaat naar de badkamer. Als hij terugkomt, glimlacht hij naar me uit de deuropening, met een handdoek veilig om zijn middel. Ik glimlach terug. Naderhand zal ik dankbaar zijn.

70

Adam wilde naar de kathedraal van Gloucester voor een schoolproject toen ze in Birmingham waren. Onder het prachtige, hoge, gebeeldhouwde plafond liep hij voor Ruth en Peter uit en bestudeerde geïnteresseerd de inscripties van dode soldaten uit twee wereldoorlogen. De namen van de regimenten waren in marmer gegrift en hij liet zijn blikken over hun namen glijden, zich afvragend hoe oud ze waren geweest toen ze stierven.

Onder de sfeervolle bogen van de kruisgangen waren de stenen versleten. De inscripties onder hun voeten waren gladgestreken en vervaagd in steen. In de vochtige stilte leek het wel of Adam de echo van een Gregoriaans gezang kon horen en het ruisen van ruw geweven pijen over de grijze stenen van de gangen.

Peter sloeg hem gade. De jongen was gelukkig. De voldoening droop van hem af. Hij had bijna voortdurend een lach op zijn gezicht en hij liep veerkrachtig. Adam was altijd een dankbare en makkelijke jongen geweest, maar nu straalde hij van de mogelijkheden die het leven hem had gebracht. Het leek wel of hij een andere dimensie in zichzelf had ontdekt, nu hij zijn vader had gevonden.

Het enige wat Peter verontrustte, was dat Adam helemaal in beslag werd genomen door oorlog en dood en alles wat met het leger te maken had. Hij vroeg Peter de oren van het hoofd over het Israëlische leger en hoeveel geweld ze mochten gebruiken. Hij toonde een ongezonde belangstelling voor zelfmoordcommando's en hoeveel verminkte lijken Peter al had gezien. Hij was ook verrassend goed op de hoogte van moderne oorlogvoering en de verschillende rollen van Amerikaanse en Engelse militairen in Irak. Peter probeerde hem weer op de onderwerpen 'vogels' en 'vissen' te brengen. Hij merkte dat Adam wel zo slim was om het niet over het leger te hebben als Ruth erbij was.

Ruth was met een triomfantelijke blik aangekomen in Birmingham, maar ze gedroeg zich gespannen en vastberaden vrolijk tegenover Adam. Ze deed duidelijk haar best om meer te zijn dan alleen zijn moeder. Peter voelde zich er niet prettig bij. Het leek wel of ze Adam probeerde terug te winnen als een jaloerse minnares, alsof ze zich nu dankbaar voelde dat ze tijd met haar zoon kon doorbrengen. Peter vroeg zich af wat voor verschil het zou hebben gemaakt als hij hen niet zo plotseling in de steek had gelaten en naar Israël was gegaan in een gedoemde poging het geluk te vinden. 'Heb je zin om in een pub te gaan lunchen bij een knappend haardvuur en daarna een lange wandeling te maken?' vroeg hij haar.

Ruth draaide zich om en er kwamen lachrimpeltjes om haar ogen van blijdschap, waar hij altijd zo van had gehouden. 'Heerlijk, Peter. Dit zijn zulke mooie dagen. Dank je.'

'Je hoeft mij niet te bedanken. Ik geniet er ook van.' Hij lachte. 'We genieten er allemaal van.'

Die middag liepen ze de Malvern Hills in. De wereld strekte zich voor hen uit als een enorme landkaart. Graafschappen liepen in elkaar over en strekten zich in de verte en in de mist uit. Gele en groene velden, blauwe rivieren, kerktorens en golvende bossen. Gloucester, Tewkesbury en Worcester waren links van hen, Hereford en de golvende voorlopers van de Black Mountains rechts.

Ruth zei: 'Vreemd, dat je door de hoogte van de heuvels om je heen duizelig wordt en uit je evenwicht lijkt te raken, alsof je elk moment kunt vallen. Ik voel me net een mier op de rand van een muur.'

Adam lachte. 'Ik weet wat je bedoelt. Het lijkt net of alles een verkeerde schaal heeft gekregen. We zijn gekrompen. We zijn te klein geworden.'

'Of,' zei Peter peinzend, 'we voelen ons klein door de natuur en daar moeten we af en toe aan herinnerd worden. Hebben jullie zin om op vakantie te komen naar Tel Aviv? Misschien na Kerstmis, of tijdens de zomervakantie?'

'Gaaf! Kan dat, mam?'

Ruth keek Peter aan. 'Dat is een verleidelijk idee.'

'Denk erover na.'

Terwijl Adam voor hen uit rende met zijn verrekijker, wendde Ruth zich tot Peter. 'Waarom heb je de papieren voor de scheiding nog niet ondertekend? Wat gebeurt er in jouw leven?'

Peter zweeg even, en zei toen: 'Het is in Israël niet zo gegaan zoals ik had gehoopt. Zo is het leven, maar ik zie nu geen reden om te scheiden. We wonen apart, we leiden een verschillend leven, maar we zijn vrienden. Ik mis jou en Adam ontzettend, Ruth. Niemand heeft er toch last van als ik een poos met jullie doorbreng?'

'Nee,' mompelde Ruth, maar ze bedacht dat het gevaar bestond dat ze allebei uit gewoonte de leemte voor elkaar invulden. Ruth wist dat ze zouden vrijen voor deze vakantie voorbij was. Seks was aanlokkelijk geworden omdat het technisch gezien verboden was. Ze hingen allebei in het heden omdat ze geen van beiden wisten welke richting hun leven zonder elkaar zou inslaan. Het was alsof ze in een tijdelijke oase leefden: een troost, maar geen permanente oplossing.

Toen ze die avond in Peters bed lagen, vroeg hij: 'Wat knaagt er aan je, Ruth? Je vindt je werk leuk, dus moet het Adam zijn. Je lijkt overbezorgd om hem te plezieren. Je bent jezelf niet tegen hem. Het is pijnlijk om te zien.'

Ruth schoof bij hem vandaan om zijn gezicht te kunnen zien. 'Kom ik zo over? Mijn god. Ik ben zo inconsequent naar Jenny toe. Adam is zo gelukkig bij haar en op die school. Ik zou oneindig dankbaar moeten zijn, maar ik voel een enorme wrok.'

Peter zweeg.

'Zeg iets,' fluisterde Ruth.

'Ik vroeg me af of die ambivalente gevoelens niet te maken hebben met het feit dat Adam bij Jenny woont, maar met Jenny zelf.'

'Wat bedoel je?'

'Hoe voelde jij je toen je Jenny terugzag in die trein?'

'Ik vond het enig om haar weer te zien.'

'Maar binnen een week ontdek je dat ze jarenlang gelukkig getrouwd is geweest met de vader van je kind, met de man over wie je nooit wilt praten, en dat die man op brute wijze om het leven is gekomen.'

'Daar wil ik niet weer op ingaan.'

'Ik denk dat het uitgesproken moet worden.'

'Nee, Peter.' Ruth maakte aanstalten om op te staan.

'Goed,' zei Peter zacht. 'Vlucht maar, Ruth. Dat deed je altijd zodra Adams vader ter sprake kwam.'

Ruth aarzelde. 'Dat is niet waar.'

'O nee? Vertel me dan wat je voelde toen je de krantenfoto's zag van een dode man die van Jenny had gehouden, met haar was getrouwd en een kind met haar had gekregen. Niet met jou. Met Jenny.'

Ruth liet zich op de rand van het bed zakken. Een poos later zei ze: 'Na de eerste schok werd ik opeens weer dat meisje van zeventien, wachtend op een telefoontje dat nooit is gekomen. Het leek alsof ik was teruggegaan in de tijd.'

'Je was nog zo jong,' zei Peter zacht.

'Dat afschuwelijke gevoel van zelfverachting kwam weer terug, de angst voor wat mijn ouders zouden doen als ze het te weten kwamen.'

'En toch nam je Tom in bescherming tegen hen. Waarom?'

'Omdat ik wist dat ik mezelf had aangeboden. Zelfs toen had ik genoeg inzicht om te weten dat ik er zelf op uit was geweest.'

'Wat eenzaam en bang moet je zijn geweest. Had je maar met me kunnen praten toen we getrouwd waren. Dat had verschil kunnen maken.'

Ruth draaide zich naar hem om. 'Het was de ergste les die ik ooit heb geleerd, Peter. Dat je zo intiem kunt zijn met een man en dat het voor hem helemaal niets betekent.'

'Hij heeft je broze hart gebroken en je hebt hem in bescherming genomen, zijn leven ongemoeid gelaten en je eigen leven verbeurdverklaard. Lieve, dappere Ruth. En alles wat je ervoor terugkreeg, waren smart, zwangerschap en verbanning.'

Ruth keek hem aan, opeens kwaad. 'Je vindt het wel een goed idee om me daaraan te herinneren, hè Peter? Om me terug te laten gaan naar iets wat ik met goede redenen heb weggestopt. Waarom wil je een leuke week bederven? Ik heb geen zin om die psychologische prietpraat van je aan te horen.'

Peter negeerde haar. 'Je hebt die hele episode met Tom langzaam uit je leven verbannen. Alsof het nooit was gebeurd. Je probeerde hem uit je hart en je gedachten te zetten om verder te gaan en jezelf te kunnen handhaven. Dat lukte niet helemaal, is dat niet zo?'

'Peter, hou op!'

'Hij leeft ergens in je, een dappere held die je niet naar buiten durfde te brengen voor het geval hij besmeurd zou worden. Je wilde niet eens met Adam over hem praten. Je hele leven lang hoopte een deel van je dat Tom als door een wonder weer in je leven zou komen. Heb ik gelijk?'

Ruth schudde wild haar hoofd. 'Onzin! Ik begrijp niet waarom je dit doet. Je zit er helemaal naast.'

'Is dat zo? Je werkt je te pletter en je maakt een succes van je leven. Je ontmoet een saaie Joodse accountant die goed met je zoon kan opschieten. Dat is genoeg. Je trouwt met me. Dat is niet genoeg. Ik kan je niet benaderen. Helemaal niet zelfs.' Peter was verbaasd over de woede die uit het niets de kop opstak. 'Toen de geest van Tom als een feniks uit de as herrees, dacht je toen niet heimelijk dat jij degene had moeten zijn die al die mooie jaren met de vader van je kind had gehad, in plaats van Jenny? Vroeg je je af waarom Tom een paar jaar later verliefd werd op Jenny en niet op jou?'

Ruth verbleekte, maar Peter dwong zichzelf om verder te gaan. 'Jenny leek alles te hebben, nietwaar, Ruth? Een fijn gezin en ook nog talent. Heb je niet onbewust, als kind al, zowel wrok als liefde gevoeld voor Jenny, omdat die altijd, zelfs in vreselijke tijden, alles lijkt te hebben wat ze wil? Heb je jezelf wel eens afgevraagd waarom je Adam op een presenteerblaadje hebt aangeboden?'

Ruth schrok van Peters kwaadheid. Hij was blijkbaar van plan om haar leven meedogenloos los te wikkelen als een pakket.

'Ruth,' zei hij vermoeid, 'wees eens een keer eerlijk tegen jezelf. Je hebt Adam voor je laten beslissen. Dat suste je geweten over een baan die je hoe dan ook wilde, ondanks het feit dat je rekening moest houden met Adam, ondanks eventuele gevolgen.' Hij stapte uit bed en trok zijn badjas aan. 'Je hebt een keus gemaakt. Jenny heeft het je makkelijk gemaakt. Nu ben je een en al jaloezie omdat Adam zo goed overweg kan met Jenny terwijl zij haar carrière vervolgt op een afgelegen plek. Je hebt gekregen wat je meende te willen: een plek en een baan in Jenny's huis. Adam voelt zich heerlijk bij haar en is gewend aan het leven dat jij hebt goedgekeurd voor hem. Wat wil je nog meer? Of is dit juist je nachtmerrie?'

Ruth trok haar deken om zich heen. Ze liep naar het raam, bleef met haar rug naar Peter staan, tilde het gordijn op en keek naar de straat. Peters woorden voelden als verraad aan elk persoonlijk gesprek dat ze ooit met hem had gevoerd. Geen wonder dat ze dat niet vaak deed.

Ze hoorde dat hij miniflesjes drank uit de koelkast haalde.

'Ik vind het niet leuk om je pijn te doen, Ruth. Ik wil alleen heel graag dat je nadenkt over je motieven waarom je zo'n wrok koestert ten opzichte van Jenny.'

Ruth draaide zich om. 'Heb jij nagedacht over jouw motieven waarom je ten opzichte van mij wrok voelt, Peter?'

Hij keek haar aan. 'Touché. Mijn eigen bitterheid over je onbekende soldaat overviel me.' Die toon was weer als een klap voor Ruth.

'Ik heb je gekwetst. Ik heb je leven bedorven.'

'Nee, dat heb ik zelf gedaan, Ruth, in een volkomen mislukte poging om liefde en kinderen te krijgen. Ik geloof dat ze dat ideale gerechtigheid noemen.'

Ze staarden elkaar aan, ontzet door wat ze allebei hadden aangericht.

Ruth zei zacht: 'Misschien is alles wat je hebt gezegd gedeeltelijk waar. Ik geef toe dat mijn gevoelens voor Jenny gecompliceerd zijn en me in beslag kunnen nemen, maar mijn instinct zegt me dat Adam op een subtiele manier van me wordt weggetrokken.' Ze sloeg met een vuist tegen haar borst. 'Ik voel het in mijn hart en maag, en niets van wat jij zegt kan dat gevoel veranderen.' Haar stem brak, en dat was vreemd dramatisch voor Ruth.

Peter kwam naar haar toe en sloeg zijn armen om haar heen. 'Misschien moeten Jenny en jij hier eens over praten met een deskundige?'

Ruth schudde haar hoofd. 'Mijn god, nee! Ik kom er wel uit. Ik doe mijn best.'

'Dingen veranderen tussen moeders en zonen. Er zou toch een kloof tussen jou en Adam zijn ontstaan. Wees gelukkig, Ruth. Bederf je leven niet. Laat het geen obsessie worden. Je bent niemand kwijt.' Hij glimlachte naar haar. 'Zelfs mij niet. Ik hou van je en dat zal nooit veranderen. Ik weet niet wat de toekomst zal brengen, maar ik ben altijd ergens op de achtergrond aanwezig als je dat wilt.' Hij gaf haar een glaasje cognac en ze sloeg de inhoud in één keer achterover, net als hij. De drank verwarmde haar.

Peter wist dat er altijd meer dan één waarheid was. Gedeeltelijk had hij Adam in bescherming willen nemen. Hij was opeens bang geweest dat Ruth als een kamikazepiloot Adam zou laten kiezen tussen haar en Jenny, en daardoor hen beiden zou vernietigen.

71

Het werd Kerstmis en Adam en ik versierden het huis met talloze kaarsen. We kochten een kleine dennenboom met kluit, zodat we die naderhand in de tuin konden zetten. Adam ging ook Bea en James helpen om Tredrea te versieren en de grote boom die moest klaarstaan voor als alle kleinkinderen kwamen. Het deed ons goed dat hij zich niet te groot of te cool vond om het leuk te vinden dat hij dit met ons kon doen.

Twee zussen van me zouden komen. De derde woonde in Amerika met een nieuwe man die we geen van allen hadden ontmoet. Adam vond het grappig dat Bea en James Kerstmis uitstippelden als een militaire campagne, waarbij ze steeds hun lange lijsten kwijtraakten.

Deze kerst kon niet erger zijn dan de vorige, maar het leek aangrijpender. Ik accepteerde dat Rosie en Tom er niet meer waren. Ik wist dat ik dat leven nooit zou terugkrijgen. Ik wist dat ik, met schuldgevoel, zonder hen verderging en het voelde als een soort verraad. Net als de eerste dag waarop je met schrik bedenkt: *o god, ik heb al een uur niet aan hen gedacht.*

Flo was met Kerstmis altijd bij mij en Tom geweest. Danielle had een hekel aan kerst en ging altijd in Parijs logeren bij een vriendin. Ik was bang dat Ruth Adam met kerst bij haar en Peter zou willen hebben, maar Adam maakte heel duidelijk tijdens een enthousiast telefoongesprek met haar dat hij in St. Ives wilde blijven.

Ik liet het aan Flo en Bea over om met Ruth te praten. Ik was bang dat ik betuttelend zou klinken, of bezitterig of zelfvoldaan. Ik was bang dat ik iets verkeerds zou zeggen. Ik had met haar te doen en ik wilde niet dat ze zich een buitenstaander zou voelen met alle voorbereidingen.

Bea zei dat Ruth oververmoeid klonk en dat ze graag met Flo in St. Ives wilde komen logeren. Ze had het veel te druk gehad om ook maar aan een kerst ergens anders te denken. In Londen was de aanloop naar Kerstmis altijd hectisch. Ik wist dat Flo en Danielle zich ook kapot werkten. Dat was elk jaar hetzelfde. Het was het seizoen voor feesten en opeens wilden mensen van de ene dag op de andere een nieuwe jurk.

Rond deze tijd zouden Flo en Danielle me het meest missen en ik voelde me schuldig, vooral als ik belde en hun stemmen schor klonken van vermoeidheid.

Ik nam me voor om het volgende jaar meer bij te dragen aan het bedrijf. Vanaf hier kon ik mijn werk opbouwen. De kleine winkel van het collectief had alles verkocht wat ik tijdens de kerstperiode had gemaakt, en daarmee was ik in stilte heel blij.

Ruth was van streek dat ze niet naar Adams schoolconcert kon komen, dus zei James dat hij het zou opnemen en dan kon ze het tijdens de kerst zien.

Op de avond van het concert zorgden Bea, James en ik ervoor dat we ruimschoots op tijd waren, met de videocamera. Bea en ik gingen vooraan zitten en pap nam achterin plaats. Adam was moe van het voortdurend oefenen. Harry's moeder en ik hadden om beurten de twee vermoeide en prikkelbare jongens in de weekends naar Truro gebracht en hen 's avonds weer opgehaald.

Alle jongens met een beurs hadden ongelooflijk veel uren moeten oefenen. Er zaten kinderen van beroepsmusici op school, waardoor het niveau hoog was, maar ook zenuwslopend.

Bea en ik waren allebei nerveus toen Adam op zijn klarinet begon te spelen. Het was Webers virtuoze Concertino, een solostuk, en hij zag zo wit als een doek. Omdat we zo bevooroordeeld waren, vonden we dat hij het prachtig deed en hij kreeg een ovatie. Harry speelde Mozarts Pianoconcert in D mineur als een engel, en vervolgens kwamen er nog vier ambitieuze en angstwekkend goede vioolstukken.

Ten slotte zongen de jongens kerstliederen die ze zelf hadden samengesteld. Harry had een mooie jongensstem, maar we hoorden dat hij binnenkort de baard in zijn keel zou krijgen. Adam zong mee met 'We will rock you, rock you, rock you', en ik glimlachte. Ze zagen er allebei zo onschuldig uit, maar ik had gehoord hoe ze hadden geoefend en in plaats van 'rock' 'fuck' hadden gezongen, en over de vloer hadden gerold van het lachen.

Hier in deze versierde school, bij de geur van jongens en warme wijn zag ik Adams jeugd wegglippen in een onhandige puberteit. Ik wist dat volgend jaar alles zou veranderen. Deze tijd tussen ons zou vervagen.

Hij vond het nog steeds fijn om af en toe bij me in bed te kruipen, en ik maakte er geen opmerkingen over. Hij begon groot te worden en kreeg meer zelfvertrouwen. Inmiddels had hij zich bij de schoolcadetten aangesloten. Hij werd langer en magerder. Met de dag begon hij meer op Tom te lijken. Dit jaar had hij nodig gehad om zich veilig te voelen, en ik was blij dat ik hem dat had kunnen geven.

Op eerste kerstdag werd ik bij het krieken van de dag wakker. Ik trok een spijkerbroek en een trui en een jas aan, en liep de nog slapende stad in. Ik liep om de haven heen en naar het eiland. Bovenaan, bij de kleine kapel, bleef ik staan. De zon kwam op en dadelijk zou alles veranderen en de dag met vage kleuren sieren. De wind was zo koud dat hij me de adem benam.

Voor me zag ik een groepje mensen en ik hoorde flarden van een psalm. Het was de vroege kerstochtenddienst. Ik bleef bij het groepje staan terwijl het licht bloedrood opkwam boven zee. Ik dacht aan Tom en Rosie terwijl de zon op een mystieke en geheimzinnige manier voor ons hing en een nieuwe dag aankondigde. Ik drukte hen tegen me aan, zo dierbaar en duidelijk, terwijl ik langzaam naar huis liep om weer een kerstdag zonder hen door te brengen.

Toen ik de achterdeur opende en de koude lucht in de keuken liet, zaten Bea en mijn zussen aan de tafel thee te drinken in hun ochtendjassen. Ik glimlachte. Alles was hier zoals altijd.

Mijn zussen hadden Ruth niet gezien sinds ze zestien was. Ze zaten allebei op de universiteit en waren er een jaar tussenuit toen ze verdween.

'Weet je nog,' vroeg mijn zus Sophie opeens terwijl we pannen op de Aga zetten, 'dat op kerstmiddag Ruth hoopvol over de oprit kwam aanlopen met een cadeautje, als excuus om aan haar ouders te ontsnappen en bij ons te komen?'

Ik hield op met waar ik mee bezig was. Ik was het vergeten. De herinnering was zo pijnlijk dat ik tranen in mijn ogen kreeg. Ik wendde me vlug af, maar Bea zei kordaat: 'Kijk maar wat een mooie, succesvolle vrouw Ruth is geworden, ondanks alles. Ondanks die werkelijk afschuwelijke ouders.'

Mijn zus en ik moesten lachen om haar kordaatheid.

De dag vloog voorbij en als een deel van me al afwezig was, dan was pap de enige die het merkte. Enorme hoeveelheden eten en drinken werden genuttigd. Zoals altijd met Kerstmis gebeurden er culinaire rampen. Flo was als een rots in de branding, suste Bea, maakte meer jus en veegde kleverige vingers af. Ruth vermeed mijn blikken, maar ze leek zich op haar gemak te voelen.

Adam kon goed opschieten met de kinderen van mijn zussen. Ruth kon het iets te goed vinden met de man van mijn zus Natasha, wat voor een klein drama in de keuken zorgde omdat er te veel wijn was gedronken. Pap trok zijn wenkbrauwen naar me op en we liepen de tuin in, waar hij zijn kerstsigaar rookte en ik af en toe een trekje nam, wat me deed duizelen.

's Avonds kwam Harry onverwacht opdagen en er werd veel gefluisterd tussen hem en Adam en pap, en toen werd de deur van de zitkamer gesloten. Toen we er weer uit mochten, was de eetkamer veranderd in een kleine concertzaal, met de stoelen in de richting van de piano gezet.

Ik glimlachte naar Ruth. De jongens gingen spontaan muziek voor haar maken. Wat vond ik dat leuk.

Harry speelde een pianosonate van Beethoven. Adam speelde een nieuw soloarrangement van de St.-Lukaspassie op zijn klarinet. Het was betoverend. Hij keek naar Ruth en ik zag hoe trots en blij ze was. Een mooier kerstcadeau had hij haar niet kunnen geven.

Toen deden ze samen een jazznummer op de piano terwijl Harry zong. Daarna wierp Adam even een blik op me. Mijn hart begon te bonzen door wat ik in zijn ogen zag. Ik stond achterin bij de gesloten deur en ik leunde ertegen.

Er viel een stilte. Adam pakte een blad muziek en stond op. Hij was nerveus. Harry sloeg hem verontrust gade, wachtend tot hij kon gaan spelen. Uiteindelijk knikte Adam. Hij vermeed mijn blik terwijl hij zong. Alleen James en Bea wisten dat dit het lied was dat Tom altijd voor me zong.

'*Come away with me*,' zong Adam hees over mijn hoofd heen, zijn blik gericht op de muur. Hij zong vanuit zijn hart en zijn stem was voor mij bedoeld. De weemoedige, trieste klank van zijn jongensstem raakte me in mijn ziel en veroorzaakte spanning in de kamer. Iedereen bleef doodstil zitten.

> *Come away with me... in the night. Come away with me...*
> *I will write you a song... Come away with me... I want to walk*
> *with you on a cloudy day... in fields where the yellow grass*
> *grows high... Come away with me... On a mountain high...*
> *I want to wake with you... Come away with me in the night...*

Ik was terug in mijn huis tijdens een storm, omgeven door foto's, bij een knappend haardvuur. De wind geselde het huis en Adam zat naast me terwijl we mijn voorbije leven op karton plakten. Tranen kwamen op in mijn keel. Heel even vroeg ik me af wie er voor me zong. Tom of Adam? Adam of Tom?

Ik voelde James' onrust naast me. Ik hoopte dat de spanning alleen in mij was en niet in de hele kamer.

Opeens begon Harry mee te zingen en ze begonnen te overdrijven, nog meer liedjes van Norah Jones te zingen en vervolgens kerstliedjes. Toen voelden ze zich opgelaten.

Ik voelde dat James zich ontspande. Hij trok me naar zich toe en gaf een kus op mijn hoofd. Toen riep hij: 'Cakejes en warme wijn in de keuken!'

Iedereen liep de kamer uit. Ruth praatte opgewekt met mijn zussen en ik slaakte een zucht van verlichting. Een van mijn nichtjes trok Harry mee de kamer uit om een cakeje te halen. Ik bleef alleen achter met Adam.

Ik ademde zijn jongensgeur in. 'Dank je, lieve jongen,' zei ik luchtig. 'Dat was heel mooi.'

Hij lachte naar me, blij en opgelaten tegelijk. 'Ik heb de sentimentele regels weggelaten.'

Ik moest lachen. 'Kom mee,' zei ik. 'Anders is er niets meer over.'

Toen ik die avond naar bed ging, zag ik een pakje op mijn nachtkastje liggen. *Voor Jenny, met liefs voor altijd, Adam. (Onverkorte versie.)* Hij had het op een bandje opgenomen toen hij 'Come away with me' zong.

Het duurde uren voordat alles stil werd in huis, en ik zat met de koptelefoon op in de raambank te luisteren naar Adam. Ik hield zo veel van hem dat mijn ogen prikten. Ik voelde me ziek bij de gedachte dat ik hem zou kwijtraken. Het leek of hij mijn kind was, maar er was meer.

We waren ons diep bewust van elkaar, en we voelden elkaars gemoedstoestand haarfijn aan. Als ik verdrietig was, probeerde hij me te troosten met zijn onschuldige warmte. Als ik zag dat de muziekoefeningen of het huiswerk hem te veel werden of dat hij moe was of verbijsterd door het leven, wist ik dat hij bij mij troost vond. Vaak hoorde ik hem niet eens in mijn bed kruipen in het donker, maar dan merkte ik zijn aanwezigheid op als zijn ademhaling zich aanpaste aan die van mij. Het leven met Adam was alsof ik een andere huid had, of dat ik die deelde.

Ik kende het gevaar. Het was onschuldig. Ik wilde niet dat iemand iets zocht achter iets wat hoop en troost gaf aan ons beiden. Het zou net zo snel overgaan als het was begonnen, maar ik was de volwassene. Puberteit was al verwarrend genoeg. Vanavond had ik gemerkt dat ik de grenzen niet mocht laten vervagen.

Toen ik in de eetkamer was en wist dat Adam voor me ging zingen, was het zweet me uitgebroken uit angst dat anderen er iets achter zouden zoeken. Het had nooit verkeerd aangevoeld, maar toen ik met mijn vader bij de deur stond, wist ik dat hij ontzet zou zijn als hij wist dat ik mijn bed deelde met een jongen, hoe onschuldig het ook was. Tot dat moment had ik alles beredeneerd naar mijn vermogen om het aan mijn ouders te vertellen. Ik wist dat ik de ouder moest worden omdat Adam op het punt stond zijn jeugd achter zich te laten.

Uit een slaapkamer hoorde ik gegiechel. Toen ging er een deur open en hoorde ik een streng: *en nu meteen gaan slapen!* Ik glimlachte en ging in bed liggen terwijl het huis om me heen ruiste en fluisterde. Het leek een eeuwigheid geleden dat ik naar buiten ging om de zon te zien opgaan boven het water.

72

Antonio belde me bijna elke week op om me te vertellen hoe het ging met zijn 'Engelse project', of om te vragen hoe het met mij ging of gewoon om een praatje te maken. Ik raakte eraan gewend zijn stem te horen op de vroege avond. Hij had Bea en James uitgenodigd om in de zomer naar zijn villa te komen en tot mijn verbazing hadden ze de uitnodiging aangenomen.

Hij was onder de indruk van Ruth. 'Ruth en Danielle zijn een goed team, lieverd. Ruth is nóg meedogenlozer in zaken dan Danielle.'

Het was april, en de tuinen waren vol rode camelia's en vroege clematis en wasachtige gele sleutelbloemen. De eidereenden waren terug en Adam bracht uren door aan de kust, waar hij de vogels catalogiseerde die weer kwamen, en opgewonden James opbelde.

Wekenlang was het warm genoeg om buiten te zitten en koffie te drinken met uitzicht op het water. De serre lag vol riemen en tassen. Ik probeerde verschillende Italiaanse verfstoffen uit die Antonio voor me had gevonden.

Terwijl ik in de ochtendzon met mijn koffie zat te luisteren naar een merel, die uit volle borst aan het kwinkeleren was in een tuin vol dauw en spinnenwebben die als kant tussen de bomen hingen, voelde ik heel even pure vreugde. Het water glinsterde achter het hek en ik dacht: *beter dan dit kan niet*. Ik dacht na over mijn werkdag.

Toen belde Danielle op. 'Ik vlieg morgen naar Antonio om te kijken of onze eerste zending goed is aangekomen.'

'Oké. Wil je tegen hem zeggen dat ik een serre vol riemen en tassen heb? Zijn verf is trouwens fantastisch.'

'Ja? Ik zou graag eens zien wat...'

'Ik heb een man en een witte bestelbus gevonden, en dat zal enkele van onze problemen oplossen om mijn werk op te sturen. Flo geeft al weken hints dat ik niet kan verwachten dat jij of Ruth de hele tijd heen en weer reist, en ze heeft gelijk. Het is prima als Ruth Adam wil zien, maar daarvan mag ik geen misbruik maken. De kleinere spullen kan ik per post versturen.'

Danielle was duidelijk opgelucht. 'Flo en ik zaten er vanmorgen juist over te praten. Jen...?' Ze zweeg even en ik wachtte. 'Bestaat de kans dat je zelf een keer naar Londen komt? Flo en ik willen je graag de veranderingen laten zien die we in het huis en de tuin hebben aangebracht. Ook wil ik je graag wat van onze opdrachten laten zien. Het is interessant voor je accessoires. Foto's zijn toch niet hetzelfde.'

Ik zweeg en ze zei vlug: 'Begrijp me niet verkeerd. Het is zo fijn dat je daar werkt. Je riemen en tassen worden al verkocht zodra ze in de winkel zijn. Ik mis alleen je ideeën en inbreng.'

Danielle had me overdonderd. Ik wist niet wat ik moest zeggen. Londen leek wel een andere planeet. Ik dacht dat we een overeenkomst hadden.

'Het zou fantastisch zijn om je een paar dagen hier te hebben. De meisjes in de werkplaats kunnen niet wachten om je te zien. Wil je nadenken over misschien de vakantie, als Adam en Ruth weg zijn? Dat zou ons echt helpen.'

'Ik weet het niet, Danielle.'

Ik hoorde haar zuchten. 'Sorry! Ik had mijn grote mond niet moeten opentrekken. Misschien is het nog te vroeg. Ik moet dit soort dingen aan Flo overlaten. Sorry.'

Ik lachte. 'Doe niet zo raar. Je hebt gelijk. Het hoort niet te vroeg te zijn. Laat me erover nadenken.'

We praatten over andere dingen en toen hing ze op. Ik laadde de kofferruimte van mijn auto vol met bestellingen. Driekwart kwam van thuiswerkers. Een kwart voldeed niet. Ik moest streng zijn. Ik betaalde niet voor slordig werk. Toch voelde ik me gelukkig. Het deed me denken aan de tijd dat Danielle en ik in een vochtig souterrain in Hammersmith waren begonnen. Het was leuk om opnieuw te beginnen, weer klein te zijn; het was fijn om dingen op te starten.

Ik leverde wat tassen en riemen af in de winkel en reed toen naar het industrieterrein waar ik een kleine werkruimte had gehuurd en deze had ingericht met machines en gereedschap om leer te bewerken, dat ik uit Londen had laten komen. Ik had vier vrouwen in dienst en twee mannen.

Een van de mannen was schoenmaker geweest en de andere leerbewerker. Een vrouw was een kleermaakster met pensioen, de andere had in de textiel gewerkt en een heel goed gevoel voor kleur. Dan was er nog een jonge moeder die op de kunstacademie in Falmouth had gezeten voordat ze zwanger werd. Zij was de zwakke schakel, maar ik vond haar aardig en besloot dat ik haar kon opleiden. Ze had gevoel voor mode en kleding, en de fantasie om iets nieuws te bedenken. Misschien deed ze me denken aan mezelf, heel lang geleden.

Ik gaf uitbranders over het slordige werk. Ik zei dat ik niet mijn naam wilde verbinden aan rommel. Ik ging geen goedkope troep verkopen aan toeristen, en ze moesten het verschil zien tussen professioneel handwerk dat een prijs had, en rommel die na een paar keer uit elkaar viel.

Ik benadrukte het belang van werken als een team. Ze moesten hun eigen werk controleren en dat van elkaar. Ik vroeg hun alles wat ze aan het einde van de dag klaar hadden, op een tafel bij de deur te leggen. Dan zou ik alles controleren voor het de deur uitging. Al één slechte levering kon opdrachten kosten. Deze voorwerpen gingen niet alleen naar winkels in de buurt, ze gingen onder mijn merknaam naar Londen en Italië, tot Antonio zijn eigen fabriek had opgezet.

Toen ik terugreed naar St. Ives, glinsterde de zee uitnodigend en ik parkeerde de auto om een uurtje over het kustpad te wandelen voor ik thuis weer aan de slag ging. Het was een zeldzaam windloze dag. De lucht, koud boven de zee, deed mijn gezicht gloeien.

Ik dacht aan mijn gesprek met Danielle en vroeg me af of mijn kleine project op de lange duur zou werken. Inferieur werk zou zowel Danielle als mij schade berokkenen. Misschien moest ik op het industrieterrein gaan werken om een oogje in het zeil te houden. Ik wist dat ik het niet kon. Het lege huis was te plezierig. Ik had stilte nodig om te creëren en ik moest alleen zijn. Dat was de bedoeling van dit alles. Als ik me liet meeslepen, kon ik net zo goed teruggaan naar Londen.

Hoe lang nog zou ik het huis vermijden zoals ik het had achtergelaten? Rosies kamer nog helemaal intact en onze slaapkamer die was afgesloten en stof verzamelde? Ik dacht niet dat ik er ooit nog kon wonen, maar ik kon het niet vermijden om terug te gaan. Ik kon de meisjes en de werkruimte en het middelpunt van wat Danielle en ik waren begonnen, niet ontlopen.

Danielle en ik hadden elkaar nog steeds nodig. Ik dreigde te vergeten dat we succes hadden gekregen door samen te ontwerpen.

De brieven die ik van kopers en detailhandelaren had ontvangen om me te feliciteren met mijn terugkeer, hadden me ontroerd en verbaasd. Ik had het nodig om mezelf, en Flo en Danielle, te bewijzen dat ik een gestage toevoer van werk kon produceren met de hulp van plaatselijke bewoners, zonder af te dingen op ons niveau in Londen. Steeds meer besefte ik hoe we op Flo steunden, die elk stuk controleerde dat uit de werkruimte kwam. We waren zo'n hecht team geweest. We verwachtten veel van onze werkneemsters, maar we zorgden voor hen alsof ze familie waren.

Terwijl ik over het modderige pad liep, langs de boerderij waar de hond altijd blafte hoewel het onmogelijk dezelfde hond uit mijn jeugd kon zijn, nam ik twee beslissingen.

Ik zou een minimerk opzetten, een zijtak, voor producten die hier in Cornwall werden gemaakt, een naam uit Cornwall ervoor bedenken en het promoten. Dat zou de mensen hier trots maken en ik kon Danielles ontwerpen en die van mezelf beschermen tot de kinderziektes achter de rug waren.

In de vakantie zou ik naar Londen gaan. Adam en ik konden dan samen reizen. Ik zou blijven en Danielle en Flo helpen terwijl Ruth de vakantie met Adam doorbracht. Daarna gingen Adam en ik terug naar huis.

Onderweg ging ik bij Bea en James langs. Bea was weg, maar mijn vader was in de tuin het groentebed aan het omspitten terwijl hij tegen een roodborstje praatte. Ik ging op de muur zitten om met hem te praten.

'Ik heb nagedacht, pap. Ik zal moeten beginnen om regelmatig naar Londen te gaan. Ik kan niet van Danielle en Ruth verwachten dat ze steeds hiernaartoe komen.'

Pap leunde op zijn schop. 'Nee, Jen, dat kun je niet.'

Ik keek door de tuin vol felrode oude azaleastruiken vol mos. Ik zag de voordeur van ons huis in Londen. Ik zag Tom met twee treden tegelijk de brede trap oprennen. Ik zag mezelf bovenaan op hem wachten. Ik zag onze grote, mooie slaapkamer waar we zo vaak een verlof bijna voortdurend in bed hadden doorgebracht.

Ik dacht aan de grote zachte bank, de televisie in de hoek. De mooie spiegel boven de schoorsteenmantel die Tom in Jordanië voor me had gekocht; hoe het licht van de gasvlammen over de muren speelde, waardoor we ons veilig en warm voelden terwijl we tegen elkaar aan lagen. Ik dacht aan de kamer nu, zonder hem, zielloos, ongetwijfeld vol dozen en rollen stof: de extra kamer.

Ik zag Rosie op de vloer zitten, haar gezichtje vol verwondering terwijl ze aan het touwtje van Danielles pop trok en deze voor haar zong. Ik zag er zo tegenop om terug te gaan en het definitieve onder ogen te zien.

Pap stak zijn schop in de grond en kwam naast me op de muur zitten. 'Soms is de angst voor iets erger dan dat iets zelf. Je stelt het al zo lang uit, Jen, dat het nu een onneembare horde lijkt. Ik wil wel met je meegaan, als dat helpt.' Hij zuchtte en keek me aan. 'Ik denk dat het tijd is, lieverd. Niemand vraagt je om er weer te gaan wonen. Maar het is wel je huis en het was het middelpunt van je leven. Op het moment ben je hier gelukkig, maar je bent wel erg jong om jezelf te begraven. Kijk eens naar de brieven die je hebt gekregen. Je riemen en tassen zijn heel vernieuwend en echt jij, maar mensen willen je magnifieke, prachtige kleding. Ik weet dat je net zo goed of zelfs beter dan voorheen zult ontwerpen.'

Ik glimlachte. Ik had me niet gerealiseerd dat pap zo trots op me was. Ik vertelde hem over mijn onbeduidende zakelijke zorgen.

'Het lijkt mij,' zei James terwijl we naar het huis liepen, 'dat dezelfde regels gelden voor een klein personeelsbestand hier of een groot in Londen. Het ligt in de menselijke aard om zelfgenoegzaam te worden. Praat met Flo; misschien moet je iemand aan het hoofd aanstellen in plaats van zes medewerkers op hetzelfde niveau te hebben. Vooral omdat je er niet de hele tijd zult zijn.'

'O, wat ben je verstandig, vadertje van me!'

'Dat komt door jarenlange ervaring met vreselijke praktijkreceptionistes. Ontsla degenen die niet als team kunnen werken. Beloon degenen die trots zijn op hun werk. Iedereen wil het idee hebben dat het belangrijk is wat ze doen.' Hij keek lachend op me neer. 'Misschien is het zo gek nog niet om een beetje bang voor de baas te zijn... Een beetje meedogenloosheid?'

Ik bleef staan. 'Wil je beweren dat ik geen angst kan inboezemen?' wilde ik weten.

Hij lachte. 'Vast wel, maar zou je niet iemand van je personeel voorman maken, of manager? Een Flo, met andere woorden. Kom je koffiedrinken?'

'In geen geval! Ik ga naar huis om te oefenen hoe ik angst moet inboezemen en meedogenloos moet doen.'

James gaf een kus op mijn neus. 'Ik hou van je, dochter van me.'

Ik keek hem argwanend aan. Flo en Bea waren de beste maatjes, en ik vermoedde een samenzwering.

73

Adam en ik namen de trein naar Paddington op de vrijdag dat de vakantie begon. Ik had een leren map met ontwerpen bij me. Adam had wat huiswerk meegenomen. We spreidden onze papieren en boeken uit en lachten naar elkaar. Adam had nog nooit eersteklas gereisd en genoot van de gratis koffie en koekjes.

Ik zag dat hij uit het raam zat te staren en wist dat zijn kinderlijke opwinding over kleine dingen binnenkort zou verdwijnen.

Hij was aan de taken begonnen voor zijn eindexamen. Dat hield niet in dat hij minder aan zijn muziek kon doen. Een jongen met een beurs stond onder druk, en naarmate het huiswerk voor zijn leervakken toenam, leek hij ook een angstwekkende hoeveelheid muziek te moeten oefenen.

Na Kerstmis had ik toegegeven en een kleine flatscreentelevisie en dvd-speler gekocht. Adam was heel trots op de trendy televisie en Harry was heel jaloers geweest. Zijn moeder belde me op en zei dat ze me vervloekte.

Ik had altijd een hekel gehad aan de natte winters in Cornwall, en we haastten ons om de haard aan te steken, de gordijnen te sluiten en ons dan voor de televisie te installeren en samen programma's te kijken.

Door de week waren we streng, maar het was leuk om in de weekends dvd's uit te kiezen. Ik wilde geen horrorfilms en Adam geen meisjesachtige onzin. We wisten een compromis te bereiken door thrillers te kiezen.

De avond voor we naar Londen gingen, was ik gespannen en onrustig geweest. De dagen waren bewolkt en deprimerend. Adam was moe en doornat uit school thuisgekomen. Hoewel het mei was, stak ik de haard aan om onszelf op te vrolijken.

Adam liet zijn natte schoolkleren in een hoop op de grond vallen terwijl hij dramatisch God dankte dat het vakantie was. Ik roosterde crumpets en we zaten in de keuken te luisteren hoe de wind de regen tegen de ramen deed striemen, terwijl de boter van onze kin droop.

Opeens zei hij: 'Ik wil dat alles hetzelfde blijft. Ik wil nergens anders wonen. Ik wil niet dat hier een eind aan komt.'

Verbaasd keek ik hem aan. Hij klonk als een echo van mij. 'Waarom denk je dat er een eind aan komt, gekke jongen?'

'Omdat je weer werkt. Omdat je naar Londen gaat en je er zo lang niet bent geweest. Harry's moeder zegt dat je te veel talent hebt om hier nog lang te blijven.'

Ik glimlachte om zijn ontdane gezicht. 'Adam, ik moet aan iedereen laten zien dat ik heel goed vanaf hier kan werken. Daarom moet ik bereid zijn om af en toe naar Londen te gaan, en niet verwachten dat iedereen naar mij komt. Dat is alles, dat garandeer ik je.'

Hij grinnikte. 'Eerlijk waar?'

'Eerlijk waar.'

Die nacht kon ik niet slapen. Ik speelde het kinderachtige spel dat ik naar Londen was geweest en nu weer veilig thuis in bed lag, als een geobsedeerd iemand die ruimtevrees heeft. Ik stak een theelichtje aan, zette het onder mijn wierookbrander en goot er wat lavendel in, in de hoop dat het zou helpen.

Ik denk dat ik wist dat Adam naar mijn kamer zou komen. Hij aarzelde toen hij de brander zag.

'Ik slaap niet,' fluisterde ik.

'Mag ik in bed komen en met je praten, Jenny? Ik kan niet slapen.'

'Ja. Ik kan ook niet slapen.'

Hij ging naast me liggen. De wind waaide in harde vlagen en de regen klonk als kiezelstenen tegen de ramen. Ik huiverde en ging dieper onder het dekbed liggen.

'Gaat het?' vroeg Adam.

'Ik ben onrustig omdat ik niet weet hoe ik me morgen zal voelen, als ik weer in mijn huis kom.'

Hij leunde op een elleboog en tuurde naar me.

'Ik ben bang om mezelf op de proef te stellen na... mijn inzinking. Ik wil veilig hier blijven in dit vreemde huisje. Eigenlijk ben ik een lafaard.'

'Nee, dat ben je niet. Ik wil hier ook blijven, Jenny, en ik ben alleen maar iemand kwijtgeraakt die ik nooit heb gekend.'

Ik glimlachte en draaide me om naar zijn gezicht in de gloed van het theelichtje. 'Wat een stelletje slappelingen zijn we!'

Hij grinnikte. 'Ja.'

Even later zei hij: 'Als je wilt, ben ik er wel bij als je Tom en Rosie te rusten legt.'

Er sprongen tranen in mijn ogen. 'Dank je, lieverd. Ik heb speciaal een moment gekozen dat we samen konden reizen, maar afscheid nemen is iets wat ik alleen moet doen.' Ik keek naar het lieve gezicht dat zo op Tom leek. 'Adam, ik hoop dat je niet triest of melancholiek wordt door bij mij te wonen. Ik hoop dat ik je niet belast. Ik weet waarom ík bang ben om weer naar de bewoonde wereld te gaan, maar ben jij ergens bang voor? Maak je je ergens zorgen over?'

Hij wendde zijn blik af. 'Ik ben niet triest. Je belast me niet. Ik ben echt gelukkig. Zoals ik al zei, wil ik dat wij en dit huis altijd zo blijven...'

Zacht zei ik: 'Zo denk je er nu over, maar alles verandert mettertijd, het leven, onze gevoelens, wat we willen. We zijn hier allebei gelukkig omdat het in een bepaalde periode van ons leven is gebeurd. Maar jij wordt volwassen en dan ga je weg om je eigen leven te leiden, en zo hoort het ook.'

Ik pakte zijn hand en die sloot zich strak om de mijne. Zijn stem klonk gesmoord. 'Ik kan me niet voorstellen zonder jou te zijn. Als ik daaraan denk, lijkt er wel een groot gat te komen en dan word ik heel bang, Jenny.'

'Waar je ook bent, hoe oud ik ook ben of jij, Adam, je blijft altijd in mijn hart, hier.' Ik legde onze handen tegen mijn borst. 'Dat zal nooit veranderen, dat beloof ik je.'

Adam kneep zijn ogen dicht alsof hij tranen wilde verdringen. Ik streelde met mijn duim de hand die ik vasthield. Het theelichtje flakkerde en ging uit. Een geur van lavendel bleef hangen in het donker.

Alsof de duisternis hem moed gaf, begon Adam te praten, zo zacht dat ik me naar hem toe moest buigen om hem te horen. 'Mijn tante Violet zorgde voor me toen ik klein was. Ze kwam me elke dag van school halen. Mijn moeder studeerde op het vasteland. Ik vond het heerlijk om op dat eiland te wonen. De vissers namen me vaak mee op hun boten.' Hij glimlachte bij de herinnering. 'Ik miste mam, maar ik hield van tante Violet. Ze had altijd tijd om te luisteren. Ze zette thee voor me als ik thuiskwam. Toen verhuisden we naar het vasteland zodat mam kon werken en dat was best. Ik kende een paar jongens op de nieuwe school in Glasgow. Ik was toen oud genoeg om zelf van school naar huis te lopen. Tante Vi was er altijd als ik thuiskwam. Op een dag zat ze niet bij het raam te wachten. Ik vond haar op de vloer en ik moest 112 bellen...' Op Adams gezicht was de afschuw van die dag te lezen. 'Ik dacht dat ze dood was, maar dat was ze niet. Nog niet. Ze had een hersenbloeding gehad en ze kon zich niet bewegen of iets zeggen. Ze is niet meer uit het ziekenhuis gekomen, want daar stierf ze.' Ik hoorde zijn stem breken. 'Ze stierf en liet me alleen, en nooit heb ik me meer zo veilig gevoeld. Niemand vroeg dingen aan me of luisterde naar me zoals zij. Door haar voelde ik me echt.'

Ik bleef heel stil terwijl de woorden uit hem stroomden.

'Toen mam met Peter trouwde, was ik blij. Ik vond hem aardig. Ik vond het niet leuk als er verschillende mannen bij ons thuis kwamen om haar mee uit te nemen. Toen verhuisden we naar Birmingham en het was een rotschool en ik háátte het daar. Ik telde de uren tot ik weer naar huis kon en als ik dan thuiskwam, was er niemand. Voor het eerst, ook al was ik toen oud genoeg, zag ik vreselijk op tegen de stilte in het huis omdat ik dan bange gedachten kreeg. Ik kon de pesterijen in mijn hoofd horen met dat accent van Birmingham, alsof ze bij me in huis waren.'

Adam liet mijn hand los, draaide zich op zijn zij en trok zijn knieen op om warm te blijven. Zijn stem klonk schor van vermoeidheid. 'Toen kwam jij. Vanaf de eerste dag dat ik je ontmoette, praatte je met me. Ik voelde me vreemd, alsof ik je al kende. Toen kwam ik bij jou wonen en dat is als...'

'Als veilig thuiskomen?' Ik zei de woorden heel zacht, omdat ze zo diep in me gegrift waren.

'Veilig thuiskomen,' fluisterde Adam. 'Ja. Ik zie het licht door de bomen als de trein bij het station komt en dan ben ik zo blij dat je in huis zit te wachten.'

'Mij zal niets overkomen, lieverd.'

'De mensen van wie je het meeste houdt, gaan dood.'

Zacht zei ik: 'We kunnen niet ons hele leven bang zijn om de mensen te verliezen van wie we houden, anders missen we de momenten waarin we samen zijn. Het was vreselijk voor je om je tante Vi te verliezen toen je zo jong was, omdat ze zo'n belangrijk deel van je leven is geweest. Je maakt je vast ook zorgen over Ruth. Het is normaal om ongerust te zijn over mensen die ons na staan. Ga nu slapen, je bent uitgeput.'

Adam deed zijn ogen dicht en zei toen vlug: 'Maar ik hou niet van jou zoals van tante Vi of mijn moeder. Ik hou van je...'

'Als een beste vriend?' fluisterde ik vlug.

Adam opende zijn ogen. 'Ik hou van je omdat je Jenny bent. Ik zal altijd van je houden. Altijd.' Zijn stem klonk heftig. Zijn opvallende blauwe ogen keken me verontrust aan en ik boog me naar hem toe, sloeg mijn armen om hem heen, en samen wiegden we zachtjes in het donker.

'Ik wil dat hier nooit een einde aan komt,' fluisterde hij. 'Ik vind het hier zo heerlijk bij je.'

Ik hield hem vast en zei: 'Je weet dat er een eind aan móét komen, lieve jongen, dat weet je. Het is verkeerd.'

'Het lijkt niet verkeerd...'

'Nee, maar dat is het wel en het moet ophouden. Dat weet je.' Hij aarzelde. 'Adam, er is niets verkeerds tussen ons, maar als iemand het zou weten, kunnen er verkeerde dingen worden gedacht. Dan wordt er iets slechts van gemaakt dat vreselijke gevolgen zou hebben. Begrijp je dat?' vroeg ik zacht.

Hij knikte. 'Ja.' Hij kroop tegen me aan. 'Voor de laatste keer dan?'

'Voor de laatste keer, lieverd.'

Ik trok het dekbed over hem heen, draaide me om en hij viel bijna meteen in slaap. Wat zou ik de warmte van deze jongen missen.

74

Ruth bedacht hoe bleek Jenny eruitzag toen ze met Adam binnenkwam. Als een kleine geest die kwam terugkijken in haar leven.

De meisjes haastten zich opgewonden de trappen af en Jenny verdween naar boven, glimlachend en zichtbaar ontroerd.

Ruth omhelsde Adam en miste het om een eigen huis te hebben,
haar eigen keuken waar ze samen alleen konden zijn. Adam bleef
onhandig in de keuken staan terwijl ze thee zette, en Ruth hield zich
in om niet nerveus tegen hem te gaan kletsen.

Van boven klonk gelach en Ruth voelde wat ze zo vaak in haar leven had gevoeld: dat ze zich net buiten een verlichte kamer bevond.

Flo kwam met Jenny naar beneden en haalde met een zwierig
gebaar een cake voor Adam tevoorschijn. 'Om te bewijzen dat we in
Londen ook cake kunnen bakken!'

Jenny liep beverig rond door de keuken, raakte dingen aan en
bestudeerde notities. Ze keek uit het raam naar de achtertuin. 'O,' zei
ze. 'Er is iemand aan het tuinieren.'

'Dat is Will,' zei Flo. 'Hij komt eens per week. We moesten wel iets
doen, Jen. De tuin was een oerwoud geworden. Het was deprimerend om te zien.'

Het had heel lang geduurd voor Flo of Danielle weer in de tuin
had willen komen. Het was zozeer het terrein van Rosie en Tom geweest, en hun geest hing er nog steeds. Terwijl Jenny naar de ver-

waarloosde tuin keek, hoorde ze Toms stem. *Moet je dat gras eens zien! Morgenochtend ga ik meteen aan de slag. Die haag moet gesnoeid worden. Kom, Rosie. Jij mag in de zandbak en ik ga de haag knippen. Kom, de tuin in met papa...*

'Mooi,' zei ze terwijl ze zich omdraaide. 'Tom zou niet goed zijn geworden van de staat van het gazon. Wat kan ik doen? Geef me wat werk, nu ik hier ben.'

'Danielle zal om een uur of vijf terug zijn. Ze is gaan passen met Marie. We wilden morgen de Italiaanse opdrachten met je doornemen, dus doe maar kalm aan, Jen.'

Ruth pakte haar autosleutels. 'Adam, ik moet boodschappen doen voor vanavond.' Ze glimlachte naar Jenny. 'Flo heeft een grote schaal lasagne gemaakt, dus ik hoef alleen sla en zo te halen.' Ze wendde zich tot Adam. 'We kunnen naar de computerwinkel als je wilt, dan kun je die software kopen die je wilde.'

Adam monterde op. 'Fijn. Oké.'

Terwijl hij Ruth de keuken uit volgde, draaide hij zich om en keek ongerust naar Jenny.

Het gaat goed, vormde ze met haar mond.

'Jen,' zei Flo. 'Kom mee naar boven om te kletsen. Ik moet een paar orders controleren en even bellen.'

Jenny lachte. 'Ik kan heus wel alleen blijven, hoor. Eerlijk gezegd wil ik dat graag. Ik moet wat spullen in mijn slaapkamer bekijken en mijn kast nalopen, je weet wel, de boel aanpakken. Een uurtje alleen zal goed voor me zijn.'

Flo keek naar haar. 'Goed, lieverd, als je het zeker weet. Daarna is het tijd voor een drankje.'

'Dan is het zeker tijd voor een drankje!'

Toen Danielle binnenkwam, rook ze het lichte, karakteristieke parfum van Jenny. Mahler speelde zacht. Ze riep niet toen ze naar boven ging, maar liep naar de deur van de slaapkamer van Jenny en Tom. Op het bed lagen stapels kleren en de ramen stonden wijd open. De gordijnen lagen op een hoop op de vloer om te worden gereinigd. De kasten stonden open en Jenny stond met haar gezicht gebogen over Toms uniform. Eronder stonden de laarzen met sporen. Er lag stof op.

Danielle aarzelde en wilde zich net afwenden toen Jenny opkeek. Ze kwam overeind en glimlachte. 'Ik wilde kijken of ze nog naar Tom roken, maar dat is niet zo. Alles ruikt naar oude kleren. Het rook naar een tweedehands winkel toen ik de kast opendeed. Bah.'

Ze gaven elkaar vier kussen in het midden van de kamer.

'Moet je dit wel alleen doen?'

Jenny knikte. 'Ja, Elle. Het had al moeten gebeuren na de dood van Tom.' Ze keek om zich heen. 'Dit is gewoon een lege kamer die niet gebruikt wordt. Tom en ik zijn er niet meer. Deze kamer moet opnieuw worden behangen en veranderd en in gebruik genomen, vind je niet? Het is zo'n mooie kamer.'

'Maar, Jen.' Danielle probeerde haar ontzetting te verbergen. 'Behangen, prima. Maar het is jóúw kamer, dat is hij altijd geweest. Hij moet hier voor je zijn als je thuiskomt.'

Jenny schudde haar hoofd. 'Nee. Het wordt ook tijd dat Rosies kamer onder handen wordt genomen, maar vannacht zal ik er nog één keer slapen.'

Ze keek op toen Flo binnenkwam. 'Is dat wel verstandig?'

'Het is wat ik wil. Kom, laten we wat gaan drinken. Dan zal ik jullie vertellen wat ik heb bedacht.'

Ze schonken glazen koude, witte wijn in en toen nam Jenny hen mee terug naar haar kamer. 'Danielle, je zult wel een eigen ruimte missen, nu je je appartement met Ruth deelt.'

'Dat geeft niet. We zijn toch meestal hier bij Flo.'

'En je privacy dan?'

Danielle lachte. 'Je bedoelt of het niet moeilijk is als ik vriendjes meeneem!'

'Ja. Ruth kan deze kamer nemen als zitslaapkamer, en Adam kan Rosies kamer krijgen als hij hier is. Als ik kom, kan ik in jouw appartement slapen, Danielle. Lijkt je dat geen goed idee, Flo? Dan heeft Danielle haar privacy en Ruth ook. Of zitten ze je dan te veel op de nek?'

Flo schudde haar hoofd. 'Natuurlijk niet. Het is wel een goed idee.' Ze klonk weifelend. 'Ik kan me voorstellen dat Ruth het wel mist om iets van zichzelf te hebben, maar ik vind dat je er eerst over moet nadenken, om zeker te zijn dat je dit wilt.'

'Als jullie dat liever hebben, zeg ik niets tot morgen.'

Ze gingen weer naar de keuken en wisselden nieuwtjes uit over het werk.

'Dit is net als vroeger,' zei Danielle blij. 'Het is zo fijn dat je er bent. Het is niet hetzelfde, Jen. Het is niet hetzelfde zonder jou. Jij en ik zijn samen begonnen, in dat vreselijke souterrain.'

'Ja! God, wat lijkt dat lang geleden. Vanaf nu zal ik proberen vaker te komen, dat beloof ik. Ik mis jullie twee.'

Jenny wist dat ze geschokt waren door haar besluit om haar mooie grote kamer op te geven, die ooit het hart van het huis was geweest. Ze waren bang voor wat dat besluit inhield. Net toen ze het wilde uitleggen, hoorden ze Ruths sleutel in het slot en ze hieven hun glazen in een stilzwijgende toost.

'We boffen dat we Ruth hebben,' zei Flo schuldbewust, omdat ze aanvoelde hoe het tafereel moest overkomen. Langzaamaan begon ze de onzekerheden van Ruth te leren kennen.

'Ja. Als we jou niet kunnen hebben, Jen, dan is Ruth de eerstvolgende die in aanmerking komt.'

Jenny lachte. 'Jullie weten heel goed dat Ruths gevoel voor zaken een zegen is na mij.' Haar stem haperde. 'Het leven dat we hadden, was ook te volmaakt om langer te kunnen duren.'

Ze draaiden zich om en begroetten Ruth en Adam toen die binnenkwamen.

De volgende ochtend zou ik dozen zoeken om Rosies spulletjes in te doen, maar vanavond sliep ik in haar bedje en zou ik voor de laatste keer de herinneringen laten komen. Herinneringen aan Rosie waren allemaal blije herinneringen. Soms, in Cornwall, raakte ik in paniek als ik me haar lach niet meer goed kon herinneren. Soms begon mijn hart te bonzen als Toms gezicht niet kristalhelder voor mijn geest wilde komen. Dan hoefde ik maar mijn slaapkamer uit te gaan en naar alle foto's te kijken waar Adam en ik een collage van hadden gemaakt, en daar waren ze weer zo helder bij me alsof het de dag van gisteren was.

De essentie van Tom was uit onze kamer verdwenen en hetzelfde gold voor Rosie mooie babykamer. Ze was weg. Ze waren weg. Ik kon hen nooit meer terughalen. Als ik hun kamers liet zoals ze waren, zou het een hersenschim zijn met niets echts of tastbaars waaraan ik me kon vasthouden.

Ik stond op in het donker, haalde de dozen van de overloop, sloot de deur en begon zachtjes haar kamer op te ruimen in plaats van te slapen. Ik hield elk stuk speelgoed en zacht voorwerp vast voordat ik het in de doos legde. Ik keek naar het mooie poppenhuis en dacht aan Toms ouders, ver weg in Singapore. Ik zou het laten verpakken en naar een kinderziekenhuis sturen. Ik zou de meisjes boven de doos met Rosies speelgoed geven, dan konden ze uitzoeken wat ze ervan wilden houden, en de rest zou naar het kinderziekenhuis gaan. Alles behalve de pop van Danielle.

Ik haalde prenten van de muren en mobiles van het raam. Toen zette ik thee, ging weer in haar bed liggen en sliep een poosje. Toen ik wakker werd, was het een kamer met lege plekken waar prenten hadden gehangen. Ik kleedde me aan en haalde de gordijnen eraf. Het was gewoon een kamer. Toch dacht ik opeens, kinderachtig: *Tom en Rosie hebben nu geen plek meer om naar terug te komen.* Alsof hun geesten door die gewelddadige dood over de aarde zwierven om rust te zoeken, en alleen in de nacht terugkeerden naar hier om te rusten.

Ik holde de trap af en het huis uit. Ik wilde naar het park. Ik wilde voorkomen dat mijn gedachten één donkere massa werden. Angst deed mijn slapen bonzen. Nooit meer kon ik volledig op mijn redelijkheid vertrouwen. Ik verlangde naar mijn huis in Cornwall, waar ik de zon aan het begin van een nieuwe dag kon zien opgaan en kon luisteren naar de wulpen.

Ik hoorde rennende voetstappen en draaide me om. Het was Adam, met scheef zittende kleren. Ik bleef staan en hij kwam buiten adem bij me. 'Ik zag je het huis uit rennen. Ik zag de dozen. Het gaat niet goed met je. Waar ga je naartoe, Jenny?'

'Het gaat wel goed. Ik wil alleen even in het park lopen. Echt. Ga terug naar Ruth, Adam, het is nog heel vroeg.'

Hij ging voor me staan. 'Het gaat niet goed. Je huilt, Jenny. Je huilt. Ik laat je niet alleen.' Hij trok me heftig tegen zich aan, en mijn tranen liepen heet en nat over zijn T-shirt.

'Het spijt me,' zei ik ten slotte. 'Het spijt me zo. Lieverd, nu gaat het weer. Je moet terug. Ga je fatsoenlijk aankleden en zet een pot sterke koffie voor me. Ik moet nog een laatste pelgrimstocht maken en dat wil ik alleen doen.'

Hij keek me aan, draaide zich toen om en liep langzaam terug naar het huis.

Het was prachtig in het park, en er hing een heerlijke bloesemgeur. De bladeren aan de bomen begonnen uit te lopen en waren maagdelijk groen. Joggers passeerden me met hun honden. De eenden maakten grote, natte plekken op het pad. Ik hoorde Rosie lachen en wijzen, en dan uit haar buggy klimmen om brood te gooien, terwijl Tom en ik haar jas vasthielden om te voorkomen dat ze in het water viel. Tom sloeg zijn arm om me heen terwijl we terugliepen naar het hek. *O, als ik uit het leger ga en een burger word, kan ik elke zondag met jou en Rosie doorbrengen.*

Ik glimlachte, wachtend op zijn lach, die erkende dat deze zondagen zo speciaal waren omdát hij er niet de hele tijd was.

Vaarwel, fluisterde ik tegen hen beiden. *Vaarwel.* Ik draaide me om en keek over het gras naar waar de takken met bladeren schaduwen wierpen. Tom en Rosie hadden geen kamer nodig voor hun geesten. Hun schaduwen zouden overal met me meegaan. Altijd.

Ruth hoorde Adam opstaan. Ze keek op de wekker op haar nachtkastje. Halfzeven. Wat deed hij zo vroeg op? Ze bleef even liggen omdat ze geen zin had uit haar warme bed te stappen. Toen, verontrust, wierp ze de dekens van zich af. Zachtjes deed ze haar gordijnen open, trok haar ochtendjas aan en keek naar de overwoekerde tuin die weer vorm begon te krijgen.

Adams kamer was leeg. Hij was niet in de badkamer. Hij was niet in het appartement. Ongerust liep ze de trap op naar de andere kant van het huis. Daar was ook niemand, hoewel ze iemand een bad hoorde laten vollopen.

Ruth keek in Rosies kamer en zag alle dozen. Jenny moest ze die nacht hebben ingepakt, het arme kind. Was Adam naar buiten? Instinctief wist Ruth dat hij dat had gedaan en dat hij bij Jenny was. Ze voelde een knoop in haar maag.

Iets trok haar naar het raam. Ze keek uit over de straat en zag Jenny aan de overkant met Adam. Ze stonden tegenover elkaar te praten, hun lichamen naar elkaar toe gebogen, intens.

Jenny hief haar armen op in een gebaar van verdriet, en Adam kwam naar haar toe en sloeg zijn armen om haar heen. Hij was nu langer dan Jenny, en ze stonden in elkaars armen te wiegen in de verlaten straat, als minnaars. Als mensen die elkaar al hun hele leven kenden.

Verdomme! Ruths woede kwam uit het niets, en ze sloeg bijna dubbel. *Verdomme! Rotwijf!*

Ze wendde zich af van het raam met haar armen om zich heen geslagen, en liet zich vol pijn in een stoel vallen. De woede die haar had overvallen, maakte haar bang. Gekleurde vlekken zweefden achter haar ogen en verblindden haar.

Het was jaren geleden dat ze zo'n ongecontroleerde woede had gevoeld. Ze wankelde terug naar haar kamer en liet zich op bed vallen terwijl ze lucht gaf aan de rauwe en onuitsprekelijke gevoelens die haar met ontzetting vervulden. *Ik haat Jenny en haar pijn. Ik haat haar! Altijd hetzelfde: de kleine, gelukkige, populaire Jenny. Altijd het middelpunt van ieders wereld. Jenny en dat vervloekte volmaakte leventje van haar, dat vervloekte volmaakte gezin in hun vervloekte volmaakte huis. Jenny, die Bea en James had en Tom en nu Adam. Jezus, Peter heeft gelijk, ik was hartstikke gek!*

Ze was weer terug in haar jeugd. Die vreselijke woedeaanvallen die uit het niets kwamen, die ze had moeten onderdrukken met al haar kracht, doodsbang dat ze zouden ontsnappen in een onstuitbare, afschuwelijke stroom. Soms gebeurde dat en kon ze niet meer uit haar woorden komen; dan moesten ze worden veranderd in iets anders, een sombere bui vol zwijgzaamheid die medeleven en aandacht opleverde; in elk geval van Bea.

Jenny's vanzelfsprekende jeugd had een bittere wrok opgewekt in Ruth. Ze wilde Jenny zijn. Soms fantaseerde ze dat Jenny doodging en dat Bea haar moest adopteren en dat ze Jenny's leven zou krijgen.

Bevend ging Ruth zitten. Ze was het vergeten. Ze had de gevoelens uit haar jeugd jegens Jenny weggestopt en vernietigd. Gevoelens die van onvoorwaardelijke liefde omsloegen in blinde haat, opgeroepen door een klein gebaar of woord of blik, of soms door Jenny's onaantastbare geluk. Ze herinnerde zich hoe ze haar nagels tot bloedens toe in de huid van haar armen drong, om de schreeuw van smartelijke woede tegen te houden. Weer rook ze de geur van geroosterd brood die zij en Bea maakten, of de beslagkom die ze mocht uitlikken van Bea in een poging om haar op te beuren. De uren die ze in haar jeugdjaren had doorgebracht in die warme, veilige keuken waar niets slechts kon gebeuren. Jénny's keuken. Jénny's moeder.

Had ik haar maar nooit gezien in die trein naar Birmingham. Was ik haar maar nooit meer tegengekomen. Ik herinnerde me alleen de fijne tijden. Hoe ze me aan het lachen kon maken. Onze hechte vriendschap. Dit was ik vergeten: de bittere afgunst en jaloezie. Ik was vergeten hoe dicht liefde en haat bij elkaar horen en op dit moment haat ik Jenny met heel mijn hart omdat ze zich in het leven van mijn kind heeft weten te dringen. Ik wil zo snel en zo ver mogelijk weg met Adam. Ik wil hem met me meenemen.

Danielle riep: 'Ruth! Adam en ik zijn uit de badkamer. Flo maakt een Engels ontbijt klaar. We hadden zin om allemaal samen te eten voor de dag begint. Ruth, ben je wakker?'

'Natuurlijk! Beginnen jullie maar vast. Ik kom zo,' riep Ruth terug.

Adam had zich over het broodrooster ontfermd toen Ruth beneden kwam na een douche en na zorgvuldig met een stift de kringen onder haar ogen te hebben weggewerkt. 'Hallo, mam.' Hij lachte naar haar.

'Ruth, ook een warm ontbijt? Het staat in de oven.' Flo wilde opstaan.

'Blijf maar zitten, Flo. Nee, bedankt. Ik wil alleen wat geroosterd brood.'

Het duurde even voordat Ruth naar Jenny kon kijken. Ze glimlachte naar haar toen Jenny haar een kop koffie gaf.

'Gaat het?' vroeg Jenny zacht. 'Je ziet een beetje pips.'

'Ja, hoor. Ik heb niet zo goed geslapen. Waarschijnlijk door de wijn.'

Ze spraken over de dag die voor hen lag. Ruth nam Adam mee naar het reuzenrad. Jenny en Danielle gingen Italiaanse opdrachten voor Antonio bespreken. Flo had met een vriendin afgesproken voor de lunch.

'Ruth,' zei Jenny opeens. 'Ik vroeg me af of je in mijn slaapkamer zou willen trekken. Hij is zo groot dat Tom en ik hem ook als woonkamer gebruikten. Ik dacht dat het misschien een geschikte ruimte zou zijn om je terug te trekken als je daar zin in had, je eigen domein. Als Adam hier is, kan hij in Rosies kamer slapen en dan zijn jullie bijna helemaal op jezelf. Je kunt die kamer met zijn spullen inrichten. Beide kamers moeten natuurlijk opnieuw worden geschilderd en behangen. Je mag uitkiezen wat je wilt. Ik bedoel, als je het graag zou willen?'

Ruth keek Jenny sprakeloos aan. 'Maar...'

'Ik heb er goed over nagedacht,' zei Jenny vlug. 'Ga jij maar kijken met Adam. Ik hoor wel wat jullie ervan vinden.'

Ruth liep naar de overloop en ging de grote, zonnige kamer binnen. Prachtig. Ze kon hier wonderen verrichten en er helemaal haar eigen ruimte van maken. Toen ze zich omdraaide, zag ze Adam op de drempel van Rosies kamer naar de dozen kijken. Toen kwam hij naar haar toe. Er lag een uitdrukking op zijn gezicht die Ruth niet kon doorgronden. Hij liep de kamer in die zijn vader met Jenny had gedeeld en keek om zich heen naar de ornamenten die nog op de schoorsteenmantel stonden, en naar de stapels kleren op het bed.

'Nee,' zei hij bars. 'Dit is triest. Te triest.'

'We kunnen er toch weer een vrolijke ruimte van maken? Rosie en Tom worden er echt niet door vergeten.'

'Het lijkt wel of we ze uitwissen.'

Ruth keek hem aan. 'Misschien wil je liever niet in Rosies kamer slapen?' Ze aarzelde en zei toen met opzet: 'Ik denk eigenlijk dat Jenny graag wil dat je die kamer krijgt, Adam. Ik denk dat ze zich beter voelt als ze weet dat je er af en toe slaapt, denk je ook niet?'

'Misschien,' mompelde Adam. 'Jij vindt deze kamer heel mooi, hè?'

'Prachtig.' *De kamer die Tom met Jenny heeft gedeeld. Mijn kamer.*

Jenny kwam aanlopen over de overloop. 'Wat vinden jullie ervan?'

Adam zei: 'Weet je zeker dat je wilt dat mam jouw kamer neemt, Jenny?'

'Heel zeker, Adam. Dan zou ik me beter voelen.'

'Echt waar?' vroeg Ruth.

Ze glimlachte. 'Echt waar, Ruth.'

'Het zou... fantastisch zijn als je het echt meent, Jenny, en heel aardig van je.'

Jenny was altijd veel aardiger en liever dan ik. Omdat ze zo lief was, viel mijn gedrag altijd op. Ze sloeg zelden terug als ik lelijk tegen haar deed. Ze verklikte me nooit en ze klaagde niet. Zo vrijgevig dat mijn gedrag opviel. Me op het verkeerde been zetten met haar goedheid. Dat doet ze nog steeds.

Ruth liep naar Jenny. Ze kon het niet opbrengen om haar te omhelzen, maar ze legde haar handen op haar schouders en gaf een kus op haar wang. 'Dank je, Jenny.'

Jenny keek haar aan. Ruth knipperde met haar ogen, bang dat Jenny de blik erin kon lezen, maar Jenny wendde zich af en zei tegen Adam: 'Ik ga vanavond met de slaaptrein terug naar Cornwall, Adam. Ik wil naar huis. Een fijne vakantie, jullie beiden. Ik hoor het allemaal wel als je terug bent.'

Ruth zag Adams gezicht betrekken en ze zag ook dat Jenny hem een waarschuwende blik toewierp. Ze liep naar het raam en keek naar buiten, woedend om de tranen die opkwamen uit haar hart en over haar wangen liepen door het gevoel dat ze iets had verloren wat niet benoembaar was, maar zo sterk dat Ruth zich niet dodelijker gewond kon hebben gevoeld als Jenny haar in het hart had gestoken.

75

James kwam me van de slaaptrein halen op het station van St. Erth. Cornwall werd geteisterd door stormen die enorme golven opwierpen. Terwijl we naar de auto renden, waren we binnen een mum van tijd doorweekt.

'Bij Devil's Mouth is een containerschip gezonken,' zei pap terwijl we over de verhoogde weg reden. 'Op de noordkust zijn heel bijzondere stukken hout aangespoeld. De bewoners hebben zich erop gestort en de mooiste weggehaald, tot de douane in Land Rovers kwam en via megafoons liet weten dat alles van het gezonken schip staatseigendom was en dat iedereen die werd betrapt met hout, zou worden vervolgd wegens diefstal. Alsof smokkel niet een aangeboren trekje is bij de bewoners van Cornwall!'

Ik lachte. 'O, pap, wat is het goed om weer thuis te zijn.'

We holden over het pad naar binnen en ik zette de waterkoker aan.

'Flo heeft gebeld. Ze zei dat je zo ruimhartig bent geweest om je kamer aan Ruth te geven. Ik denk dat het een mooi gebaar was. Goed gedaan, lieverd.'

Terwijl we onze koffie dronken, schraapte pap zijn keel en zei nerveus: 'Gisteren kwam Antonio heel onverwacht. Hij wist niet dat je in Londen was.'

'Antonio?'

'Hij is naar Exeter gevlogen en heeft daar een auto gehuurd. In een opwelling, omdat hij dacht dat je hier was. Hij is gebleven om je te kunnen zien. Het was fijn om hem als logé te hebben. Hij en Bea hebben onze reis zitten bespreken.' Zijn stem stierf weg toen hij mijn gezicht zag. 'Je hebt zeker even genoeg van mensen? Je wilde alleen zijn?'

Ik knikte.

'Ik ben bang dat je hem niet kunt negeren, lieverd,' zei hij terwijl hij opstond. 'Vanavond gaat hij terug naar Exeter, dus het zal niet lang duren.'

'Ik weet het.' Ik zuchtte. 'Ik ga in bad en dan kom ik wel naar Tredrea.'

Vol ergernis lag ik in het bad. Ik hield niet van verrassingen. Waarom had Antonio niet naar Danielle gebeld of eerst gecheckt of ik hier was? Ik had hem in Londen kunnen spreken. Ik dacht aan zijn telefoontjes. Het was veel makkelijker om sociaal te doen door de telefoon. Ik had er geen zin in om te horen te krijgen dat ik zelf in Italië moest komen kijken hoe zijn nieuwe project vorderde.

Ik stapte uit het bad en zette Barber op. 'Adagio voor viool' kwam helemaal overeen met hoe ik me op deze grijze ochtend vol regen voelde. Ik trok een grote, witte trui van Tom aan die tot mijn knieën reikte, en een te grote oude spijkerbroek en toen bond ik een sjaal om mijn hoofd. Ik wilde een uur voor mezelf hebben. Daarna zou ik naar Antonio gaan.

Ik liep Adams kamer binnen. Er heerste de gewone jongenschaos en ik raapte papieren op van de vloer en legde die op zijn bureau. Toen ik zijn bed opmaakte, gleden er wat tijdschriften van het nachtkastje. Soldatentijdschriften, *Jayne* en andere die ik nooit eerder had gezien. Ik ging op het bed zitten en bladerde ze door, terwijl ik me afvroeg waar hij ze had gekocht. Er waren veel wervingsartikelen en mijn hart zonk in mijn schoenen. Het leger was nu anders dan toen Tom in dienst was. De wereld was veranderd en gevaarlijker geworden. De onrust knaagde aan me. Ik wilde niet dat hij er ook maar over dacht om vanwege Tom in het leger te gaan. Toen bedacht ik dat het waarschijnlijk maar een fase was omdat hij bij de schoolcadetten zou gaan. Het zou wel overgaan.

Ik ging naar de zitkamer. Adam was de oorlogsdichters aan het bestuderen voor Engelse les. Hij had een oude editie van Siegfried

Sassoon geleend die Antonio weer aan mijn vader had geleend, en die lag op een stoel. Ik pakte hem op. Op het schutblad stond: *Voor Antonio, met liefs voor altijd, Sophia.* Wie was Sophia? Ik begon door het boekje te bladeren.

> *... En in hun gelukkigste momenten kan ik*
> *de oneindige stilte horen, wanneer die levens*
> *in mijn hart moeten zijn opgeslagen*
> *als gelukkige zomers.*

Ik glimlachte en liep de natte tuin in. Op het water riepen de vogels van de kreek met trillende stemmen. De zon probeerde dapper door te breken. Het water was nog onstuimig, en verderop zag ik woeste golven. Mijn voeten zonken weg in het gras. Ik snoof de geur van natte aarde op en die van zeewier in de wind. Het voelde aan als een thuiskomst, als een verdergaan.

Ik draaide me om en schrok toen ik Antonio zag. Hoe lang had hij me gadegeslagen bij het hek? Ik voelde me opgelaten en geërgerd. Ik zag er niet uit met mijn te grote trui en te grote spijkerbroek, en mijn haar in een sjaal.

Hij lachte. 'Neem me niet kwalijk. Ik vrees dat ik een meditatie heb verstoord.'

'Kom binnen.' Opgelaten ging ik hem voor over het pad.

Ik nam hem mee naar de keuken en zette het koffiezetapparaat weer aan.

Antonio bleef onhandig in de deuropening staan. 'Ik ben op het verkeerde tijdstip gekomen, Jenny. Sorry.' Hij kwam naar me toe en gaf me een kus op beide wangen. Ik voelde me onbeleefd en nors.

'Nee, het geeft niet. Het spijt me dat ik er niet was toen je gisteren kwam.'

'Het verbaasde me dat je in Londen was. Ik had eerst moeten bellen.'

'Was alles goed bij Bea en James?'

'Het is altijd een genoegen om bij je ouders te zijn.'

Ik zette de koffiepot en kopjes op een dienblad en droeg het naar de zitkamer. Hij ging zitten. Siegfried Sassoon lag nog op de bank en Antonio pakte het op. Hij wierp me een blik toe en streek het boek glad tussen zijn handen. 'Ik ben blij dat je dit hebt gelezen.'

'Wie is Sophia?' vroeg ik voor ik mezelf kon inhouden.

Antonio keek geamuseerd. 'Sophia was een vrouw op wie ik lang geleden verliefd was. Ze woonde in Engeland. We studeerden samen Engels op de universiteit.'

'Ben je afgestudeerd in Engels?'

Hij lachte me uit. 'Ja, inderdaad.'

'Wat een verrassing. Ik dacht dat je was afgestudeerd in bedrijfs-economie of mode of kunstgeschiedenis,' zei ik onhandig.

'Ik wilde helemaal niet bij het modebedrijf van mijn vader ko-men. Mijn oudste broer overleed, dus werd er van me verwacht dat ik mijn studie zou opgeven en terug naar Milaan zou gaan.'

'Van het ene moment op het andere?'

'Van het ene moment op het andere.'

'Dat moet je zwaar zijn gevallen.'

'In het begin wel. Maar, Jenny, geluk is iets wat je bewust creëert. Ik besloot om me voldaan te voelen door met mijn vader te werken, en dat ben ik ook.'

De zon begon de kamer te verwarmen. Antonio bezat het vermo-gen om heel stil te zijn en dat bracht me van mijn stuk. Hij zat op de bank met het boek in zijn hand en leek naadloos in de kamer op te gaan. Hij rook vaag naar aftershave. Zijn jasje was niet gekreukt en hij droeg een duur overhemd. Hoe krijgen Italianen het voor elkaar er altijd zo onberispelijk uit te zien?

Donkere haren staken uit de manchetten van zijn overhemd en over de rug van zijn handen, die vierkant en keurig gemanicuurd waren. Polsen van mannen had ik altijd sexy gevonden. Ik was me heel erg van hem bewust in de kleine kamer. De stilte werd dieper. Ik opende mijn mond om hem te vragen waarom hij hier was. Toen keek ik op, ontmoette zijn blik en wat ik daarin zag, maakte mijn lichaam week en heet. Geen van beiden bewoog. De sfeer was een en al seksuele spanning.

Ik pakte het dienblad op en liep vlug naar de keuken. Ik hoorde dat Antonio me volgde, maar ik bleef met mijn rug naar hem toe staan en liet water in de gootsteen lopen.

'Ik ben gekomen om je te vragen of je naar Milaan wilt komen en daarna met me naar het Verre Oosten wilt reizen, Jenny. Malei-sië, Singapore... Ik heb besloten dat ik stoffen uit het Verre Oosten wil importeren. Veel ervan is bestemd voor je ontwerpen onder het merk Antonio. Ik heb je advies daarbij nodig.'

Ik draaide me om. 'Je maakt een grapje, Antonio.'

'Nee, ik maak geen grapje, Jenny.'

Ik lachte. 'Ik kan niet zomaar weg. Ik moet voor Adam zorgen en ik heb mijn werk hier.'

'Je hoeft ook niet zomaar weg. Ruth vertelde dat de jongen een deel van de zomervakantie bij haar zal zijn, en Bea en James zeiden dat de jongen altijd welkom bij hen is. Ik geloof niet dat er een probleem zal zijn.'

'Hij heet Adam. Ik zie dat je alles al met iedereen hebt geregeld behalve met mij, Antonio.' Ik was woedend.

'Nee, het is niet allemaal geregeld. Ik wilde graag volgende maand gaan vóór het vakantieseizoen, maar als het onmogelijk voor je is om dan mee te gaan, zal ik wachten. Het heeft geen zin om Danielle mee te nemen, want ik wil jóúw kleren promoten. Het heeft geen zin om zonder jou te gaan.'

Ik keek uit het raam. Waarom ging de wereld niet weg en bleef die weg en liet Adam en mij ons leventje leiden? Waarom liet die ons niet met rust?

Achter me zei Antonio: 'Het spijt me, ik wil je niet van streek of kwaad maken. Het is belangrijk voor de zaken dat je komt.'

Ik draaide me om. 'Er zijn nog andere dingen in het leven dan zaken, Antonio.'

Ik meende iets van boosheid te bespeuren. 'Inderdaad, Jenny,' zei hij op effen toon. 'Maar door ons werk hebben we een huis om in te wonen en de keus hoe we ons leven willen leiden, nietwaar?'

Ik opende mijn mond en deed die weer dicht. Hij had gelijk. Er moest een hypotheek worden afgelost en een bedrijf moest in stand worden gehouden om dat te kunnen betalen.

'Ik weet dat je voor Adam moet zorgen,' zei Antonio alsof hij mijn gedachten had gelezen. 'Kun je het niet verdragen om een poosje weg te gaan van dit huis en de jongen?'

De telefoon ging en ik liep langs hem heen naar de gang om op te nemen. 'Jen, wat gaan jij en Antonio doen voor de lunch? Het is zulk slecht weer dat ik dacht dat jullie misschien hier wilden komen in plaats van de stad in te gaan. Ik heb al het eten klaarstaan als je het wilt.'

'Bedankt, mam. Ik zal je Antonio even geven. Ik weet niet wanneer hij weg moet,' zei ik nadrukkelijk.

Antonio nam de telefoon aan. 'Bea? Heel aardig van je. Ik zou graag bij jou en James lunchen voor ik vertrek. Dank je. We komen nu.'

Hij legde de telefoon terug en ik vermeed zijn blik.

'Ga jij maar vast,' mompelde ik. 'Ik kom dadelijk, ik wil me eerst verkleden. Ik lijk wel een zwerver.'

'Nee, je ziet er heel aantrekkelijk uit.' Antonio glimlachte naar me met een geamuseerde blik in zijn mooie ogen met de zware oogleden. 'Ik wil geen ruzie met je maken. Vergeef me alsjeblieft als ik je van streek heb gemaakt. Dan zie ik je over een paar minuten, goed?'

Ik knikte en vluchtte naar de slaapkamer. Onder het verkleden voelde ik me nog steeds verontwaardigd. Hoe durfde hij te vragen naar mijn motieven om niet naar de andere kant van de wereld met hem te willen reizen? Opeens kreeg ik een fantastisch idee. Het lag zo voor de hand dat ik niet begreep waarom ik er niet meteen op was gekomen. Ik trok een rok en trui aan, rende het huis uit naar mijn auto en reed opgewonden naar het huis van mijn ouders.

Toen ik de zitkamer binnenkwam, draaiden James, Bea en Antonio zich naar me om en begroetten me iets te opgewekt, alsof ik het onderwerp van hun gesprek was geweest.

Vlug zei ik, terwijl ik hen met een triomfantelijk lachje aankeek: 'Ik kreeg net een briljant idee. Antonio wil dat ik van de zomer met hem naar Singapore ga. Dan kan Adam met ons mee. Perfect! Dan kan ik hem aan zijn grootouders voorstellen. Het zou toch een fantastische gelegenheid voor hen zijn om hem eindelijk te ontmoeten? Je hebt er toch geen bezwaar tegen dat hij meekomt, Antonio?'

Ze keken me alle drie stilzwijgend aan. Toen zei James: 'Jen, wanneer en hoe Adam zijn grootouders ontmoet, is aan Jack en Ann Holland en Ruth, niet aan jou. Hoe denk je in vredesnaam dat Ruth zich zou voelen als jij degene was die Adam met hen liet kennismaken?'

'Ik moet het natuurlijk met haar bespreken, maar ik denk dat ze opgelucht zal zijn dat de zomervakantie is ingedeeld. Ze heeft maar twee weken vrij. Ze ziet vast in dat het verstandig is om hem te laten meegaan. Adam is hun kleinkind en ze worden er niet jonger op.'

Ik begon te stotteren toen Bea en James ongelovig naar me keken. Waarom zagen ze niet in wat een mooie gelegenheid dit voor Adam was? Hij had geen grootouders. Ik liep weg en keek uit het raam naar de baai beneden me.

Bea stond op en kwam naar me toe. 'Jenny, houd op en denk even na. Vind je niet dat Ruth degene hoort te zijn die Adam voorstelt aan zijn grootouders? Adams achternaam is Freidman, niet Holland. Je kunt Adam niet overnemen en een jonge Holland van hem maken, want zo zal Ruth het beschouwen.'

Vlug draaide ik me om. Ik wilde roepen: *maar hij is een Holland, of jullie het leuk vinden of niet. Hij is helemaal een Holland.* Ik beefde terwijl ik naar hun bezorgde gezichten keek. Het leek wel of ik iets schandaligs had voorgesteld.

Ik rende het huis uit naar mijn auto en reed in de stromende regen terug. Onhandig parkeerde ik de auto en holde naar binnen. Met bevende vingers pakte ik de telefoon. Ik verwachtte dat Flo zou opnemen, maar het was Ruth. Door de opluchting kon ik bijna niets uitbrengen. 'Ruth, met Jenny.'

'Je klinkt helemaal buiten adem.'

Gooi de woorden eruit.

'Antonio is hier. Hij wil dat ik van de zomer met hem meega op zakenreis naar het Verre Oosten.'

'Fantastisch! Natuurlijk moet je gaan. Maak je geen zorgen over Adam, ik regel wel iets.'

'Nee, nee, daarom bel ik niet. Je hoeft niets te regelen. Het leek me een mooie gelegenheid om Adam mee te nemen en kennis te laten maken met zijn grootouders in Singapore. We kunnen het plannen rond de tijd dat jij naar Tel Aviv gaat... als je het goedvindt, natuurlijk.'

Ik hoorde hoe ze haar adem inhield. 'Geen sprake van!' barstte ze los. 'Geen sprake van! Hoe durf je het me te vragen! Adam blijft hier. Als zijn grootouders hem willen ontmoeten, kunnen ze me schrijven. Ze kunnen naar Londen komen. Geen sprake van dat jij hem meeneemt naar Singapore om nóg meer over het leven en de jeugd van Tom in zijn hoofd te stampen.' Ze verhief haar stem. 'Het is nooit genoeg, hè Jenny? Je blijft maar doorgaan met hem op te vreten tot je hem helemaal verslonden hebt. Mijn god, het is niet te geloven.'

Ik liet de telefoon vallen en rende de regen in. Ik holde langs de waterkant, over de kade naar het verlaten strand. Een noordenwind blies ijzige regen tegen mijn gloeiende wangen. De zee stortte zich met enorme, vervaarlijke golven op het strand, schuimend en sproeiend, draaiend en aanzwellend. De toppen van de golven werden er zijdelings afgeblazen in opspattend schuim. Mijn voeten zakten weg in het natte zand. Ik was totaal over mijn toeren. Waarom, waarom vond ieder ander onacceptabel wat mij zo logisch leek?

Ik hoorde niemand achter me tot Antonio me bijna had ingehaald. Hij greep me beet terwijl hij op de been probeerde te blijven in James' dikke, oude windjack. 'Jenny!' schreeuwde hij. 'Hou op met wegrennen!'

'Ga weg!' gilde ik tegen de wind in. 'Laat me met rust!'

Ik was doorweekt tot op mijn huid, en mijn haren plakten tegen mijn hoofd door de regen, die als tranen over mijn wangen stroomde. Antonio hield me vast en trok me met geweld mee naar de beschutting van de zandduinen. 'Hoe kunnen jullie Engelsen leven in dit vreselijke weer?' riep hij nijdig.

Eenmaal op het zachte zand kon ik amper overeind blijven, en Antonio trok me zwaar hijgend mee uit de wind. Toen we over de top waren en ietwat beschut werden tegen de regen en de wind, stonden we elkaar hijgend en woedend aan te kijken.

'Laat me los, Antonio!'

'Pas als je belooft dat je niet wegrent en luistert naar wat ik te zeggen heb.'

'Het interesseert me niet wat je te zeggen hebt. Ik wil het niet horen.' Ik probeerde mijn arm los te rukken, woedend en vernederd.

Hij trok me abrupt naar zich toe alsof aan zijn geduld een einde was gekomen. 'En toch zal ik het zeggen. Ik had bewondering voor je. Ik dacht niet dat jij een lafaard bent die wegloopt voor de realiteiten in haar leven, voor de feiten.'

'Ik loop niet weg...'

'Luister naar me, Jenny. Lúíster!' Hij schudde me even door elkaar. 'Adam is je man Tom niet en dat kan hij nooit worden. Adam is Adam. Je moet van hem niet een soort kleine echtgenoot voor jezelf maken.'

'Verdomme!' Ik rukte me los en hij liet me gaan.

'Ga maar, ren maar weg in de regen. Verpest jouw leven en dat van Adam en Ruth. Breek de harten van Bea en James maar. Wat kan het jou schelen, *cara*? Zolang jij je muren maar kan opbouwen om de echte wereld buiten te sluiten. Je kunt opsluiten met een klein spiegelbeeld van Tom. Als je je kindman maar hebt om...'

Ik hief mijn hand op en gaf hem een klap om zijn verraderlijke woordenstroom te laten ophouden.

Woedend keek hij terug. Ik haalde weer uit en raakte hard zijn kaak. Hij greep mijn handen beet en terwijl ik tegenstribbelde, gooide hij me in het natte zand en hield mijn handen naast mijn hoofd tegen de grond. Heel even kreeg ik de neiging om hysterisch te gaan lachen omdat het zo belachelijk was, maar Antonio was nu net zo kwaad als ik. 'Laat je man gaan!' schreeuwde hij. 'Begraaf hem! Wek hem niet tot leven in het kind van Ruth. Hou van Adam, maar probeer hem niet tot je bezit te maken. Hij is niet van jou. Het is alleen maar toeval dat hij een kind van je man is. Je speelt spelletjes met de levens van anderen.'

'Dat doe ik niet!' schreeuwde ik. 'Ik héb Tom laten gaan. Ik heb Tom en Rosie laten gaan. Je begrijpt het niet!'

'Ik begrijp het wél, Jenny. Je dénkt dat je Tom hebt laten gaan, maar je wekt hem tot leven in Adam. Zie je het gevaar dan niet?' Zijn stem klonk zacht maar wreed.

Ik wendde mijn gezicht af. Zijn woorden deden pijn en maakten me aan het huilen. Antonio trok me overeind en hield me dicht tegen zich aan, en praatte zacht tegen me in het Italiaans alsof ik een overgevoelig paard was. Hij probeerde me beschutting te geven tegen de regen. Hij legde zijn hoofd tegen het mijne en wiegde me zacht heen en weer, terwijl hij met een hand over mijn haar streek.

Ik duwde hem weg. 'Hoe durf je die dingen tegen me te zeggen?' Maar mijn woede was verdwenen. Ik rilde van de kou.

Hij benam me het uitzicht met zijn gestalte. 'Ik durf ze te zeggen omdat niemand anders het durft. Jij bent de aanbeden kleine Jenny. Zo geliefd, zo verwend. Iedereen wil je gevoelens sparen. Nou, ik niet.'

Opeens boog hij zich naar me toe en kuste me hard op mijn mond. Hij hield me vast met beide handen rond mijn gezicht. Toen bukte hij zich naar mijn hals, duwde de kraag van mijn jack weg en drukte zijn warme lippen op mijn koude huid.

Ik smoorde de kreun die in me opkwam. Ik stribbelde niet meer tegen. Ik voelde mezelf opgewonden reageren. Het leek wel of er een dam in me doorbrak. Antonio en ik kusten elkaar heftig tot we buiten adem waren. Ik wilde hem. Ik wilde dat hij me hier nam in het natte zand terwijl de zee beukte en de regen striemde. Ik wilde dat hij me nu nam, nu het me niets kon schelen en niets ertoe deed en ik niet kon denken. Ik spreidde mijn benen en tilde mijn armen op in een uitnodiging. 'Nu, hier,' zei ik dringend. Ik hief mijn heupen op.

Hij schudde zijn hoofd en fluisterde: 'Gek Engels meisje.' Hij trok het regenjack van pap uit en we gingen erop liggen. Door zijn warmte kon ik wel huilen, en heel even bleven we doodstil liggen, elkaar vasthoudend in een vreemd moment van intimiteit. Toen drong hij in me en het genot was intens. Ik was de vreugde en kracht van seks bijna vergeten. Ik slaakte een kreet toen ik kwam en luisterde naar de uiteenspattende golven en glimlachte toen Antonio kwam. Het was zo heerlijk.

We hielden elkaar vast tot onze ledematen pijn deden van de kou. Toen kwamen we overeind.

Antonio raakte mijn neus aan. Hij zag er verfomfaaid en sexy uit. 'Op dit moment heb je alleen mijn lichaam nodig als troost. Op een dag hoop ik dat je de man wilt die ik ben, Jenny.'

76

Antonio en ik vlogen van Milaan naar Rome, en ik zag beide steden met nieuwe ogen. Een bezoek als toerist is iets heel anders dan reizen met een Italiaan. We waren hier voor zaken, maar zo leek het niet. Ik was bijna de gastvrijheid en vitaliteit vergeten van een land dat de mode was toegewijd en zich er vanaf de wieg helemaal van bewust was.

Antonio nam me mee naar vergaderingen, groothandelaren en verkooppunten. Hij nam me mee naar twee modeshows en dat vond ik het moeilijkst omdat ik zoveel ontwerpers en bezoekers kende. Het leek een beetje of ik terugkwam op een andere planeet, één die ik kende en waarin ik uiteindelijk weer paste zonder er werkelijk moeite voor te doen.

Na de lunch hielden we siësta en in de koelte van de namiddag liet Antonio me Rome zien. We slenterden door de via Condotti, waar de duurste winkels van Europa zich bevonden: Bulgari, Gucci, Valentino, Ferragamo...

We ontmoetten collega's van hem, dronken heerlijke wijn aan marmeren tafeltjes op de terrassen en keken naar de voorbijgangers. We probeerden hun nationaliteit te raden aan de hand van hun kleding.

Ademloos stond ik op de Spaanse Trappen en nam foto's. We liepen in het huis van Keats door kamers die nog net zo waren als toen Keats stierf, vol van de echo's en schaduwen van Byron, Shelley, Severn en Leigh Hunt. Tot mijn schaamte wist Antonio meer van hen dan ik.

Samen liepen we over de Piazza di Spagna, hand in hand, en als toeristen stonden we bij de Barcaccia-fontein die de vorm van een boot had. Samen staken we kaarsen op bij Michelangelo's *Pieta*, terwijl we onze gebeden voor elkaar geheimhielden.

Op onze laatste ochtend in Rome stond ik in het vroege zonlicht bij de Trevi-fontein. Ik voelde me vol leven, helemaal overgegeven aan de wonderen van een stad die ik alleen maar kort had bezocht voor mijn werk. Lachend draaide ik me om naar Antonio. 'Is dit echt een zakenreis?'

'En of het een zakenreis is. We doen heel belangrijk onderzoek naar wat de mensen in Rome en hun Amerikaanse vrienden op bezoek dit jaar dragen. Lieverd, als je de Sixtijnse Kapel nog wilt zien, moet het nu gebeuren, en dan is het tijd om te vertrekken.'

Ik zuchtte. Ik had Florence graag door de ervaren ogen van Antonio willen zien. Ik was er twee dagen geweest met Tom, en dat was niet genoeg.

Antonio sloeg licht een arm om mijn schouder en drukte zijn neus in mijn haar. 'Volgende keer, *cara*. Het is geen stad voor een haastig bezoek, maar om er langzaam van te genieten.'

Ik glimlachte naar hem. We hadden in een klein toeristenhotel gelogeerd om de hoek van de Trevi-fontein. We hadden geslapen en gevrijd met de geluiden van de stad op de achtergrond, middag na middag, avond na avond. De dagen vlogen voorbij, maar als in een droom, niet helemaal echt, alsof ik plotseling thuis wakker kon worden.

Ik had Toms ouders opgebeld om hun te vertellen over mijn aanstaande reis naar Singapore, maar ze stonden op het punt om twee maanden naar Toms broer te gaan, die in Australië woonde. Het was zo ver weg, en om elkaar dan mis te lopen... We waren allemaal zo teleurgesteld dat Antonio zei: 'We gaan volgend jaar wel, Jenny. Het heeft geen zin om er helemaal naartoe te gaan als ze er niet zijn.'

In plaats daarvan zouden we naar Spanje vliegen om de Marokkaanse architectuur te bestuderen en de warme, levendige Afrikaanse kleuren. Antonio wilde die invloed en dat gevoel in zijn collectie. Hij wilde dat ik het proefde en voelde en in me opnam, net zoals ik dat bij het landschap in Cornwall had gedaan.

Vanuit Rome vlogen we naar Antonio's villa om daar twee dagen te blijven, uit te rusten, onze kleren te wassen en opnieuw in te pakken. Ik lag bij het zwembad van Antonio en sliep, uitgeput van alle bezichtigingen, vergaderingen en nachten vol seks.

Ik dacht aan Adam in Tredrea bij James en Bea, en opeens verlangde ik ernaar zijn stem te horen. Ik had Ruth even gezien in het huis in Londen voor ik naar Milaan vertrok. Ik had mijn excuses aangeboden dat ik zo ongevoelig was geweest en niet had nagedacht, dat ik iets als vanzelfsprekend had aangenomen wat ik niet had mogen doen. Ik wilde niet dat er iets zou veranderen. Ik wilde terug naar Adam.

'Laten we praten als je terug bent, Jenny, om alles op te helderen. Dan weten we allebei waar we aan toe zijn. Adam vindt het prettig bij je en daarvoor ben ik dankbaar. Ik wil jullie leven niet in de war sturen.'

We hadden elkaar gespannen en opgelaten aangekeken. Zij wilde ook niet haar eigen leven en haar baan in de war sturen. Dat was geen aardige gedachte, en ik vroeg me af of het ooit nog mogelijk zou zijn om weer vriendinnen te worden.

Ik lag op bed in Antonio's koele kamer met de Toscaanse kleuren en kleden. Terwijl de telefoon ver weg overging in Tredrea leek deze Italiaans/Spaanse vakantie, in de vorm van een zakenreis, weer als een trance, alsof ik sliep en als een slaapwandelaar werd meegenomen in een helder, geurend landschap.

Bea nam op aan een andere kust, in een andere wereld, en ik keerde terug in de werkelijkheid. Alles was in orde. James had Flo overgehaald om naar Cornwall te komen en eind van de maand een heupoperatie te ondergaan. Hij kende een uitstekende chirurg die nog plaats had. Het was goed nieuws, en naderhand konden we haar helpen revalideren.

Adam popelde om me te vertellen wat hij allemaal had gedaan. Het weekend had hij in Dartmoor geoefend voor de Ten Tors-marathon. Hij ging met school naar Plymouth om *Macbeth* te zien. Hij en James gingen morgen met de boot naar Godrevy omdat de dolfijnen terug waren in de baai...

Het was heerlijk om te horen hoe opgewekt hij was. Ik moest glimlachen. Het was alsof er een licht was aangestoken. Toen ik de telefoon neerlegde, zag ik dat Antonio was binnengekomen en me gadesloeg. Hij glimlachte en stak zijn hand uit. Argwanend ging ik naar hem toe. Hij kon niet begrijpen dat Adam en ik zo'n hechte band hadden. Hij had zich verontschuldigd voor zijn woorden, maar die bleven tussen ons hangen. Nu zei hij zacht iets in het Italiaans. Het klonk als een liefdesgedicht.

'Wat zei je?'

'Dat ik een bad voor je zal laten vollopen.'

Maar ik wist dat hij iets anders had gezegd.

Spanje was op een heel andere manier stimulerend. Daar was niets subtiel. Kleur na kleur mengde zich en paste bij elkaar; vloekend en opzichtig; fel en onwerkelijk tegen een achtergrond van Marokkaanse architectuur; bogen en paleizen, kerken en bergen, dorpen en een overvolle kust.

Antonio reed me naar een binnenland van Spanje waarvan ik het bestaan niet had geweten. Zo onbedorven en zo prachtig.

Ik nam foto's van dorpjes aan verlaten paden, van geraniums die als een waterval uit ramen hingen en langs oude gebouwen vielen. Van kinderen die in felgekleurde kleren tussen struikgewas speelden, met glinsterende gouden sieraden en witte glimlachjes.

Ik bestudeerde de tegels en decoraties en filigreinwerk boven ramen en deuren, en ik maakte schetsen tot ik geen potlood meer kon vasthouden. Ik betastte mousseline en zijde en zware katoen, woog het in mijn vingers en wist welke gouden riemen en lichte, zwierige zomerjurken ik voor het volgende jaar zou maken.

Voor het eerst dacht ik aan een volgend jaar. Het was lang geleden dat ik echt plezier beleefde aan wat ik deed, de belofte en opwinding over een nieuwe collectie.

Antonio had gelijk. Het was niet alleen nodig voor een ontwerper om te reizen, het was van vitaal belang om inspiratie te vinden in zoveel plaatsen en bronnen; om de hitte en de kleur en de mensen te zien en aan te voelen. Om je tussen hen te bevinden en een cultuur te eten en in te ademen.

Tom en ik waren zo vaak mogelijk zelfs voor een paar dagen ergens naartoe gevlogen, maar ik was opgehouden met reizen. Terwijl ik van hot naar haar reed, zwetend in auto's, wist ik dat zonder dat inspiratie en originaliteit verdwenen. Zonder dat verviel je in herhaling. Zonder dat werd je triviaal. Cornwall had me geïnspireerd, maar nu had ik contrast en wist ik dat de ideeën die als een caleidoscoop door mijn hoofd gingen, thuis ook zouden werken.

Antonio sloeg me gade met een voortdurende glimlach op zijn gezicht. Op de terugweg zou ik in Milaan zijn nieuwe atelier bekijken en wat van mijn schetsen en stofmonsters achterlaten, met instructies en ideeën over hoe ze gemaakt moesten worden. Ik was onder de indruk van zijn kleine 'Engelse onderneming'. Het verbouwde pakhuis was ruim en koel, en de vrouwen waren vriendelijk en enthousiast.

Op onze laatste avond samen in Milaan zwommen we bij kaarslicht in een enorm binnenzwembad terwijl we naar Mozart luisterden. We gingen terug naar zijn moderne appartement vol groene planten en glanzende meubels, en vielen overmand door de wijn in bed.

Antonio fluisterde zachte, liefkozende, Italiaanse woordjes in mijn hals. Het waren dezelfde woorden die hij in zijn villa in Amalfi had gefluisterd.

Ik glimlachte. 'Je gaat nu geen bad voor me laten vollopen, Antonio, dus wat zeg je?'

Hij hield me van zich af en keek me aan. 'Ik zei dat ik je graag een ander kind wil geven.'

Het bloed stroomde naar mijn gezicht en Antonio kietelde me om het moment lichter te maken. Die avond zorgde ik ervoor dat ik mijn pil innam. Seks met Antonio was als een verdovend middel. Alles werd versterkt. Het was dwangmatig, een onderdeel van alles wat ik voelde en had gecreëerd in de lange, hete, sensuele dagen met hem. Het leek alsof mijn lichaam weer ademde en bewoog en leven uitstraalde.

Nadat we die avond hadden gevrijd, fluisterde hij: 'Jenny, ik hou al van je sinds het moment dat je met Danielle in dat restaurant kwam.'

Ik tilde zijn mooie, vierkante hand op en kuste zijn handpalm. Toen legde ik er mijn wang tegenaan. Het was een grote, veilige hand. Antonio was bijzonder, maar fijne seks was iets heel anders dan liefde.

77

Ruth was op zakenreis in Berlijn toen Jenny terugkwam in Londen. Danielle en Flo zagen meteen hoe ze veranderd was. Ze had het warm en ze was moe, maar ze straalde. Haar ogen en lijf hadden weer die levendigheid van vroeger.

Danielle zag dat Jenny weer die ontspannen, lome, katachtige houding had toen ze zich vermoeid op de bank uitstrekte, en opeens wist ze waarom. Ze herinnerde zich die uitdrukking op Jenny's gezicht na een middag in bed met Tom: een niet te onderdrukken, heel onbewuste seksuele zelfvoldaanheid. Danielle had zin om in lachen uit te barsten. Jenny leek net een kleine, verzadigde kat.

Antonio! Wat bijzonder. Het was moeilijk om je iemand voor te stellen die kon tippen aan Tom. Maar toen ze terugdacht aan die ene nacht met hem, was het niet meer zo vreemd. Hij was een warme en sensuele minnaar die er naderhand duidelijk spijt van had dat hij was ingegaan op haar uitnodiging om naar haar kamer te komen. Hij had tactvol en vleiend tegen haar gezegd dat hij haar heel aantrekkelijk vond, maar dat hij zaken en plezier altijd gescheiden hield. Danielle grinnikte inwendig. Nou, niet altijd dus, blijkbaar.

Ze hoopte dat Jenny er iets over zou zeggen, maar dat deed ze niet en ze ging terug naar Cornwall zonder iets los te laten.

'Wat denk jij?' vroeg Danielle ademloos aan Flo.

Flo lachte haar uit. 'Dat zijn onze zaken niet, jongedame. Maar ik moet zeggen dat ze bijna de oude Jenny was met haar aanstekelijke vrolijkheid.'

Danielle knikte. Ze hoopte van harte dat de spanning tussen Ruth en Jenny om Adam niet zou terugkeren, want dat was heel vervelend en dreigde alles te bederven.

Terug in Cornwall vond ik het moeilijk om de routine weer op te pakken. Ik voelde me vreemd rusteloos en merkte dat ik me maar kort kon concentreren. Ik wilde naar buiten en wandelen, op het strand of in het gras liggen in de zomerzon. Ik wilde mijn ogen dichtdoen en de beelden van de plaatsen die ik had gezien, door mijn geest laten filteren als zonlicht door bladeren.

De geluiden en geuren van een ander leven bleven hangen: kerkbeelden en glas-in-loodramen; de verlaten baai in de buurt van Antonio's villa; witte bungalows met weelderige bougainville; de geur van kruiden en olijfolie en tomaten; de lawaaiige cicaden.

Adam merkte mijn rusteloosheid op en vroeg naar mijn reis als we 's avonds in de tuin worstjes grilden op de barbecue. Ik had wat boeken over Marokkaanse architectuur uit de bibliotheek gehaald. En ik probeerde uit te leggen welke invloeden ik in mijn ontwerpen zou opnemen. *Als ik kon werken.*

Toen ik Toms moeder aan de telefoon sprak en haar vertelde over Adams liefde voor muziek, zei ze opeens dat ze ooit een beurs had gewonnen voor een muziekstudie, maar dat ze het niet mocht van haar ouders. Destijds woonde ze in Kuala Lumpur en haar ouders vonden haar te jong om op haar zeventiende in haar eentje in Londen te gaan wonen.

'Wat jammer,' zei Adam toen ik het hem vertelde. 'Dat moet ze vreselijk hebben gevonden.'

'Je zei dat je niet wist waar je liefde voor muziek vandaan kwam. Nu weet je het. Toen ik haar vertelde hoeveel talent je hebt, vond ze het prachtig. Tom en zijn broer waren helemaal niet muzikaal.'

Ik wist vrijwel zeker dat Tom dit nooit had geweten, maar soms had hij zich wel afgevraagd waarom ze zo passief was en zich helemaal wijdde aan haar echtgenoot en zoons. Daar was ik heel verdrietig om geworden. Ze had een heel ander iemand kunnen zijn.

Adam zei: 'Als ik groot genoeg ben, Jenny, zal ik hen opzoeken. Ik hoop dat ik hen zie voordat ze sterven. Ik heb nooit grootouders gehad. Ik ga wereldreizen maken en ik zal er beslist een jaar tussenuit gaan.'

Ik moest lachen terwijl de vogels begonnen te zingen in de mistige tuin. Hopelijk werd hij antropoloog of ornitholoog. Maar net zoals ik aan het veranderen was, veranderde Adam.

Ik merkte dat zijn enthousiasme voor muziek afnam. Hij ging op een schietvereniging, en genoot van de tochten naar Dartmoor om voor de prijs van de Duke of Edinburgh te trainen. Zijn verrekijker en vogelboeken werden amper nog gebruikt. Hij ging minder vaak vissen. Hij nam andere vrienden mee naar huis dan Harry. Hij ging verder van huis met een ander soort jongens. Hij ging vroeg in de ochtend hardlopen om fit te blijven, en hij bokste in de tuin als hij dacht dat ik niet keek, kreunde als hij muziek moest oefenen of huiswerk moest maken.

Ik genoot. Hij was zelfverzekerd en tevreden, en ik ook. Ik kon merken dat Bea en James zich geen zorgen meer maakten. Adam en ik waren verdergegaan met ons leven. Het was alsof we tegelijkertijd het leven in een ander perspectief zagen. De betovering van ons afgezonderde leven in het kleine huis was verbroken toen we naar buiten keken en andere horizonten zagen wenken. Toch was er tussen ons niets veranderd. Dat zou ook nooit gebeuren.

Adam was heel opgewonden over zijn reis naar Peter in Israël, en hij haalde een heleboel boeken uit de schoolbibliotheek. Hij leek helemaal op te gaan in de militaire situatie daar en de situatie van de Palestijnen. Hij stuurde voortdurend e-mails naar Peter over hoe onrechtvaardig de Israëlische politiek was.

'Wees voorzichtig met wat je zegt als je daar bent,' waarschuwde ik hem.

'Dat heeft Peter al tegen me gezegd!' zei hij lachend.

Toen ik op een dag Adams kamer schoonmaakte, zag ik tot mijn ontzetting dat hij nog steeds stiekem militaire tijdschriften onder zijn bed had verstopt. Ik besefte dat zijn belangstelling voor Tom en diens leven in het leger niet was vervaagd, zoals ik had gehoopt. De tijdschriften waren beduimeld, en dat verontrustte me. Opeens vroeg ik me af hoe gezond Adams fascinatie voor oorlog en wapens was. Ik keek om me heen naar alle foto's van zijn vader. Tom, die voor altijd glimlachend keek naar zijn aanbiddende zoon. Een man in uniform zonder enige fout, die Adam weglokte naar een leven waar Tom geen enkele illusie over had gehad. Adam had die tijdschriften niet voor me verstopt, maar hij had ze ook niet gelezen waar ik bij was. Ik hoorde de trein uit St. Ives en besloot dat ik met hem moest praten.

Tijdens het eten zei ik: 'Heb ik je wel eens verteld dat Tom overwoog om uit het leger te gaan en bij zijn vader in Singapore te gaan werken?'

Adam keek me aan. 'Nee. Waarom wilde hij weg uit het leger? Hij was beroepssoldaat. Het was zijn werk. Dat was wat hij deed.'

'Ja, maar dat wil niet zeggen dat hij niet gedesillusioneerd was...' Ik aarzelde. 'Adam, ik heb al die militaire tijdschriften gezien in je kamer. Ik vroeg me af of ik je een verkeerd beeld van Tom heb gegeven. Hij was een toegewijde militair, maar hij zag voortdurend dat verschrikkingen en destructie en gewelddadige dood in landen als Bosnië en Irak hun tol eisten. Dat putte hem uit. Vaak voelde hij zich heel depressief en dan werd hij kritisch over politieke situaties, net als jij. Hij zag hoe het leven in het leger de komende generatie zou verlopen: langdurige uitzendingen om terrorisme te bestrijden, vechten tegen opstanden op vijandige plaatsen, weinig leven thuis. Er valt geen eer te behalen in oorlog, geweld of in het zien hoe onschuldige burgers worden omgebracht.'

Te laat besefte ik dat mijn woorden het tegenovergestelde effect hadden op Adam. Tot een jongen met eigen ogen iemand opgeblazen zag worden of dat een leven binnen een seconde was weggevaagd, kon hij niet ten volle beseffen hoe afschuwelijk het was, en zag hij zichzelf als de reddende held.

Adam sloeg me gade. 'Je klinkt net als Peter. Natuurlijk heb ik belangstelling voor oorlogen. Ik ben een puber. Op mijn leeftijd zijn oorlogen heel opwindend.'

Ik keek naar hem en barstte in lachen uit. Ik ging achter hem staan en sloeg mijn armen om hem heen. 'Lieve jongen, je hebt helemaal gelijk. Je bent een weerspannige puber.'

Hij leunde tegen me aan. 'Wees niet bang dat je mijn belangstelling voor oorlogen hebt gewekt door Tom. Ik heb altijd geweten dat ik op zoek zou gaan naar mijn vader als ik oud genoeg was. Dan was ik er toch wel achter gekomen dat hij in het leger zat. Ik dacht dat hij een slecht mens was omdat mijn moeder niet over hem wilde praten en ik geen vragen mocht stellen. Dus toen ik te weten kwam wie hij was en wat hij deed, was het zo'n opluchting. Hij was echt heel dapper en ik wil niet dat iemand dat ooit tegenspreekt.'

Opeens werd hij ongerust, en ik ging op de stoel naast hem zitten. 'Adam, ik kan niets zeggen dat enige kritiek inhoudt op Tom. Ik vond hem ook fantastisch, maar ik hield van hem omdat hij Tóm was. Niet omdat hij dapper was of in het leger zat, dát probeer ik je duidelijk te maken. Je kunt hem niet bewonderen om de persoon die hij was als je hem alleen in uniform ziet.'

'Ik kan nooit weten wat voor persoon hij was, maar ik kan wel alles leren over wat hij deed in het leger. Dat was zijn carrière. En die was toch goed? Daar steekt toch niets kwaads in?'

'Nee, lieverd. Verwaarloos alleen niet je andere interesses. Je muziek en je vogels. Word niet geobsedeerd door Tom omdat hij je vader was en omdat hij dood is. Ik liep namelijk het risico om dat te doen, begrijp je?'

Adam keek me aan. 'Ik zal altijd een muziekinstrument bespelen. Ik zal altijd van muziek houden, maar ik wil geen musicus worden. Ik ben niet enthousiast genoeg om dat in praktijk te brengen, en er zijn te veel andere dingen die ik wil bereiken.' Hij draaide zich om in zijn stoel en keek aandachtig naar me. Toen zei hij aarzelend, alsof het hem net te binnen schoot: 'Misschien moet je weer trouwen. Je bent knap, en nog niet oud. Met iemand die voor je kan zorgen als ik naar de universiteit ga.'

Ik lachte. 'Ik kan wel voor mezelf zorgen, hoor!'

Hij lachte ook. 'Of je kunt wachten tot ik volwassen ben en dan kan ik met je trouwen.'

Ik woelde door zijn haar. 'Ga eten, gekke jongen. Je eten wordt koud.'

Toen ik die avond in bad lag, verlangde ik naar Antonio. Hij was geen knappe man, maar mijn god, wat was hij sexy! Het had me dagen gekost om toe te geven dat ik het miste om langzaam wakker te worden naast hem. En wat was het schokkend dat ik er zo snel aan gewend was geraakt om wakker te worden naast een ander lichaam, al was het maar een seksueel avontuurtje tussen ons.

Hij belde me toen ik naar bed ging. Hij klonk ver weg, en de verbinding met Parijs was slecht. Ik was blij om zijn stem te horen. 'Ik mis je, Jenny,' zei hij droevig.

'Daar ben ik blij om, Paolo Antonio. Ik mis jou ook,' zei ik, maar wel op luchtige toon.

Hij lachte. 'Aha! Dus nu gebruik je mijn beide namen?'

'Ach, je gebruikt bijna nooit je voornaam, dus wilde ik die wel eens noemen.'

'Zie ik eruit als een Paolo?'

Ik lachte. 'Nee!'

Hij praatte een poosje over zijn dag, en toen zei hij: 'Dan zeg ik nu maar welterusten, Jenny.'

'Welterusten, Antonio. Zorg goed voor jezelf.' Meer zei ik niet en ik voelde zijn teleurstelling. Ik wilde hem niet kwetsen. Hij was een lieve man en een goede minnaar, maar daar bleef het bij.

78

Het was begin september en Bea en James waren in Italië bij Antonio. Ik nam de trein naar Londen op de dag voor ze werden terugverwacht. Adam en Ruth waren naar Peter in Israël. Toen ik Adam naar het vliegveld van Newquay bracht, was hij helemaal opgewonden.

'Kijk uit wat je zegt. Ik heb geen zin om je losgeld te betalen als je in een cel in Israël zit.'

Hij lachte. 'Ja, ja, ja hoor.'

Ik vroeg me af of Ruth en Peter weer bij elkaar zouden komen. Danielle had me verteld dat Ruth af en toe wel eens met mannen uitging, maar dat ze meer belangstelling leek te tonen voor het werk. 'Omdat de meesten van onze mannelijke vrienden en collega's homo zijn, is het niet makkelijk voor alleenstaande vrouwen.'

Ik zag dat ze lachte. 'Nou, jij lijkt geen gebrek te hebben aan mannen.'

'Mijn vrienden zijn niet van het slag dat Ruth leuk zou vinden.'

'Op een dag kom je iemand tegen, kunstzinnig en hetero, en dan val je als een blok voor hem, net als wij allemaal.'

'Wacht daar maar niet op, *chérie*.'

Ik ging naar het huis in Londen en trof Flo aan in een ongewone staat van paniek. Ze kon niet goed delegeren en ze was haar ongerustheid over de heupoperatie aan het overbrengen op haar werk. Met opzet hadden we de opdrachten tijdens de zomer teruggebracht, in de wetenschap dat Danielle het druk zou hebben in Italië, Ruth in Israël was en Flo uit de running zou zijn. Ik had de schoenmaker die met pensioen was, aangesteld als opzichter van de werkplaats in St, Ives. Tot nu toe leek het goed te gaan.

Pas toen ik Flo riep om thee met me te drinken, begreep ik wat haar dwarszat. 'Er heeft een inspecteur Wren gebeld. Hij wilde je zien te bereiken in Cornwall. Hij wil dat we allemaal naar een paar foto's kijken van mannen die volgens hen vermoedelijk verantwoordelijk zijn voor terroristische activiteiten. Hij zegt dat het waarschijnlijk hoog gegrepen is, maar hij wil weten of we een van de gezichten herkennen die ze hebben bijeengebracht als mogelijke verdachten van de moord op Tom.'

Mijn hart begon te bonzen. 'Het is goed, ik zal niet instorten. Komt de inspecteur hier naartoe of moet ik hem opbellen?'

'Hij wil graag dat jij hem belt. Het leek hem beter als we hem benaderen. Hij zei dat ze een apparaat hadden dat foto's vergroot, dan is het makkelijker voor ons om gezichten te herkennen.'

'Het is nu een beetje laat om door Londen te rijden. Laten we het morgen doen voordat James en Bea komen.'

Flo knikte. 'Er is waarschijnlijk weinig dat wij kunnen doen.'

'Ja.' Ik voelde me misselijk en probeerde het voor Flo te verbergen. 'Ze zullen wel een bepaalde weg moeten gaan. Misschien om ons te laten zien dat ze het niet hebben opgegeven.'

Flo en ik gingen de volgende dag naar het politiebureau. Sommige mensen konden zich ons herinneren en stonden op om ons te begroeten.

'Het spijt me dat ik dit van u moet vragen,' zei de inspecteur terwijl hij me een hand gaf. 'We zijn u heel dankbaar. Het is raadzaam dat u heel zorgvuldig kijkt. U moet weten dat ik ook aan uw personeel zal vragen om deze foto's aandachtig te bekijken.'

De foto's waren vergroot, en benadrukten elke porie en litteken. Er waren meerdere zwart-witfoto's en enkele in kleur, die op een bureau lagen.

Flo werd verzocht te wachten tot ik ze allemaal had gezien. Ik nam aan dat het was opdat we ons allebei konden concentreren. Om de een of andere reden had ik gedacht dat de verdachten allemaal zwart of Aziatisch zouden zijn, maar dat was niet het geval.

De inspecteur sloeg me aandachtig gade. Ik kon niemand herkennen. Geen enkel gezicht kwam me bekend voor. Ik bekeek de foto's allemaal opnieuw, steeds weer.

Ik begon me duizelig en misselijk te voelen. Het drong tot me door dat ik met een vinger de man kon aanwijzen die mijn gezin had weggevaagd.

'Waarom komt u steeds terug bij die foto?' vroeg de inspecteur terwijl hij naar een man wees.

Verbijsterd keek ik hem aan. 'Dat heb ik niet gedaan. Ik loop ze allemaal door. Ik herken niemand.'

'Goed,' zei hij. 'Ik ga even naar buiten. Bekijk ze allemaal nog eens goed. Neem de tijd.'

Dat deed ik. Ik keek naar de vergrote foto's en naar die van een afstand. Ik leunde achterover in mijn stoel, knipperde met mijn ogen en keek nogmaals. Iets knaagde achter in mijn hoofd. Ik probeerde het op te roepen. Ik sloot mijn ogen. Ik legde mijn hoofd in mijn handen. Het wilde maar niet komen. Het wilde maar niet komen!

Ik moest deze bedompte kamer uit, anders zou ik flauwvallen. Hopen en willen een man of mannen te herkennen die misschien Tom en Rosie hadden vermoord, was niet hetzelfde als ze van een foto herkennen.

We namen een taxi naar huis. Flo schonk een flink glas gin voor me in. 'Je ziet zo wit, Jenny. Ik wou dat je dit niet had hoeven doen.'

'Ik wilde zo graag wijzen en zeggen: "Dat is hem. Die heb ik eerder gezien." Het was overweldigend. Ik denk dat ze nooit kunnen bewijzen wie het heeft gedaan. Hij woont ergens. Hij leidt zijn leven...'

'Misschien niet. Misschien is hij al dood of zit hij achter de tralies vanwege nog een misdaad. Toe, ga nu niet...'

'Ik ga niet zwelgen. Dat beloof ik je.' Ik stond op met de bruine envelop in mijn handen met foto's die de politie me had gegeven voor Danielle. 'Ik ga deze in het appartement van Danielle leggen. Ik wil er niet meer aan denken. Als ik me erdoor laat ondermijnen, dan hebben ze hun zin.' Ik pakte Danielles sleutel van de haak. 'En daarna kom ik nog een gin drinken.'

'Goed zo,' zei Flo.

Terwijl Flo rustte, glipte ik naar buiten met een stuk of zes riemen, die ik naar exclusieve winkels in de buurt van Kensington bracht. Ze hadden mijn werk al eerder verkocht en wilden ze maar al te graag inkopen. Tegen de tijd dat ik thuis was, hadden twee winkels gebeld en bestellingen gedaan. Ik schaamde me bijna dat het zo gemakkelijk was geweest.

'Het verbaast me niets,' zei Flo. 'Je hebt altijd al de gave gehad om te weten wat goed verkoopt.'

Ik ging naar de meisjes boven in het atelier en liet schetsen en stofmonsters bij hen achter, voor het geval de vraag groter werd dan ik in Cornwall aankon.

Flo en ik deden wat papierwerk in de serre en toen, niet in staat om me te concentreren, liep ik de tuin in.

Die was opgeknapt, maar er zat nog niet echt leven in. Iemand had lathyrussen geplant en die staken fel af tegen de schutting. Ik ging in het gras zitten en trok madeliefjes uit, maar de geesten van Rosie en Tom wilden niet komen.

Ik dacht aan Antonio. Ik was niet aardig voor hem. Hij verdiende het niet dat ik hem negeerde of me beleefd terugtrok zonder enige uitleg. Met een schuldig gevoel dacht ik aan alle kleine dingen die hij me in de zomer had gestuurd: boeken met gedichten, bloemen, foto's en reisgidsen van de plaatsen die we hadden bezocht, zorgvuldig gekozen om mij een plezier te doen. Op dit moment behandelde hij mijn ouders alsof ze van koninklijken bloede waren. Hij verdiende beter, en dat wist ik.

Flo sloeg Jenny gade vanuit het keukenraam. Ze was blij dat ze oud was als ze de pijnlijke relatie tussen Ruth, Danielle en Jenny zag, en opgelucht dat dit allemaal achter haar lag.

Ze was bang dat deze nieuwe operatie verkeerd zou gaan, maar dat had ze tegen niemand gezegd. Dat leek zo flauw. Ze was niet bang om dood te gaan, maar wel om invalide te worden, niet langer in staat om het werk te doen dat ze graag wilde doen. Ze kon niet eens aan pensioen denken zonder het inwendig uit te schreeuwen. Dit was haar leven, dit was haar familie!

Terwijl ze Jenny zag worstelen, wilde ze haar zeggen dat ze geen moment mocht verspillen, maar iets in Jenny's rusteloze houding weerhield haar. Als ze al een relatie had met Antonio, dan had Flo daarvan geen enkel teken gezien, behalve misschien dat ze ergens over piekerde.

Die avond kwamen Bea en James naar Londen vliegen. Jenny was helemaal van slag dat Antonio er ook bij was. Bea en James hadden een heerlijke tijd gehad en Antonio genoot er zichtbaar van dat ze zo'n fijne vakantie hadden gehad.

Zodra Flo Jenny's gezicht zag, wist ze dat Danielle gelijk had. Jenny probeerde afstandelijk te doen tegen Antonio, en dat lag niet in haar aard. Flo zag de heimelijke blikken die ze op hem wierp als ze dacht dat niemand het zag. Ze was heel dankbaar dat hij Bea en James zo'n heerlijke vakantie had bezorgd. *Ze is bang om van hem te houden,* dacht Flo opeens. *O, domme meid. Ze vecht ertegen.* Dacht ze misschien dat ze Tom ontrouw was? Of was ze bang om weer van iemand te gaan houden zonder de onvermijdelijke pijn?

De volgende ochtend, voordat Flo in de taxi naar Paddington stapte, zei ze zacht terwijl ze Jenny omhelsde: 'Verspil geen seconde van mogelijk geluk.'

Jenny keek haar argwanend aan. 'Let maar niet op mij. Je hoeft je nergens druk over te maken. Doe wat je wordt opgedragen en houd rust! Ik zal elke dag bellen. Tot volgende week.'

Bea en James stapten verontrust in de taxi. Ze zagen de koppige blik van hun dochter en ze merkten hoe gereserveerd ze deed tegen Antonio. Het was blijkbaar niet zo'n goed idee geweest om Antonio aan te sporen mee terug te gaan omdat Jenny nog een week in Londen zou zijn.

'O jee,' zei Bea zacht terwijl de taxi richting Paddington reed.

'Inderdaad o jee,' herhaalde James, geërgerd over zijn dochter.

79

Ik was helemaal van slag toen Antonio in Londen kwam opdagen met Bea en James. Tot mijn ontzetting had Flo hem onderdak aangeboden in Danielles appartement, met Bea en James. Hij weigerde, maar hij at wél bij ons.

De volgende ochtend kwam hij afscheid nemen van Bea en James, en toen hun taxi zich in de stroom van verkeer voegde, bleef ik met hem achter. Ik had het vreselijke punt bereikt waarop ik niet wist of ik me onbeleefd gedroeg, maar ook niet wist hoe ik de situatie moest redden.

Ik ging de trap op met hem achter me aan, praatte over Flo en haar operatie, en hoorde de toenemende paniek in mijn stem. Antonio volgde me zwijgend. Toen we in de keuken waren, zag ik een strak glimlachje op zijn gezicht.

'Koffie?'

'Graag.' Hij liep naar het raam en keek naar de tuin, niet op zijn gemak, terwijl hij het kleingeld in zijn broekzak liet rinkelen. Ik wilde mijn hand uitsteken en zijn arm aanraken in dat heel Italiaanse overhemd met korte mouwen, en zeggen: *sorry, sorry.* Ik had nog nooit meegemaakt dat Antonio zich met zijn houding geen raad wist.

Ik gaf hem een beker koffie en keek ook naar de tuin. 'Warme dagen in een stad lijken een verspilling.'

Hij draaide zich om. 'Heb je al heimwee, Jenny?' Hij keek geamuseerd.

Ik glimlachte. 'Nee. Nog niet.'

Hij nam een slokje koffie. 'Dus nu moet je hier in je eentje de zaken waarnemen?'

'Vanmiddag komt Danielle terug, als het goed is.'

We zwegen. Dit was belachelijk. We zaten te praten alsof we vreemden waren. Ik keek hem aan en zag de ellende in zijn ogen. Ik zette mijn beker neer en stak een hand naar hem uit. Hij pakte die voorzichtig, alsof het een judaskus was, en trok me iets naar zich toe. Ik keek naar de donkere haren op zijn handen en huiverde, terwijl ik instinctief zijn hand naar mijn wang bracht. Hij trok me tegen zich aan. 'Jenny, Jenny... *cara*.'

Ik legde mijn hoofd tegen zijn schouder en hij hield me vast. Hij boog zich naar me toe om me te kussen. *Ik moet het hem zeggen*, dacht ik. *Ik moet het hem zeggen*. Maar zijn mond was al op de mijne en begeerte vlamde op als een bosvuur. Ik drukte me tegen hem aan, vol overgave, dankbaar dat ik er niet meer tegen hoefde te vechten.

Even later waren we in mijn slaapkamer, trokken onze kleren uit en sprongen in bed. Ik wilde niet denken. Ik wilde alleen maar zijn aanraking, zijn lichaam en zijn mooie, sensuele stem die me aanspoorde. Antonio kon me doen smelten. Hij kon me in een mum van tijd in vuur en vlam zetten. Ik hield van zijn brede, stevige lijf. Ik hield van...

'Ik hou van je, Jenny. Ik hou van je. Hoor je me, *cara*? Ik hou van je, ik hou van je...'

Hij spoorde me aan tot een reactie, en hoewel die in me opwelde, opvloog als een vogel, kon ik niet, wílde ik niet die woorden tegen een ander zeggen. Ik voelde de tranen over mijn wangen stromen en ik werd zo overstelpt door emoties dat ik me bevend aan Antonio vastklampte. Hij hield me vast alsof ik een kind was, gaf een kus op mijn haar en toen vielen we in slaap.

Ik werd wakker toen ik Danielle naar boven hoorde komen. Ik glipte het bed uit, trok mijn ochtendjas aan en ging vlug naar de keuken.

Haar gezicht verhelderde toen ze me zag. 'Jenny! Ik dacht dat je weg was.'

'Nee, ik ben hier gebleven. Ik wilde net gaan douchen. Mijn moeder, vader en Flo zijn vertrokken.' Mijn stem stierf weg terwijl ze naar me keek, haar mond samenkneep en probeerde om niet te lachen. Ik liep naar de spiegel en zag mijn gezicht met uitgelopen mascara en verwarde haren. Ik bloosde en wierp haar een nijdige blik toe. We hoorden Antonio opstaan en de douche aanzetten.

Ze trok nog steeds lachend haar wenkbrauwen op. 'Flo belde om te zeggen dat Antonio in Londen was. Kom, laten we samen even wat drinken, en dan ben ik weer weg.'

Ik schonk lachend iets te drinken in voor ons beiden. 'Heb je iemand ontmoet?'

Ze keek zelfingenomen. 'Mmm, een Italiaanse piloot. Echt om op te vreten. Zo zie je maar, je bent niet de enige die een sexy Italiaan in de wacht kan slepen.'

'Hou je mond,' zei ik, 'en drink je gin op.'

'O, Jen,' zei Danielle. 'Ik verheug me zo op deze week met alleen jij hier. Net als vroeger. Wat zal dat leuk zijn.'

'Hartstikke leuk,' zei ik terwijl ik mijn glas naar haar hief.

'Oké,' zei ze met een knipoog. 'Ik neem mijn glas mee naar boven. Zal ik naar beneden komen voor ik wegga om Antonio te begroeten? Ik beloof dat ik eerst zal bellen voor het geval...'

'O, hoepel toch op!' zei ik.

Ik ging terug naar de slaapkamer en Antonio was keurig gekleed. Hij lachte naar me en ik lachte terug. Straks zou ik iets zeggen. Echt waar. Straks. Alleen...

'Ga je aankleden, Jenny. Ik neem je mee naar een heel bijzondere plek voor de lunch.'

'Chic?'

'Een beetje.'

'Italiaans?'

'Natuurlijk. Heb je trek?'

'Ik ben uitgehongerd!'

Hij legde zijn handen om mijn gezicht. 'Ik ook!'

Ik trok een jurk aan die ik voor mezelf had gemaakt in een sarongstijl, van stof die we in Spanje hadden gekocht. Het was een groengouden zijde die Adam en pap zo mooi hadden gevonden. Ik voelde me net een sensuele zeemeermin, en ik pakte Jimmy Choos en liep er een poosje mee door de kamer om er weer aan te wennen. Ik was gebruind en ik voelde me zoals ik me in geen tijden had gevoeld: sexy en vol zelfvertrouwen. Opgewonden.

'Zo kan ik je niet meenemen!' riep Antonio. 'Trek die kleren met-een uit en ga in bed liggen zodat ik je kan opvreten!'

'Raak me met geen vinger aan, Antonio. Het heeft me uren gekost om me aan te kleden!' gilde ik.

Hij pakte mijn hand en we holden de trap af. In de taxi zei hij: 'Ik weet niet of ik je nog steeds wil meenemen naar dat Italiaanse restaurant van een goede vriend van me. Daar wemelt het van de Italianen. En Italiaanse mannen zijn niet te vertrouwen.'

'Is dat zo?' vroeg ik met een opgetrokken wenkbrauw.

'Je bent zo mooi,' zei hij.

We aten heerlijk in een prachtige tuin met een klaterende fontein. De wijn was verrukkelijk en Antonio's vrienden waren aardig, gastvrij en grappig. Ik begon zelfs een beetje Italiaans te verstaan. Ik amuseerde me. Ik amuseerde me kostelijk.

Laat in de middag lieten we ons in een taxi vallen en holden we als kinderen de trap op. We rukten de kleren van elkaars lijf en vrijden tot we aangeschoten en blij in slaap vielen met de lakens verward om ons heen.

80

Danielle stak de overloop over en ging naar boven naar haar appartement terwijl ze 'Love is in the air' neuriede. Eenmaal binnen opende ze de ramen. Bea en James hadden hier 's nachts gelogeerd en ze hadden een kaart voor haar achtergelaten tegen de waterkoker om haar te bedanken. Ze schopte haar schoenen uit, ging naar haar slaapkamer en opende de kast. Wat zou ze aantrekken voor haar mooie piloot van Alitalia? Glimlachend pakte ze drie jurken en hing die aan de deur.

Ze grinnikte in zichzelf. Jenny en Antonio. Ze pakte wat koud water uit de koelkast en ging naar de douche. *Ik ben gelukkig,* dacht ze terwijl ze haar hoofd ophief en het water over haar haren en lichaam liet stromen.

Toen trok ze een ochtendjas aan en wikkelde een handdoek om haar haren. Zou ze gaan slapen of haar post bekijken? Ze pakte nog een glas water en ging aan haar tafel zitten. Flo en Jenny hadden haar brieven op een stapel gelegd en ernaast lag een bruine envelop met een briefje. Die trok ze naar zich toe. Ze was die politiefoto's helemaal vergeten. Jenny had een geel plakkertje op de voorkant gedaan.

Danielle, de politie wilde zien of we een van de mannen op deze foto's herkenden; ze worden allemaal gezocht voor diverse terroristische activiteiten. Flo en ik zijn naar het politiebureau geweest en ze hadden niets aan ons. Ik denk dat de politie alleen wil laten zien dat ze actief aan het zoeken zijn. Bel inspecteur Wren maandag op om te zeggen dat je ze bekeken hebt.

Elle, ik hoop dat dit je niet van streek maakt. Liefs, J.

Flo had haar opgebeld en verteld over inspecteur Wren. Ze had ook gezegd dat Jenny erg had moeten overgeven toen ze terugkwamen van het politiebureau.

Met tegenzin haalde Danielle de foto's uit de envelop. Ze wilde niet herinnerd worden aan die afschuwelijke tijd. Wat moest het vreselijk zijn geweest voor Jenny.

Ze legde de foto's voor zich neer als een spel kaarten. Drie Europeanen, twee Aziaten en een Afrikaan. Haar hand bleef opeens stilliggen. De haartjes in haar nek gingen overeind staan. Haar hart begon te bonzen en het schemerde voor haar ogen. Wild stond ze op en de stoel viel achter haar om. Ze liep naar het raam en keek naar de tuin beneden.

Ik ga terug. Ik ga weer kijken. Het zal de vermoeidheid wel zijn, vermoeidheid en inbeelding. Ik zal kalm blijven. Het kan niet. Ik moet me vergissen.

Ze ging naar de badkamer en kamde met bevende vingers haar haren terwijl ze naar haar eigen bange ogen staarde. Toen liep ze terug naar de tafel en tilde de omgevallen stoel op. Weer keek ze naar de foto's en het laatst naar die bij haar rechterhand. Terwijl ze ernaar staarde, stortte haar leven in. Er was geen vergissing mogelijk. Ze wist wie het was.

De telefoon ging en ze negeerde het. Het zou Jenny zijn. Ze hoorde de voordeur dichtvallen en een taxi stoppen; Jenny en Antonio gingen uit. Ze was alleen in het huis. Het bloed bonsde duizeligmakend door haar hoofd als een waterval. Wankelend liep ze naar haar slaapkamer en ging op bed liggen. Ze draaide zich op haar zij en trok haar knieën op in een foetushouding. Haar tanden klapperden en ze trok het dekbed op tot haar hoofd. Ze wiegde heen en weer en jammerde door de afschuwelijke wetenschap van wat ze had gedaan.

De dag verstreek. Schemer drong de kamer in. Ze had geen idee hoe lang ze daar lag, ijskoud en zonder zich te bewegen. Ze dwong zichzelf om een reeks gebeurtenissen na te gaan terwijl ze langzaam haar aandeel erin probeerde te begrijpen. Was er misbruik van haar gemaakt? Of had ze gelegenheid geboden?

Door het donker klonk Toms woede: '*Doe nooit meer zoiets. Hoe durf je zo onverantwoordelijk te zijn, Danielle? Als je met Jan en alleman naar bed wilt, doe dat dan in je eigen appartement. Waag het niet om dat schorriemorrie in ons appartement te brengen. Hou je mond! Dat interesseert me niet. Je luistert niet, hè? Je denkt dat mijn baan een spel is dat ik speel om jou te ergeren. Ik had die vent kunnen doden. Jouw stomme seksuele willekeur brengt ons allemaal in gevaar en ik wil niet dat mijn vrouw en kind door jouw toedoen risico lopen. De deur tussen de huizen blijft vanaf nu 's avonds op slot. Heb je dat begrepen?*'

Ze had hem gehaat. Ze had van hem gewalgd omdat hij haar zo vernederde. Door zo plotseling uit het donker toe te springen en haar en de man de stuipen op het lijf te jagen terwijl ze dronken in Jenny's keuken koffie zochten. Ze had gedacht dat Tom de stoere vent uithing om indruk te maken. Nooit had ze hem serieus genomen. Dat kon ze om de een of andere reden niet.

Ze ging zitten met het dekbed om haar schouders. Denk na. Waar had ze O'Sullivan ontmoet? Had hij haar benaderd of was het omgekeerd?

Mijn god, hij was doodsbang geweest toen Tom hem had beetgepakt. Hij was de trap af gevlucht, had aan het slot gemorreld en was weggerend in het donker. Danielle had nooit vergeten hoe snel en stil Tom had toegeslagen, en ook niet de uitdrukking op zijn gezicht. Wat was dat griezelig geweest.

Ze had met deze man geslapen, haar lichaam geschonken voor een korte, intense periode. Hij had een ruwe Ierse charme. Seks was fijn en ongecompliceerd. Hij verspilde geen tijd met woorden. Ze concentreerde zich koortsachtig, hoorde weer dat Noord-Ierse accent: *Ik ben in 1997 weggegaan uit Belfast. Ik had er genoeg van dat Britse soldaten het huis van mijn moeder steeds overhoophaalden.*

Van één ding was ze zeker. Ze had nooit tegen iemand gezegd dat Tom in het leger zat. Ze legde haar hoofd in haar handen. Rond die tijd had Tom in Noord-Ierland gediend. Had O'Sullivan hem die nacht herkend? Of was het door de manier waarop Tom in het don-

ker was toegesprongen duidelijk voor een lid van de IRA wat hij voor
de kost deed? Had het argwaan bij hem gewekt? Of nog erger... Ze
stapte uit bed en begon te ijsberen. Had O'Sullivan kil en met opzet
haar uitgekozen om bij Tom te kunnen komen? Ze kreunde zacht als
een dier. Achteloos en dronken had ze hem regelrecht naar het huis
van Tom en Jenny gebracht.

De volgende dag had ze hem opgebeld. Hun kortstondige verhouding was al voorbij, maar ze maakte zich zorgen dat hij problemen zou veroorzaken, Tom zou aangeven wegens mishandeling. Hij
was het soort agressieve man die dat kon bedenken.

'Het spijt me wat er is gebeurd. Gaat het?'

*'Best, meisje. Ik ben in Noord-Ierland opgegroeid onder de Britse
bezetting, weet je nog?'*

Woorden die ze had moeten onthouden. Woorden die in haar
brein gegrift hadden moeten staan. Ze hadden haar voor de geest
moeten komen toen Tom om het leven was gekomen, maar ze had
het te druk gehad om hem de schuld te geven van Rosies dood.

Danielle voelde Rosie in haar armen, rook haar heerlijke babygeur. Ze liet zich vol smart op haar bed vallen en begon weer te huilen. Tom had al die tijd gelijk gehad. Haar leven had haar eindelijk
ingehaald.

81

Ik werd wakker en lag naast Antonio in de kamer die Tom en ik hadden gedeeld. De wanden en gordijnen hadden een andere kleur. De meubels waren anders geschikt. De foto's waren die van Ruth. De sfeer in de kamer was anders, maar toch was Toms geest er nog in het donker.

Ik stond abrupt op, ging naar de keuken, schonk water in en dronk dorstig. Ik keek naar de tuin. Merels scharrelden en zongen in de schemering. Geesten werden niet zo makkelijk bezworen. Ze kwamen terugglijden als een zucht in de avondlucht.

Het gezang van de vogels klonk op in die stille, lege tuin, echo van een stem en van gelach; een kind dat zo diep in slaap lag in mijn armen dat haar hoofd zwaar als lood aanvoelde. Verdriet kwam in me op en ik huiverde. Dit huis en deze tuin waren nooit vrij van hen, en mijn hart evenmin.

Er hing iets verontrustends in de lucht. Waarom voelde deze avond zo misselijkmakend bekend aan, iets in de lucht wat een verborgen onrust naar boven bracht? Ik had het gevoel dat ik terug in de tijd ging. Alsof ik dit al eerder had meegemaakt.

Als ik wijn bij de lunch dronk, werd ik altijd vreemd melancholiek als ik weer nuchter werd. Ik wendde me af van het raam om thee te zetten voor mijn droge keel, en toen schoot het me opeens te binnen: *deze onrust voelde ik toen ik vergeefs wachtte tot Tom en Rosie zouden terugkomen van de dierentuin.*

Ik keek op. Antonio stond in de deuropening met een handdoek om zijn middel. Het licht uit de slaapkamer viel over de overloop de donkere keuken binnen. Ik was blij dat hij mijn gezicht niet kon zien.

Hij zei zacht: 'Wil je met me trouwen, Jenny?'

Ik staarde hem vol ontzetting en schuldgevoel aan. 'Ik kan niet met je trouwen, Antonio.' Mijn stem klonk nog schor van de slaap.

'Waarom niet?' vroeg hij.

'Het spijt me. Ik... ik hou niet van je.'

'Nee?' Hij kwam dichterbij. 'Is dat zo?'

Ik voelde me gloeien bij de gedachte aan wat onze lichamen vandaag samen hadden gedaan. Opeens werd ik kwaad en ging ik in de verdediging. 'Het spijt me als ik je een verkeerd idee heb gegeven, Antonio. Dat spijt me echt. Ik dacht dat we samen plezier hadden. Ik dacht dat onze relatie leuk en vrijblijvend was.'

Ik draaide me om en pakte de theepot alsof die een reddingslijn was, en spoelde hem om met heet water. Antonio sprong naar me toe en de theepot vloog uit mijn hand en viel op de vloer, waarbij de tuit afbrak en heet water omhoogspatte.

Verbijsterd keek ik hem aan.

Hij was woedend. 'Vrijblijvend! Mijn gevoelens voor jou mogen nooit beschouwd worden als vrijblijvend. Laten we eerlijk zijn. Hoe denk je over mij?'

Ik aarzelde, geschrokken door zijn woede, en hij zei: 'Goed genoeg voor in bed. Niet goed genoeg voor een huwelijk? Heb ik gelijk?'

'Nee! Nee, Antonio, dat is het niet...'

'Wat is het dan, Jenny?' Hij pakte mijn armen beet, bevend van de inspanning om zijn stem niet te verheffen. 'Vertel me dan wat het is.'

'Ik ben er nog niet aan toe. Het is te vroeg...' zei ik wanhopig.

'Het zal altijd te vroeg zijn. Je bent nog steeds verliefd... je bent nog steeds geobsedeerd door een dode held. Hoe kon ik denken dat je van een gewone sterveling kon houden zoals ik, een saaie Italiaanse zakenman?' Hij lachte zonder vreugde, liet me los en liep naar de deur, zijn lichaam nog strak van woede. 'Niemand anders zal ooit goed genoeg zijn. Niemand ter wereld kan tippen aan een man die je niet wilt begraven. Nou, succes met je verdere leven, Jenny. Ik heb er genoeg van.'

Terwijl ik daar stond, schrok ik op omdat de telefoon opeens de stilte verstoorde. Ik nam op. 'Hallo?'

Er kwam geen antwoord en toen hoorde ik zacht gejammer.

'Wie is daar? Adam?'

'*Aide-moi*, Jenny.' De woorden klonken fluisterend. 'Jen... *Aide-moi*... vergeef me... ik...'

'Danielle? Wat is er gebeurd? Waar ben je?'

Er volgde een stortvloed van gefluisterd Frans, herhaaldelijk, hopeloos. Ik kon haar niet verstaan. 'Elle, spreek Engels. Ik kan je niet verstaan. Zeg me waar je bent. Ik kom eraan, waar je ook bent. Ik kom nu.'

'Vergeef me, *chérie*. Ik ga nu. Ik wilde je stem horen.' Ze verviel weer in het Frans, en de woorden werden luider en zachter als een onsamenhangende litanie.

Ik riep: 'Antonio! Kom vlug!', maar hij stond al naast me. 'Het is Danielle. Ik kan haar niet verstaan. Ik weet niet wat er aan de hand is of waar ze is.'

Antonio pakte de telefoon en probeerde haar te kalmeren. 'Danielle? *Qu'est-ce-que tu dis? Calme toi, parle anglais.*'

Hij luisterde en ik zag dat er een verontruste uitdrukking op zijn gezicht kwam. 'Lieverd, luister, zeg me waar je bent. Ja, dat doet er wel toe. Niets kan zo erg zijn, niets. O...' Hij wendde me tot mij. 'Ze heeft de verbinding verbroken. Ik weet niet wat er is, Jenny. Ik weet niet wat er is gebeurd, maar het moet heel erg zijn.'

Danielle sprak nooit Frans. Ik pakte de telefoon en toetste 1471 in. Ik verwachtte dat ik haar mobiele telefoon zou krijgen, maar het nummer was onbereikbaar. Ik sloot mijn ogen. Danielle was zo opgewekt geweest. Wat kon er in vredesnaam in een paar uur tijd zijn gebeurd? Ze zou niet zo van slag zijn omdat een piloot zijn afspraak niet nakwam. Ik huiverde, doodsbang dat ze verkracht was.

Antonio en ik stonden in het donkere huis. Overal lag rampspoed op de loer, zo tastbaar dat we de klamme hand ervan hadden kunnen voelen als we onze handen uitstaken. In de stilte klonk opeens van boven een geluid alsof er iets was omgevallen. Onze blikken ontmoetten elkaar en we holden de trap op.

Danielles deur was op slot. Buiten zinnen rende ik naar beneden om de extra sleutel uit een schaaltje op de overloop te pakken. We draaiden de sleutel in het slot om, maar de deur zat op de ketting.

Ik riep: 'Elle, laat ons alsjeblieft binnen. Wat er ook is gebeurd, het geeft niet. Elle...'

Er kwam geen antwoord. Antonio ging de trap af. 'Ik moet de deur intrappen en dan heb ik mijn schoenen nodig.'

Ik bleef naar Danielle roepen door de kier van de deur, maar er heerste binnen alleen maar een diepe stilte.

Antonio kwam naar boven rennen met zijn schoenen aan. Ik ging opzij terwijl hij zich tegen de balustrade afzette en tegen de zware deur schopte. Die gaf nauwelijks mee. Zwetend schopte hij nogmaals en nogmaals, tot de deurpost versplinterde en we een hand naar binnen konden steken om de ketting los te maken.

Ik rende naar de slaapkamer. Daar was Danielle niet. Ik hoorde Antonio een kreet slaken, en ik holde naar de zitkamer. Danielle hing in de gang tussen de badkamer en de keuken, waar we een dakraam en nieuwe houten balken hadden aangebracht toen we het appartement verbouwden. Een kleine trap lag omver op de vloer onder haar. En de telefoon ook.

Antonio pakte koortsachtig de trap, klom erop en hield Danielles lichaam vast terwijl ik een mes pakte. Het kostte ons moeite om haar vast te houden en los te snijden en we vielen allemaal op de vloer. We legden haar neer en maakten met bevende vingers het touw rond haar hals los. Ze was warm en we konden vaag een polsslag voelen. Antonio beademde haar. We wreven over haar borst alsof we konden voorkomen dat haar hart zou stoppen, en toen ging Antonio vlug een ambulance bellen.

Ik hield Danielles hoofd op mijn schoot, streelde haar mooie haren en mompelde woorden van liefde die ze hopelijk kon horen. We zaten wel tien minuten naast haar terwijl we haar vasthielden en tegen haar praatten tot de ambulance kwam. Toen gingen we opzij terwijl de broeders haar probeerden te reanimeren. Ik klampte me vast aan Antonio en we baden, hoewel we allebei al wisten dat Danielle er niet meer was.

Ik zag de bruine envelop op de tafel liggen met één foto erbovenop. Ik zag mijn naam op de envelop en die van inspecteur Wren op een andere. IJskoud van vrees keek ik ernaar. Toen kwam het uit het niets: de schoenen van de man. Hij droeg vreemde schoenen met een lichter stuk leer in het midden, als bij golfschoenen. Die had ik eerder gezien: de man met Danielle in ons appartement, in de nacht dat Tom hen in onze keuken had gehoord. In de schemering had ik dat witte leer op zijn bruine schoenen gezien.

'Het spijt me,' zei de broeder van de ambulance. 'We zijn helaas te laat. We kunnen niets meer doen. Ze is dood.'

'Jenny,' zei Antonio. 'Je moet ophouden met huilen. Probeer nu op te houden. Anders word je ziek.' Hij gaf me een glas cognac. We zaten in de donkere zitkamer.

'Wat zei Danielle in het Frans tegen je door de telefoon?'

Antonio's stem beefde. 'Ze zei: "Vergeef het me. Ik ben bang om alleen te sterven."'

Ik stond op en liep naar het raam. De laatste politieauto draaide en reed weg. Voor me spreidde zich een deken van lichten uit: mensen die veilig in hun huizen lagen te slapen.

'Waren we nog op tijd? Zou ze hebben geweten dat we bij haar waren?'

'Dat hoop ik, *cara*.'

Vroeger keek ik altijd zo naar buiten als Tom ergens in Londen iets deed wat hij me niet kon vertellen. Dan keek ik van de zolderverdieping terwijl ik kleren in elkaar stikte, en dan vroeg ik me af hoeveel mensen terugkeken uit ramen van flatgebouwen en huizen, terwijl ze zich alleen voelden maar werden getroost door de wetenschap dat er andere levens waren, naast dat van hen. Binnen die glinsterende massa lichtjes vonden geboorte, dood, drama en feest plaats.

'Ik heb gelogen,' zei ik zonder me om te draaien. 'Ik heb gelogen. Ik had het gevoel dat ik Tom bedroog. Ik was bang om weer lief te hebben, gekwetst te worden. Maar ik hou van je. Ik hou echt van je. Ik wil niet zonder jou in deze rotwereld leven, Antonio. Dat wil ik niet.'

Ik draaide me om en zag dat Antonio weer huilde. Hij stak zijn armen naar me uit en ik ging naar hem toe.

Damien zegt: 'Noord-Ierland was mijn eerste standplaats met Tom. Ik was korporaal. We waren allebei jong en onervaren. Ondanks het vredesproces was er nog steeds geweld. We hebben er drie keer gepatrouilleerd. We hadden er schoon genoeg van om daar te zijn. Uitgeput omdat we voortdurend bespuwd werden en omdat er stenen naar ons werden gegooid als we schurken oppakten die alleen maar wilden moorden en verminken zonder enig politiek ideaal. We waren de drugsrunners en bommenleggers zat. We waren het zat dat jonge soldaten hun ogen en ledematen en leven verloren.

Laat op een avond worden Tom en ik naar het garnizoen geroepen. Een routinepatrouille heeft een jongen in een greppel gevonden. Hij is in zijn knieschijven geschoten en zo in elkaar geslagen dat zijn lichaam één open wond lijkt. Hij is zestien. En wat heeft hij gedaan? Zijn grootvader is een Garda-officier met pensioen die naar de veiligheidsdienst is gegaan om de naam van een lid van de IRA te noemen die een hele buurt onder controle had en terroriseerde en op zijn eigen manier wraak nam op iedereen die volgens hem heulde met de veiligheidsdiensten. Die man heette O'Sullivan.

Tom en ik vragen om assistentie en gaan hem oppakken in een bar. Hij is aangeschoten en heeft praatjes. Hij zweert dat hij daar de hele avond heeft gezeten en bijna iedereen zweert dat ook. We halen hem niet erg zachtzinnig weg. In de verhoorkamer lacht hij ons uit en zegt dat we hem niets kunnen maken omdat hij talloze getuigen heeft. En waarom maken we ons zo druk om een katholieke jongen die waarschijnlijk drugs heeft lopen dealen en gebroken knieën verdient?

Tom wordt weggeroepen en krijgt te horen dat de jongen is overleden. Dat zeggen we tegen O'Sullivan. Hij haalt zijn schouders op. Hem interesseert het niet, zegt hij, maar misschien heeft zijn grootvader nu een lesje geleerd. Hij grijnst. "Jullie, rotzakken, kunnen mij niet aanrekenen dat hij is vermoord, en dat weten jullie. Ik loop hier dadelijk naar buiten en jullie kunnen er niks tegen doen. Helemaal niks."'

Damien zwijgt even. 'Ik praat niet goed wat Tom en ik hebben gedaan. Na vierentwintig uur moesten we hem laten gaan. We volgden hem in een burgerauto en pakten hem weer op voor hij terug was in de pub. We reden hem naar de plek waar hij de jongen in elkaar had geslagen en toen sloegen we hem helemaal in elkaar. Vervolgens lieten we hem daar liggen. "Wij hebben een hele politiemacht die zegt dat we er niet weg zijn geweest," zeggen we tegen hem. "Je kunt niks bewijzen. Helemaal niks.'"

Damien en ik kijken elkaar aan. 'Heeft O'Sullivan Danielle opgepikt omdat hij erachter was gekomen waar Tom woonde? Of was het toeval dat Tom hem in onze keuken betrapte en hij Tom of zijn stem herkende?' vraag ik.

Damien aarzelt. 'De pub waar Danielle O'Sullivan ontmoette, is een pub waar Ierse bouwvakkers gaan drinken. Het kan toeval zijn, Jen, maar Danielle hoefde maar de naam Holland te noemen met betrekking tot jou of Tom, of er was bij O'Sullivan een lichtje gaan branden. Danielle was een godsgeschenk voor hem. Hij heeft lang gewacht, maar hij kreeg zijn wraak.'

'Jij had het ook kunnen zijn,' fluister ik.

Damien staat op. 'Was dat maar zo geweest,' zegt hij. 'Ik heb geen vrouw en kind.'

82

Ik liep over de klippen, langs het eiland naar het strand van Porthmeor. Het was nog vroeg en er was niemand te zien. Het was eb en de vlakke rotsen aan het uiteinde van het strand waren bedekt met zeewier dat rook naar vis en ozon, en opdroogde in de ochtendzon. Zeemeeuwen scheerden krijsend boven mijn hoofd om hun jongen te beschermen.

Ik ging op de rotsen zitten en keek uit over zee. Geluiden van motoren en stemmen stegen op uit de mist van de vissersboten die huiswaarts keerden. Ik sloeg mijn armen om mijn bollende buik alsof ik die wilde beschermen. Ik dacht aan alle keren dat ik hier in de plassen tussen de rotsen had gespeeld met Ben en mijn zussen. Bea en James hadden almachtig geleken. Ik had een heerlijke en beschermde jeugd gehad. Er was nooit iets ergs gebeurd tot Tom stierf.

Nu stond ik op het punt een enorme sprong in het diepe te wagen. Er waren geen garanties. Ik kon er nooit zeker van zijn dat degenen die ik liefhad niet van het ene moment op het andere van me konden worden afgenomen.

Flo zou mijn huis bij de Saltings kopen. Haar heup was genezen, maar haar hart zou nooit genezen. Ruth was naar Peter in Israël vertrokken, en daarna zouden ze samen terugkeren naar Engeland. Adam zou door de week intern op school gaan en in de weekends bij

Bea en James logeren. Het was makkelijker om op school voor zijn eindexamen te werken, zei hij. Hij vroeg of hij in mijn oude kamer mocht slapen.

Het huis in Londen stond te koop. We hadden de zaak gesloten. Die zou worden overgeheveld naar Italië. Twee van de meisjes gingen met me mee, de rest had elders werk gevonden.

Danielle had me zo weinig verteld over haar leven: flarden, wonden die ze met droge humor vertelde om medelijden af te wimpelen, als we vroeg in de ochtend klaar waren met een opdracht. Een stiefvader die, zo vermoedde ik, haar als kind misbruikte. Een moeder die nooit luisterde.

Ondanks haar talent en uiterlijk had Danielle nooit gevoeld dat haar lichaam van haar was. Ze wilde haar Franse leven achter zich laten. Flo, Rosie en ik in het huis in Londen waren haar leven, haar familie.

Ik zou ontwerpen onder een nieuw merk Danielle. Mijn spullen waren naar Italië verstuurd, waar Antonio op me wachtte. Over een maand of zo zouden we trouwen.

De vloed kwam op en het water kwam snel in de richting van de rotsen. Binnenkort zou ik mijn kind in me voelen bewegen.

Het was vreemd en bijna niet te geloven dat ik Adam zou achterlaten. Toen ik hem over Antonio vertelde, trok hij wit weg. 'O, nee! Dan zie ik je nooit meer, Jenny.'

'Natuurlijk wel,' had Ruth vlug gezegd. 'Je bent met een vliegtuig zo in Italië. Je kunt bij Jenny op bezoek gaan wanneer je er welkom bent.'

'En dat is altijd,' zei ik met een glimlach naar Ruth. We hadden onze vroegere intimiteit nooit hervonden, maar ze leek nu ontspannen wat Adam betrof. Door een toekomst met Peter was ze helemaal veranderd. En natuurlijk ging ik weg; Bea en James zouden voor Adam zorgen. Het deed pijn, de gedachte dat ik zonder hem verder zou gaan. Die was als een messteek.

Ik deed mijn ogen dicht. In me bewoog iets wat op het fladderen van een vlinder leek, een suggestie van leven, van hoop en toekomst. Toen ik opkeek, zag ik dat Adam naar me toe kwam lopen. Ik glimlachte. Hij wist altijd waar ik was.

83

Antonio staat op de veranda van het huis en kijkt naar Jenny en Adam als ze naar het strand lopen. De twee kleine jongens, Paolo en James, lopen tussen hen in en Adam draagt de kleine Danielle. Het is een namiddag in augustus en ze zijn net wakker van hun siësta en willen zwemmen. Antonio probeert te werken, maar hij vindt het moeilijk om zich te concentreren. Hij is rusteloos en wil de oorzaak niet toegeven.

Ze hebben Adam een poos niet gezien. Niet sinds hij van Sandhurst is en met zijn regiment in het noorden van Engeland is gestationeerd. Hij en Jenny zijn verbijsterd door zijn zelfvertrouwen en volwassenheid, én omdat hij steeds meer op Tom begint te lijken. Hij wordt het spiegelbeeld van de man op wie ze ooit verliefd is geworden.

Antonio moet tot zijn schande bekennen dat dit hem ondermijnt. Elke keer als Jenny naar Adam kijkt, kan hij zien hoe het met Tom moet zijn geweest. Hij ziet hoe ze geniet van deze lange, blonde Engelsman en hij voelt een sijpelende jaloezie, een toenemende afkeer voor Adams aanwezigheid hier, iets wat hem nooit is overkomen toen Adam jonger was.

Hij kan dit ongemakkelijke gevoel niet thuisbrengen, maar hij ziet in Jenny's onverholen trots het gevaar dat de jongen haar kan kwetsen door zich over te leveren aan hetzelfde gevaar als zijn vader. Antonio weet dat Adam Jenny niet kan hebben verteld waar hij naartoe moet, anders zag ze er niet zo blij uit.

Hij zucht, schuift zijn werk opzij en loopt het steile pad af naar hen toe. Gelach klinkt op vanaf het strand en Antonio glimlacht cynisch. Misschien is hij jaloers op de jeugd. Adam is een en al jeugd en opwinding, en nog steeds een knappe jongen. Antonio is er de man niet naar om jaloers te zijn. Dat is niets voor hem. Het komt door de lange, hete zomer, denkt hij, en de volgende modeshow. Hij moet zijn geluk niet laten bederven door een jongen.

Ellie holt naar hem toe. Ze is zijn oogappel. Met haar twee jaar is ze het evenbeeld van Jenny, met een bos krullend haar. Hij tilt haar op, gooit haar in de lucht en vangt haar op terwijl ze het uitschreeuwt.

Jenny roept: 'Hallo, schat. Ben je klaar met werken?'

'Ik ben ermee opgehouden voor vandaag. Het is te warm.'

De jongens roepen dat hij ook moet komen zwemmen. Ze zijn aan het ravotten in de branding.

Adam kijkt op van zijn boek en lacht. 'Hallo, Antonio. Fijn dat je het werken hebt opgegeven.'

'Heb je zin om te waterskiën als ik heb gezwommen?' vraagt Antonio, nog steeds met een schuldgevoel over zijn gedachten.

'Leuk. Zal ik de spullen uit het botenhuis halen?'

'Goed idee.' Hij trekt Jenny overeind. 'Kom, kleine walvis van me, ga met me mee in zee.'

Jenny trekt een grimas. 'Wat een gemene opmerking, maar het is waar.'

Ze laat zich in de zee zakken en spat water over zich heen. Antonio ziet hoe ze met een zekere verbazing naar haar uitpuilende buik kijkt. Dit moet echt hun laatste kind worden, maar wat vindt Jenny het heerlijk om zwanger te zijn.

Jenny controleert Ellies zwembandjes voor ze dieper in het water gaat. 'Dit is de enige keer dat ik me licht voel, als ik zwem,' roept ze naar hem.

Antonio gooit de jongens in de lucht en laat ze met een kreet in het water vallen, waarna ze hoestend en proestend weer bovenkomen. Hij moet glimlachen om Jenny's verwondering dat ze zich zo licht voelt in het water terwijl ze terugzwemt naar het ondiepe. Hij gaat naast haar zitten terwijl de twee jongens wegrennen naar Adam.

'Zal ik je eens wat zeggen?' zegt Jenny, terwijl ze dichter naar hem toe schuift zodat hun voeten elkaar raken.

Hij glimlacht. 'Wat dan?'

'Ik ben zo intens gelukkig, Antonio.' Ze lacht en kijkt op naar de blauwe hemel. 'Zo ontzettend gelukkig.'

'Als je probeert om nog meer kinderen van me te krijgen, dan is het antwoord *basta*! *Basta*! Geen kinderen meer.'

'Wat jammer,' zegt Jenny.

Terwijl Antonio naar de boot zwemt, ziet hij dat Adam naast Jenny in het water gaat zitten. Hij hoort dat ze opeens uitroept: 'O nee, Adam!' Adam moet het haar dus verteld hebben en een schaduw over hun vredige middag hebben geworpen.

Ruth duwde de tweelingwagen over het pad langs de kreek. Het was vloed, en ze kon Peter zien vissen in de bocht bij de houten bank. Rachel en Leah hadden brood in hun knuistjes om de zwanen te voeren. Twee oude reigers zaten hoog in een kleine boom. Ze zagen er belachelijk uit, als patrijzen in een perenboom. De tweeling sloeg hun hand voor hun mond en gilde het uit van het lachen. Heel even voelde Ruth zich zo gelukkig dat het haar duizelde.

Zwanen kwamen stil en majesteitelijk aanzeilen met de vloed, en dobberden als gondels op het water. Onder hun vleugels glinsterde het water. Achter hen bevond zich het oude bos en hier, op het pad, was niemand te zien.

Als kind was ze hier al gekomen om haar ouders te ontvluchten. Ze was een humeurige, lastige puber geweest. En een jonge, rusteloze moeder. Nu was ze hier weer en had ze een tweede kans gekregen. Ze had een veelbelovende carrière opgegeven voor het moederschap, en ze genoot van elke minuut.

De vorige avond had Jenny opgebeld, en Ruth begreep waarom. Het was een handreiking, een vraag om solidariteit. Op een bepaalde manier was het erger voor Jenny dan voor haar om te moeten toezien hoe gretig Adam in Toms voetsporen trad.

Jenny had hen uitgenodigd als de nieuwe baby was geboren, en Ruth had de uitnodiging aangenomen. Ze wist dat Jenny altijd deel zou uitmaken van Adams leven. Ruth had Adam niet losgelaten nadat ze de tweeling had gekregen. Ze had geleerd om hem zijn gang te laten gaan, zijn eigen weg te laten kiezen omdat ze het leven moest bewaken dat ze nu had. Zij en de tweeling zwaaiden naar Peter, en hij zwaaide terug.

Als we die avond naast elkaar liggen, zeg ik tegen Antonio: 'Adam vertelde vanmiddag dat hij volgende maand wordt uitgezonden naar de Pakistaanse grens in Afghanistan. Volgens de kranten wordt het een van de gevaarlijkste plekken ter wereld. Hij kon het nu pas opbrengen om het aan mij of Ruth te vertellen.'

'Het is zijn leven. We kunnen dit niet weer doorlopen. Adam is naar de militaire academie gegaan omdat jij en Ruth dachten dat hij het wel zou ontgroeien. En dat is niet gebeurd. Hij heeft zelf zijn loopbaan gekozen.'

'Dat weet ik,' zeg ik. 'Dat weet ik, Antonio, maar ik zal me altijd verantwoordelijk voelen. Ik zal altijd...'

'Het idee hebben dat Adam het gevaar zoekt om zijn onbekende vader te evenaren?'

'Ja.' Mijn stem klinkt klein. Die van Antonio vermoeid. Ik zou mijn vrees voor mezelf moeten houden.

In de verte horen we de zee, en een nieuwe maan werpt licht in de kamer.

'Jenny,' zegt hij. 'Ik moet je iets vertellen. Ik denk niet dat je het leuk zult vinden.'

Ik draai me verbaasd om. 'Wat dan?'

'Vanmiddag zei je dat je zo gelukkig bent.'

'Dat ben ik ook. Dat ben ik, maar Antonio, dat is iets wat je niet te vaak moet zeggen.'

'Dan vraag ik je of je alsjeblieft niet dat wat je met Adam hebt, tot leven roept. Lang geleden heb ik je gezegd dat je de jongen moet loslaten. Dat vraag ik je nu weer. Ik vraag je nu om hem los te laten, anders bedreig je ons geluk samen.'

Ik kijk onderzoekend naar zijn gezicht. 'Waarom voel je je bedreigd?'

Hij aarzelt. 'Adam is een kind van Tom en daardoor speciaal voor je. Dat begrijp ik. Dat heb ik altijd begrepen. Maar toen hij eenmaal je leven overnam, werd hij een obsessie voor je. Ik ben bang dat dit opnieuw kan gebeuren.'

Ik wil iets zeggen, maar hij heft zijn hand op. 'Laat me uitpraten, *cara*. Nu Adam zijn opleiding achter de rug heeft en overal ter wereld wordt uitgezonden, ga je zijn carrière dan volgen? Ga je de Engelse kranten doorspitten en word je nerveus over plekken waar hij misschien kan zitten? Ga je je de dood van de arme jongen in je hoofd halen zodra hij ergens naartoe wordt gestuurd? Het leven heeft geen vast patroon, schat. De geschiedenis herhaalt zich niet altijd. Je hebt gelijk dat je je geluk wilt bewaren, dat willen we allemaal. Dat mogen we nooit als iets vanzelfsprekends beschouwen. Omdat jij ooit bent kwijtgeraakt wat je dierbaar was, wil dat niet zeggen dat het noodlot toeslaat zodra je gelukkig bent. Je kunt niet elk jaar een kind krijgen om je te verzekeren tegen verlies.'

Hij legt zijn hand op mijn buik. 'Honderden soldaten gaan naar plaatsen waar het gevaarlijk is. Sommigen sneuvelen. De meesten niet. Wie ben jij om te besluiten dat Adam gewond kan raken of kan sneuvelen? Wie ben jij om zijn lot van tevoren te bepalen? Waarom besluit je niet dat hij nog een gelukkig leven kan leiden, trouwen, kinderen krijgen en zijn hele leven bij ons op bezoek kan komen? Is dat niet een betere manier van leven, schat?'

Ik zwijg. Ik kijk Antonio aan. Wat is hij opmerkzaam. Ik strijk met een vinger langs zijn mond. 'Voel je niet bedreigd door mijn verleden, Antonio. Je weet wat ik voel voor jou en onze kinderen. Ik hou van mijn werk en mijn leven, maar boven alles hou ik van jullie.'

Antonio lacht en bijt in mijn vinger. 'Dan zeg ik niets meer. Dan kan ik rustig slapen. Welterusten jij, en baby nummer vier.'

Ik lig wakker en denk na. Antonio heeft mijn gevoel voor veiligheid en geluk zo gekoesterd, en nu voelt hij zich kwetsbaar. Hij ruikt gevaar en hij voelt de behoefte om ons leven samen te beschermen. Ik heb de kracht en intensiteit van zijn liefde als vanzelfsprekend beschouwd. Bijna had ik iets over het hoofd gezien: Antonio's vermogen om zonder oordeel lief te hebben.

Verdriet komt in me op. Ik wil hem laten weten dat ik het begrijp. Ik ga zo dicht mogelijk tegen hem aan liggen met mijn dikke buik, en hij valt in slaap terwijl de maan als boter over de dekens valt en een pad van licht baant over de houten vloer.

Ik wou dat het niet waar was, maar sommige dingen kan ik hem niet vertellen.

Ik geloof dat het leven wel degelijk een vast patroon heeft, en dat ik dat nooit kan doorbreken. Met alle kracht die ik bezit, kan ik proberen degenen die ik liefheb te beschermen. Maar ik weet dat sommige dingen voorbestemd zijn. Ik heb altijd de angst gevoeld dat Adam op een bepaalde manier zijn leven op het spel zou zetten, het lot zou tarten. Door Antonio heb ik beseft dat ik met de dag moet leven alsof dit niet het geval is.

Ik denk aan Ruth en Peter en hun tweeling. Ik denk aan James, die is overleden, en aan Bea en Flo die nu samen hun oude dag doorbrengen. Ik denk aan Adam en ik moet er niet aan denken dat hij ooit geen deel meer zal uitmaken van onze wereld. Ondanks alles wat ik heb, weet ik niet of het leven dan nog de moeite waard is.

Ik draai me voorzichtig om. Ik bedenk hoe dubbelhartig liefde is. Alles wat we zeggen tegen degenen met wie we ons leven delen, en de complexe gevoelens die we nooit kunnen delen. Het stemt tot eenzaamheid, want het houdt in dat liefde nooit helemaal oprecht is.

Antonio durft zijn ware gevoelens ten opzichte van Adam niet onder woorden te brengen. Hij vecht er alleen dapper tegen. Ik kan niet tegen Antonio zeggen dat welke waarheid dan ook in mij niets te maken heeft met hem of de kinderen, maar met een leven dat in één middag is weggevaagd.

Ben ik ooit eerlijk geweest tegen Ruth? Ik heb de waarheid zorgvuldig verpakt van me afgezet en acceptabel gemaakt; maar dat heeft zij ook gedaan.

'Ik verdien je niet,' fluisterde ik tegen de slapende Antonio. 'Je bent te goed voor me.'

Hij slaapt niet en begint te lachen. 'Wil je nu ophouden met nadenken over hoe slecht je bent, en gaan slapen?'

Het is Adams laatste zondag bij ons. Het is een warme dag zonder wind. Ik lig binnen op de bank met de ramen open om een briesje binnen te kunnen laten. Antonio is op het strand met de kinderen en de au pair.

Morgen gaan we terug naar Milaan. Adam komt de kamer in en gaat naast me zitten. Hij is naar het dorp beneden geweest om Engelse kranten te kopen.

'Kijk.' Hij kijkt me lachend aan. 'Er staat een groot artikel over je in de kleurenbijlage van gisteren.'

Ik lach. 'Dit is de periode voor artikelen over mode.'

De zon schroeit de veranda. Het lawaai van de cicaden zwelt aan en valt weg in crescendo's en decrescendo's. Ik voel me loom en zwaar.

Adam loopt onrustig door de kamer, niet in staat om stil te zitten. Over een paar dagen zal hij in Afghanistan zijn. Ik ken dat nerveuze ijsberen. Het betekent dat hij wil dat hij helemaal niet weg hoeft te gaan. Het betekent dat hij opgewonden en bang en ongerust is. Het betekent dat hij niet bij me weg wil.

Mijn kind schopt in mijn buik en ik sluit mijn ogen tegen het felle daglicht.

'Is de baby aan het bewegen?'

Ik knik slaperig. Ik zou graag nog een meisje willen.

'Mag ik de baby voelen?' vraagt Adam opeens, terwijl hij naast me komt zitten.

Ik open mijn ogen en zie Tom met zijn haar dat over een oog valt. Ik glimlach, til mijn bloes op en leg zijn hand op mijn buik. Ik kijk naar zijn gezicht terwijl mijn kind plotseling beweegt en draait, zodat de vorm van mijn buik verandert. Ik zie dat Adam verbijsterd is door de onafhankelijke bewegingen van een persoon die nog niet geboren is.

Zijn hand voelt warm aan op mijn huid. Hij worstelt met een diepe emotie. Zijn ogen zijn fel en verbazingwekkend blauw. 'Ik wou dat je op mij had gewacht. Ik wou dat ík met je had kunnen trouwen, Jenny.'

Hij glimlacht er een beetje bij, om er een grapje van te maken. Hij bukt zich en legt zijn hoofd op mijn buik om te luisteren naar het leven dat onder mijn huid klopt. Zijn arm ligt om me heen. Hij beweegt zich niet.

Ik leg mijn hand op zijn wang en strijk met een vinger over het blonde haar dat bijna wit is bij zijn oren. Zachtjes zeg ik: 'Onthoud wat ik je ooit heb gezegd. Je blijft altijd een deel van me, hoe oud ik ook ben of hoe ver weg jij ook bent. Dat zal nooit veranderen.'

Adams tranen voelen koud aan op mijn huid. Dit is heel moeilijk.

'Ik hou van Antonio, en jij zult een meisje ontmoeten van wie je zult houden. Je brengt haar hiernaartoe zodat we haar allemaal kunnen ontmoeten. Je krijgt kinderen en ik zal van hen houden omdat ze een deel zijn van jou. Zo zal het gaan.'

Adam huilt zonder te weten waarom. Om een weemoedig einde van iets wat ontastbaar is. Om een onsterfelijke liefde. Om een intuïtief gevoel van verlies dat pijnlijk onder de ribben blijft hangen en toeslaat in de donkerste uren van de nacht.

Het gewicht van zijn lichaam gaat over in het gewicht van mijn kind. Ik weet niet waar Adam eindigt en waar ik begin. Hij is onder mijn huid en in mijn hartslag en mijn bloed. Zijn hoofd tegen mijn kind en mijn hand in zijn haar zijn zo natuurlijk en onbedorven als zijn warmte in mijn bed is geweest. Hij is vertrouwd, bekend. De tijd kan niet veranderen wat een eeuwig eigen leven heeft.

Adam begint zacht te neuriën en tranen wellen op in mijn keel, om alles wat ik heb verloren, om alles wat ik heb. Hij neuriet. Zijn adem is als de aanraking van een vlinder op mijn blote, gebruinde buik, zijn mond tegen mijn huid gedrukt.

> *Come away with me... in the night... I want to walk with you on a cloudy day... on a mountain top... in a field of blue... I'll never stop loving you... I want to wake with the rain falling on a tin roof with you... Come away. Come away with me...*

Mijn lieve jongen.

Dankwoord

Zoals altijd dank aan Susan Watt en Katie Espiner voor hun aanmoediging en geduld; aan Jane Gregory en haar fantastische team; aan mijn vrienden voor hun liefde en steun, vooral aan Jenny Balfour-Paul, van wie ik haar mooie gedicht mocht gebruiken, en aan Broo, die me veel e-mailsteun, inspiratie en gelach heeft gegeven; aan Margaret en Laura, die zonder het te weten op het juiste moment de juiste woorden en daden wisten te vinden.

Ik ben Paul Smith dankbaar, directeur van de Truro School, die de tijd heeft genomen om me een rondleiding te geven op een dag dat de resultaten van een examen bekend werden gemaakt. Als iets in het verhaal niet klopt, dan is dat mijn fout.

Als laatste maar beslist niet de minst belangrijkste, liefs en dank aan Tim voor zijn geduld en eten dat werd geleverd met vierpotige vrienden voor wie een deadline niets betekent.

Lees ook van Sara MacDonald:

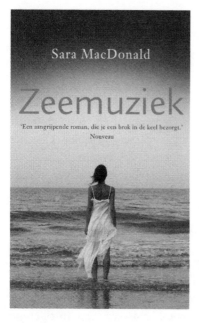

Cornwall, Engeland. Het huis dat uitkijkt over de zee, wordt al drie generaties lang bewoond door de familie Tremain. Fred Tremain, de plaatselijke huisarts, vestigde zich na de Tweede Wereldoorlog in deze afgelegen streek, samen met zijn vrouw Martha. Hij koos onvoorwaardelijk voor haar, waardoor hij vervreemd raakte van zijn familie.

Martha bloeide op in de geborgenheid die Fred haar bood en hun kinderen zijn inmiddels volwassen. Barnaby, hun goedaardige zoon, is dominee in het dorp, en hun oudste Anna, met wie ze altijd een moeizame relatie hebben gehad, is nu een hardwerkende en succesvolle advocaat. Anna's dochter Lucy is de oogappel van Fred en Martha, en zij is graag bij haar grootouders in huis.

Wanneer Lucy papieren van vroeger ontdekt op zolder, komen er langbewaarde geheimen aan het licht die de rust verstoren. Maar de angst en dilemma's uit de oorlog, die de familierelaties op de proef stellen, blijken de Tremains ook nader tot elkaar te kunnen brengen.

Sara MacDonald schreef een prachtige roman over diepe gevoelens, familiegeheimen en een oorlogsverleden, spelend in Engeland en Polen.

Paperback, 432 blz.
ISBN 978 90 325 1119 7

Lees ook van Sara MacDonald:

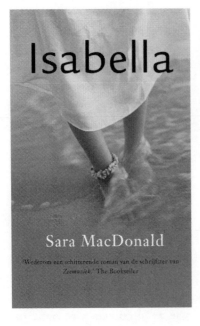

Gabby Ellis woont met haar man Charlie op hun bloemenkwekerij aan de kust van Cornwall. Hun huwelijk is in de versukkeling geraakt, en nadat haar zoon uit huis is gegaan, voelt Gabby zich vooral nog thuis door de aanwezigheid van Nell, Charlies moeder. Zij is een bijzondere, inspirerende vrouw, van wie ze ook de kunst van het restaureren heeft geleerd.

Als Gabby via een Londens museum wordt gevraagd om een waardevol boegbeeld te restaureren, komt ze in contact met de Canadese historicus Mark, die het beeld, van een intrigerend mooie jonge vrouw, op het spoor is gekomen. Samen achterhalen ze de geschiedenis van het boegbeeld, dat afkomstig blijkt te zijn van de schoener *Lady Isabella*, die in 1867 ten onder ging bij Newfoundland. Hoe meer Gabby en Mark te weten komen over Isabella, die model stond voor het beeld, hoe dichter ze ook bij elkaar komen. Gabby merkt dat er gevoelens in haar wakker worden, die heel lang verborgen zijn geweest.

De parallellen tussen de levens van Isabella en Gabby tekenen zich intussen steeds helderder af...

Paperback, 576 blz.
ISBN 978 90 325 0372 7

Lees ook van Sara MacDonald:

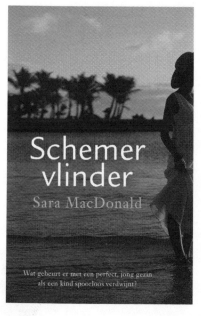

Schemer
vlinder

Sara MacDonald

Wat gebeurt er met een perfect, jong gezin
als een kind spoorloos verdwijnt?

Wanneer legerofficier David de knappe Fleur ontmoet, is het liefde op het eerste gezicht. Ze trouwen in Singapore en krijgen een prachtige tweeling, Saffie en Nikki. Dan slaat het noodlot toe: David verongelukt.

Overmand door verdriet treft Fleur alle voorbereidingen om terug te keren naar Engeland, en opnieuw slaat het noodlot toe als Saffie spoorloos verdwijnt terwijl ze aan het spelen is op het vredige Maleisische strand.

Jaren later wordt de zwangere Nikki, die in Nieuw-Zeeland woont, nog steeds gekweld door de verdwijning van haar tweelingzusje, en een vage, halve herinnering blijft haar achtervolgen in haar dromen.

Wanneer haar moeder Fleur vanuit Engeland op reis is naar Nikki, maar vermist raakt na een tussenstop in Singapore, wordt Nikki gedwongen haar moeder te gaan zoeken. In Singapore aangekomen hoort Nikki het nieuws dat vlak bij het bewuste strand van destijds een kinderlijkje gevonden is...

Paperback, 320 blz.

ISBN 978 90 325 1060 2